MARKT

Dietmar Krafft

Ewald Mittelstädt | Claudia Wiepcke

MARKT LEXIKON WIRTSCHAFT

FACHBEGRIFFE VON A-Z

EINFACH UND

VERSTÄNDLICH ERKLÄRT

Impressum

Bibliographische Information der Deutschen Bibliothek.
Die Deutsche Bibliothek verzeichnet diese Publikation in der Deutschen Nationalbibliothek; detaillierte bibliographische Daten sind im Internet über http://dnb.ddb.de abrufbar.

Herausgeber
Goethe-Institut

Autoren
Prof. Dr. Dietmar Krafft
Ewald Mittelstädt BScBA
Claudia Wiepcke M.A.

Projektleitung
Dr. Werner Schmitz
Goethe-Institut München
Forschung & Entwicklung
Berufs- und Fachsprachen
www.goethe.de/markt

Verlag
W. Bertelsmann Verlag GmbH & Co. KG
Postfach 10 06 33
33506 Bielefeld
www.wbv.de

© W. Bertelsmann Verlag GmbH & Co. KG, Bielefeld 2005

Gesamtherstellung
W. Bertelsmann Verlag, Bielefeld

Satz
Manfred Karg, Final Art, München

Umschlagsgestaltung
Christiane Zay, Bielefeld

ISBN 3-7639-3312-3
Bestell-Nr. 60.01.608

Die Wirtschaftspresse und den Wirtschaftsteil der Tageszeitungen verstehen lernen –
im MARKT LEXIKON WIRTSCHAFT werden dazu auf allgemeinverständlichem Niveau 185
zentrale Begriffe erklärt, meist doppelseitig und oft mit Hilfe von Grafiken und/oder
Fallbeispielen.

Die Auswahl – hier aktualisiert und neu zusammengestellt – basiert auf einer Vielzahl von
Beiträgen, die Prof. Dietmar Krafft (Universität Münster) seit 1993 eigens für „MARKT-
Materialien aus der Presse" erstellt hat, einer Publikation des GOETHE-INSTITUTS
(www.goethe.de/markt).

Die Zeitschrift MARKT erscheint bereits im 13. Jahr mit jährlich drei Ausgaben und wird in
über 50 Ländern gelesen. MARKT verfolgt zwei Ziele:
- Information über Themen aus der Berufswelt durch Zusammenstellung von Zeitungs- und
  Zeitschriftenartikeln, Tabellen, Grafiken etc. aus ca. 25 deutschen Publikationen, vor allem
  der Wirtschaftspresse, nach didaktischen und anderen Gesichtspunkten
- Erweiterung des Fachwortschatzes

MARKT und das MARKT LEXIKON WIRTSCHAFT richten sich vor allem an Lernende und
Lehrende in den Bereichen „Wirtschaftsdeutsch" und „Deutsch für den Beruf", aber auch an Teilnehmer von allgemeinsprachlichen Deutschkursen, die auf elementarem Niveau Wirtschafts-
kenntnisse erwerben wollen, sowie an Anfänger aller wirtschaftsbezogenen Studienrichtungen,
für die dieses MARKT LEXIKON WIRTSCHAFT eine hervorragende Propädeutik-Lektüre
darstellt.

Das MARKT LEXIKON WIRTSCHAFT ist geeignet als Begleitbuch zur Vorbereitung z.B. auf
die „Prüfung Wirtschaftsdeutsch International" (PWD).

München, im Februar 2005   Dr. Werner Schmitz
                                            Goethe-Institut
                                            Forschung und Entwicklung
                                            Berufs- und Fachsprachen

In jeder mittleren und großen Unternehmung wird eine Aufgabe (z.B. die Produktion eines PKW in einer Automobilfabrik, die Durchführung einer Geldüberweisung bei einer Bank) durch die Zusammenarbeit verschiedener Mitarbeiter in verschiedenen Abteilungen erfüllt. Die Organisation solcher arbeitsteiligen Prozesse ist meist eine sehr schwierige Koordinationsaufgabe, denn die verschiedenen Tätigkeiten müssen so aufeinander abgestimmt sein, dass sie inhaltlich-sachlich, zeitlich und manchmal auch räumlich reibungslos ineinander greifen, um das vorgesehene Produkt zu erstellen.

Eine wirtschaftliche Betriebsführung wird nur möglich sein, wenn die Unternehmung sich für die Erledigung dieser Abstimmung eine rationale Ablauforganisation schafft, d.h. den Arbeitsablauf gedanklich durchplant und diese Planung zur Grundlage der Ausführung der einzelnen Tätigkeiten macht, die für das Gesamtkonzept notwendig sind. Ziele sind dabei immer: Kostenminimierung, eine möglichst hohe Auslastung der Kapazitäten und möglichst kurze Bearbeitungszeiten der einzelnen Aufträge zu erreichen.

Aufgabe der Ablauforganisation ist also die bestmögliche zeitliche Abstimmung der einzelnen Teile des Arbeitsprozesses (= Verrichtungen) und die optimale Anordnung der Arbeitsplätze, um die kostengünstigsten Varianten bei der Fertigung zu verwirklichen.

Was muss im Einzelnen organisiert und geregelt werden?

1. Arbeitsinhalt (Aufgabe)

Jeder Mitarbeiter in einer Unternehmung hat an seinem Arbeitsplatz genau festgelegte Arbeiten zu erledigen. Man muss also zunächst einmal prüfen, welche Arbeiten insgesamt zu erledigen sind. Dazu muss man die gestellte Aufgabe (z.B. Herstellung eines Bücherschrankes) in einzelne Teilaufgaben zerlegen und diese aufeinander abstimmen. Durch diese Aufgabenanalyse und -synthese ist häufig schon der Arbeitsinhalt, die Gesamtaufgabe, weitgehend in ihrem Ablauf geregelt. Die Planungsaufgabe ist damit erfüllt. Häufig kommt es aber bei der praktischen Durchführung zu nicht vorhergesehenen organisatorischen Problemen. Dies gilt besonders dann, wenn es unterschiedliche Methoden gibt, die Arbeit fertig zu stellen. Je weniger standardisiert die Aufgaben sind, umso mehr muss im jeweils aktuellen Fall entschieden werden. Es kommt dann zu Improvisation bei der Ablauforganisation.

2. Arbeitszeit

Die Gesamtzeit eines Arbeitsablaufes sollte so gering wie möglich sein. Der Organisator legt daher für die Teilaufgaben die günstigste Zeitfolge fest und versucht, ihre Zeitdauer sowie den Zeitpunkt ihres Beginns und Endes so genau wie möglich zu bestimmen, damit eine optimale Nutzung der betrieblichen Kapazitäten erreicht werden kann. Ein ausgezeichnetes Planungsinstrument hierzu ist die sog. „Netzplantechnik", bei der alle für eine Aufgabe erforderlichen Arbeiten im Gesamtzusammenhang geplant werden:

Beispiel: Das Schreiben eines Briefes ist nicht vor dem Diktat möglich. Die Beschriftung von Umschlägen und die Frankierung kann aber u.U. vor, gleichzeitig oder nach dem Schreiben und Vervielfältigen des Rundschreibens erfolgen. Wenn die Umschlagbearbeitung eine längere Zeit in Anspruch nimmt als die Anfertigung des Rundschreibens, wird man u.U. zunächst mit der Umschlagsbearbeitung anfangen und dann zeitgleich das Rundschreiben bearbeiten lassen, um einen schnellen Versand sicherzustellen.

3. Arbeitsort

Da die einzelnen Tätigkeiten eines Arbeitsablaufes nicht alle an einem Ort ausgeführt werden können, hat der Organisator die Aufgabe, die Arbeitsplätze so anzuordnen, dass die Teilarbeiten für jeden Arbeitsablauf eines Betriebes möglichst nahe zueinander erfüllt werden können. Die Gegenstände, die im Betrieb bearbeitet oder verarbeitet oder hergestellt werden, müssen entsprechend rational transportiert und gelagert werden.

4. Arbeitszuordnung

Jeder Mitarbeiter erfüllt im Rahmen der Gesamtaufgabe eine oder mehrere Teilaufgaben (Verrichtungen). Für seinen Arbeitsplatz („Stelle") werden daher durch den Organisator im Rahmen einer Stellenbeschreibung die möglichen Aufgaben festgehalten. Bei einfachen Arbeiten wird meist eine feste Zuordnung zu bestimmten Stellen vorgenommen; bei leitenden Aufgaben können und sollen Aufgaben auch einer Gruppe übertragen werden. Dies gilt vor allem für kreative und strategische Aufgaben, bei denen die Teamarbeit meist zu besseren Ergebnissen führt.

Die Organisation der vier angeführten Punkte erfolgt nach einer sorgfältigen Analyse der betrieblichen Aufgaben und Arbeitsabläufe. Hierfür hat man Planungsinstrumente geschaffen, mit denen sehr komplizierte Arbeitsabläufe genau erfasst und gesteuert werden können, vor allem in Form von grafischen Darstellungen.

Beispiel: Durchführung eines Reparaturauftrages.

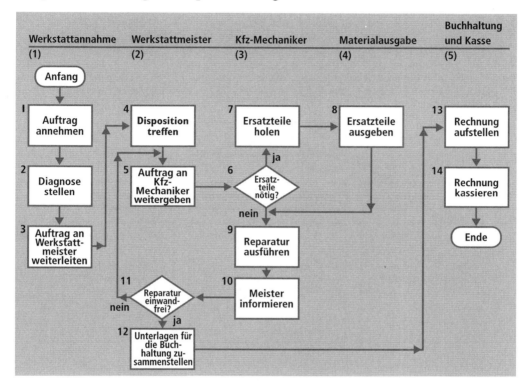

9

Bitte beachten Sie die Artikel zu den folgenden Stichwörtern:
Fertigungsplanung (116 - 117)
Unternehmensorganisation (328 - 329)
Unternehmung (334 - 335)

Abschreibung

Abschreibung ist die Wertminderung von betrieblichen Vermögensgegenständen, insbesondere von Betriebsmitteln (Maschinen, Fahrzeugen, Anlagen).

Für die Betriebsführung besteht ein Problem hinsichtlich der Betriebsmittel darin, dass diese „Gebrauchsgüter" nicht, wie z. B. Rohstoffe, unmittelbar bei der Produktion verbraucht werden, sondern langfristig nutzbar sind, ohne dass man exakt sagen kann, wie lange dies sein wird. Man weiß also nicht, wie intensiv die Abnutzung von Betriebsmitteln durch Herstellung einer Leistung oder in einem bestimmten Zeitraum ist.

In der Praxis hilft man sich mit Schätzungen entsprechend früherer Erfahrungen. Hierbei muss man die „wirtschaftliche Nutzungsdauer" und die (technische) „Lebensdauer" unterscheiden. Die Lebensdauer eines Betriebsmittels ist in der Regel länger als die wirtschaftliche Nutzungsdauer. Dies ist dann der Fall, wenn das Betriebsmittel zwar technisch noch funktioniert, sein Einsatz aber unwirtschaftlich ist, weil inzwischen neuere, bessere Anlagen existieren.

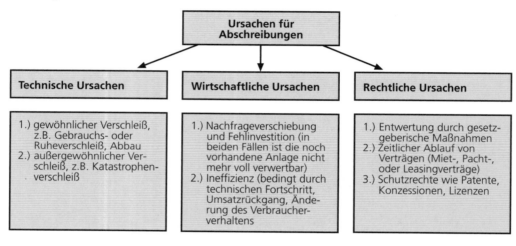

Abschreibungen dienen in der Buchhaltung dazu, die richtigen Werte der Vermögensgegenstände in der Bilanz auszuweisen. Diese Abschreibungen (offiziell „Absetzung für Abnutzung" = AfA genannt) dienen auch der richtigen Verteilung von Ausgaben auf die Perioden, in denen der Wert des Gutes verbraucht wurde. Die Abschreibungen sind dann Aufwand im Rahmen der Gewinn-und-Verlust-Rechnung und Kosten im Rahmen der Kosten- und Betriebsergebnisrechnung des Unternehmens. Folglich gehen die Abschreibungen auch in die Kalkulation ein. Wenn sie im Preis der verkauften Produkte dem Unternehmen erstattet werden, verfügt die Unternehmung über finanzielle Mittel, die bis dahin im abgeschriebenen Anlagegegenstand gebunden waren und nun anderweitig verwendet werden können. Die Höhe der Abschreibungen sollte sicherstellen, dass mit diesen freigesetzten Mitteln der Wert des betrieblichen Vermögens erhalten bleibt. Dies ist besonders in Zeiten von Inflation problematisch, weil die Abschreibung, die nach dem Wert der ehemals gekauften Maschine berechnet wurde, nicht ausreicht, um eine gleiche, neuartige Maschine zu kaufen. Die steuerlichen Richtlinien in Deutschland erlauben aber nicht die Berechnung der Abschreibung auf der Grundlage voraussichtlicher Anschaffungspreise neuer Maschinen.

Rechtlich zulässige Abschreibungsmethoden

Bei den Abschreibungsmethoden unterscheidet man die lineare und die degressive Abschreibung. Die lineare Abschreibung verteilt den Wert der Anlagen (Anschaffungs- oder Herstellungsausgaben) gleichmäßig auf die Zeit der voraussichtlichen Nutzung. Bei der degressiven Abschreibung wird in den ersten Jahren der Nutzung der Anlage ein höherer Wert abgeschrieben und in späteren Jahren immer weniger.

Das folgende Beispiel verdeutlicht die verschiedenen Abschreibungsmethoden:

Anschaffung einer Maschine für 10.000 Euro, voraussichtliche Nutzungsdauer zehn Jahre, wobei zum Schluss kein Restwert verbleibt, d. h., für die Maschine würde nach zehn Jahren keinerlei Verkaufserlös erzielt.

a) Bei gleichbleibenden Jahresbeträgen werden jedes Jahr 1.000 Euro abgeschrieben. Dies nennt man lineare Abschreibung. 10.000 Euro werden durch 10 Jahre dividiert. So erhält man pro Jahr 1000 Euro Abschreibung.

b) Bei fallenden Jahresbeträgen nimmt die Höhe der Abschreibung von Jahr zu Jahr ab: In den ersten Jahren ist die Abschreibung höher, später niedriger als bei gleichbleibenden Jahresbeträgen. Dies bezeichnet man als degressive Abschreibung. Der Satz für die jährliche Abschreibungsrate beträgt 20%. Dieser Satz ist gesetzlich bestimmt .[1] 20% von 10.000 Euro sind 2000 Euro im ersten Jahr. Das Rechenbeispiel wird in der folgenden Tabelle für zehn Jahre dargestellt.

Jahr	Lineare Abschreibung		Degressive Abschreibung	
	Höhe der Abschreibung	Wert der Maschine am 1.1.	Höhe der Abschreibung	Wert der Maschine am 1.1.
1	1000	10000	2000	10000
2	1000	9000	1600	8000
3	1000	8000	1280	6400
4	1000	7000	1024	5120
5	1000	6000	819	4096
6	1000	5000	655	3277
7	1000	4000	524	2622
8	1000	3000	420	2098
9	1000	2000	336	1678
10	999	1000	268	1342

Aufgrund der Rechenmethodik würde bei der degressiven Abschreibung nie ein Restwert von Null erreicht werden, daher erlauben die Steuerbehörden einen Wechsel zur linearen Abschreibung. Dieser Wechsel erfolgt, wenn die Abschreibung nach der linearen Methode höher ausfällt als bei Fortführung der degressiven Methode.

Abschreibungen sind aus der Sicht des Unternehmens Aufwand, der den Jahresüberschuss schmälert. Dies führt dazu, dass bei Steuern auf den Gewinn die degressive Abschreibung in den ersten Jahren den Gewinn erheblich schmälert. Später wird dann allerdings die lineare Abschreibung höher als die degressive (siehe Jahr 5 im Beispiel!). In der Regel bleibt aber die degressive Abschreibung dennoch vorteilhaft, schon allein wegen des Zinsgewinnes, den die verzögerte Steuerzahlung mit sich bringt.

Innerbetrieblich kann die Unternehmung ihre Abschreibungen nach anderen Methoden als zuvor beschrieben errechnen (z.B. auf der Grundlage von „Wiederbeschaffungswerten" oder als „progressive" Abschreibung). Diese „kalkulatorischen Abschreibungskosten" können bei der Kalkulation der Produktkosten verwendet werden, weil es für die innerbetriebliche Kostenrechnung keine staatlichen Vorschriften gibt.

11

[1] Nach gegenwärtiger gesetzlicher Regelung in Deutschland (2003) gilt: Die degressive Abschreibung darf im ersten Jahr maximal 20 % des Anschaffungswertes ausmachen, sofern nicht das 2-fache der linearen Abschreibung überschritten wird. Der im ersten Lebensjahr für die Abschreibung angesetzte %-Satz gilt auch für die folgenden Jahre.

Bitte beachten Sie die Artikel zu den folgenden Stichwörtern:
Finanzbuchhaltung (120 - 121)
Gewinn (138 - 139)
Jahresabschluss (172 - 173)
Kostenrechnung (188 - 189)
Steuern (304 - 305)

Die wirtschaftlich bedeutendste Unternehmensform nach der Höhe der Umsätze ist die Aktiengesellschaft (AG). Die moderne Massenproduktion unseres Industriezeitalters erfordert enorm hohe Kapitalmengen, so dass in der Regel keine einzelne Person oder Personengruppe im Stande ist, so viel Kapital aufzubringen sowie das Verlustrisiko zu tragen.

> **Eine Aktiengesellschaft (AG) ist eine Gesellschaft mit eigener Rechtspersönlichkeit, deren Gesellschafter (Aktionäre) am Grundkapital mit Anteilen beteiligt sind, die als Aktien ausgegeben werden. Die Aktionäre haften nicht persönlich für die Verbindlichkeit der Gesellschaft.**

Ein Beispiel soll dies verdeutlichen:

Zur serienmäßigen Herstellung eines neuen Pkw-Modells bedarf es beispielsweise sehr großer Investitionen für Forschung, Entwicklung, Marktanalysen und Erprobungen, für die Einrichtung von Fertigungsstraßen, für den Aufbau eines Vertriebsnetzes, für Werbemaßnahmen und den Kundendienst. Die Kosten hierfür belaufen sich schnell auf mehrere 100 Millionen Euro. Ob sich diese Investitionen letztendlich lohnen, hängt ausschließlich von den Absatzmöglichkeiten ab, die aber im Voraus nur abgeschätzt werden können.

Nur wenige Personen verfügen über diese finanziellen Mittel und wären bereit, ihr Vermögen in ein Unternehmen zu investieren, das nicht zwangsläufig Profit erwirtschaftet. Eine Lösung dieses Investitionsproblems bietet die Unternehmensform der Aktiengesellschaft (AG).

In der AG wird das Gründungskapital ("gezeichnetes Kapital" oder "Grundkapital") in eine Vielzahl von Anteilen (Aktien) zerlegt. Dadurch können sich auch Normalverdiener an einem Unternehmen beteiligen. Dass die Aktien in der Regel auch gehandelt werden können, d.h. die Geldanlage nicht langfristig erfolgen muss, erleichtert die Entscheidung.

Gegenüber anderen Unternehmensformen hat die Aktiengesellschaft den Vorteil, dass die Anteilseigner (Aktionäre) nur mit dem in das Unternehmen investierten Kapital haften. Ein Zugriff von Gläubigern der AG auf das Privatvermögen der Aktionäre ist ausgeschlossen.

Im Gegensatz zu den Personengesellschaften (z.B. Offene Handelsgesellschaft oder Kommanditgesellschaft) spielt für die Beteiligung an dem Unternehmen bei der AG als Kapitalgesellschaft nicht die Person des einzelnen Gesellschafters eine Rolle, sondern nur sein angelegtes Geld, das in der Aktie dokumentiert wird. Wenn er diese verschenkt, verkauft oder vererbt, selbst wenn er sie verliert, ist der neue Besitzer in der Rolle des Gesellschafters. Die Unternehmensleitung wird bei den Kapitalgesellschaften nicht von den Eigentümern übernommen, sondern von gewählten Managern, die über das notwendige Wissen und Können verfügen. Es ist nicht einmal notwendig, dass diese an der Gesellschaft finanziell beteiligt sind.

Voraussetzung für die Gründung einer AG
- Es müssen sich mindestens fünf Personen zusammenschließen.
- Das Grundkapital muss mindestens 50.000 Euro betragen.
- Ein notariell beurkundeter Gesellschaftsvertrag (Satzung) und die Eintragung ins Handelsregister sind erforderlich.
- Das Grundkapital wird in Teilbeträge (Anteile) zerlegt, über die Urkunden (Aktien) ausgestellt werden. Der Mindestbetrag einer Aktie beträgt 1 Euro.

Die Aktie
Die Aktie ist das in einer Urkunde verbriefte Anteilsrecht an einer AG. Sie gewährt ihrem Teilhaber, dem Aktionär:
- den Anspruch auf einen Anteil am Gewinn (Dividende)
- ein Stimmrecht und Auskunftsrecht in der Hauptversammlung
- das Recht auf einen Anteil am Liquidationserlös bei der Auflösung der Gesellschaft
- das Recht auf den Bezug neuer Aktien, wenn eine Kapitalerhöhung durchgeführt wird.

Eine Aktiengesellschaft besteht aus folgenden Organen:

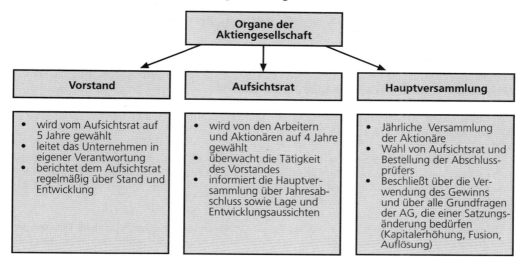

Organe der Aktiengesellschaft

Vorstand
- wird vom Aufsichtsrat auf 5 Jahre gewählt
- leitet das Unternehmen in eigener Verantwortung
- berichtet dem Aufsichtsrat regelmäßig über Stand und Entwicklung

Aufsichtsrat
- wird von den Arbeitern und Aktionären auf 4 Jahre gewählt
- überwacht die Tätigkeit des Vorstandes
- informiert die Hauptversammlung über Jahresabschluss sowie Lage und Entwicklungsaussichten

Hauptversammlung
- Jährliche Versammlung der Aktionäre
- Wahl von Aufsichtsrat und Bestellung der Abschlussprüfers
- Beschließt über die Verwendung des Gewinns und über alle Grundfragen der AG, die einer Satzungsänderung bedürfen (Kapitalerhöhung, Fusion, Auflösung)

Vorteile einer Aktiengesellschaft

Die AGs leisten einen wesentlichen Beitrag zur gesamtwirtschaftlichen Beschäftigung und Einkommensbildung. In den großen Kapitalgesellschaften ist die soziale Fürsorge für die Arbeitnehmer besonders gut ausgebaut.

Die Stückelung der Aktien in Beträge ab 1 Euro ermöglicht vielen kleinen Sparern, sich am Wachstum der Wirtschaft zu beteiligen. Die Aktie kann somit im Rahmen einer modernen Sozialpolitik zu einem Mittel breit gestreuter Vermögensbildung werden.

Nachteile einer Aktiengesellschaft

Die Rechtsform der AG begünstigt den Konzentrationsprozess in der Wirtschaft. Durch den Erwerb einer Mehrheitsbeteiligung oder sämtlicher Anteile an einer großen AG, die ihrerseits durch entsprechend geschickte Beteiligungen eine Reihe anderer Unternehmungen kontrolliert, vermag sich ein Einzelner oder eine Interessengruppe eine weit reichende wirtschaftliche Macht zu sichern. Dies kann bis zur Beherrschung einzelner Märkte führen. Die geschäftspolitischen Entscheidungen in den Mammutgesellschaften beeinflussen weite Teile der Wirtschaft; Krisen in solchen Unternehmungen können zu schweren gesamtwirtschaftlichen Störungen führen.

13

Bitte beachten Sie die Artikel zu den folgenden Stichwörtern:
Börse (64 - 65)
Einkommen (88 - 89)
Fusion (127 - 127)
Gewinn (138 - 139)
Investitionen (166 - 167)
Markt (210 - 211)
Multis (232 - 234)
Rechtsformen (276 - 277)
Unternehmung (334 - 335)
Vermögensbildung (346 - 347)
Wachstum (354 - 355)

Ein Aktienindex gibt die Kursentwicklung am Aktienmarkt wieder. Er zeigt uns, wie sich die Kurse einer repräsentativen Zahl von Aktien im Durchschnitt verändern. Es gibt unterschiedliche Aktienindices.

Der Aktienindex soll zunächst an einem einfachen Beispiel erklärt werden: Die Brüder Paul und Klaus haben unterschiedliche Interessen. Klaus ist ein Autofan und steckt den größten Teil seines Geldes in Ersatzteile, Kfz-Versicherung und in die Steuer. Ständig merkt er, dass die Preise steigen. Er bemängelt, dass der Staat jedes Jahr die Öko-Steuer erhöht und dass die Benzinpreise steigen. Auch die Versicherungsprämien steigen jährlich wegen zunehmender Autodiebstähle. Seinem Bruder Paul ergeht es jedoch besser. Er ist ein fanatischer Naturliebhaber und fährt nur Fahrrad. Die Preise für Fahrräder sowie Regenkleidung sinken. Im Vergleich zu Klaus lobt Paul die Wirtschaftspolitiker für die gute Preisstabilität.

Aber weder Klaus noch Paul haben Recht bei ihrer Bewertung, da sie nur einen kleinen Teil der Preisentwicklung in ihrem Land beobachten. Ähnlich ergeht es den Aktienkäufern, wenn sie sich auf verschiedene Aktien spezialisiert haben. Wenn die Kurse der Aktien aus der Automobilbranche gerade sinken, können die Aktien aus der Bekleidungsbranche steigen.

Um einen Gesamteindruck von der Entwicklung an der Aktienbörse zu bekommen, ist erstmals 1897 von der Börsenzeitung des Verlages Dow Jones & Company ein „Aktienindex" veröffentlicht worden. Dieser Aktienindex sollte die durchschnittliche Entwicklung aller Aktienkurse an der Börse in New York aufzeigen. Hierbei sind aber – wie es auch heute bei den meisten Aktienindices üblich ist – nicht alle Kurse erfasst worden, sondern nur die von ausgewählten Aktien, die aber typisch für die Gesamtentwicklung waren.

Ein Aktienindex gibt also Aufschluss über die Kursentwicklung, z.B.:
• aller Aktien einer Börse (All-Share-Indices)
• einiger besonders wichtiger Aktienwerte einer Börse (Auswahlindices, z.B. DAX)
• einiger besonders wichtiger Aktienwerte einer Branche (z.B. DAX100 Bau)

Aktienindices werden von den Börsenbetreibern, von Banken, von Spezialunternehmen und auch vom Statistischen Bundesamt ermittelt. Sie sollen den Kapitalanlegern eine Orientierungshilfe für die Entwicklung am Aktienmarkt bieten. Der bekannteste deutsche Aktienindex, der DAX (Abkürzung für: Deutscher Aktienindex) wurde am 30.12.1987 eingeführt und gibt nur die Werte der Aktienentwicklung an der Frankfurter Börse von 30 ausgewählten deutschen Unternehmen wieder. Bei der Auswahl spielt u.a. die Bedeutung hinsichtlich Umsatz, Branche, Aktienkapital usw. eine Rolle. Der Handel mit den DAX-Aktien macht ca. 70 % des Börsenumsatzes aus, so dass die Entwicklung durchaus ein Ausdruck für die Gesamtverfassung der Börse ist.

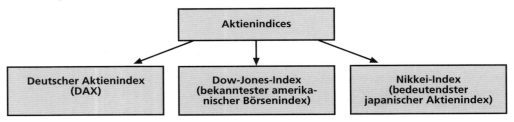

Anforderungen an Aktiengesellschaften für die Börsennotierung in Deutschland

Unternehmen, die lediglich die gesetzlichen Mindestanforderungen für die Börsennotierung erfüllen, werden im General Standard aufgeführt. Im Prime Standard hingegen werden Unternehmen aufgenommen, die besondere (international anerkannte) Anforderungen bei dem Jahresabschluss und der Offenlegung von Unternehmensdaten erfüllen.

Damit eine Aktiengesellschaft in den DAX aufgenommen wird, ist die Notierung im Prime Standard notwendig.

TecDAX

Der TecDAX ist ein weiterer bedeutender Aktienindex an der Deutschen Börse. Er enthält die Aktien der 30 größten und liquidesten Technologie-Werte. Dies können sowohl deutsche als auch ausländische Unternehmen sein. Voraussetzung ist, dass sie im Prime Standard notiert sind und dass sie zur Technologie Branche gehören. Das derzeit größte Technologie-Unternehmen im TecDAX ist T-Online, das Internet-Tochterunternehmen der Deutschen Telekom.

Wie aus der Übersicht zu ersehen ist, gibt es außer dem DAX noch zwei weitere weltbekannte Indices.

Dow-Jones-Index

Vom Dow-Jones-Index, dem Urvater der Aktienindices, war schon eingangs die Rede. Er wird aus 65 Aktien gebildet, die an der New York Stock Exchange (NYSE) gehandelt werden. Die 65 Werte setzen sich zusammen aus 30 Industrie-, 20 Transport- (z. B. Fluglinien, Eisenbahnen) und 15 Versorgungsgesellschaften (z. B. Energie, Wasser).

Die 30 Industrieaktien werden auch „Blue Chips" genannt. Sie bilden neben dem Dow-Jones einen eigenen Index, den Dow Jones Industrial Index. Sie umfassen ca. 20 % der Werte aller an der NYSE gehandelten Aktien und repräsentieren damit die marktführenden Unternehmen.

Der Dow-Jones-Index wird an jedem Börsentag publiziert. Aus seiner Veränderung werden häufig Schlüsse auf die Entwicklung der US-Wirtschaft gezogen.

Nikkei-Index

Der Nikkei-Index ist der bedeutendste Aktienindex der Börse in Tokio. Er umfasst 225 Werte.

Unternehmen, die gegenwärtig im DAX vertreten sind[1]

Adidas-Salomon	Deutsche Post	Metro
Allianz	Deutsche Telekom	MLP
Altana	E.ON	Münchener Rückversicherung
BASF	Fresenius Medical Care	RWE
Bayer	Henkel	SAP
BMW	Hypo-Vereinsbank	Schering
Commerzbank	Infineon Tech.	Siemens
DaimlerChrysler	Linde	Thyssen Krupp
Deutsche Bank	Lufthansa	TUI
Deutsche Börse	MAN	VW

[1] Jahr 2003

15

Bitte beachten Sie die Artikel zu den folgenden Stichwörtern:
Aktiengesellschaft (12 - 13)
Aktienindex (14 - 15)
Aktienfonds (16 - 17)
Börse (64 - 65)
Ökosteuer (242 - 243)

Noch vor wenigen Jahren hätte kaum jemand vermutet, dass sich die Deutschen zu einem Volk von Aktionären entwickeln könnten. Seit 1999 nutzen etwa 8,2 Millionen Deutsche unter den möglichen Formen der Geldanlage auch die Aktie. Gegenüber 1997 bedeutet dies einen Anstieg von fast 50%. Besonders Aktienfonds profitieren von diesem Trend.

> **Aktienfonds sind die Klassiker unter den Fondsanlagen. Das Geld der Anleger wird dabei in Aktien (Wertpapiere) angelegt.**

Aktienfonds eignen sich für Anleger, die über längere Zeiträume hinweg Vermögen aufbauen wollen. Da kurzfristig starke Wertschwankungen auftreten können, sind sie jedoch nichts für Leute mit schwachen Nerven.
Wer vor 50 Jahren einen Wert von 50 Euro in die größten deutschen Aktiengesellschaften investiert hätte, würde heute über ein Vermögen von fast 45.000 Euro verfügen. Sein Geld hätte sich mit einer jährlichen Durchschnittsrendite von über 14 Prozent verzinst. Der Wertzuwachs, den man mit Aktienfonds erzielen kann, liegt über dem Wertzuwachs von Renten- und Geldmarktfonds.
Bei Aktienfonds ist nicht der jährlich ausgeschüttete Gewinn der Aktiengesellschaften der Hauptertrag, sondern die Kurssteigerungen der Aktien im Fonds.
Ob zur langfristigen Investition oder zum kurzfristigen Ausnutzen von Marktchancen: Wer sich für eine Anlage in Aktienfonds entscheidet, sollte wissen, welche Regeln bei Aktien und Aktienfonds zu beachten sind.

Warum eine Anlage in Aktienfonds?

Aktionäre dürfen nie vergessen, dass sie unternehmerische Risiken tragen. Es kann vorkommen, dass eine Aktiengesellschaft aufgrund schlecht gehender Geschäfte jahrelang keine Gewinne erzielt und daher auch kein Geld an die Eigentümer ausschütten kann. Im schlimmsten Fall geht die Aktiengesellschaft sogar in Insolvenz; das investierte Geld ist dann verloren. Wer Aktien kauft, geht infolgedessen das Risiko des totalen Verlustes ein. Man sollte also, wenn man das Risiko mindern will, keinesfalls all sein Geld in Aktien anlegen und schon gar nicht in Aktien von nur einer einzigen Aktiengesellschaft, sondern Aktien von unterschiedlichen Gesellschaften kaufen.

Nur wer sein Kapital in verschiedenen Aktien anlegt – Fachleute sprechen von Diversifikation –, kann die Gefahr von Fehleinkäufen mindern. Sparern mit verhältnismäßig kleinen Vermögen, die nicht gleichzeitig Aktien mehrerer Unternehmen kaufen können, steht mit Aktienfonds eine Möglichkeit zur Verfügung, das Risiko breit zu streuen. An Aktienfonds, die laut Gesetz Aktien von mindestens 16 Unternehmen in ihrem Bestand haben müssen und im Regelfall erheblich mehr haben, kann man sich schon mit Beträgen von 50 Euro beteiligen, die dann auf viele Gesellschaften verteilt sind. Hierbei gibt es eine Vielzahl unterschiedlicher Spezialisierungen der Fonds (nach Branchen, nach Ländern u.a.).

Aktienfondsarten

Das Angebot an Aktienfonds ist so groß, dass es unmöglich ist, alle verschiedenen Arten zu beschreiben. Generell kann man zwischen „Standardaktienfonds" und „spezialisierten Aktienfonds" unterscheiden. Die Standardfonds sind weltweit anlegende Aktienfonds, die ausschließlich in die großen und etablierten Unternehmen investieren und außerdem eine ausgewogene Branchenstruktur aufweisen. Derartige Fonds haben im Vergleich zu spezialisierten Fonds weniger Risiken. Hier die wichtigsten Aktienfonds-Arten:

Klassische deutsche Aktienfonds: Diese Fonds investieren in DAX-Aktien und nehmen auch gelegentlich Werte „aus der zweiten Reihe" (nicht im Index enthalten, aber dennoch sehr bedeutend) in ihren Bestand, in das Portfolio, auf.

Klassische europäische Aktienfonds: Sie investieren in europäische „Blue Chips" (= Standardaktien).

Klassische amerikanische Aktienfonds: Sie kaufen vorwiegend Aktien aus dem „S&P 500" (= wichtigster amerikanischer Aktienindex. Er enthält die 500 größten börsennotierten US-Unternehmen).

Die obige Unterscheidung bezieht sich auf die geografische Reichweite eines Fonds. Generell gilt die Spezialisierung in Globalfonds (Manager dürfen aus allen Ländern der Welt Aktien kaufen), Regionenfonds (Manager konzentrieren sich auf bestimmte geografische Regionen, z.B. Europa oder Asien) und Länderfonds (hier werden ausschließlich Aktien eines bestimmten Landes gekauft).

Ein weiteres Kriterium zur Abgrenzung der Arten von Aktienfonds ist die „Kapitalisierung" der Aktiengesellschaften innerhalb eines Fonds, die sich auf die Größe der Aktiengellschaften bezieht, die der Fond bevorzugt. Bei der Kapitalisierung (engl.: Capitalization = Cap.) unterscheidet man Small-, Mid- und Large-Cap-Fonds. Bei relativ kleinen Firmen sprechen die Experten von „Small-Caps", bei mittelgroßen Unternehmen von „Mid-Caps" und bei großen Konzernen von „Large-Caps". Kriterium dafür, ob dabei ein Unternehmen als klein, mittel oder groß eingestuft wird, ist die „Börsenkapitalisierung", die sich aus der Zahl der ausgegebenen Aktien multipliziert mit dem aktuellen Aktienkurs ergibt.

Beispiel: Unternehmen 1 = 100.000 Aktien x 10 Euro = Kapitalisierung 1 Mio
Unternehmen 2 = 150.000 Aktien x 8 Euro = Kapitalisierung 1,2 Mio

Benchmark – ein Index als Orientierungsgröße

Um die Wertentwicklung eines Investmentfonds besser einschätzen zu können, erfolgt üblicherweise ein Vergleich mit einer Normgröße („Referenzwert"), was allgemein als Benchmarking bezeichnet wird.

Für eine solche Gegenüberstellung bei Investmentfonds mit Aktien eignet sich am besten ein Aktienindex. Wer nun wissen möchte, ob z.B. ein bestimmter Fonds mit deutschen Aktien im Bestand relativ gut oder schlecht abgeschnitten hat, braucht nur die Rendite des DAX (= Deutscher Aktienindex; enthält die 30 größten börsennotierten Unternehmen Deutschlands) und die der Fonds miteinander zu vergleichen.

Was bedeutet „Cost-Average-Effekt"?

Besonders beliebt bei Fondsanlegern sind Sparpläne, die direkt mit den Fondsgesellschaften abgeschlossen werden. Jeden Monat wird ein bestimmter Betrag vom Girokonto abgebucht, und dem Wertpapierdepot des Anlegers werden dafür Fondsanteile gutgeschrieben. Egal ob die Kurse an der Börse gerade steigen oder fallen, es wird regelmäßig investiert. Das ist kein schlechter Einfall, denn der Versuch, nur bei niedrigen Kursen zu kaufen (die Bezeichnung dafür lautet Markt-Timing) geht meistens schief. Mit dem Sparplan erzielt man im Laufe der Jahre einen günstigen durchschnittlichen Einstiegskurs, was sich positiv für die Wertentwicklung des Fondsdepots auswirkt. Der englische Begriff „Cost-Average-Effekt" bedeutet „Durchschnittskosteneffekt".

Die Welt, 15.11.2002, Ralf Andress
Risikofaktor Mensch
Beim Behavioral-Finance-Ansatz suchen Anlageprofis nach Wegen, um teure menschliche Fehler zu vermeiden.
Menschen machen Fehler. Das gilt im Alltag und ebenso für professionelle Großanleger. Doch anders als im privaten Bereich, wo manche Fehler ohne ernst zu nehmende Konsequenzen bleiben, sind Fehleinschätzungen an der Börse in der Regel sehr teuer. Wie gewichtig der „Risikofaktor Mensch" im Börsengeschehen ist, verdeutlicht der Blick auf die geringe Zahl von Fondsmanagern mit langfristig überdurchschnittlichen Ergebnissen. Performance-Vergleiche zwischen den weltweit führenden Aktienindizes und entsprechend ausgerichteten Fonds zeigen regelmäßig, dass allenfalls einer von fünf Anlageprofis besser abschneidet als seine Benchmark.

„Anleger entscheiden in der Regel nicht so rational, wie sie vorgeben", benennt Susanne Otto von J.P. Morgan Fleming ein gewichtiges Problem. Als Beispiel für irrationales Verhalten führt sie „Über-Optimismus" an. Dieser komme bei Aktien von solchen Unternehmen zum Tragen, die stets die Erwartungen erfüllt hätten und deshalb einen hervorragenden Ruf bei Investoren genössen. Ein Ende des positiven Nachrichtenflusses werde verzögert wahrgenommen, was dazu führe, dass zu lange an der Aktie festgehalten werde.

17

Bitte beachten Sie die Artikel zu den folgenden Stichwörtern:

Angebotsorientierte Wirtschaftspolitik

Bis in die 70er Jahre des vorigen Jahrhunderts hinein galt die von J. M. Keynes begründete „keynesianische Konjunkturtheorie" als Hilfe zur Lösung der Probleme, die durch die Konjunkturschwankungen hervorgerufen wurden, insbesondere die Arbeitslosigkeit. Sie wurde zur Zeit von Keynes i.d.R. begleitet von Deflation, d.h. von allgemeinen Preissenkungen. Keynes schlug als Gegenmittel eine Steigerung der Nachfrage, vor allem von Investitionsgüter vor (nachfrageorientierte Wirtschaftspolitik). Durch die Steigerung der Investitionen (gefördert durch den Staat, z.B. im Straßen- und Hausbau) wurden sowohl die Arbeitslosigkeit als auch die Deflation gemildert bzw. aufgehoben.

Zweifel an Keynes tauchten um 1960 auf, als Arbeitslosigkeit und Inflation gleichzeitig auftraten. Diese „Stagflation" (eine Kombination von Stagnation der Wirtschaft und Inflation der Preise) machte eine Lösung nach den Regeln von Keynes nicht mehr möglich.

Die „Gegenrevolution" ging von den Verfechtern einer marktwirtschaftlichen Steuerung aus, angeführt von Milton Friedman. Sie waren der Ansicht, dass allein die Marktkräfte genügen, um konjunkturelle Störungen zu kompensieren, auch wenn dies eine längere Zeit in Anspruch nimmt. Sie plädierten für die Herstellung konstanter wirtschaftlicher Rahmenbedingungen, die vor allem durch eine stabilitätsorientierte Geldpolitik der Zentralbank und Abschaffung der ständig steigenden staatlichen Eingriffe in den Wirtschaftsprozess erreicht werden sollten. In diese Richtung geht auch der Trend seit Mitte der 1970er Jahre in den westlichen Volkswirtschaften. Als Musterbeispiele können die Zeiten der wirtschaftpolitischen Umkehr in den USA und in England durch R. Reagan und M. Thatcher gelten.

Die angebotsorientierte Wirtschaftspolitik ist das Gegenkonzept zur keynesianischen Politik der Nachfragesteuerung. Sie geht davon aus, dass das gesamtwirtschaftliche Wachstum, vor allem die Beschäftigung, vorrangig über verbesserte Angebotsbedingungen (Produktionsbedingungen) beeinflussbar ist. Dies ist besonders durch Liberalisierung und Steuerentlastungen möglich.

Keynes sah als wichtigstes Instrument der Konjunktursteuerung die Manipulation der volkswirtschaftlichen Nachfrage durch den Staat an. Genau dies lehnen die Angebotstheoretiker ab und fordern statt der ständig wechselnden „stop-and-go-Politik" des Staates Konstanz der Wirtschaftspolitik. Als Ursachen des nachlassenden Wachstums und der zunehmenden Arbeitslosigkeit, die es zu bekämpfen gilt, sehen sie an:

- Die Lohnpolitik der letzten Jahrzehnte hat zu Personalkostenbelastungen (insbesondere bei Lohnnebenkosten) geführt, die zumeist über die Produktivitätssteigerungen hinausgehen.
- Arbeitszeitverkürzungen werden in Tarifverhandlungen durchgesetzt, ohne dass entsprechende Lohnverzichte zu einem Ausgleich der Kostenbelastung geführt hätten.
- Die sozial orientierte Lohnpolitik fördert ständig die Anhebung der Entgelte für untere Lohngruppen. Die Beschäftigung von minderqualifizierten Arbeitskräften wird dadurch für die Unternehmen zu kostspielig. Automation sorgt für das Ausscheiden dieser Beschäftigten, was sich auch in der Struktur der Arbeitslosen niederschlägt.
- Die ständige Ausweitung der staatlichen Tätigkeit führt zur Investitionsmüdigkeit der Unternehmen.
- Der Staat übernimmt in immer größerem Ausmaß die Umverteilung von Einkommen durch steigende Steuern und Sozialabgaben. Dieses System der staatlichen Eingriffe hemmt die Leistungsbereitschaft und die Verwendung von Einkommen für privatwirtschaftliche Investitionen.
- Unwirtschaftlicher Umgang mit Finanzmitteln führt zu zunehmender Staatsverschuldung; dies hat Steuererhöhungen zur Folge, um die hohen Zinszahlungen zu finanzieren, und führt darüber hinaus zu einem steigenden Zinsniveau, das privatwirtschaftliche Investitionen verhindert.
- Der Staat hemmt durch zunehmende Bürokratisierung und Auflagen bei Investition und Produktion die unternehmerische Leistungsbereitschaft
- Innovationen in Forschung und Entwicklung werden durch staatlich geförderte gesellschaftliche Strömungen unterbunden
- Gravierende Hemmnisse für eine positive Entwicklung sehen die Unternehmen auch in der mangelnden Konstanz der Wirtschaftspolitik, die keine rationale Zukunftsplanung ermöglicht.

Als angebotsorientierte Wirtschaftspolitik wird jede Maßnahme angesehen, die zum Abbau dieser Hemmnisse führt. Die Schaffung investitionsfreundlicher Rahmenbedingungen, ein leistungsförderndes Steuersystem und die Förderung von Forschung und Entwicklung werden neben Privatisierung und Deregulierung (Abbau von staatlichen Auflagen) als wichtige Beiträge der Politik angesehen. Unterstützung muss in diesem Prozess die Zentralbank dadurch leisten, dass sie nicht mit geldpolitischer Hektik agiert, sondern mit stabiler, langfristiger Anpassung der Geldmenge an den Wachstumsprozess (Verstetigung der Geldpolitik). Die Politik der Deutschen Bundesbank in der Vergangenheit – und die der Europäischen Zentralbank hoffentlich in der Zukunft – wird hier als richtungsweisend angesehen.

Die angebotsorientierte Position ist insgesamt dadurch gekennzeichnet, dass die Stabilisierung des gesamtwirtschaftlichen Prozesses in erster Linie durch eine verstetigte Wirtschaftspolitik erfolgt, die auf die Schaffung günstiger Rahmenbedingungen für die Unternehmen abzielt. Die Hauptlast liegt bei der längerfristig orientierten, verstetigten Geldpolitik (Monetarismus). Fiskalpolitik hat allenfalls eine kurzfristig stützende Funktion. Die Erfahrung der letzten Jahre – langsameres Wachstum und rückläufige Produktivität – erweckt Zweifel, ob es der private Unternehmergeist weiterhin schaffen wird, die tödlichen Auswirkungen der Verwaltungsherrschaft zu überwinden, wenn wir so weitermachen und der staatlichen Bürokratie immer mehr Macht zugestehen, eine „neue Klasse" von Verwaltungsbürokraten zu beauftragen, immer größere Teile unseres Einkommens angeblich zu unserem Nutzen auszugeben. Früher oder später – und vielleicht schon früher, als manche von uns erwarten – wird eine immer größere Regierungsbürokratie sowohl den Wohlstand zerstören, den wir dem freien Markt verdanken, als auch die persönliche Freiheit, die so überzeugend in der Unabhängigkeitserklärung verkündet wurde.

Aus : Milton und Rose Friedman: Chancen, die ich meine, Berlin/Frankfurt/Wien 1980

Bitte beachten Sie die Artikel zu den folgenden Stichwörtern:
Antizyklische Fiskalpolitik (22 - 23)
Arbeitszeitverkürzung (32 - 33)
Geldpolitik (132 - 133)
Konjunktur (180 - 181)

Anlageformen

Bei einer Geldanlage verfolge ich das Ziel, mir ein zusätzliches Einkommen zu sichern, den Wert meiner Finanzmittel zu schützen oder den Bestand meines Vermögens zu erhöhen. Um dies zu erreichen, kann ich meine finanziellen Mittel entweder Dritten zur Verfügung stellen oder Vermögenswerte wie Wertpapiere, Immobilien, Edelmetall u. a. m. kaufen.

Die Probleme bei der Anlage von Geld sind sehr stark von der geplanten Anlagedauer abhängig. Man muss vorher bedenken, ob man sein Geld nur kurzfristig entbehren will, ob man die Dauer noch nicht genau abschätzen kann oder ob man das Geld langfristig anlegen will. Häufig entgehen dem Anleger günstige Chancen einer Geldanlage, weil man nicht „liquide" ist, d.h., das Geld ist gerade nicht verfügbar. Daher habe ich in diesem Moment nicht die Chance einen hohen Gewinn zu erzielen oder mein Geld sehr sicher anzulegen. Die Faktoren Liquidität, Rentabilität und Sicherheit sind die Entscheidungsfaktoren bei der Geldanlage und lassen sich kaum gleichzeitig realisieren.

Was ist Liquidität?

Liquidität ist die Zahlungsfähigkeit. Die Liquidität einer Geldanlage ist also die Möglichkeit, die Vermögenswerte wieder schnell in Bargeld als Zahlungsmittel umzuwandeln.

Wie wichtig ist die Sicherheit der Geldanlage?

Die Sicherheit einer Geldanlage hängt von den in der Zukunft liegenden Unsicherheiten ab, wie z.B. Risiken, dass der Kurs der Wertpapiere sinkt, dass keine Rückzahlung erfolgt, dass die Wechselkurse sich ändern, dass das angeschaffte Vermögen vernichtet, enteignet oder auf andere Art und Weise entzogen wird.

Was bedeutet Rentabilität?

Die Rentabilität einer Geldanlage richtet sich nach ihren Erträgen und nach den Kosten, die durch die Verwaltung der erworbenen Vermögenswerte entstehen. Erträge sind z. B. Zinsen, Dividenden, Mieten, Kursgewinne und andere Wertsteigerungen. Kosten entstehen u.U. durch Gebühren, Lagerung u.a. Die Rentabilität (Rendite) ist die Differenz von Ertrag und Kosten, d.h. der Gewinn, geteilt durch den Kapitaleinsatz. Da die Rentabilität i.d.R. in % ausgedrückt wird, multipliziere ich den Zähler mit 100.

Beispiel: Ich lege mein Kapital von 100.000 € in Wertpapieren an, die mir im Jahr 8.000 Euro Ertrag bringen, allerdings habe ich einen Aufwand von 500 Euro für Gebühren.

$$\frac{(\text{Ertrag} - \text{Aufwand}) \times 100}{\text{Kapital}} = \frac{(8000 - 500) \times 100}{100.000} = 7,5\,\%$$

Die Kunst der Geldanlage besteht darin, ein optimales Verhältnis von Liquidität, Sicherheit und Rentabilität herzustellen.

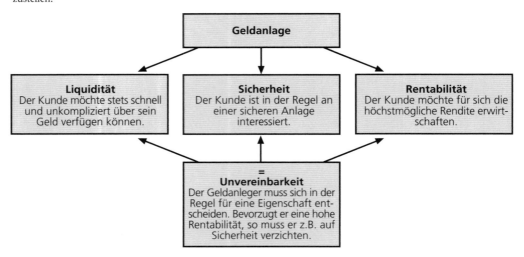

In der Praxis unterscheidet man oft zwischen konservativen und initiativen Anlagen. Bei der konservativen Anlage soll vor allem der Wert des Kapitals erhalten bleiben und ein angemessener Ertrag erwirtschaftet werden. Dieses Ziel soll möglichst unter Ausschaltung von Risiken erreicht werden. Die Sicherheit steht hier vor dem Ziel der Gewinnchancen. Der initiative Geldanleger strebt dagegen vor allem nach hoher Rentabilität, muss aber ein höheres Risiko in Kauf nehmen.

Welche Möglichkeiten gibt es, sein Geld anzulegen?

Die deutschen Bürger haben unterschiedliche Gründe, um Geld anzulegen. Einige sparen, um sich später größere Wünsche zu erfüllen, wie z.B. den Kauf eines Autos. Andere sparen wiederum für ihre Rente im Alter oder für die Anschaffung einer eigenen Wohnung. Für die verschiedenen Ziele des Sparens gibt es auch verschiedene Institutionen, die sich auf bestimmte Sparwünsche spezialisiert haben.

Bitte beachten Sie die Artikel zu den folgenden Stichwörtern:

Geld (130 - 131)
Gewinn (138 - 139)
Liquidität (196 - 197)
Sparen (2987 - 299)
Vermögensbildung (346 - 347)
Wertpapiere (362 - 363)

Die stabilisierungspolitischen Maßnahmen des Staates zur Bekämpfung von Arbeitslosigkeit und/oder Inflation sind Geldpolitik und Fiskalpolitik.

Unter Fiskalpolitik (fiscal policy) versteht man die Beeinflussung wirtschaftspolitischer Ziele durch die öffentlichen Finanzen, d.h. durch Variation von staatlichen Einnahmen und Ausgaben.

Diese Politik soll in einer Schwächeperiode der Wirtschaft (Rezession) die staalichen Ausgaben erhöhen und die Besteuerung vermindern bzw. in einer Zeit übersteigerter Wirtschaftsaktivität (Boom) staatliche Ausgaben reduzieren und durch höhere Steuern die Kaufkraft der Bevölkerung vermindern.

Was ist eine Rezession?

Die Rezession ist durch eine mangelnde Auslastung der Produktionskapazitäten und damit durch Arbeitslosigkeit gekennzeichnet. Ursache ist meist eine zu geringe Nachfrage. Ziel der wirtschaftlichen Bemühungen ist daher eine Belebung der Nachfrage.

Was ist der Boom?

Im Gegensatz zur Rezession ist der Boom durch eine Überforderung des volkswirtschaftlichen Produktionspotenzials gekennzeichnet, die dazu führt, dass für die knappen Ressourcen (Arbeit/Kapital/Roh- und Betriebsstoffe) die Preise steigen und damit eine inflationäre Entwicklung eintritt. Ursache ist eine übersteigerte Nachfrage. Ziel der wirtschaftlichen Bemühungen wird also eine Drosselung der Nachfrage sein.

Beispiel: Am Beispiel der Rezession soll deutlich gemacht werden, welche Folgen bei Veränderungen der Nachfrage auftreten können:

In einer Rezession sind die vorhandenen Kapazitäten nicht ausgelastet, es herrscht Arbeitslosigkeit. Wenn nun in dieser Situation der Staat durch eigene Investitionen (z.B. in die Infrastruktur) oder Anreize für unternehmerische Investitionen die Nachfrage nach Investitionsgütern anregt, wird die Produktion steigen. Dies ist relativ leicht möglich, da ja freie Kapazitäten vorhanden sind. Durch die Steigerung der Produktion entstehen dann zusätzliche Einkommen in Form von Löhnen und Gewinnen. Dies führt zu zusätzlichen Käufen der privaten Haushalte, die sich nun wieder mehr leisten können. Die Unternehmen in der Konsumgüterindustrie werden mehr produzieren, was auch dort zusätzliche Einstellung von Arbeitskräften, zusätzliche Einkommen und erneute Nachfragesteigerung bewirkt. Die ursprüngliche „Initialzündung" breitet sich gleich einem „Schneeballeffekt" auf die gesamte Volkswirtschaft aus, und es entsteht eine Gesamtwirkung, die den ursprünglichen Nachfrageanstoß um ein Vielfaches übersteigt. Diese Entwicklung bezeichnet man daher auch als Multiplikatorprozess. Verstärkt wird er noch dadurch, dass die positive Entwicklung in der Konsumgüterindustrie letztlich auch zusätzliche Nachfrage nach neuen Maschinen und Anlagen auslöst, durch die der ursprüngliche Impuls bei der Investitionsgüterindustrie noch erhöht wird. Dieser zusätzliche Impuls wird Akzeleratorprozess genannt.

Welche Bedeutung haben die Staatsausgaben und Staatseinnahmen?

Die Förderung von öffentlichen und privaten Investitionen durch die Fiskalpolitik ist ein wichtiger Teil der gesamtwirtschaftlichen Nachfrage, deren Wirkung beschrieben wurde. In der Erklärung ist gleichzeitig die Wirkung auf die konjunkturelle Lage deutlich geworden:

- Jede Erhöhung der Staatsausgaben wirkt als multiplikative Steigerung der Nachfrage konjunkturbelebend.
- Jede Senkung der Staatsausgaben wirkt umgekehrt konjunkturdämpfend.

Der Staat kann aber nicht nur mit seinen Ausgaben die Nachfrage (bzw. die Konjunktur) beeinflussen, sondern auch mit seinen Einnahmen, womit hier insbesondere die Steuern angesprochen werden.

- Jede Erhöhung der Steuereinnahmen zieht Kaufkraft aus der Bevölkerung ab und verringert (wenn der Staat diese Einnahmen stilllegt!) die Nachfrage.
- Jede Senkung der Steuereinnahmen (und die Auflösung der geschaffenen Rücklagen) erhöht die Kaufkraft der Bevölkerung und belebt die Nachfrage.

Daraus können für den Staat folgende fiskalpolitische Verhaltensweisen abgeleitet werden:

- Im Boom kann der Staat durch Ausgabenkürzungen die staatliche Nachfrage verringern und/oder durch Einnahmeerhöhung die private Konsum- und Investitionsnachfrage zu drosseln versuchen. Kurz: Der Staat muss Überschüsse bilden und stilllegen.
- In der Rezession kann der Staat durch Ausgabensteigerung die Nachfrage beleben und/oder durch Einnahmeverringerung die Kaufkraft der Haushalte und Unternehmen stärken. Kurz: Der Staat muss Defizite bilden oder seine Überschüsse auflösen.

Diese von der Konjunkturtheorie empfohlenen Verhaltensweisen werden im Widerspruch zu dem Verhalten eines „soliden Finanzverwalters" stehen, zumindest im Konjunkturabschwung. Hier sinken nämlich durch nachlassende Wirtschaftstätigkeit die Steuereinnahmen ohnehin, während gleichzeitig einige Staatsausgaben, wie etwa Arbeitslosenunterstützung, automatisch steigen. Der Staat soll dann aber seine Ausgaben noch zusätzlich erhöhen, so dass die Verschuldung leicht zu hoch werden kann. Die entscheidende Maxime der antizyklischen Fiskalpolitik muss daher lauten: Im Boom Überschüsse ansammeln, um für den Abschwung gewappnet zu sein. Leider halten sich die Regierungen selten daran, und verteilen in Zeiten des Booms lieber die Überschüsse als Wahlgeschenke, so dass sie in der Rezession mit leeren Taschen dastehen. Vor allem dadurch ist die antizyklische Fiskalpolitik fragwürdig geworden. Es kann sein, dass gerade durch diese mangelhafte Vorsorge für die Rezessionszeit der Wirtschaftsprozeß sich so entwickelt hat, dass inzwischen nicht Stagnation oder Inflation die zu bekämpfenden Probleme sind, sondern Stagnation und Inflation. Bei dieser Wirtschaftslage der „Stagflation", ist ein Einsatz antizyklischer Fiskalpolitik per Definition gar nicht möglich, denn der Staat kann nicht gleichzeitig Nachfrage anregen und bremsen.

Bitte beachten Sie die Artikel zu den folgenden Stichwörtern:

Arbeitslosigkeit (26 - 27)
Geldpolitik (132 - 133)
Inflation (158 - 159)
Investitionen (166 - 167)
Konjunktur (180 - 181)
Steuern (304 - 305)

Arbeitsbewertung

Viele Arbeitnehmer stellen sich die Frage, warum in ihrem Betrieb der Kollege neben ihnen mehr oder ihr Vorgesetzter viel mehr verdient. Sie fragen also nach den Gründen für die unterschiedliche Bezahlung. Häufig ist der Grund die andersartige Arbeit, die mehr körperlichen oder geistigen Einsatz erfordert, die mehr Sorgfalt oder Vorsicht notwendig macht und vieles andere mehr. Um diese unterschiedlichen Anforderungen an den Arbeiter objektiv zu messen, gibt es die Arbeitsbewertung. Mit ihr soll erreicht werden, dass ein nachvollziehbarer Maßstab die unterschiedlichen Lohn- und Gehaltshöhen erklärt.

> **Arbeitsbewertung ist ein wichtiges Instrument der Personalpolitik. Sie bewertet die in den Produktionsprozess eingebrachte Arbeitsleistung hinsichtlich ihrer Entlohnung. Außerdem macht die Arbeitsbewertung die unterschiedlichen Anforderungen an einen Arbeitsplatz durchschaubar.**

In erster Linie wird bei der Arbeitsbewertung die Tätigkeit bewertet, die an einem Arbeitsplatz ausgeübt werden muss, unabhängig davon, wer sie ausübt. Ergebnis dieser personenunabhängigen Analyse ist ein Arbeitswert, der die Anforderungen einer bestimmten Tätigkeit an einer Arbeitsstelle als Punktwert ausdrückt.

Für die Ermittlung des Arbeitswertes gibt es verschiedene Methoden und Verfahren:

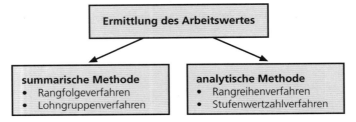

Die summarische Methode

Die summarische Methode nimmt die Bewertung der Arbeitsschwierigkeiten von Arbeitsplätzen global vor. Maßgeblich für die Bewertung ist der Gesamteindruck am Arbeitsplatz. Man unterscheidet dabei das Rangfolge- und das Lohngruppenverfahren.

Bei dem **Rangfolgeverfahren** werden alle in einem Betrieb vorkommenden Arbeitsaufgaben miteinander verglichen und in eine Rangfolge der Schwierigkeit eingeordnet. An erster Stelle steht die schwierigste und an letzter Stelle die leichteste Tätigkeit innerhalb des Betriebes. Nach dieser Ordnung der Arbeitsplätze werden dann Lohn- bzw. Gehaltsgruppen gebildet, in die Tätigkeiten, die als annähernd gleichwertig anzusehen sind, in einer Lohn- bzw. Gehaltsgruppe zusammengefasst werden.

Beim **Lohngruppenverfahren** werden zunächst Lohn- bzw. Gehaltsgruppen gebildet, die den Schwierigkeitsgrad von Tätigkeiten zum Ausdruck bringen (komplexe Probleme, Konzentration, Verantwortung u.a.). Zumeist werden für diese Gruppeneinteilung dann beispielhafte Arbeiten angeführt, die als Richtschnur dienen und die Einstufung der Arbeitsstelle in eine bestimmte Lohngruppe erleichtern sollen. Danach werden diesen Entgeltgruppen die bewerteten Arbeitsplätze zugewiesen.

Die analytische Methode

Die analytische Methode listet zunächst einmal alle Tätigkeiten auf, die an einer Arbeitsstelle durchzuführen sind. Jede einzelne Tätigkeit wird auf die Anforderungen hin untersucht, die man erbringen muss, um die Tätigkeit ordnungsgemäß durchzuführen. Als ein solches Anforderungsschema haben sich das sog. Genfer Schema und auch die REFA-Richtlinien (des Verbandes für Arbeitsstudien und Betriebsorganisation) durchgesetzt. In diesen Schemata finden sich Anforderungen wie z.B. Geschicklichkeit, Kenntnisse, Verantwortung, Konzentration, körperliche Anstrengung, Unfallgefährdung, Umgebungseinflüsse u.a.m. mit jeweils bestimmten Punktzahlen. Der Arbeitswert ist dann die quantitative Summe aller Anforderungen (vgl. Beispiel).

Arbeitsbewertung

Beim **Rangreihenverfahren** vergleicht man die einzelnen Tätigkeiten daraufhin, in welchem Umfang sie bestimmte Anforderungen stellen (z.B. Verantwortung bei der Bedienung der Maschine, Verantwortung bei der Gefährdung von Mitarbeitern). Jede Anforderungsart wird gesondert verglichen, um daraus einzelne Rangreihen zu bilden. Es gibt also so viele Rangreihen, wie man zuvor Anforderungsarten festgelegt hat Diese Rangreihenbildung wird durch Beispiele von besonders analysierten und gut beschriebenen Schlüsselarbeiten (Richtbeispiele) erleichtert. Den obersten Platz in einer Rangreihe nimmt die Arbeit ein, die in dieser Anforderungsart die höchste Anforderung an den Ausführenden stellt. Entsprechend weist der unterste Arbeitsplatz die niedrigste Anforderung auf. Die Addition der Zahlenwerte eines Arbeitsplatzes für alle Anforderungsarten ergibt dann den Arbeitswert.

Das **Stufenwertzahlverfahren** zeichnet sich dadurch aus, dass für jede Anforderung bei einer Tätigkeit (z.B. Verantwortung beim Bedienen der Maschine) die Anforderungsstufe bestimmt wird. Sie gibt den unterschiedlichen Belastungsgrad innerhalb einer jeden Anforderungsart – als Punktwert – an. Alle Arbeiten werden also für jedes Anforderungsmerkmal gesondert eingestuft. Der Arbeitswert für einen Arbeitsplatz ergibt sich dann aus der Summe aller Punktwerte.

Anforderungen		Punktzahl	Gewichtung	Punktwert
Gruppe	**Art**			
Fertigkeiten	Kenntnisse	40	1,6	64
	Geschick	60	1,6	96
Belastung	Konzentration	70	1,2	84
	Muskelkraft	10	1,2	12
Verantwortung für	Betriebsmittel	60	1,8	108
	Arbeitsablauf	30	1,8	54
	Sicherheit	40	1,8	72
	Produktqualität	70	1,8	126
Umgebungseinflüsse	Temperatur	10	0,6	6
	Nässe	0	0,6	0
	Reizstoffe	40	0,6	24
	Lärm	40	0,6	24
	Unfallgefahr	30	0,6	18
Summe				**688**

25

Bitte beachten Sie die Artikel zu den folgenden Stichwörtern:
Arbeitsteilung (30 - 31)
Personalplanung (252 - 253)

Arbeitslosigkeit

Arbeitslosigkeit ist eines der drängendsten sozialen und wirtschaftlichen Probleme, nicht nur in Deutschland, sondern in vielen Ländern der Erde.

Bei Arbeitslosigkeit sollte man die unfreiwillige und die freiwillige Arbeitslosigkeit unterscheiden. Bei unfreiwilliger Arbeitslosigkeit können erwerbsfähige Personen keinen Arbeitsplatz finden, obwohl sie bereit sind, Arbeiten zu den dafür geltenden Entlohnungs- und Arbeitsbedingungen zu verrichten. Dagegen beruht die freiwillige Arbeitslosigkeit auf der Entscheidung, nur zu besseren als zu den geltenden Bedingungen zu arbeiten. Die Grenzen zwischen beiden Arten der Arbeitslosigkeit sind fließend.

Die Beschäftigungssituation auf dem Arbeitsmarkt wird mit den Begriffen Vollbeschäftigung, Unterbeschäftigung und Überbeschäftigung gekennzeichnet. Als Maßstab zur Feststellung des Beschäftigungsgrades wird in der Wirtschaftsstatistik der Bundesrepublik die Arbeitslosenquote so ermittelt:

$$\text{Arbeitslosenquote in \%} = \frac{\text{Anzahl der Arbeitslosen} \times 100}{\text{Anzahl der abhängigen zivilen Erwerbspersonen}}$$

Es gibt in anderen Ländern und auch in der Arbeitslosenstatistik der EU andere Ermittlungsmethoden, so dass die Arbeitslosenquoten auch bei völlig gleichen Verhältnissen um mehrere Prozent voneinander abweichen können.

Wie wird in Deutschland Vollbeschäftigung definiert?

Vollbeschäftigung ist dann gegeben, wenn jeder Arbeitsfähige und Arbeitswillige zum üblichen Lohnsatz auch eine Beschäftigung hat. Diese Situation ist in der Praxis nie gegeben, weil gerade in „guten" Zeiten häufig die Neigung besteht, seine Stelle zu wechseln, um beruflich aufzusteigen. Im Stabilitätsgesetz der Bundesrepublik (Stabilisierungspolitik) ist daher auch das angestrebte Ziel nicht mit „Vollbeschäftigung", sondern mit „hoher Beschäftigungsstand" gekennzeichnet.

Der Unterschied zwischen Arbeitslosen und Erwerbslosen

Nur ein Teil der Arbeitslosigkeit wird von den Arbeitsämtern registriert. Dies gilt insbesondere für Arbeitslose, die vorher als unselbständig Beschäftigte Versicherungsbeiträge bei der Arbeitslosenversicherung einzahlten und nun einen Anspruch auf Arbeitslosengeld haben. Um dies zu erhalten, müssen sie für den Arbeitsmarkt zur Verfügung stehen und sich bei dem Arbeitsamt melden. Es gibt jedoch auch viele Menschen, die nicht erwerbstätig sind und sich selbst – ohne Meldung beim Arbeitsamt – einen Arbeitsplatz suchen. Diese „stille Reserve" wird mit hinzugerechnet, wenn man nicht von Arbeitslosen, sondern von Erwerbslosen spricht.

Ursachen von Arbeitslosigkeit

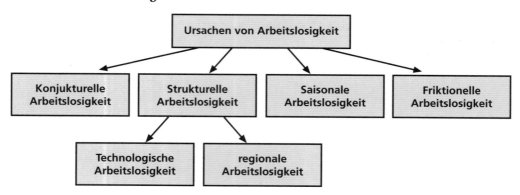

Die konjunkturelle Arbeitslosigkeit

Die wirtschaftliche Entwicklung der gesamten Volkswirtschaft verläuft nicht geradlinig, sondern ist Wirtschaftsschwankungen unterlegen. Im konjunkturellen Abschwung steigt i.d.R. die Arbeitslosigkeit, um bei Verbesserung der Lage wieder zurückzugehen. Diese „Konjunkturzyklen" dauern i.d.R. zwischen 3 und 5 Jahren.

Die strukturelle Arbeitslosigkeit

Diese Form der Arbeitslosigkeit kann einzelne Wirtschaftszweige, Berufe und Wirtschaftgebiete betreffen. Geht die Nachfrage nach Erzeugnissen eines Wirtschaftszweiges (Textilindustrie, Bergbau) dauernd zurück, weil z. B. diese Güter billiger eingeführt werden können, dann entsteht in diesem Wirtschaftszweig eine erhöhte Arbeitslosigkeit. Zur gleichen Zeit gibt es aber auch Wirtschaftszweige, welche stetig anwachsen und sich vergrößern (Informatik, Telekommunikation). Es gibt auch ganze Regionen, die ständig eine höhere Arbeitslosenquote aufweisen als andere (regionale Arbeitslosigkeit). Auch die Freisetzung von Arbeitskräften durch Automatisierung erhöht die strukturelle Arbeitslosigkeit.

Die saisonale Arbeitslosigkeit

Sie ist jahreszeitlich bedingt und kehrt regelmäßig wieder, wie z. B. bei nachlassender Bautätigkeit im Winter und bei zurückgehender Nachfrage nach Arbeitskräften in der sommerlichen Urlaubszeit.

Die friktionelle Arbeitslosigkeit

Die friktionelle Arbeitslosigkeit, häufig auch „Such-Arbeitslosigkeit" genannt, ist nicht negativ zu beurteilen. Gerade in wirtschaftlich guten Zeiten bemühen sich häufig Arbeitnehmer darum, ihre Arbeitsbedingungen durch einen Stellenwechsel zu verbessern. Bei dieser Suche, die u.U. mit einer Umschulung verbunden ist, kann vorübergehend Arbeitslosigkeit auftreten, die aber schnell behoben ist.

In der Praxis sind die verschiedenen Formen der Arbeitslosigkeit schwer trennbar; dennoch muss die Wirtschaftspolitik zwischen den einzelnen Formen sorgfältig unterscheiden, denn sie erfordern unterschiedliche Strategien der Bekämpfung.

Bitte beachten Sie die Artikel zu den folgenden Stichwörtern:
Konjunktur (180 - 181)
Zeitarbeit (380 - 381)

Arbeitsstrukturierung

Unter Arbeitsstrukturierung versteht man Maßnahmen zur Verbesserung der Arbeitsbedingungen. Ziel ist, Belastungen abzubauen sowie Arbeitszufriedenheit und Leistung zu steigern.

Diese Maßnahmen wie Arbeitsbereicherung, Arbeitserweiterung oder Arbeitswechsel sollen den Handlungsspielraum und die Motivation der Mitarbeiter eines Unternehmens verbessern. Die Arbeitsstrukturierung dient neben Zufriedenheit und positiver Einstellung des Arbeitnehmers dem optimalen Einsatz des arbeitenden Menschen innerhalb der Grenzen der zulässigen Arbeitsbelastung.

Die wichtigsten Verfahren zur motivationsgerechten Gestaltung der Arbeitsorganisation sind:

- die Arbeits- oder Aufgabenbereicherung (Job Enrichment)
- die Arbeits- oder Aufgabenerweiterung (Job Enlargement)
- der Arbeits- oder Aufgabenwechsel (Job Rotation).

Job Enrichment

Man geht davon aus, dass nur ein zufriedener Mitarbeiter steigende Leistung zeigen kann. Als Faktoren, die langfristige Zufriedenheit schaffen, hat man solche herausgestellt, die mit dem Arbeitsinhalt selbst zu tun haben. Es wird deshalb eine Anreicherung der Arbeit gefordert, d.h. nach Wegen gesucht, die Arbeitsbedingungen zu gestalten, dass sie motivierende Wirkung haben. Dem Mitarbeiter soll die Möglichkeit zur möglichst vollen Ausnutzung seines Leistungspotenzials gegeben werden. Daher werden die durch Arbeitsteilung bisher vor- oder nachgelagerten Arbeitselemente wieder zu einer umfassenden, sinnvollen Arbeitseinheit zusammengefasst, wobei dies einen entsprechend erweiterten Planungs-, Entscheidungs- und Kontrollspielraum für den Mitarbeiter mit sich bringt. Diese Ausdehnung des Dispositionsspielraums „bereichert" also den Gehalt der Arbeitsaufgabe, bietet die Chance zum Erleben der eigenen Leistungstüchtigkeit und zur Rückkehr zu „ganzheitlicher Arbeit".

Folgende Punkte können bei der Anreicherung der Tätigkeit eine Rolle spielen:

- Kontrollen einschränken, Verantwortlichkeit belassen
- Rechenschaftslegung jedes Einzelnen für seine Arbeit fördern
- Übertragung einer vollständigen, natürlichen Arbeitsaufgabe
- Schaffung und Zuteilung neuer und schwieriger Aufgaben, die bislang noch nicht zu dem Tätigkeitsbereich gehörten
- Erteilung von Spezialaufgaben, die den Mitarbeitern die Möglichkeit geben, sich auf bestimmten Gebieten zu profilieren
- Schaffung und Gewährung eines zusätzlichen Freiheitsspielraumes
- Anfertigung von regelmäßigen Berichten (Beurteilungen), die der Mitarbeiter auch selbst einsehen darf

Job Enlargement

Im Gegensatz zum Job Enrichment, bei dem die Arbeitsaufgaben sich qualitativ dadurch verändern, dass z.B. vorgelagerte Planungsaufgaben und nachgelagerte Kontrollaufgaben in den Arbeitsablauf eines Mitarbeiters einbezogen werden, kommt es beim Job Enlargement nur zu einer quantitativen Erweiterung des Tätigkeitsumfangs. Mehrere einfache und gleichartige Arbeitsabläufe, die bisher von mehreren Personen ausgeführt wurden, werden zu einem größeren Paket zusammengefasst („Aneinanderreihung"), das nun parallel von den Mitarbeitern bearbeitet wird, wobei das geistige oder mentale Anforderungsniveau der Aufgabe sich nicht wesentlich verändert. Es findet also eine Aufgabenvergrößerung bzw. Tätigkeitserweiterung auf gleichem Niveau statt, wobei die beteiligten Mitarbeiter die Einteilung der Tätigkeiten selbst vornehmen können.

Job Rotation

Innerhalb der Job Rotation wird für den Einzelnen der Arbeits- und Aufgabenbereich dadurch vergrößert, dass die bisher isolierten Arbeitsvorgänge eines Teiles des Produktionsprozesses, an denen unterschiedliche Mitarbeiter beteiligt waren, zu einem integrierten Komplex zusammengefasst werden. Die Mitarbeiter haben nun die Möglichkeit, zu variierenden Zeiten und in unterschiedlicher Reihenfolge wechselnde Tätigkeiten auszuführen, die den gesamten Produktionsablauf des Teilbereiches, für den ihre Arbeitsgruppe zuständig ist, mit zu planen und den Arbeitsablauf mitzubestimmen.

Zentraler Ansatz aller neuen Formen der Arbeitsstrukturierung ist die Erweiterung des Handlungs- und Entscheidungsspielraums eines Mitarbeiters. Über die Methoden der Erweiterung besteht jedoch kein Konsens, da von unterschiedlichen Zielvorstellungen ausgegangen wird.

Einerseits existiert die Meinung, dass nur Job-Enrichment-Programme sinnvoll sind, wobei die Schaffung von Arbeitsplätzen angestrebt wird, die dem Einzelnen ein Maximum an Selbstverwirklichung und dem Unternehmen ein Maximum an Arbeitsqualität (und damit an Produktivität) garantieren. Dies hätte eine individuelle Arbeitszufriedenheit zur Folge. Alle an Gruppenpsychologie orientierten Ansätze werden von den Vertretern dieser Ansicht abgelehnt, da die Gefahr der Gruppentyrannei, d. h. die Notwendigkeit der Anpassung des Einzelnen an den Gruppenprozess, bestehe.

Andererseits wird von Vertretern der Gegenmeinung die kollektive Autonomie als ein ebenso erstrebenswertes Ziel angesehen, da man soziale Verpflichtung und Verantwortung mit einbeziehen müsse. Hier wird insbesondere das Konzept der „Quality-Circles" hervorgehoben, bei denen innerbetrieblich organisierte regelmäßige Treffen zur Planung und Durchführung von Aufgaben veranstaltet werden. Derartige Gruppen-Konzepte lassen wieder ganzheitliche Aufgaben entstehen, erhöhen wesentlich die Autonomie- und Verantwortungsgrade sowie Handlungsspielräume, erfordern höhere Qualifikationen und ermöglichen Entwicklungs-, Ausbildungs- und höhere Verdienstchancen. Diese Gruppenkonzepte sind heute weit über ihren Entstehungsbereich bei den Automobilwerken hinaus verbreitet (Chemieunternehmen, Lufthansa, Otto-Versand etc.).

Bitte beachten Sie die Artikel zu den folgenden Stichwörtern:
Motivation (230 - 231)
Produktivität (264 - 265)

Arbeitsteilung

Bei dem Bemühen der Menschen um Wirtschaftlichkeit nimmt neben technischen Erfindungen die Spezialisierung der Tätigkeiten eine wichtige Rolle ein. Schon in einem kleinen Familienhaushalt kann durch die Spezialisierung der Tätigkeiten eine bessere Versorgung erreicht werden.

Die grundlegende Idee der Arbeitsteilung ist der Einsatz der Menschen entsprechend ihren speziellen Fähigkeiten und Fertigkeiten.

Zwei grundlegende Voraussetzungen für eine zweckmäßige Arbeitsteilung sind die Tauschwilligkeit und die Tauschfähigkeit. Neben dem Interesse am Güteraustausch müssen also zusätzliche Bedingungen für die Entwicklung einer Tauschwirtschaft erfüllt sein, die einen Austausch überhaupt erst ermöglichen, wie beispielsweise Verkehrswege und Verkehrsmittel.

Mit zunehmend komplizierteren Tauschbeziehungen, wobei auch zeitliche Unterschiede in der Herstellung eines Gutes und der Nachfrage nach diesem Gut eine Rolle spielten, konnten die Waren nicht immer direkt gegeneinander ausgetauscht werden. Es musste ein Tauschmittel eingeführt werden, um eine weitere Verbreitung der Arbeitsteilung zu ermöglichen: das Geld.

Arbeitsteilung existiert in vielfältigen Formen und ist umso ausgeprägter, je stärker die wirtschaftliche Entwicklung vorangeschritten ist. Betrachtet man die Wirtschaftssubjekte (Haushalte, Unternehmen), wie sie sich heute darstellen, so kann man eine Arbeitsteilung innerhalb der Wirtschaftssubjekte und auch zwischen ihnen feststellen. Es existiert
- die „Arbeitsteilung innerhalb der Haushalte",
- die „Arbeitsteilung zwischen Haushalten und Unternehmen",
- die „Arbeitsteilung innerhalb der Unternehmen" und
- die „Arbeitsteilung zwischen den Unternehmen"
  (die es auf nationaler und internationaler Ebene gibt).

Taylorismus

Der Ausdruck „Taylorismus" geht auf den amerikanischen Ingenieur und Betriebsberater Frederick Winslow Taylor (1856-1915) zurück. Ziel seiner Überlegung war die Steigerung der Produktivität der menschlichen Arbeitskraft durch Zerlegung der Arbeitsvorgänge in kleinste Einheiten. Diese Form der Arbeitsteilung, auch Arbeitszerlegung genannt, soll das Prinzip „Arbeitsteilung innerhalb der Unternehmen" an einem Beispiel verdeutlichen.

Wir wollen daher als Beispiel die Herstellung von Stecknadeln wählen, ein recht unscheinbares Gewerbe, das aber schon häufig zur Erklärung der Arbeitsteilung diente. Ein Arbeiter, der noch niemals Stecknadeln gemacht hat und auch nicht dazu angelernt ist (erst die Arbeitsteilung hat daraus ein selbständiges Gewerbe gemacht), so dass er auch mit den dazu eingesetzten Maschinen nicht vertraut ist (auch zu deren Erfindung hat die Arbeitsteilung vermutlich Anlass gegeben), könnte, selbst wenn er sehr fleißig ist, täglich höchstens eine, sicherlich aber keine zwanzig Nadeln herstellen. Aber so, wie die Herstellung von Stecknadeln heute betrieben wird, ist sie nicht nur als Ganzes ein selbständiges Gewerbe. Sie zerfällt vielmehr in eine Reihe getrennter Arbeitsgänge, die zumeist zur fachlichen Spezialisierung geführt haben. (...) Um eine Stecknadel anzufertigen, sind somit etwa 18 verschiedene Arbeitsgänge notwendig. (...) Ich selbst habe eine kleine Manufaktur dieser Art gesehen, in der nur zehn Leute beschäftigt waren, so dass einige von ihnen zwei oder drei solcher Arbeiten übernehmen mussten. Obwohl sie nun sehr arm und nur recht und schlecht mit dem nötigen Werkzeug ausgerüstet waren, konnten sie zusammen am Tage doch etwa 12 Pfund Stecknadeln anfertigen, wenn sie sich einigermaßen anstrengten. Rechnet man für ein Pfund über 4000 Stecknadeln mittlerer Größe, so waren die zehn Arbeiter imstande, täglich etwa 48000 Nadeln herzustellen, jeder also ungefähr 4800 Stück. Hätten sie indes alle einzeln und unabhängig voneinander gearbeitet, noch dazu ohne besondere Ausbildung, so hätte der Einzelne gewiss nicht einmal 20, vielleicht sogar keine einzige Nadel am Tag zustande gebracht. Mit anderen Worten, sie hätten mit Sicherheit nicht den zweihundertvierzigsten, vielleicht nicht einmal den vierhundertachtzigsten Teil von dem produziert, was sie nunmehr infolge einer sinnvollen Teilung und Verknüpfung der einzelnen Arbeitsgänge zu erzeugen imstande waren.

aus: Adam Smith, Der Wohlstand der Nationen, London 1776 (in Übersetzung veröffentlicht München 1974, S. 9)

Die innerbetriebliche Arbeitsteilung ist im Bereich der Industrie immer weiter vervollkommnet worden und erreichte im Fließbandsystem ihren Höhepunkt. Neben der Spezialisierung auf bestimmte Handgriffe, wodurch die spezifischen Fähigkeiten und Fertigkeiten des einzelnen Arbeiters sich besser entwickeln, ist ein weiterer Vorteil dieser Art von Arbeitszerlegung die Möglichkeit des Maschineneinsatzes. Erst im Rahmen einer mit der Arbeitszerlegung einhergehenden Massenproduktion wird der Einsatz von Maschinen wirtschaftlich.

Vorteile der Arbeitsteilung

Das entscheidende Argument für die Arbeitsteilung besteht in der Tatsache, dass infolge der Arbeitsteilung die Produktivität der Arbeit steigt und dass über Kostensenkung und Massenproduktion ein qualitativ und quantitativ besseres Güterangebot für die Menschen zur Verfügung gestellt werden kann.

Nachteile der Arbeitsteilung

Diesem Vorteil der Erhöhung des materiellen Lebensstandards stehen aber auch Nachteile gegenüber. Gegen die Arbeitsteilung spricht z. B., dass sie eine Spezialisierung erfordert und damit eine Verringerung der Mobilität und Flexibilität von Menschen, Unternehmen und Regionen mit sich bringt. Da der Prozess des wirtschaftlichen Wachstums mit ständigen Wandlungen der Wirtschaft verbunden ist, besteht immer die Gefahr, dass die Tätigkeiten oder Güter, auf die man sich spezialisiert hat, nicht mehr gefragt sind. Zu Problemen führt weiterhin die verstärkte gegenseitige Abhängigkeit. Da der gesamte Wirtschaftsablauf nur funktioniert, wenn jedes Glied im arbeitsteiligen Prozess seine Aufgabe erfüllt, beeinträchtigt eine Lücke im arbeitsteiligen Prozess oft den Gesamtprozess. Dies wird besonders deutlich, wenn auch nur eine Branche bzw. Berufsgruppe in den Streik tritt.

Von Soziologen wird vielfach das Problem der „Entfremdung" angeführt. Im Zusammenhang mit dem Thema „Arbeitsteilung" geht es um den Verlust von Beziehungen des Arbeitenden zu dem Produkt, zum gesamten Produktionsprozess und seinen Mitmenschen. Dies führt zu einer mangelnden Zufriedenheit der Arbeiter an ihrem Arbeitsplatz und somit zu einer Verschlechterung der Arbeitsproduktivität.

Bitte beachten Sie die Artikel zu den folgenden Stichwörtern:
Globalisierung (142 - 143)
Mobilität (224 - 225)
Produktivität (264 - 265)
Streik (306 - 307)
Unternehmung (334 - 335)

Vor allem um die ständig ansteigende Arbeitslosigkeit in Deutschland zu bekämpfen, wurden in den letzten Jahren zunehmend neue Arbeitszeitmodelle entwickelt. Dabei spielen die Arbeitszeitverkürzung sowie die Teilzeitarbeit eine tragende Rolle.

> **Arbeitszeitverkürzung ist die Verringerung des zeitlichen Arbeitseinsatzes. Dabei geht es um zwei Formen der Verringerung:**
> **die Lebensarbeitszeit und**
> **die Wochenarbeitszeit.**
> **Die Verringerung der Lebensarbeitszeit verkürzt die Dauer des Erwerbslebens und schafft mehr Freizeit-Jahre.**
> **Die Wochenarbeitszeit kann in weniger Arbeitstage je Woche oder in weniger Arbeitsstunden je Tag verkürzt werden.**

Verkürzung der Wochenarbeitszeit

Bei der Verkürzung der Wochenarbeitszeit sind eine Reihe von Vor- und Nachteilen zu beachten:

Vorteile für den Arbeitnehmer	• Durch die Verkürzung der Arbeitszeit erhöht sich die Freizeit. • Größere Zeitsouveränität schafft Raum für z.B. Weiterbildung, Familie und vieles andere mehr.
Nachteile für den Arbeitnehmer	• Eine Arbeitszeitverkürzung erfolgt in der Regel ohne Lohnausgleich, d.h., der Arbeitnehmer hat ein geringeres Einkommen zur Verfügung. Viele Beschäftigte sind jedoch zu einem Lohnverzicht bei verkürzter Arbeitszeit bereit, um ihren Arbeitsplatz zu erhalten. Oft können sie nur so der langfristigen Arbeitslosigkeit aus dem Weg gehen.
Vorteile für den Arbeitgeber	• Durch die reduzierte Arbeitszeit erhöht sich die Produktivität der Arbeiter. Der Arbeitnehmer ist bei reduzierter Arbeitszeit weniger erschöpft als bei voller Stunden- oder Tageszahl. Dadurch kann er in der Arbeitsstunde mehr schaffen und die Kosten je produziertes Stück (Lohnstückkosten) sinken.
Nachteile für den Arbeitgeber	• Entspricht die Arbeitszeitverkürzung nicht dem Wunsch des Arbeitnehmers, wird er vielleicht eine Nebentätigkeit (Schwarzarbeit) aufnehmen. Dies kann dazu führen, - dass die zuvor erwähnte Produktivitätssteigerung nicht eintritt und - dass weniger reguläre Arbeitsplätze zur Verfügung gestellt werden. • Ist eine Verringerung der Arbeitszeit mit einer Mehr- und Neueinstellung von Beschäftigten verbunden, so entstehen bei dem Arbeitgeber zusätzliche Kosten durch die Anwerbung, Auswahl und Einarbeitung. • Durch die Aufteilung der Arbeitszeit auf mehrere Arbeitskräfte entstehen zusätzlich Koordinationskosten. Der Betriebsablauf muss neu organisiert werden, was zu zusätzlichen Kosten führt.

Verkürzung der Lebensarbeitszeit

Die Verkürzung der Lebensarbeitszeit kann sehr variabel gestaltet werden. Einerseits ist es hier möglich, längere Abwesenheitszeiten (z.B. ein oder zwei Jahre) während des Arbeitslebens zu nehmen, was sowohl für Arbeitnehmer in Berufen mit großer körperlicher und nervlicher Belastung eine wohltuende Erleichterung schaffen kann, was aber auch die Möglichkeit zur intensiven außerbetrieblichen Weiterbildung mit neuen beruflichen Chancen bietet. Andererseits kann das Ende des Erwerbslebens vorgezogen werden, ohne dass der Arbeitnehmer den diskriminierenden Status der „Arbeitslosigkeit" erhält, sondern er im Unterschied zur Entlassung einen gesellschaftlich legitimen Abgang vom Arbeitsmarkt vollzieht. Eine wichtige Voraussetzung für eine erfolgreiche Umsetzung eines früheren Ruhestandes ist aber in jedem Fall die materielle und soziale Absicherung. Das Arbeitseinkommen ist ja insgesamt niedriger, so dass es zu geringeren Einnahmen des staatlichen Sozialversicherungs-Systems kommt, was natürlich zu verringerten Rentenansprüchen des Arbeitnehmers führen muss.

Teilzeitarbeit

Eine der bedeutenden Varianten der Arbeitszeitverkürzung ist die so genannte Teilzeitarbeit. Hier ist die regelmäßige Wochenarbeitszeit viel kürzer als die der Vollzeitarbeit. Die Zahl der Teilzeit-Beschäftigten hat sich in den letzten Jahren erheblich erhöht. Viele Arbeitnehmer haben von einem Vollzeit-Job zu einem Teilzeit-Job gewechselt.

Die Teilzeitarbeit ist besonders bei Frauen sehr beliebt. Bei einer geringeren Arbeitszeit haben sie die Möglichkeit, sich um ihre Kinder oder ältere Familienmitglieder zu kümmern. Ältere Arbeitnehmer nutzen die Möglichkeit, aus gesundheitlichen Gründen weniger zu arbeiten; jüngere haben die Chance, neben dem Beruf zu studieren bzw. sich weiterzubilden.

Viele der Arbeitnehmer haben aber auch Bedenken gegen die Einführung der Teilzeitarbeit. Sie befürchten, keine Karrierechancen mehr zu haben. Sie haben Angst, ihren Arbeitsplatz zu teilen, und glauben, der Arbeitgeber würde die verringerte Leistung missbilligen. Dies ist z.T. auch tatsächlich der Fall, weil der geteilte Arbeitsplatz gewisse Nachteile für den Arbeitgeber mit sich bringt. Dabei wird aber häufig vergessen, dass diese Situation auch Vorteile für den Arbeitgeber hat.

Dies zeigt, dass das Arbeitsleben in Deutschland sehr stark durch Traditionen, eingefahrene Gewohnheiten und Vorurteile belastet ist. Um durch Arbeitszeitverkürzung neue Arbeitsplätze zu schaffen, bedarf es vor allem einer Änderung gesellschaftlicher und betrieblicher Denkmuster sowie einer neuen Personalpolitik. Sehr selten ist z.B. ein Wechsel von Teilzeit zu Vollzeit oder die Schaffung einigermaßen gleicher Chancen für Teilzeitkräfte bei Fortbildungsmaßnahmen und Aufstiegsmöglichkeiten.

Als ein erster Schritt zu einem einfacheren Wechsel zwischen Teil- und Vollzeit kann eine neue gesetzliche Regelung in der Bundesrepublik Deutschland angesehen werden, die den Arbeitnehmern einen rechtlichen Anspruch auf Teilzeitbeschäftigung sichert. Auch wenn solche gesetzlichen Eingriffe in wirtschaftliche Abläufe häufig schädliche Nebenwirkungen haben, ist dies aber vielleicht ein Anstoß zu Bemühungen um eine flexiblere Gestaltung arbeitsorganisatorischer Abläufe, die in anderen Ländern in höherem Maße gegeben ist.

Bitte beachten Sie die Artikel zu den folgenden Stichwörtern:
Arbeitslosigkeit (26 - 27)
Produktivität (264 - 265)
Sozialversicherung (296 - 297)

Im Rahmen des Qualitätsmanagements werden systematische und unabhängige Untersuchungen in Unternehmen oder auch in nicht gewerblichen Organisationen durchgeführt. Diese Untersuchungen dienen der Feststellung, ob die qualitätsbezogenen Tätigkeiten und Ergebnisse den Planungen des Betriebes entsprechen. Außerdem wird überprüft, ob sie geeignet sind, die vorgesehenen Ziele einer Unternehmung zu erreichen.

> **Audit ist eine dokumentierte Untersuchung bzw. eine Prüfung. Anhand objektiver Nachweise wird analysiert und beurteilt, ob die festgelegten Verfahren einer Unternehmung (z.B. Handlungssysteme, Anweisungen, Vorschriften, Normen) zweckmäßig und praktikabel sind, ob sie eingehalten werden und auch wirksam sind.**

Audit ist von dem lateinischen Wort „audire" abgeleitet und bedeutet so viel wie „anhören". Grundsätzlich wird ein Audit nur von Personen durchgeführt, die keine direkte Verantwortung in dem zu überprüfenden Bereich haben. Grundlage ist ein exaktes Regelwerk, d.h. für die Durchführung von Audits gibt es feste Richtlinien wie DIN, EN, ISO 9001, 9002, 9003.

Die Qualitätsaudits können sich auf Systeme, auf Verfahren und auf Produkte beziehen. Das Ziel eines Audits ist dabei, die Notwendigkeit von Verbesserungen und Korrekturen zu beurteilen.

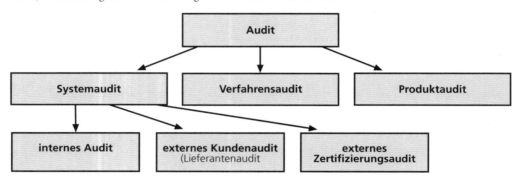

Systemaudit

Nach dem Veranlasser kann unterschieden werden zwischen
- internem Audit, in dem die Organisation ihr eigenes Qualitäts-Managementsystem prüft,
- externem Kundenaudit, in dem der Kunde das Qualitäts-Managementsystem des Lieferanten prüft (z.T. auch „Lieferantenaudit" genannt),
- externem Zertifizierungsaudit, in dem eine unabhängige Prüforganisation (Third Party) die Prüfung vornimmt, um das Qualitäts-Managementsystem zu zertifizieren (EG-Konformitätsverordnung und EN 45 013).

In den letzten Jahren ist in der Bundesrepublik Deutschland die Bedeutung von Systemaudits stark angestiegen. Es ist nicht nur ein intern unverzichtbares Überwachungsinstrument des Managements für die Sicherung des Anspruchs, dass jeder Mitarbeiter im Sinne des Qualitätsmanagements denken und handeln muss; häufig ist es auch die Voraussetzung für Liefer- oder Dienstleistungsaufträge bedeutender Kunden. Solche Systemaudits werden in allen Bereichen des Unternehmens in mehr oder weniger regelmäßigen Abständen durchgeführt, um die Managementanordnungen und ihre einwandfreie, nachweisbare Durchführung zu überprüfen und ein Optimum an Fehlerverhütung zu erreichen. Dem Audit liegt stets eine Frageliste zugrunde, die sich streng an das dem Managementsystem zugrunde liegende Regelwerk hält:

- Zweckmäßigkeit, Angemessenheit und Wirksamkeit aller Managementmaßnahmen,
- ausreichende Dokumentation der Qualitätsmanagementmaßnahmen,
- Erfüllung der Normen DIN EN ISO 9001, 9002 oder 9003,
- Ermittlung von Schwachstellen,
- Festlegung von Korrekturen und Qualitätsverbesserungen.

Verfahrensaudit (auch Prozessaudit)

Verfahrensaudit dient der Prüfung von Teilen der Ablauforganisation bzw. von Herstellungsprozessen und -verfahren, besonders in solchen Fällen, in denen die Produktqualität während des Prozesses nicht direkt messbar ist (Schweißen, Löten, Gießen, Härten, Galvanisieren u.a.)

Überprüft wird die qualitative Wirksamkeit der Prozesse und ihre Beherrschbarkeit. Ziel ist die systematische Verbesserung der Überwachung der Prozesse während der Fertigung, wobei die Verfahrensanweisungen, Arbeitsanweisungen und Prüfunterlagen des Verfahrens mit einbezogen werden.

Produktaudit

Beim Produktaudit stehen Qualitätsüberprüfungen von Produktelementen, Zwischen- und Endprodukten in den einzelnen Fertigungsstufen im Vordergrund. Damit verbunden ist die Prüfung der Herstellungsunterlagen einschließlich der Fertigungs- und Prüfmittel. Das Ziel ist

- zusätzliche, neutrale Feststellung des Qualitätsniveaus;
- zusätzliche Sicherung der Erfüllung von Qualitätsnormen;
- Ermittlung von Verbesserungsmöglichkeiten der Qualität;
- Prüfung der Wirksamkeit und Fähigkeit der Produktprüfstellen;
- Bestimmung der Zweckmäßigkeit von Prüfungen.

Das Produktaudit wird immer in Verbindung mit dem Pflichtenheft, den Qualitätsvereinbarungen, Prüfunterlagen usw. durchgeführt. In vielen Fällen werden die lagernden Endprodukte wie aus „Kundensicht" geprüft, was eine zusätzliche Selbstkontrolle bedeutet.

Bitte beachten Sie die Artikel zu den folgenden Stichwörtern:
Management (204 - 205)
Unternehmung (334 - 335)

Aufbauorganisation

Eine der wichtigsten Aufgaben bei der Gründung einer Unternehmung ist – neben der Auswahl des Standortes und der Rechtsform – die Entscheidung über die Art der Organisationsstruktur.

Je schneller und eindeutiger
- die Entscheidungsbefugnisse
- die Weisungskompetenzen
- die Aufsichtspflichten
- die Kontrollrechte

geregelt sind, umso geringer ist die Gefahr, dass organisatorischer Wirrwarr zu erheblichen Verlusten führt.

> **Im Rahmen der betrieblichen Aufbauorganisation werden die Beiträge der einzelnen Aufgabenträger zur Verwirklichung der Betriebsziele klar umrissen und herausgestellt.**

1. Die Aufgabenanalyse

Um eine funktionsfähige Aufbauorganisation zu schaffen, muss zunächst mit Hilfe einer Aufgabenanalyse geklärt werden, welche Aufgaben zu erfüllen sind und in welche Teilaufgaben sie sich untergliedern. Für das gesamte Unternehmen werden somit schon vor Beginn der eigentlichen Arbeit die einzelnen Tätigkeiten ermittelt, die sich nicht mehr aufteilen und nicht zwei oder mehr Mitarbeitern zuordnen lassen.

2. Die Aufgabensynthese

Die Aufgabensynthese beinhaltet die sinnvolle Zusammenführung der Einzelaufgaben. Ergebnis der Synthese ist die Aufbauorganisation. Sie beschreibt die in der Unternehmung einzurichtenden Stellen (und zwar unabhängig vom späteren Stelleninhaber), die Zusammenfassung in Abteilungen, die Regelung des Informationsablaufes zwischen Stellen und Abteilungen sowie die Leitungs- und Kontrollbefugnisse innerhalb des ganzen Geflechts. Grafisch kann man die Aufbauorganisation in sog. Organigrammen darstellen. Es sind Schaubilder, die Auskunft geben, wer für was in der Unternehmung zuständig ist, wem er und wer ihm Weisungen erteilen kann u.a.m.
Dabei unterscheidet man u.a.

- Einliniensystem oder Mehrliniensystem
- oder Spartenorganisation
- Matrixorganisation

Das Ein- und Mehrliniensystem

Beim Einliniensystem gibt es immer nur die Unterordnung einer Stelle unter nur eine einzige Instanz. Es herrscht hier eine klare Zuordnung der Auftragserteilung; gleichgültig um welche Aufträge es sich handelt, sie kommen in jedem Fall von der übergeordneten Instanz.

Beim Mehrliniensystem wird diese klare Zuordnung durchbrochen. Nicht der Instanzenweg ist für die Auftragserteilung ausschlaggebend, sondern die Art der Aufgaben. Der Stelleninhaber kann Aufträge von unterschiedlichen übergeordneten Stellen bekommen.

Beispiel: Der für Versand zuständige Meister gibt Anweisungen hinsichtlich des Inhaltes der Sendung, der für Verladung zuständige Meister Anweisungen hinsichtlich der Verpackung, der für Controlling zuständige Meister hinsichtlich der Formularauswahl usw. Das reibungslose Funktionieren dieses Systems setzt klare Kompetenzabgrenzungen voraus

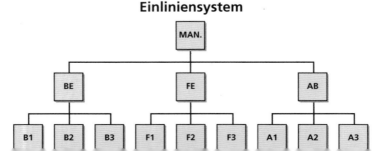

Einliniensystem

Mehrliniensystem

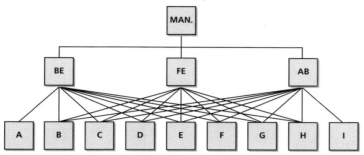

Die Funktional- und Spartenorganisation

Der Unterschied zwischen Funktional- und Spartenorganisation wird an der Einteilung der ersten Ebene unterhalb der zentralen Geschäftsleitung deutlich.

Die Funktionalorganisation wird nach betrieblichen Funktionen gebildet, so dass sich unterhalb der zentralen Ebene z.B. die Zuständigkeitsbereiche

Beschaffung(BE) – Fertigung(FE) – Absatz(AB)

herausbilden. Es können auch andere Funktionen (z.B. Finanzierung, Controlling) hinzukommen oder zwei Funktionen vereinigt sein (z.B. Beschaffung/Fertigung).

Funktionalorganisation

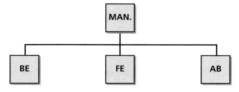

Bei der Spartenorganisation sind die Produktgruppen (Sparten) ausschlaggebend für die Organisationsstruktur. **Beispiel:** Eine chemische Fabrik bildet unterhalb der zentralen Leitung die Sparten Farben – Düngemittel – Arzneimittel – Kunststoffe. Jede der Sparten hat in der nächsten Ebene dann eigene Funktionsbereiche für die betrieblichen Funktionen.

Spartenorganisation

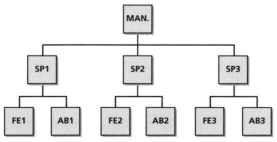

37

Fortsetzung nächste Seite

Sowohl die Funktional- wie die Spartenorganisation hat Vor- und Nachteile. Diesen versucht man durch die sog. Matrixorganisation entgegenzuwirken. Es gibt sowohl Leiter funktionaler Stellen (z.B. Beschaffung, Fertigung, Absatz) als auch Leiter für die einzelnen Sparten (z.B. Farben, Düngemittel, Kunststoff, Arzneimittel). Bei den betrieblichen Entscheidungen muss nun jeweils eine funktionale Stelle mit einer Sparte kooperieren.

Beispiel: Will der Leiter der Sparte „Farben" etwas einkaufen, so muss er sich mit dem Leiter „Beschaffung" in Verbindung setzen. Gleiches gilt für die Beschaffung in der Sparte Düngemittel usw.

Matrixorganisation

	SP1	SP2	SP3	SP4
Beschaffung				
Fertigung				
Absatz				
Finanzierung				

Damit ist eine Koordinierung der Funktionen über die Sparten hinweg gewährleistet. Allerdings hängt die Funktionsfähigkeit der Organisation entscheidend von dem Willen zur Zusammenarbeit ab.

Bei der Schaffung der Aufbauorganisation sollten u.a. folgende Grundprinzipien beachtet werden:

* Um die Fähigkeiten der Mitarbeiter möglichst gut zu nutzen, sollte die Zuständigkeit für Entscheidungen auf der niedrigsten Stufe verankert sein, die noch über den notwendigen Überblick verfügt. Hier kann man nicht nur die größte Detailkenntnis erwarten; die Delegation von Verantwortung verstärkt auch die Leistungsfähigkeit und -bereitschaft und gibt den Mitarbeitern vermehrt Selbstvertrauen und Arbeitsbefriedigung.
* Wer für eine Entscheidung zuständig ist, hat auch die Verantwortung dafür zu tragen. Die klare Abgrenzung von Entscheidungsbereichen darf jedoch nicht zur Isolation der Bereiche führen. Die Kommunikation zwischen den Stellen und Abteilungen muss sichergestellt werden.
* Die Unternehmensaufgaben sollten so gelöst werden, dass in den Einzelfällen möglichst wenige Hierarchieebenen berührt werden. Dies erspart Zeit und Arbeitsaufwand. Das obere Management kann sich auf die zentralen Unternehmensentscheidungen und die Koordinationsfunktion konzentrieren.
* Alle Bestandteile der geschaffenen Struktur, die Zuständigkeiten, Weisungswege, Aufsichts- und Kontrollregelungen müssen allen Mitarbeitern durch festgeschriebene Richtlinien bekannt sein. Nur dann lassen sich Konflikte in Grenzen halten.

Bitte beachten Sie die Artikel zu den folgenden Stichwörtern:
Controlling (76 - 77)
Rechtsformen (276 - 277)
Standort (302 - 303)
Unternehmensorganisation (328 - 329)
Unternehmung (334 - 335)

Auftragsbearbeitung

Im Rahmen der laufenden Gestaltung der Arbeitsabläufe in der Unternehmung spielt die Auftragsbearbeitung eine wichtige Rolle. Ziel muss es sein, eine möglichst hohe Kapazitätsauslastung und eine möglichst kurze Bearbeitungszeit der einzelnen Aufträge zu erreichen. Dazu ist eine laufende Abstimmung des zeitlichen Einsatzes und der räumlichen Zuordnung von Arbeitskräften und Maschinen notwendig.

Was muss bei der Auftragsbearbeitung im Einzelnen geregelt werden?

1. Die Organisation der Arbeitsinhalte:

Dazu gehören unter anderem der Ablauf eines Fertigungsprozesses, die Organisation des Posteinganges oder der Schreibarbeiten im Büro. Zwar ist durch die Aufgabenanalyse und -synthese im Rahmen der Aufbauorganisation häufig schon der Arbeitsinhalt weitgehend geregelt, doch bleiben bei der Konkretisierung weitere organisatorische Probleme, um die Arbeit möglichst wirtschaftlich durchzuführen. Dies gilt immer, wenn es unterschiedliche Methoden gibt, die Arbeit fertig zu stellen. Je weniger standardisiert die Aufgaben sind, umso mehr muss im aktuellen Fall entschieden werden.

2. Die Arbeitszeiten für die einzelnen Arbeitsaufgaben eines Auftrages:

Hier wird entschieden, welche Aufgabe zu welcher Zeit erledigt werden muss, d.h., es wird die Reihenfolge der einzelnen Aufgaben (unter Berücksichtigung der Dauer der einzelnen Aufgaben) festgelegt. Letztlich muss nicht nur die Dauer und die Reihenfolge, sondern auch die exakte Zeiteinteilung bestimmt werden, weil nur so die bestmögliche Nutzung der betrieblichen Kapazitäten erreicht werden kann.

3. Die räumliche Organisation der einzelnen Arbeitsabläufe eines Auftrages:

In der Regel wird zwar die Grundstruktur schon durch die Aufbauorganisation geschaffen, doch muss die konkrete Ausfüllung innerhalb der Abteilungen und Stellen bei den täglichen Arbeitsprozessen geschehen.

4. Die Zuordnung der einzelnen Teilaufgaben der Aufträge zu den Abteilungen und Stellen innerhalb der betrieblichen Aufbauorganisation:

Bei ausführenden Arbeiten wird meist eine feste Zuordnung zu bestimmten Stellen vorgenommen; bei leitenden Aufgaben können und sollen Aufgaben auch einer Gruppe von Stellen übertragen werden. Dies gilt vor allem für kreative und strategische Aufgaben, bei denen die Teamarbeit meist zu besseren Ergebnissen führt.

Von der guten Organisation der Auftragsbearbeitung hängen nicht nur niedrige Kosten, sondern auch die Erhaltung der Käufergunst durch pünktliche Abwicklung ab. So ist für die einzelnen Auftragsarten ein Ablaufschema zu entwickeln, in dem alle Varianten der Bearbeitung erfasst sind.

Ablaufplan bei der Auftragsabwicklung

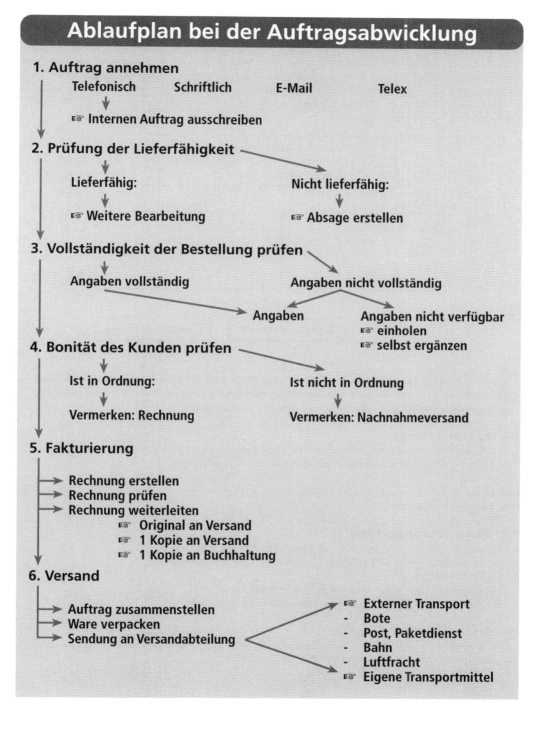

1. Auftrag annehmen

Telefonisch   Schriftlich   E-Mail   Telex

☞ Internen Auftrag ausschreiben

2. Prüfung der Lieferfähigkeit

Lieferfähig: Nicht lieferfähig:

☞ Weitere Bearbeitung   ☞ Absage erstellen

3. Vollständigkeit der Bestellung prüfen

Angaben vollständig   Angaben nicht vollständig

Angaben   Angaben nicht verfügbar
☞ einholen
☞ selbst ergänzen

4. Bonität des Kunden prüfen

Ist in Ordnung: Ist nicht in Ordnung

Vermerken: Rechnung   Vermerken: Nachnahmeversand

5. Fakturierung

→ Rechnung erstellen
→ Rechnung prüfen
→ Rechnung weiterleiten
   ☞ Original an Versand
   ☞ 1 Kopie an Versand
   ☞ 1 Kopie an Buchhaltung

6. Versand

→ Auftrag zusammenstellen
→ Ware verpacken
→ Sendung an Versandabteilung

☞ Externer Transport
  - Bote
  - Post, Paketdienst
  - Bahn
  - Luftfracht
☞ Eigene Transportmittel

41

Bitte beachten Sie die Artikel zu den folgenden Stichwörtern:
Arbeitsteilung (30 - 31)
Aufbauorganisation (36 - 39)
Unternehmung (334 - 335)

Unternehmen haben die Aufgabe, uns Menschen mit Sachgütern (Waren) und Dienstleistungen zu versorgen. Um diese Aufgabe erfüllen zu können, benötigen sie Arbeitskräfte, Energie, Gebäude, Maschinen, Rohstoffe u.a.m. Für die Beschaffung dieser Produktionsfaktoren ist Kapital erforderlich, welches erst nach erfolgter Produktion und dem Verkauf der Güter wieder in die Unternehmung zurückfließt. Die dazwischen liegende Zeit kann sehr lang sein, wenn man an Maschinen oder Anlagen denkt, die manchmal 20 und mehr Jahre produzieren müssen, bis sie ihren Kaufpreis wieder hereingeholt haben. Das eingesetzte Kapital bleibt so lange im Unternehmen gebunden und steht nicht für laufende Ausgaben zur Verfügung. Dadurch entsteht für die Unternehmungen das Problem, sich die notwendigen Mittel beschaffen zu müssen.

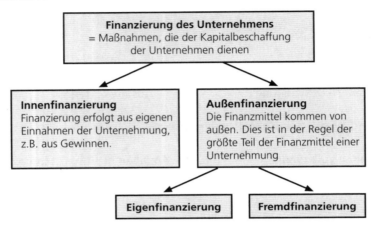

Außenfinanzierung bedeutet, dass dem Unternehmen das Kapital nicht aus dem betrieblichen Umsatzprozess, sondern aus Kapitaleinlagen der Eigentümer oder Kreditgewährung zufließt. Die Außenfinanzierung kann also durch Eigen- oder durch Fremdfinanzierung erfolgen.

Die Eigenfinanzierung

Eigenfinanzierung von außen ist die Einlagen- bzw. Beteiligungsfinanzierung der Eigentümer. Sie erwerben durch diese Finanzierung einen Anspruch auf Leitungsfunktionen im Unternehmen und auf Anteile am Gewinn. Sie tragen aber auf der anderen Seite das Risiko des Verlustes dieses Kapitals. In einer Einzelunternehmung wird das Eigenkapital vom Unternehmer allein aufgebracht. Das Privatvermögen fließt ganz oder zum Teil (je nach Rechtsform) in das Unternehmen ein.

Vorteile der Eigenfinanzierung
- Eigenkapital steht dem Unternehmen unbefristet zur Verfügung.
- Das Unternehmen bleibt mit Eigenkapital unabhängig gegenüber Gläubigern.
- Die Kreditwürdigkeit steigt.
- Eigenkapitalgeber haben keinen Anspruch auf feste Verzinsung.
- In Krisenzeiten erfolgt in der Regel ein Verzicht auf Gewinnausschüttung.

Nachteil der Eigenfinanzierung

Nachteilig bei der Einlagenfinanzierung ist es, wenn Gesellschafter an der Geschäftsführung und am Gewinn beteiligt werden müssen bzw. sich evtl. die Mehrheitsverhältnisse ändern.

Fremdfinanzierung

Bei der Fremdfinanzierung beschafft sich das Unternehmen Kapital durch unternehmensfremde Personen (Gläubiger) in Form von Krediten, die verzinst und pünktlich zurückgezahlt werden müssen. Die Gläubiger werden keine Teilhaber des Unternehmens und haben somit weniger Einfluss auf die betriebene Geschäftspolitik. Sie haben aber das Recht, ihre Forderungen unabhängig vom jeweiligen Geschäftserfolg geltend zu machen.

Dem Unternehmen stehen diverse Möglichkeiten zur kurz-, mittel- oder langfristigen Fremdfinanzierung zur Verfügung: Sie kann zum einen durch Kredite und Darlehen der Geschäftsbanken gewährt werden; zum anderen kann die Fremdfinanzierung durch die Inanspruchnahme von Lieferantenkrediten geschehen. Hier kann das Unternehmen z.B. das Zahlungsziel voll ausschöpfen. Für Großunternehmen der Industrie und des Handels besteht die Möglichkeit der Fremdfinanzierung durch die Herausgabe von Schuldverschreibungen. Damit verpflichtet sich das Unternehmen, den ausgewiesenen Geldbetrag einschließlich einem festgelegten Zinssatz innerhalb einer bestimmten Frist zu bezahlen. Da der Zinssatz festgeschrieben ist, werden die Papiere auch als festverzinsliche Wertpapiere bezeichnet.

Vor- und Nachteile der Fremdfinanzierung

Der große Vorteil der Fremdfinanzierung für das Unternehmen liegt darin, dass die Kreditgeber kein formales Mitsprache- und Gestaltungsrecht bei der Geschäftspolitik haben. Dennoch kann ein sehr hoher Fremdkapitalanteil das Unternehmen in ein Abhängigkeitsverhältnis vom Kreditgeber führen. Dies kann dann wiederum u.U. eine gewisse Einschränkung in der selbständigen Geschäftspolitik zur Folge haben. Im Fall der Insolvenz haben die Kreditgeber einen Anspruch auf Rückzahlung des Darlehens. Ein hoher Fremdkapitalanteil kann die Liquidität des Unternehmens durch hohe Zins- und Tilgungssätze belasten.

Bitte beachten Sie die Artikel zu den folgenden Stichwörtern:
Insolvenz (164 - 165)
Kredit (192 - 193)
Liquidität (196 - 197)
Produktionsfaktoren (262 - 263)
Unternehmung (334 - 335)
Wertpapiere (362 - 363)

Der Außenhandel ist in unserem Leben fast zur Alltäglichkeit geworden. Wir essen tropische Früchte, hören Musik aus japanischen Radiorecordern, fahren in französischen Autos und verbringen unseren Urlaub in fremden Ländern, wobei jede Bank uns unser Geld in fremde Währungen umtauscht.

Allerdings werden wir auch oft genug den Problemen gegenübergestellt, die sich aus dieser Verbundenheit der Weltwirtschaft ergeben: Textilbetriebe oder Kohlenzechen müssen schließen, weil ausländische Produkte billiger sind; die Produktion stockt in Automobilfabriken, weil Zulieferer im Ausland ausfallen und gelegentlich wird die Befürchtung laut, dass wir in Zukunft unsere Auslandsreisen und Güterimporte nicht mehr bezahlen können. Diese Befürchtungen führen dann häufig zur Forderung nach staatlichen Eingriffen zur Beschränkung der Importe. Diese Behinderungen des Außenhandels nennt man Protektionismus.

Er steht im Gegensatz zu der Forderung nach Freihandel, nach der alle außenwirtschaftlichen Beschränkungen möglichst zu beseitigen und der dann entstehende Handels- und Zahlungsverkehr nach marktwirtschaftlichen Grundsätzen zu steuern sei.

Gerade in wirtschaftlich schwierigen Zeiten gewinnen die warnenden Stimmen, die sich gegen eine zu starke Abhängigkeit vom Außenhandel wenden, Oberwasser und versuchen die eigenen Probleme auf die Wirtschaft im Ausland abzuwälzen. Sie sehen Gefahren für die Sicherheit der Arbeitsplätze und fordern Importbeschränkungen; sie verweisen auf die Unsicherheit in der Versorgung und fordern die Erhaltung der einheimischen Produktion; sie befürchten den Missbrauch ausländischer Marktmacht durch überhöhte Preise oder Einflussnahmen auf die heimische Wirtschaft und fordern verstärkte Autarkie (Selbständigkeit). Wenn auch in Einzelfällen solche Forderungen ihre Berechtigung haben und immer die sich zwangsläufig ergebende internationale Abhängigkeit beachtet werden muss, so kann man doch darauf hinweisen, dass generell der Freihandel zwischen den Volkswirtschaften für alle Beteiligten Vorteile mit sich bringt, die in der Erhöhung des Wohlstandes liegen.

Die Erleichterungen beim Waren- und Dienstleistungsverkehr müssen in Regelungen des Zahlungsverkehrs ihre Ergänzung erfahren. Dazu gehört in erster Linie die freie Austauschbarkeit der Währungen (Konvertibilität). Oft wird auch als hinderlich für die weitere Entwicklung angesehen, dass schwankende Kurse der Währungen (floating) die Außenhandelsgeschäfte mit zusätzlichem Risiko belasten. So hatte man schon 1944 in der UN-Session von Bretton Woods ein weltweites System fester Wechselkurse eingeführt, das aber Anfang der 70er Jahre zusammenbrach. In Europa schuf man daraufhin das Europäische Währungssystem mit festen Wechselkursen und letztlich die Einheitswährung EURO für eine Vielzahl von Ländern.

Zusammenfassend lässt sich feststellen, dass die westlichen Industrieländer versuchen, in ihrer Außenwirtschaftspolitik drei Ziele zu vereinbaren. Man kann sie als „magisches Dreieck" der Außenwirtschaftspolitik zusammenfassen.

1. **Freihandel.** Die Vorteile eines freien Austausches von Gütern und Produktionsfaktoren fördern die internationale Arbeitsteilung und können allen beteiligten Ländern Nutzen bringen.

2. **Feste Wechselkurse.** Feste Wechselkurse tragen zur Sicherheit der Kalkulation der Unternehmen bei und fördern den internationalen Handel.

3. **Eigenständige Konjunkturpolitik.** Die Staaten sind derzeit noch nicht bereit, auf eine eigenständige Wirtschafts-, Finanz- und Steuerpolitik zu verzichten. Zu unterschiedlich sind die Ansichten darüber. Die mangelhafte Harmonisierung führt bei festen Wechselkursen zu ständigen Störungen oder sogar Zusammenbrüchen des Währungssystems und bei dem EURO-Währungsverbund zur gegenseitigen Übertragung von Beschäftigungs- und Preisschwankungen zwischen den beteiligten Ländern.

Diese drei Ziele stehen nun nicht isoliert nebeneinander. Gemeinsam kann man sie als „Magisches Dreieck" ansehen, dessen drei Bestandteile sich nie gemeinsam verwirklichen lassen.

Das „Magische Dreieck" der Außenwirtschaftspolitik

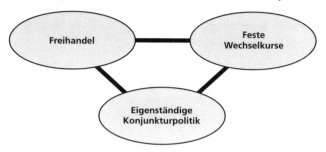

Das folgende Schaubild vermittelt abschließend einen Eindruck über die Entwicklung des deutschen Außenhandels.

Bitte beachten Sie die Artikel zu den folgenden Stichwörtern:

Geld (130 - 131)

Europäisches Währungssystem (106 - 107)

Wechselkurse (358 - 359)

EURO (100 - 101)

Konjunktur (180 - 181)

Aussperrung

In fast allen europäischen Ländern ist die Aussperrung als zweite Form des Arbeitskampfes – neben dem Streik – bekannt. Die erste große Aussperrung in der Bundesrepublik fand im Jahr 1963 in der Metallindustrie von Baden-Württemberg statt.

Aussperrung ist die von Arbeitgebern planmäßig betriebene Nichtzulassung von Arbeitnehmern zur Arbeit unter Aussetzung der Lohnzahlung. Die Aussperrung ist die kollektive Gegenmaßnahme zum Streik.

Zu Aussperrungen kann es nur im Rahmen von Tarifverhandlungen kommen, denn während der Laufzeit eines Vertrages darf kein Arbeitskampf geführt werden. Ist zwischen Arbeitgebern und Gewerkschaften in einer Tarifverhandlung trotz Schlichtungsverfahren keine Einigung in Sicht, so gilt die in Tarifverträgen vorgeschriebene Friedenspflicht nicht mehr und es kommt zum Arbeitskampf. Dieser wird von den Tarifparteien mit dem Ziel geführt, zu einer für alle Beteiligten verträglichen Regelung von Löhnen und/oder Arbeitsbedingungen zu gelangen.

Der Arbeitskampf beginnt mit dem Streik, dem Kampfmittel der Arbeitnehmer. Die Aussperrung, das Kampfmittel der Arbeitgeber, ist als Reaktion auf einen Streik rechtlich zulässig (Abwehraussperrung). Eine Eröffnung des Arbeitskampfes durch Aussperrung (Angriffsaussperrung) ist hingegen in der Bundesrepublik rechtswidrig.

Bei der Aussperrung werden die Arbeitnehmer eines Betriebes oder einer Branche vorübergehend von der Arbeit ausgeschlossen. Sie erhalten für diese Zeit keine Lohnzahlung. Die Arbeitsverhältnisse bestehen jedoch weiter und werden nach Beendigung des Arbeitskampfes fortgeführt.

Die Aussperrung muss von den Arbeitgebern beschlossen werden. Sie sollte immer als „letztes Mittel" angesehen und stets fair geführt werden, d.h., es muss der Grundsatz der Verhältnismäßigkeit der Kampfmittel beachtet werden. Ist ein Streik z.B. auf weniger als ein Viertel der Arbeitnehmer eines Tarifgebietes beschränkt, so sollte sich auch die Aussperrung auf nicht mehr als ein Viertel der Arbeitnehmer beziehen.

Mit der Aussperrung wollen die Arbeitgeber erreichen, dass die Gewerkschaften durch den Arbeitskampf eine höhere Belastung erfahren. Bei gezielten Streiks, bei denen nur einige – aber z.B. als Zulieferer bedeutsame – Unternehmen bestreikt werden, drohen u.U. allen Unternehmen einer Branche neben Umsatzeinbußen auch Konventionalstrafen bei Nichterfüllung von Lieferfristen und es fallen bei ihnen weiterhin alle laufenden Kosten an. Die Gewerkschaften müssen zwar ihren direkt betroffenen Mitgliedern ein Streikgeld zahlen, das aber wegen der Beschränkung auf wenige Unternehmen für die Gewerkschaft nicht allzu belastend ist. Durch die Aussperrung der Arbeitnehmer in den von der Gewerkschaft nicht bestreikten Unternehmen erhöht sich diese Belastung.

Die Gewerkschaften sind der Ansicht, dass die Aussperrung rechtswidrig sei, weil sie das Streikrecht behindere und gegen die Grundsätze des Sozialstaates verstoße. So ist z.B. nach der Verfassung des Bundeslandes Hessen die Aussperrung untersagt. Das höchste deutsche Arbeitsgericht hat jedoch die Aussperrung als rechtmäßig anerkannt, so lange der Grundsatz der Verhältnismäßigkeit beachtet wird, sodass die hessische Bestimmung nicht rechtsgültig ist.

Durch Aussperrung betroffene Arbeitnehmer in der Bundesrepublik Deutschland von 1980 – 2001

1980	45.159	1988	33.485	1995	183.346
1981	253.334	1989	43.934	1996	165.721
1982	39.981	1990	257.160	1997	13.472
1983	94.070	1991	208.178	1998	4.286
1984	537.265	1992	598.364	1999	187.749
1985	78.187	1993	132.555	2000	7.429
1986	115.522	1994	400.676	2001	60.948

Quelle: Zusammengestellt aus Stat. Jahrbüchern für die Bundesrepublik Deutschland 1981 - 2002

Spielregeln für den Arbeitskampf

Durch Streik und Aussperrung verlorene Arbeitstage je 1000 Beschäftigte. Jahresdurchschnitt 1991 bis 2000.

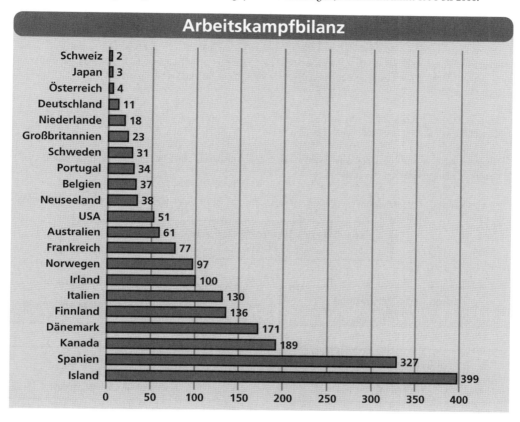

Erstellt nach Zahlenangaben des Instituts der deutschen Wirtschaft: Internationale Wirtschaftszahlen.

47

Bitte beachten Sie die Artikel zu den folgenden Stichwörtern:
Gewerkschaften (136 - 137)
Streik (306 - 307)
Tarifverhandlungen (310 - 311)

Bankensystem

Durch die Vollendung der Europäischen Währungsunion im Jahre 1999 hat sich die Struktur des Bankensystems in der Bundesrepublik Deutschland grundlegend geändert. Durch die Übertragung der geldpolitischen Aufgaben auf das Europäische System der Zentralbanken (ESZB) haben die nationalen Zentralbanken, also auch die Deutsche Bundesbank, den größten Teil ihrer Kompetenzen verloren

Das deutsche Bankensystem ist zweigliedrig. Es besteht aus der Europäischen Zentralbank (EZB) und der ihr angeschlossenen Deutschen Bundesbank auf der einen Seite sowie aus den in der Bundesrepublik tätigen Kreditinstituten auf der anderen Seite. Die Deutsche Bundesbank gehört zum „EZB-Rat" und setzt die Beschlüsse der EZB im eigenen Land um.

Bei den Kreditinstituten kann man – nach dem Umfang der von ihnen angebotenen Bankdienstleistungen – Universalbanken und Spezialbanken unterscheiden.

Die Deutsche Bundesbank ist als Zentralbank der Bundesrepublik Deutschland Bestandteil des Europäischen Systems der Zentralbanken.

Der komplizierte Aufbau des deutschen Bankensystems soll in der folgenden Grafik vereinfacht dargestellt werden

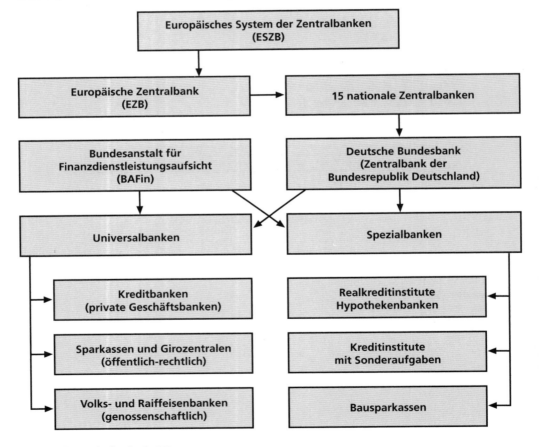

Quelle: Krafft / Mittelstädt / Wiepcke 2003

Die Spezialbanken

Die Spezialbanken sind nur in bestimmten Geschäftsbereichen tätig. So haben sich zum Beispiel die Hypobanken (aus: Hypotheken-Bank) und sonstigen Realkreditinstitute auf die Vergabe von langfristigen Krediten zum Bau oder Kauf von Immobilien spezialisiert.

Die Universalbanken

Die in Deutschland üblichen Universalbanken zeichnen sich dadurch aus, dass sie alle Bankgeschäfte betreiben. Wie in der Grafik zu erkennen ist, lassen sich die Universalbanken in drei große Gruppen teilen:

1. Die privaten Geschäftsbanken (Kreditbanken): Zu ihnen gehören die Großbanken, Regionalbanken und sonstige Kreditbanken, die Privatbankiers und die Niederlassungen ausländischer Banken.
2. die öffentlich-rechtlichen Sparkassen und Landesbanken sowie
3. die genossenschaftlichen Volks- und Raiffeisenbanken.

Obwohl es sich um drei verschiedene Gruppen von Kreditinstituten handelt, besteht in der Praxis am Geldmarkt kaum ein Unterschied zwischen ihnen. Sie haben i.d.R. eine Vielzahl örtlicher Filialen und gewährleisten einen flächendeckenden Geldservice in der ganzen Bundesrepublik.

Die Sonderstellung der Bundesbank

Die Bundesbank gilt in Deutschland als Bank der Banken. Unter den Universal- und Spezialbanken nimmt sie eine Sonderstellung ein, denn die Kreditinstitute sind zur Aufrechterhaltung ihrer Zahlungsfähigkeit auf Guthaben bei der Bundesbank angewiesen. Sie sind gesetzlich verpflichtet, bei der Bundesbank eine Mindestreserve an Barmitteln unterhalten. Auch Bargeld und Notenbankguthaben können sich die Kreditinstitute nur bei der Bundesbank beschaffen. Darüber hinaus stellt die Bundesbank den Kreditinstituten ihre Leistungen für die Abwicklung des elektronischen Zahlungsverkehrs zur Verfügung und ist in die Aufsicht über die Kreditinstitute und Finanzdienstleister eingeschaltet.

Bundesanstalt für Finanzdienstleistungsaufsicht (BAFin)

Eine allgemeine Bankenaufsicht wurde in Deutschland als Folge von spektakulären Bankzusammenbrüchen während der Weltwirtschaftskrise 1931 eingeführt. Die BAFin tritt Missständen im deutschen Bankensystem entgegen, die die Sicherheit der Spareinlagen gefährden oder die ordnungsgemäße Durchführung der Bankgeschäfte beeinträchtigen können. Sie besitzt weitreichende Befugnisse. Dazu gehören u.a. die Erteilung oder Aufhebung der Erlaubnis zum Betreiben von Bankgeschäften, die Abberufung von Geschäftsleitern sowie das Recht, ohne besonderen Anlass Auskünfte zu fordern und Prüfungen vorzunehmen.

49

Fazit

Der Bankensektor in Deutschland ist wie kaum ein anderer Wirtschaftszweig umfassenden Regulierungsvorschriften unterworfen. Jedoch ist die Deutsche Bundesbank bei geldpolitischen Maßnahmen und der Beteiligung an Entscheidungen im Rahmen der EZB von Weisungen der Bundesregierung unabhängig. Diese Unabhängigkeit von staatlichem Einfluss, die auch eine wesentliche Forderung bei Schaffung der EZB war, hat sich als außerordentlich stabilitätsfördernd erwiesen.

Bitte beachten Sie die Artikel zu den folgenden Stichwörtern:
Bankensystem (48 - 49)
EWWU (102 - 103)
Europäische Zentralbank (EZB) (104 - 105)
Kredit (192 - 193)

Der Baseler Ausschuss

Die Bank für die internationalen Zahlungsausgleich (BIZ) hat ihren Sitz in Basel / Schweiz. Hier tagt ein „Ausschuss für internationale Bankenaufsicht", der 1974 gegründet wurde und Regeln für die Sicherheit des Bankwesens entwickelt. Seine Mitglieder bestehen aus Vertretern der Bankenaufsicht und der Zentralbanken aus den wichtigsten Industrieländern (Großbritannien, Japan, USA, Deutschland etc.).

Ziel des Baseler Ausschusses ist es, die Stabilität des Finanzsektors in der Wirtschaft sicherzustellen. Um dieses Ziel zu erreichen, werden vom Baseler Ausschuss Vorgaben für Anforderungen an die Kreditinstitute festgelegt, z.B. zu Verfahren der Bankenaufsicht, zu Publizitätsvorschriften sowie für Anforderungen hinsichtlich der notwendigen Höhe des Eigenkapitals.

Basel I

1988 wurde vom Baseler Ausschuss erstmalig eine Vereinbarung zum notwendigen Eigenkapital von Kreditinstituten veröffentlicht. Diese Eigenkapitalvereinbarung wurde unter dem Namen „Basel I" bekannt. In ihr war vorgesehen, dass ein Kreditinstitut für jeden Kredit, den es an einen Firmenkunden ausleiht, acht Prozent des Kreditbetrages als Eigenkapitalreserve zurückgelegt haben muss. Der Vorteil dieser Regelung war eine bessere Kapitalausgestaltung der Kreditinstitute gegenüber früheren Jahren. Diesem Vorteil stand jedoch auch ein Nachteil gegenüber: Bei dieser Regelung wurde das individuelle Risiko der einzelnen Kreditvergabe nicht berücksichtigt.

Basel II

Als Ergänzung schuf der Baseler Ausschuss eine neue Eigenkapitalanforderung, welche als *Basel II* bezeichnet wird.

> In der Verordnung von *Basel II* soll der notwendige Eigenkapitalbedarf der Kreditinstitute im Durchschnitt unverändert bleiben. Neu ist, dass nicht mehr jedes Kreditgeschäft pauschal mit acht Prozent Eigenkapitalabdeckung stattfindet, sondern dass die Eigenkapitalunterlegung für jede Kreditvergabe einzeln festgelegt wird. Für Kredite, bei denen kaum Risiken erkennbar sind, werden weniger als acht Prozent Eigenkapital hinterlegt. Bei Krediten mit hohem Risikogehalt muss das Kreditinstitut mehr als acht Prozent Eigenkapital bereithalten. Diese Risiken, die für die Eigenkapitalhinterlegung maßgeblich sind, werden mit Hilfe von Ratings ermittelt.

Die neue Eigenkapitalunterlegung für Kredite an den Unternehmenssektor wird wie folgt differenziert:

Rating	Bisherige Richtgröße	Gewichtung	Neue Eigenkapital-unterlegung
AAA bis AA+	8,0 %	20 %	1,6 %
A+ bis A-	8,0 %	50 %	4,0 %
B	8,0 %	100 %	8,0 %
C	8,0 %	150 %	12 %

Quelle: www.ihk-koeln.de

Kleine und Mittlere Unternehmen werden auf Grund ihrer Größe von dieser Gliederung benachteiligt. Aus diesem Grund hat der Baseler Ausschuss im Jahr 2002 eine Eigenkapitalrichtlinie geschaffen, die für Kleine und Mittlere Unternehmen (KMU) von Bedeutung ist. Kredite an KMU, die ein Kreditvolumen von weniger als eine Million Euro aufweisen, werden wie Kredite an Privatkunden behandelt. Je nach Ratingnote des Unternehmens müssen Kreditinstitute für die Kreditvergabe Eigenkapital in Höhe von 0,4 bis 6,2 Prozent vorhalten, was deutlich weniger als 8 Prozent ist.

Die drei Säulen von Basel II

Das erste Konsultationspapier von Basel I bildet die Grundlage der *Basel-II*-Verordnung. Neben der Anforderung zur Höhe der Eigenkapitalunterlegung wurden zusätzlich ein Überprüfungsverfahren sowie Regeln zur Information über besondere Risiken (die so genannte Marktdisziplin) hinzugefügt. Diese drei Kriterien bilden die drei Säulen der *Basel-II*-Richtlinien.

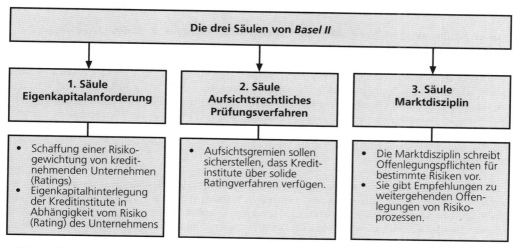

Diese drei Säulen zeigen deutlich, dass es nicht mehr nur um die Eigenkapitalausstattung der Kreditinstitute geht (Säule 1), sondern auch um die interne Risikorechnung einer jeden Bank (Säule 2) sowie der Offenlegung der Risikorechnung für Externe (Säule 3).

Der Zeitplan zur Einführung von *Basel II* ist schon oft verändert worden. Während des gesamten Jahres 2006 ist ein Testlauf von *Basel II* neben Basel I vorgesehen. Am 31. Dezember 2006 soll Basel II dann endgültig in Kraft treten.

Die Konsequenzen von *Basel II* sehen kleine und mittlere Unternehmen insbesondere in den steigenden Absicherungsanforderungen für die Kreditvergabe, die wahrscheinlich mit steigenden Zinsbelastungen einhergehen wird. Aus diesem Grund formieren sich wachsende Widerstände gegen die Einführung.

51

Bitte beachten Sie die Artikel zu den folgenden Stichwörtern:
Bankensystem (48 - 49)
Kredit (192 - 193)
Rating (272 - 273)

Benchmarking

Benchmarking ist eine Methode der strategischen Unternehmensführung, durch die Unternehmen eine Spitzenstellung am Markt erreichen wollen. Der Begriff stammt aus der Praxis der Landvermessung, wo „Benchmarks" als Orientierungspunkte dienten. Beim Benchmarking sollen nun Unternehmungen, die auf bestimmten Gebieten eine Spitzenstellung einnehmen, als solche Orientierungspunkte dienen. Das „nachahmende" Unternehmen kann durch Vergleich z.B. Mängel im Bereich der Kosten, der Qualitätssicherung oder der Motivation erkennen und sich neue Dimensionen und Perspektiven eröffnen.

Durch Benchmarking erfolgen Analysen zur Verbesserung der Aufbau- und Ablauforganisation, um die Wettbewerbsfähigkeit zu steigern.

Im Gegensatz zu anderen qualitätsverbessernden Techniken (z.B. Quality Circles, Lernstätten oder Werkstattzirkeln) erhält man beim Benchmarking schneller Ergebnismeldungen.
Die Voraussetzungen für ein Benchmarking-Projekt sind einfach: Ein Unternehmen wählt als Bezugsgröße für die Benchmarks solche Betriebe aus, deren Unternehmensprozesse und Geschäftssituationen mit den eigenen vergleichbar sind. Als Ausgangspunkte dienen die Techniken, die der erfolgreichen Unternehmung zu einer besseren Leistung verhelfen und die auf die Geschäftssituation des Unternehmens übertragen werden können, das seine Leistungsfähigkeit steigern möchte.

Das Management sollte sich darauf konzentrieren, die Benchmarking-Aktivitäten zu leiten, damit sie mit den strategischen Bedingungen zur Verbesserung der wichtigsten Unternehmensprozesse verknüpft bleiben, jedoch die Projektarbeit den jeweils zuständigen Abteilungen zu überlassen. Grundsatz ist, die von anderen Unternehmen ausgehenden Impulse nicht zu kopieren, sondern das Denken in Alternativen zu fördern. Dabei stellen sich immer die Fragen:

- Sind unsere Ziele richtig gesetzt? Konzentrieren wir uns im Vergleich zu den Bezugsunternehmen auf die richtigen Märkte, Produkte, Fertigungsverfahren?
- Ist der Einsatz der Ressourcen effizient genug? Schöpfen wir alle Möglichkeiten der Produktivitätssteigerung aus, die bei den Bezugsunternehmen festzustellen sind?
- Welche Veränderungen sind notwendig? Eignen sich die ermittelten alternativen Handlungsvarianten für unsere Unternehmung? Sind sie mit den sonstigen Aktivitäten kompatibel?

Ein Hauptvorteil einer gut strukturierten Benchmarking-Studie besteht in der Darstellung der Vergleichstatbestände, die dazu dienen, eine Prozessverbesserung zu erreichen. Beobachtet man den Erfolg anderer Unternehmen, wird das Vertrauen gestärkt, dass durch die Übertragung vergleichbarer Techniken ähnliche oder sogar noch bessere Ergebnisse erzielt werden können. Fehlt das Verständnis für die Faktoren, die zur Leistungssteigerung führten, dann fällt es schwer, ähnliche leistungssteigernde Prozesse in Gang zu setzen. Stellt das Management die richtigen Anforderungen an das Benchmarking-Team, so bestehen die größten Chancen, dass das Projektteam Erfolg haben wird.

Benchmarking geht in vier Schritten vor:

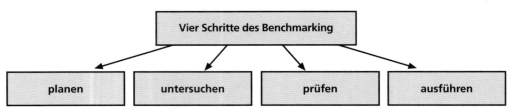

1.) Planen

Beim ersten Schritt, dem Planen der Benchmarking-Studie, ist es notwendig, den Sachverhalt, der untersucht werden soll, auszuwählen und zu beschreiben. Er kann sich auf Strukturen und Prozesse in verschiedensten Bereichen der Unternehmensfunktionen beziehen, z. B. Forschung und Entwicklung, Konstruktion, Qualitäts- und Prüfungswesen, Beschaffung, Lagerhaltung, Fertigungsvorbereitung usw. In diesem ersten Schritt müssen:

*   die Maßeinheiten für die Leistungsfähigkeit festgelegt werden
*   die eigenen Fähigkeiten bei diesem Sachverhalt bewertet und
*   die zu vergleichenden Unternehmen bestimmt werden.

2.) Untersuchen

Der zweite Schritt ist das Betreiben primärer und sekundärer Forschung. Dazu gehört die Einsichtnahme in zugängliche Berichte über die Vergleichsaspekte in den Zielunternehmen. Es ist wichtig, so viel wie möglich in Erfahrung zu bringen, bevor irgendwelche direkten Kontakte geknüpft werden, da viele Unternehmen gar nicht wissen, was über sie in der Presse und in den Fachpublikationen veröffentlicht wird. Die direkte Kontaktaufnahme mit den Unternehmen kann telefonisch, per Fragebogen oder durch eine Betriebsbesichtigung erfolgen. Damit kann ein genauerer Einblick gewonnen werden.

3.) Prüfen

Der dritte Schritt ist eine Analyse der gesammelten Daten zur Bildung des Ergebnisses und der daraus folgenden Empfehlungen. Die Analyse umfasst zwei Punkte:

*   die Größe des Unterschieds zwischen den Unternehmen feststellen, die anhand der im Planungsschritt festgelegten Maßstäbe analysiert wurden, und
*   die Praktiken, die eine Leistungssteigerung beim führenden Unternehmen bewirken, ermitteln.

4.) Ausführen

Der letzte Schritt umfasst die Anpassung, Verbesserung und Einbindung der entsprechenden Praktiken. Der Zweck einer Benchmarking-Studie besteht darin, ein Unternehmen derart zu verändern, dass die Produktivität entscheidend erhöht wird. Beim Benchmarking handelt es sich also um einen Prozess, der aus sich heraus zu Aktivitäten führt, und zwar mehr als das Erstellen einer Betriebsablaufsstudie oder das Festlegen einer relativen Maßeinheit für die Leistungsfähigkeit des Unternehmens.

Die beschriebene Vorgehensweise soll nur als Leitfaden angesehen werden und zum Verständnis des Ablaufes beitragen. Die Voraussetzung jeder Studie ist es, ausreichende Informationen über die Analysekriterien von Vergleichsunternehmen zu erhalten.

Bitte beachten Sie die Artikel zu den folgenden Stichwörtern:
Kosten (186 - 187)
Markt (210 - 211)
Motivation (230 - 231)
Produktivität (264 - 265)
Unternehmung (334 - 335)

„Beruf" in seiner ursprünglichen Bedeutung war die „himmlische Berufung" von Menschen zum Dienst für Gott. In diesem Sinn bezog es sich auf Geistliche und Mönche. Der Begriff wurde später auch auf weltliche Berufe übertragen, die Ämter darstellen, zu denen Gott die Menschen berufen hat. Über viele Jahrhunderte wurde damit nicht nur der einmal erworbene Beruf als dauerhaft und lebenslang festgeschrieben, sondern auch die Pflicht zur Arbeit als gewollt und von Gott gegeben begründet.

Zur Zeit der Aufklärung wandelte sich diese Ansicht in die „Berufung zum Wohle der Gemeinschaft", in der man lebte. Hieraus leitete sich auch die Aufgabe der beruflichen Bildung ab: Die Schulung der Vernunft und der Geschicklichkeit wird zum Anliegen der Gemeinschaft, weil die beruflichen Fähigkeiten zum Allgemeinwohl beitragen sollen. Erst im 20. Jahrhundert entfernt man sich in Deutschland von diesen ausschließlich idealistisch orientierten Auffassungen und sieht in der beruflichen Bildung auch – oder sogar vorwiegend – die Voraussetzung für den Erwerb des Lebensunterhalts und die Versorgung der Angehörigen.

Berufliche Bildung umfasst alle Bildungsgänge, die die Ausübung eines Berufes vorbereiten. Der Beruf ist nach Familie und Schule die dritte entscheidende soziale Instanz. Die berufliche Bildung sowie der daraus resultierende Beruf beeinflussen stark die Lebensführung und die sozialen Kontakte der Menschen.

Man geht heute davon aus, dass die berufliche Bildung die Begabungen, und Fähigkeiten des Menschen fördern und ihn befähigen soll, sein persönliches, berufliches und soziales Leben selbstverantwortlich zu gestalten. Sie soll berufliche Mobilität und soziale Chancen sichern und ihm ermöglichen, den Leistungsanforderungen einer modernen Industriegesellschaft gerecht zu werden.

Als entscheidenden Unterschied zur ursprünglichen Auffassung kann man daher für die heutige moderne Dienstleistungsgesellschaft den Wandel zu individuellen Zielsetzungen – eingebettet in gesellschaftliche Anforderungen – und zur Mobilität ansehen.

Was strebt die berufliche Bildung heute an?

Die wichtigsten Ziele der Beruflichen Bildung sind
· die Handlungskompetenz,
· die ganzheitliche Qualifikation und
· die Motivation.

In der folgenden Grafik bilden die Zielsetzungen „Handlungskompetenz, ganzheitliche Qualifikation und Motivation" den Mittelpunkt der beruflichen Bildung. Diese Zielsetzungen umfassen sowohl die persönliche Wertorientierung, die soziale Orientierung und die Aufgabenorientierung. Nur in dieser Zielbündelung kann der Bildungsanspruch des Individuums erfüllt werden.

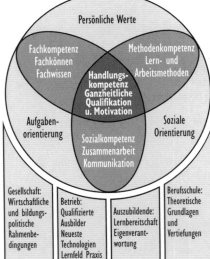

Verfolgt man diese Ziele, dann erreicht man:

- die **Fachkompetenz** durch das in der persönlichen Wertorientierung eingebettete Fachkönnen und Fachwissen
- die **Methodenkompetenz** durch die Beherrschung von Lern- und Arbeitsmethoden, die von persönlicher und sozialer Wertorientierung geprägt sind, sowie
- die **Sozialkompetenz**, d.h. die Qualifikation zur Zusammenarbeit und Kommunikation aufgrund der Sach- und Sozialorientierung des Individuums.

Das Duale System der beruflichen Bildung

In der Praxis der Bundesrepublik Deutschland versucht man, dieses Konzept im Rahmen des „Dualen Systems der Berufsausbildung" zu realisieren. Duales System bedeutet, dass die berufliche Bildung gleichzeitig in zwei Ausbildungsbereichen durchgeführt wird: in einem Ausbildungsbetrieb und in der Berufsschule. Ziel ist, eine Verbindung von berufs- und betriebstypischen Inhalten mit sozialen und gesamtwirtschaftlichen Inhalten zu erreichen sowie theoretische Darstellungen durch betriebliche Anschauung und Erprobung mit Praxis zu füllen.

Allerdings besteht eine ständige Auseinandersetzung über die richtige Mischung des Verhältnisses zwischen betrieblicher und schulischer Ausbildung. Während die Betriebe darauf hinweisen, dass sich die Ausbildung bei Vergrößerung der schulischen Anteile von der Berufsausübung entfernt, beklagen die Schulen, dass bei Vergrößerung der betrieblichen Anteile insbesondere die Methodenkompetenz und die theoretische Fundierung Schaden erleiden.

Bitte beachten Sie die Artikel zu den folgenden Stichwörtern:
Mobilität (224 - 225)
Motivation (230 - 231)

Als betriebliche Funktionen werden die verschiedenen Aufgabenbereiche in einer Unternehmung angesehen, wobei man in Haupt- und Hilfsfunktionen unterscheiden kann.

Die zentralen betrieblichen Hauptfunktionen Beschaffung, Fertigung, Absatz und Finanzierung werden von einer Vielzahl von Hilfsfunktionen unterstützt. Sämtliche Funktionen müssen vom Management koordiniert werden.

Es ist im Grunde müßig, darüber zu streiten, welcher der Funktionen im Rahmen der allgemeinen Betriebswirtschaftslehre die größte Bedeutung zukommt, oder gar eine Rangordnung der Funktionen zu erstellen. Geht man von dem Umfang der Informationen in üblichen Lehrbüchern aus, so dominiert zumeist der Bereich der Fertigung, doch weist die moderne Betriebswirtschaftslehre sehr nachdrücklich darauf hin, dass im Rahmen der Unternehmensaufgaben in einem marktwirtschaftlichen System der Absatzfunktion die Schlüsselrolle zukommt und man heute geradezu von einer marketingorientierten Wirtschaftsführung bzw. einem marktorientierten Management sprechen muss.

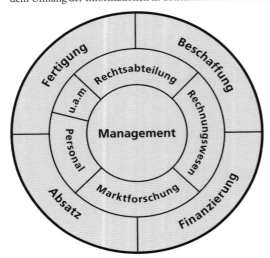

Sehr viel wichtiger als die Frage nach der Bedeutung ist die Frage des Zusammenwirkens und der gegenseitigen Abhängigkeit der Funktionen, kann doch die unternehmerische Zielsetzung nur durch den planvollen, koordinierten Einsatz der Gesamtheit aller Funktionen optimal erreicht werden.

Im folgenden werden die betrieblichen Hauptfunktionen Fertigung, Beschaffung, Absatz und Finanzierung kurz definiert und beschrieben.

Fertigung

Fertigung ist die Herstellung von Sachgütern oder die Bereitstellung von Dienstleistungen. Ziel einer wirtschaftlichen Fertigungsplanung ist die optimale Kombination der Produktionsfaktoren im Fertigungsprozess und die Erstellung von verwertbaren Gütern für den Absatz. Die Fertigungsplanung beginnt bereits mit der Strukturplanung der Produktionsstätte, wenn Standort, Ausstattung des Betriebes mit Betriebsmitteln und Arbeitskräften (Kapazität) festgelegt werden. Soweit diese Faktoren (Standort, Betriebsmittel, Arbeitskräfte usw.) zur Diskussion stehen, spricht man von langfristiger Fertigungsplanung. Die kurzfristige Fertigungsplanung geht von der gegebenen Struktur aus, nimmt diese als gegeben hin und entscheidet auf dieser Basis. Liegt die Struktur des Betriebes fest, dann richtet sich die kurzfristige (und mittelfristige) Fertigungsplanung auf die Planung des Fertigungsprogramms (= welche Produkte in welcher Menge und in welcher Qualität produziert werden) und des Fertigungsablaufs (= wie produziert wird)

Beschaffung

Beschaffungsplanung ist die organisatorische Aufgabe, alle Produktionsfaktoren (Arbeit, Betriebsmittel, Werkstoffe) in richtiger Qualität und Menge zur richtigen Zeit am richtigen Ort zu haben. Das Ziel muss die störungsfreie Produktion und die Einhaltung von Qualitätsstandards sein. Dabei spielen die Entscheidungen über Beschaffungsmärkte, Transportverfahren und -wege und die Lagerhaltung die wichtigste Rolle.

Absatz

Für den Bereich Absatz hat sich inzwischen der Begriff Marketing eingebürgert. Er betont die aktive, planmäßige Durchführung des Absatzes unter den Bedingungen eines Wettbewerbsmarktes. Diese Art von Absatzpolitik besteht nicht nur in dem Verkauf der Güter, sondern beginnt schon bei der Fertigungsplanung und durchzieht alle betrieblichen Fertigungsbereiche (Forschung, Lagerhaltung, Finanzierung usw.), um den Absatz, von dem letztlich das Überleben der Unternehmung abhängt, zu sichern. Die wichtigsten Merkmale einer solchen Marketingkonzeption sind:

- bewusste Absatz und Kundenorientierung,
- systematische Analyse aller für den Absatz wichtigen Faktoren,
- abgestimmter Einsatz aller Marketinginstrumente (z.B. Produktgestaltung, Preise, Werbung, Vertriebssystem)
- planmäßige Marktforschung und systematische Markterschließung,
- Ausrichtung aller betrieblichen Funktionen auf den Marketinggedanken.

Finanzierung

Finanzierung bedeutet für ein Unternehmen, wie für jeden anderen auch, Beschaffung von **Geld**. Für die Unternehmungen kann man dabei zwei Aufgabenbereiche unterscheiden:

1. Investitionsbereich: Finanzmittel sind erforderlich, um Sachvermögen (Gebäude, Maschinen, Anlagen) und immaterielles Vermögen (z. B. Lizenzen, Patente) zu beschaffen, die Voraussetzung für die Aufnahme der Produktion sind.

2. Zahlungsbereich: Finanzmittel sind erforderlich, um den Zeitraum zwischen der Ausgabe von Geld für die Beschaffung der Produktionsfaktoren und dem Rückfluss von Geld durch den Absatz der Produkte zu überbrücken.

Für beide Bereiche ist die ausreichende Liquidität, d.h. die Fähigkeit, jederzeit die Zahlungsverpflichtungen erfüllen zu können, eine unabdingbare Voraussetzung, weil mangelnde Liquidität fast zwangsläufig der Anfang vom Ende einer Unternehmung ist.

Bitte beachten Sie die Artikel zu den folgenden Stichwörtern:
Fertigungsplanung (116 - 117)
Liquidität (196 - 197)
Management (204 - 205)
Marketing (208 - 209)
Produktionsfaktoren (262 - 263)
Unternehmung (334 - 335)

Betriebswirtschaftliche Kennzahlen bieten bei betrieblichen Entscheidungen eine schnelle und übersichtliche Grundlage sowie ein umfassendes Bild von der Lage der Unternehmung auch für Außenstehende.

Was beschreiben betriebswirtschaftliche Kennzahlen?

*   wie die Unternehmung gegenüber anderen Unternehmen dasteht,
*   wie sich die wirtschaftliche Lage entwickelt hat,
*   welche Veränderungen sich in den einzelnen Betriebsabteilungen zeigen,
*   ob geplante Ziele erreicht wurden,
*   wie die finanzielle Lage aussieht,
*   usw.

An der Antwort auf solche Fragen ist zum einen das Management interessiert, das Entscheidungen zu treffen hat. Den Managern stehen in der Regel eine Vielzahl von betriebseigenen Daten zur Verfügung, vor allem aus der Kostenrechnung, die keinem Außenstehenden zugänglich sind, da das Wohl und Wehe einer Unternehmung im Wettbewerb davon abhängt, dass die Konkurrenten hierüber keine Informationen haben.

Allerdings gibt es viele außenstehende Interessenten, die mit der Unternehmung in Verbindung stehen und deren eigene Situation oft von dem Wohlergehen der Unternehmung abhängt. Hierzu gehören z. B.

*   Anteilseigner, die an Entscheidungen nur indirekt beteiligt sind (z.B. Aktionäre, Kommanditisten, Genossen von Genossenschaften)
*   heutige und mögliche spätere Gläubiger, die der Unternehmung Darlehen zur Verfügung gestellt haben;
*   die Finanzverwaltung und andere staatliche Stellen, die Steuern und andere Zahlungen zu erwarten haben;
*   Lieferanten, die Guthaben bei der Unternehmung offen haben und an weiteren Absatzmöglichkeiten interessiert sind;
*   Kunden, deren Produktion von einer weiteren Belieferung und Einhaltung von Garantiezusagen abhängig ist;
*   Arbeitnehmer, deren Einkommen von der Existenz der Unternehmung mehr oder weniger stark abhängt;
*   die Gemeinde und die in ihr lebenden Bürger, wenn die Wirtschaftskraft der Gemeinde in hohem Maße von der (oft einzigen) Großunternehmung abhängt und sie auf die Steuereinnahmen angewiesen ist.

Bei den Informationen über Kennzahlen der Unternehmung sind diese Gruppen weitgehend auf die Daten aus den veröffentlichten Jahresabschlüssen angewiesen, in denen insbesondere aus Bilanz und Erfolgsrechnung der Unternehmungen solche Kennzahlen errechnet werden können. Auch ein Teil der Eigentümer muss zu den Interessenten hinzugerechnet werden, denn es gibt eine große Zahl von Anteilseignern, die zwar an der Unternehmung beteiligt sind, jedoch keine weiteren Informationen erhalten als die des Jahresabschlusses.

Interne und externe Interessenten an betrieblichen Kennzahlen

Kennzahlen aus dem Jahresabschluss	Kennzahlen aus der Kostenrechnung und anderen internen Informationsquellen
Eigentümer ohne Zugang zu internen Informationen	Management
Gläubiger, Finanzverwaltung, Marktpartner, Arbeitnehmer, Öffentlichkeit	

Betriebswirtschaftliche Kennzahlen

Welche Hilfe bieten Kennzahlen dem Praktiker?

Kennzahlen bieten dem Praktiker Vergleiche:

* zwischen heute und früheren Perioden
* zwischen seiner und anderen Unternehmungen und
* zwischen seinen Zielvorstellungen und den erzielten Ergebnissen

Die absoluten Angaben über die Vermögenswerte oder den Erfolg der Unternehmung sind ohne solche Vergleichsmöglichkeit oft wenig aufschlussreich.

Beispiele für betriebswirtschaftliche Kennzahlen

Kennzahl	Beispiel	Ergebnis der Kennzahl
Rentabilität Die Rentabilität stellt das Verhältnis von eingesetztem Kapital oder dem gemachten Umsatz und dem dadurch erzielten Gewinn (bzw. Jahresüberschuss) dar.	Kapitaleinsatz = 10.000 Euro Gewinn = 2.000 Euro	Kapitalrentabilität = 20%
	Umsatz = 100.000 Euro Gewinn = 2.000 Euro	Umsatzrentabilität = 2%
Eigenkapitalquote Die Eigenkapitalquote gibt an, wie viel des insgesamt in der Firma arbeitenden Kapitals dem Eigentümer gehört.	Eigenkapital = 2.000.000 Euro Gesamtkapital = 8.000.000 Euro	Eigenkapitalquote = 25%
Anlageintensität Die Anlageintensität stellt dar, wie viel des insgesamt in der Firma investierten Vermögens durch die installierten Anlagen gebunden ist, d.h. sehr langfristig verfügbar sein muss.	Anlagevermögen = 4.000.000 Euro Gesamtvermögen = 8.000.000 Euro	Anlageintensität = 50%
Liquiditätsgrad Der Liquiditätsgrad zeigt, inwieweit die Firma vor Zahlungsschwierigkeiten steht, da hier die verfügbaren Zahlungsmittel und Schulden gegenübergestellt werden.	Liquide Mittel = 50.000 Euro Kurzfristige Zahlungsverpflichtungen = 100.000 Euro	Liquiditätsgrad = 0,5

Bitte beachten Sie die Artikel zu den folgenden Stichwörtern:
Bilanz (60 - 61)
Kostenrechnung (188 - 189)
Unternehmung (334 - 335)
Wettbewerb (366 - 367)

Das Handelsgesetzbuch (HGB) und das Steuerrecht schreiben für Kaufleute die regelmäßige Aufstellung eines Inventars und einer Bilanz vor. Im Inventar müssen alle Vermögensgegenstände und Schulden ausführlich nach Art, Menge und Wert aufgezeichnet werden. Ein solches Inventar kann unter Umständen viele Seiten umfassen und dadurch sehr unübersichtlich werden. Daher verlangt das HGB zusätzlich die Aufstellung einer Bilanz, die eine kurzgefasste Gegenüberstellung von Vermögen und Schulden darstellt.

> **Die Bilanz ist eine Gegenüberstellung von Vermögenswerten (Aktiva) und Vermögensquellen = Eigen- sowie Fremdkapital (Passiva). Sie dient dazu, das Vermögen und den Erfolg (Gewinn /Verlust) eines Unternehmens zu ermitteln.**

AKTIVA = Vermögenswerte	PASSIVA = Vermögensquellen
1. Anlagevermögen • Gebäude • Sachanlagen (Maschinen) 2. Umlaufvermögen 1. Waren 2. Wertpapiere 3. Forderungen 4. Bankguthaben 5. Bargeld	1. Eigenkapital 2. Fremdkapital • Bankdarlehen • Schulden bei Lieferanten (Verbindlichkeiten)
Bilanzsumme	Bilanzsumme

Die beiden Seiten einer Bilanz ergeben immer die dieselbe Summe, weil auf beiden Seiten das Gesamtvermögen – links nach Vermögensarten und rechts nach seiner Herkunft – dargestellt wird.

Wichtig für die Struktur einer jeden Bilanz ist, dass es sich immer um die Gegenüberstellung von Vermögenswerten (in Form von Sachwerten und Forderungen) auf der Aktivseite und Schulden auf der Passivseite handelt. Versteht man unter Schulden nur das, was die Unternehmung denen schuldet, die keine Eigentümer sind (z. B. Banken, Lieferanten, Darlehensgeber), dann ergibt sich in der Regel auf der Passivseite eine Differenz, die angibt, wie viel von dem Gesamtvermögen der Unternehmung den Eigentümern gehört. Dies wird als Eigenkapital bezeichnet.

Jede Bilanzposition ist exakt nachzählbar oder nachprüfbar (z. B. Verzeichnis der Maschinen, der Waren, Darlehensverträge, Lieferantenrechnungen, Kontoauszüge, Bargeld). Eine Ausnahme macht nur das Eigenkapital, das nicht zählbar und nachprüfbar ist, sondern sich immer nur als Unterschiedsbetrag zwischen den Vermögenswerten und dem Fremdkapital ergibt.

Gesamtvermögen - Fremdkapital = Eigenkapital

Auch das Eigenkapital sind Schulden, da ja die Unternehmung, die ein eigenes Rechtsgebilde ist, diese Summe ihren Eigentümern schuldet. Die Schulden unterscheiden sich jedoch darin, dass z. B. keine Zinsen für das Geld gezahlt werden müssen und in der Regel auch keine Rückzahlung des Geldes an die Eigentümer vorgesehen ist, so lange die Unternehmung nicht aufgelöst wird. Auch im Fall einer Insolvenz der Firma bestehen insofern Unterschiede, als die fremden Gläubiger (Fremdkapital) Ansprüche an die Unternehmung haben, während die der Firma verbundenen Gläubiger (Eigenkapital) nur auf Reste des Vermögens hoffen können, die übrigbleiben.

Gliederung einer Bilanz

Die Reihenfolge der einzelnen Positionen in einer Bilanz ist nicht willkürlich. Der Gliederung liegt eine feste Ordnung zu Grunde:

Auf der Aktivseite erfolgt eine Gliederung nach dem Grad der Liquidität (Zahlungsfähigkeit), wobei das Bargeld als der Vermögensbestandteil mit höchster Liquidität am Ende steht, während die nur in Ausnahmefällen (durch Verkauf) zu Bargeld zu machenden Grundstücke und Gebäude den Anfang machen. Ihnen folgen alle die Vermögenswerte, die die Grundlage für die Durchführung der betrieblichen Funktionen darstellen und bei deren Umwandlung in Bargeld die Unternehmung nicht mehr arbeitsfähig wäre (Maschinen, Anlagen, Fahrzeuge, Einrichtung usw.). Wir nennen all dies das **Anlagevermögen**. Danach kommen alle die Positionen, die mit den laufenden Geschäften zu tun haben und die sich kurzfristig durch Einkauf, Produktion und Verkauf ständig verändern. Wir nennen sie **Umlaufvermögen**.

Die Passivposten sind nach der Dauer der Verfügbarkeit für die Unternehmung geordnet, wobei das am langfristigsten zur Verfügung stehende **Eigenkapital** am Anfang steht und die kurzfristig rückzahlbaren Schulden am Ende. Das folgende Beispiel verdeutlicht die Aufstellung einer Bilanz mit ihren verschiedenen Positionen.

Beispiel: Bilanz der Cellier-Textil GmbH zum 31.12.

Aktiva		Passiva	
1. Anlagevermögen		1. Eigenkapital	
• Gebäude	4.450.000	• gezeichnetes Kapital	1.000.000
• Maschinen	635.000	• Rücklagen	1.900.000
• Fuhrpark	600.000	• Jahresüberschuss	100.000
• Geschäftsausstattung	75.000		
2. Umlaufvermögen		2. Fremdkapital	
• Vorräte	575.000	• Hypothek	2.000.000
• Forderungen	610.000	• Darlehen	1.350.000
• Bankguthaben	5.000	• Verbindlichkeiten	650.000
• Kasse	50.000		
	7.000.000		**7.000.000**

An dieser Bilanz sieht man, dass das Eigenkapital nicht in einer Summe angeführt wird, sondern drei verschiedene Positionen das Eigenkapital bilden. Dies hängt mit der Rechtsform der Firma Cellier zusammen, die nicht einem einzelnen Eigentümer gehört und keine Personengesellschaft ist (z. B. OHG oder KG), sondern eine GmbH, also eine Kapitalgesellschaft.

Bitte beachten Sie die Artikel zu den folgenden Stichwörtern:
GmbH (144 - 145)
Insolvenz (164 - 165)
Rechtsformen (276 - 277)

Bilanzanalyse

Die Bilanzanalyse hat das Ziel, aus den Angaben des Jahresabschlusses Informationen über die wirtschaftliche Situation der betreffenden Unternehmung zu erarbeiten.

Bilanzanalysen unterscheiden sich von unternehmensinternen Analysen dadurch, dass der Analytiker nicht über interne Informationen verfügt, sondern sich nur auf die veröffentlichten Angaben der Jahresabschlüsse einer Unternehmung beziehen kann. Bilanzanalysen werden z.B. von Kreditgebern, von Lieferanten und Kunden oder auch von Konkurrenzunternehmen durchgeführt. Je nach Informationsbedürfnis des außenstehenden Analytikers lassen sich bilanzanalytische Betrachtungen grundsätzlich unterteilen in Analysen zur Vermögens-, zur Finanz- und zur Ertragslage.

Die Kennzahlenanalyse

Das wesentliche Instrument der Bilanzanalyse ist die Kennzahlenanalyse. In der Praxis wird sehr häufig mit betriebswirtschaftlichen Kennzahlen gearbeitet, weil die Kennzahlen knappe, aber bedeutsame Auskünfte über das Unternehmen geben.

Bilanzkennzahlen können sowohl absolute Zahlen (Mengen- und Wertgrößen) als auch Relativzahlen sein, bei denen absolute Zahlen ins Verhältnis gesetzt werden.

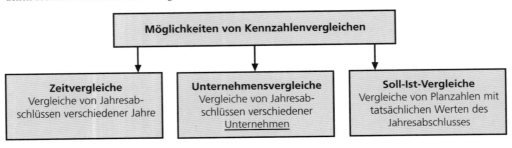

Da diese Kennzahlen sich immer nur auf einzelne Prozesse und Strukturen einer Unternehmung beziehen, hat man in der Praxis zur Ableitung eines Gesamturteils über die wirtschaftliche Situation einer Unternehmung Kennzahlensysteme geschaffen, mit deren Hilfe sich die Gesamtheit der betrieblichen Funktionen erfassen und bewerten lässt. Auch die Banken arbeiten bei der Beurteilung der finanzwirtschaftlichen Situation von Unternehmungen mit solchen Kennzahlensystemen, die ihre besondere Bedeutung auch dadurch erlangen, dass die Banken über einen erheblichen Umfang an Vergleichsdaten verfügen, die sie von ihrer Kundschaft im Rahmen von Kreditgeschäften erhalten.

Bitte beachten Sie die Artikel zu den folgenden Stichwörtern:
Abschreibung (10 - 11)
Betriebswirtschaftliche Kennzahlen (58 - 59)
Bilanz (60 - 61)
Jahresabschluss (172 - 173)
Kredit (192 - 193)
Unternehmung (334 - 335)

Im Folgenden werden die wichtigsten und bekanntesten Kennzahlen der Bilanzanalyse dargestellt:

Art der Kennzahl	Erläuterung der Kennzahl und Formel
Kennzahlen der Vermögensstruktur	**Vermögensintensitäten** (einzelne Vermögenspositionen werden zu dem Gesamtvermögen der Firma in Beziehung gesetzt) $$\text{Forderungsintensität} = \frac{\text{Forderungen}}{\text{Gesamtvermögen}}$$
	Umsatzrelationen (man setzt verschiedene Bestandswerte in Relation zur Höhe des Umsatzes) $$\text{Umschlagshäufigkeit (je Jahr)} = \frac{\text{Umsatz je Jahr}}{\text{Durchschnittliche Vorräte}}$$ $$\text{Umschlagsdauer (in Tagen)} = \frac{\text{Vorräte x 360}}{\text{Umsatz je Jahr}}$$
	Investitions- und Abschreibepolitik (man analysiert die Wachstumsaktivität einer Unternehmung durch ihre Bemühungen um Investitionen) $$\text{Investitionsquote} = \frac{\text{Neuinvestition}}{\text{Anlagevermögen}}$$ $$\text{Abschreibungsquote} = \frac{\text{Abschreibungen auf Anlagen}}{\text{Anlagevermögen}}$$
Kennzahlen der Kapitalstruktur	**Kapitalquoten** (man setzt einzelne Kapitalanteile in Beziehung zur Bilanzsumme bzw. zum Gesamtkapital) $$\text{Eigenkapitalquote} = \frac{\text{Eigenkapital}}{\text{Gesamtkapital}}$$
Kennzahlen der Vermögens- und Kapitalstruktur	**Deckungsregeln** (man setzt Vermögensbestandteile in Relation zu Kapitalanteilen) $$\text{Goldene Bilanzregel} = \frac{\text{Eigenkapital}}{\text{Anlagevermögen}}$$
Kennzahlen der Erfolgsanalyse	**Erfolgsintensitäten** (man setzt einzelne Aufwands- oder Ertragsgrößen in Relation zum Gesamtaufwand oder -ertrag) $$\text{Materialintensität} = \frac{\text{Materialaufwand}}{\text{Umsatz bzw. Gesamtaufwand}}$$

Die Börse entwickelte sich aus früheren Messen und Märkten. Die ersten Börsen entstanden in Deutschland schon zu Ende des 17. Jahrhunderts. Die Börse ist ein besonderer Markt.

Die Börse ist ein zentraler Ort bzw. Wirtschaftsplatz, an dem zu festen Zeiten Teilnehmer eines bestimmten Marktes zusammenkommen, um Waren, Wertpapiere, Devisen und Versicherungen zu handeln.

Die Börse führt Angebot und Nachfrage auf einem Markt zusammen. Es werden Waren gehandelt, die in der Börse selbst gar nicht verfügbar sind, d.h. an Ort und Stelle nicht geprüft werden können. Da es sich jedoch um Dinge handelt, die keine Einzelstücke darstellen, sondern die in großen Mengen gleiche Qualität aufweisen und den Händlern bekannt sind (= vertretbare Güter), ist der unmittelbare Augenschein überflüssig.

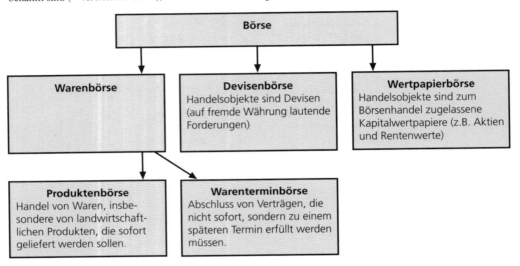

Preisbildung an der Börse

Die Preisbildung, die sich an der Börse für die dort gehandelten Waren oder Werte vollzieht, ergibt sich ausschließlich aus den Forderungen der Anbieter und den Vorstellungen der Nachfrager. Nehmen wir einmal an, dass folgende Angebote und Nachfragen nach einem bestimmten Wertpapier vorliegen:

Angebot		Nachfrage	
Alle Anbieter bieten an:		**Alle Nachfrager würden kaufen:**	
Ohne Preislimit	100 Stück		
Preis mindestens Euro 200	300 Stück	Preis höchstens Euro 200	1000 Stück
Preis mindestens Euro 201	500 Stück	Preis höchstens Euro 201	950 Stück
Preis mindestens Euro 202	600 Stück	Preis höchstens Euro 202	900 Stück
Preis mindestens Euro 203	750 Stück	Preis höchstens Euro 203	850 Stück
Preis mindestens Euro 204	**800 Stück**	**Preis höchstens Euro 204**	**800 Stück**
Preis mindestens Euro 205	875 Stück	Preis höchstens Euro 205	700 Stück
Preis mindestens Euro 206	950 Stück	Preis höchstens Euro 206	500 Stück
Preis mindestens Euro 207	1060 Stück	Preis höchstens Euro 207	300 Stück
		ohne Preislimit	150 Stück

Aus dieser Gegenüberstellung von Angebot und Nachfrage wird deutlich, dass die Angebotsmenge zunimmt, je höher der Preis ist, während die Nachfragemenge bei steigenden Preisen abnimmt. So ergibt sich eine Übereinstimmung der Vorstellungen von Anbietern und Nachfragern nur bei dem Preis Euro 204, zu dem ein Handel von 800 Stück stattfinden wird. Alle Anbieter, die mehr als Euro 204 haben wollten, werden nicht verkaufen, alle Nachfrager, die weniger als Euro 204 geboten haben, werden nichts erhalten.

Von welchen Faktoren werden die Preisvorstellungen von Anbietern und Nachfragern bestimmt?

Für die Anbieter ist zunächst einmal ihre Kostensituation wichtig, da man zumindest eine Kostendeckung erreichen möchte. Bei den Nachfragern spielt dagegen der individuelle Nutzen des Gutes bzw. Wertpapiers eine Rolle. Darüber hinaus werden die Preisvorstellungen von Anbietern und Nachfragern von vielen Faktoren geprägt, wie etwa

* politische Ereignisse (Wahlen, Kriege usw.)
* volkswirtschaftliche Veränderungen wie z.B. Schwankungen der Konjunktur,
* wirtschaftspolitische Maßnahmen wie z.B. Einfuhrbeschränkungen,
* weltwirtschaftliche Ereignisse wie z.B. Missernten, Energiekrise.

Dies sind nur einige Aspekte. Es gibt gewiss noch andere Faktoren der Kursbildung. Man spricht daher nicht umsonst davon, dass die Börse das „Barometer der Wirtschaft" ist.

Die Rechtsform der Börse

Die Börse hat in der Regel die Rechtsform einer öffentlich-rechtlichen Körperschaft eigener Art. Sie wird als Veranstaltung von einem Börsenträger errichtet, der für die ordnungsgemäße Abhaltung und Durchführung sorgt. Solche Börsenträger sind z.B. Industrie- und Handelskammern oder Börsenvereine, denen Wirtschaftsunternehmen angehören. Die Deutsche Börse in Frankfurt ist eine Aktiengesellschaft. Sie ist selbst an der Börse notiert und gehört dort zu den 30 größten Unternehmen.

Durch ein Börsengesetz wird die Organisation der Börsen geregelt. Nur ein ganz enger Personenkreis ist jeweils berechtigt, Geschäfte an der Börse abzuwickeln. Rechtsgrundlage deutscher Börsen ist das Börsengesetz (BörsG) vom 22.6.1896 in der Fassung vom 21.12.2000. Durch dieses werden für alle deutschen Börsen gültige Bestimmungen über Aufbau der Börse, Ablauf des Börsengeschehens, Staatsaufsicht, Träger und Selbstverwaltungsorgane bestimmt. Darüber hinaus hat jede Börse eine eigene Börsenordnung.

Die größte Aufmerksamkeit in der Öffentlichkeit genießen die Wertpapierbörsen, deren Aktivität täglich in Funk und Fernsehen übertragen und in vielen Tageszeitungen dargestellt wird. Hierbei wird die Entwicklung der Kurse der wichtigsten Wertpapiere bekannt gegeben.

Um die durchschnittliche Kursentwicklung an den Börsen zu verfolgen, gibt es sog. Aktienindices oder Rentenindices. Die bekanntesten sind wohl der „Dow-Jones-Index" (USA) und der „Nikkei-Index" (Japan). Für Deutschland gelten der DAX (Deutscher Aktien-Index) und für festverzinsliche Wertpapiere der REX (Renten-Index) als wichtige Kursmaßstäbe.

Bitte beachten Sie die Artikel zu den folgenden Stichwörtern:
Aktiengesellschaft (12 - 13)
Aktienindex (14 - 15)
Markt (210 - 211)
Preisbildung (256 - 257)
Rechtsformen (276 - 277)
Versicherung (348 - 349)
Wertpapiere (362 - 363)

Brainstorming

Brainstorming ist die bekannteste Technik zur Förderung von Kreativität und wurde von Alex F. Osborn in den dreißiger Jahren des letzten Jahrhunderts entwickelt.

Brainstorming regt die Kreativität einer Arbeitsgruppe an. Wenn eine Unternehmung eine große Menge an Ideen gewinnen will, werden Brainstorming-Sitzungen abgehalten. Einer Gruppe von Personen wird ein Problem genannt, zu dem jeder Teilnehmer Lösungsvorschläge machen kann.

In der Wirtschaft ist Brainstorming vor allem in kreativen Bereichen sehr beliebt. So werden in Brainstorming-Sitzungen nicht selten Werbesprüche, neue Verpackungsarten, Produktideen, Produktnamen etc. geschaffen.

Was ist beim Brainstorming zu beachten?	
Dauer	Für den Prozess der Ideenproduktion sollten – je nach Fragestellung – 15 bis 60 Minuten aufgewendet werden. Die Sitzungsdauer sollte sich aber nicht zu streng an der vorgegebenen Zeit orientieren, sondern vor allem am Ideenfluss.
Mitglieder	Osborn rät zu einer optimalen Gruppengröße von 6-8 Mitgliedern, die beiderlei Geschlechts sein und möglichst verschiedenen Berufsgruppen angehören sollten. Zur Teilnahme am Brainstorming bedarf es keiner tiefgreifenden Ausbildung und Erfahrung im Brainstorming. Die Mitglieder sollten aber mit den Grundregeln und Prinzipien vertraut sein.
Problem	Das zur Aufgabe gestellte Problem sollte einfach, leicht verständlich, klar umrissen und nicht zu speziell sein.
Protokollant	Er notiert alle genannten Beiträge für alle Mitglieder sichtbar.
Moderator	Er präzisiert das Problem, regt passive Teilnehmer an und achtet auf die Einhaltung der Prinzipien und Grundsätze.

Prinzipien und Grundregeln

Folgende Prinzipien und Grundregeln des klassischen Brainstorming legte Osborn fest, um den größtmöglichen Erfolg einer Sitzung zu erreichen. Es liegt vor allem in der Hand des Moderators, auf die Einhaltung der Leitlinien zu achten.

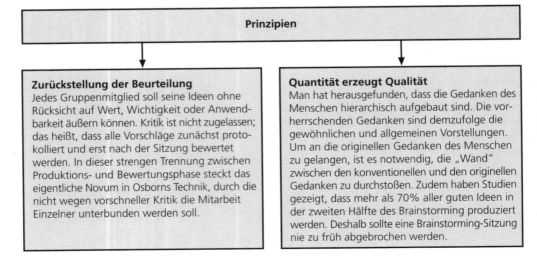

Prinzipien

Zurückstellung der Beurteilung
Jedes Gruppenmitglied soll seine Ideen ohne Rücksicht auf Wert, Wichtigkeit oder Anwendbarkeit äußern können. Kritik ist nicht zugelassen; das heißt, dass alle Vorschläge zunächst protokolliert und erst nach der Sitzung bewertet werden. In dieser strengen Trennung zwischen Produktions- und Bewertungsphase steckt das eigentliche Novum in Osborns Technik, durch die nicht wegen vorschneller Kritik die Mitarbeit Einzelner unterbunden werden soll.

Quantität erzeugt Qualität
Man hat herausgefunden, dass die Gedanken des Menschen hierarchisch aufgebaut sind. Die vorherrschenden Gedanken sind demzufolge die gewöhnlichen und allgemeinen Vorstellungen. Um an die originellen Gedanken des Menschen zu gelangen, ist es notwendig, die „Wand" zwischen den konventionellen und den originellen Gedanken zu durchstoßen. Zudem haben Studien gezeigt, dass mehr als 70% aller guten Ideen in der zweiten Hälfte des Brainstorming produziert werden. Deshalb sollte eine Brainstorming-Sitzung nie zu früh abgebrochen werden.

Die vier Grundregeln des Brainstorming

1. Kritik wird ausgeschlossen

Diese Grundregel ist am schwierigsten zu verwirklichen, da es den Gruppenmitgliedern in der Regel sehr schwer fällt, mit Kritik bis nach der Sitzung hinter dem Berg zu halten. Dem Gruppenleiter fällt hier eine besondere Aufgabe zu. Er soll darauf achten, dass die Gruppenmitglieder nicht mit so genannten „Ideenkillern" (z.B. „Das haben wir schon immer so gemacht!", „Dies ist ja unmöglich" oder „Dafür ist die Zeit nicht reif!") auf die Vorschläge anderer antworten und somit den Äußerungsfluss hemmen.

2. Freies Assoziieren wird begrüßt

Alle Teilnehmer sollen frei ihre Gedanken hervorbringen und ihrer Fantasie freien Lauf lassen. Je ausgefallener die Idee, desto besser. Blödeln ist wichtig und erwünscht, Vernunft und Logik spielen keine Rolle Es ist am Ende leichter, die Vorschläge „zurechtzustutzen" als „anzureichern".

3. Quantität ist erwünscht

Je größer die Zahl der Ideen ist, desto höher ist die Wahrscheinlichkeit, die optimale oder beste Lösung für ein Problem zu finden.

4. Kombination und Verbesserung sind gesucht

Der Gruppenleiter hat die Aufgabe, die Mitglieder zu motivieren und nicht nur die eigenen Ideen, sondern auch die der anderen zu verbessern und zu kombinieren. Die Teilnehmer sollen Ideen anderer Teilnehmer aufgreifen und weiterentwickeln.

Leider wird Brainstorming häufig falsch angewandt. Dies ist zum Beispiel der Fall, wenn man versucht, hochspezifische technische Probleme damit zu lösen oder wenn man die Prinzipien und Grundregeln nicht beachtet.
Ein Nachteil der Methode ist mit Sicherheit der große Aufwand für die Ideenauswertung. Andererseits ist Brainstorming eine Technik, die nicht nur relativ leicht zu erlernen und anzuwenden ist, sondern auch mit wenig Zeitaufwand viele Ideen hervorbringt. Ein Vorteil liegt zudem darin, dass die Methode kurzfristig einsatzfähig und relativ billig ist. Die zahlreichen Brainstorming-Arten, die heute bekannt sind, zeigen große Variationsmöglichkeiten dieser Technik.

Eine der bekanntesten Methoden zur Erfolgsprognose und Erfolgskontrolle ist die Analyse des „break-even-points", auch „Gewinnschwelle" genannt.

Ein Beispiel soll zeigen, was damit gemeint ist.

Nehmen Sie einmal an, dass Sie Ihr Geld mit deutschen Sprachkursen verdienen wollen. Ein Kurs soll 25 Tage mit je 8 Stunden Lehrtätigkeit dauern. Sie können einen Gaststättenraum, der sich als Kursraum gut eignet, mit Tafel und Flipchart für 100 Euro pro Tag mieten. Sie möchten für diese Tätigkeit mindestens so viel verdienen wie bisher als Fremdenführer , d.h. je Tag 50.- Euro. Außerdem müssen Sie davon ausgehen, dass je Teilnehmer Arbeitsmaterial im Wert von 50.- Euro notwendig ist und die Gaststätte erwartet, dass ein gemeinschaftliches Mittagessen mit Getränk zum Preis von 8.- Euro je Teilnehmer eingenommen wird. Sie wissen, dass konkurrierende Sprachschulen solche Kurse für ca. 500.- Euro anbieten.

Sie können Ihre Kalkulation mit Hilfe der Ermittlung des b.e.p. auf die Frage reduzieren, wie viele Teilnehmer Sie benötigen, damit sich die Unternehmung lohnt.

Ihre Überlegung:

1. Bei 25 Tagen belaufen sich die Kosten auf 2500.- Euro für den Raum (25 x 100) und auf 1250.- Euro für Sie (25 x 50). Dies macht zusammen 3750.- Euro aus, die unabhängig davon anfallen, wie viele Teilnehmer Sie haben werden.

2. Wenn Sie nur einen Teilnehmer hätten, würde dieser für 50.- Euro Material und für 200.- Euro (25 Tage x 8) Verpflegungskosten in Anspruch nehmen. Zusammen also 250.- Euro. Da Sie 500.- Euro von ihm erhalten, bleiben Ihnen bei diesem Teilnehmer 250.- Euro übrig, die natürlich bei weitem nicht ausreichen, um den Raum und Ihr Honorar abzudecken.

3. Sie können aber nun so rechnen, dass Sie fragen: „Wie viele Teilnehmer sind notwendig, damit ich mindestens 3750.- Euro für Raum und Honorar übrig behalte"? Da bei einem einzelnen Teilnehmer 250.- Euro übrig bleiben, teilen Sie 3750 : 250 und erhalten den Wert 15. Sie werden also mit 15 Teilnehmern gerade so viel einnehmen, dass alle Ihre Kosten abgedeckt sind.

4. Wir kontrollieren die Rechnung:

Raum für 25 Tage	= 2500.- Euro
Honorar für 25 Tage	= 1250.- Euro
Essen für 8 x15 Teilnehmer x 25 Tage	= 3000.- Euro
Arbeitsmaterial 50 x 15 Teilnehmer	= 750.- Euro
Kosten insgesamt	= 7500.- Euro

Einnahme insgesamt 15 Teilnehmer x 500	= 7500.- Euro

Ihr Problem hat sich also nunmehr auf die Frage reduziert: „Bekomme ich 15 Teilnehmer oder nicht"? Unter 15 Teilnehmern machen Sie einen Verlust; bei mehr als 15 Teilnehmern haben Sie einen **Gewinn**, der umso höher wird, je mehr Teilnehmer Sie haben. Die Zahl 15 gibt Ihnen die „Gewinnschwelle" an, bei deren Überschreiten Ihr Gewinn beginnt.

Wir können die Rechnung vereinfachen, wenn wir die oben verwendete Rechenmethode schematisieren:

1. Wir haben Kosten, die unabhängig von der Zahl der Teilnehmer sind. Wir nennen sie „**fixe Kosten**". Im Beispiel sind es der Raum und das Honorar.

2. Wir haben Kosten, die steigen, wenn die Zahl der Teilnehmer steigt. Wir nennen sie „**variable Kosten**", weil sie sich verändern, wenn die Zahl der Teilnehmer sich verändert. (z.B. Essen und Arbeitsmaterial)

3. Wir haben als dritte Größe die Einnahmen, die sich ebenfalls je Teilnehmer verändern.

Wir können diese drei Beträge in der obigen Rechnung so zusammenfassen:

Die Zahl der notwendigen Teilnehmer ergibt sich, wenn ich rechne

$$\frac{\text{Fixe Kosten}}{\text{Einnahme je Teilnehmer} - \text{Variable Kosten je Teilnehmer}} = \text{Gewinnschwelle}$$

oder

$$\frac{3750}{500 - 250} = \frac{3750}{250} = 15$$

Mit Hilfe dieser Formel für die Gewinnschwelle kann man für jede Art von Unternehmung errechnen, wie hoch die notwendige Produktionsmenge sein muss (Stück, Liter, Kilogramm, Meter usw.), damit wenigstens die Kosten gedeckt sind. Ich muss dazu nur jeweils wissen:

– Wie hoch sind die fixen Kosten?
– Wie hoch sind die variablen Kosten für eine Einheit (1 Stück, 1 Liter usw.)?
– Wie viel erhalte ich als Gegenwert für eine Einheit?

Die hier beschriebene Darstellung hat für das gesamte Wirtschaftsleben eine noch viel weitreichendere Bedeutung, wenn man die unter dem Bruchstrich angeführte Relation Einnahme je Teilnehmer – variable Kosten je Teilnehmer (= Deckungsbeitrag je Teilnehmer) eingehender untersucht. Der Begriff „Deckungsbeitrag" spielt in der heutigen Unternehmensführung eine zentrale Rolle.

69

Bitte beachten Sie die Artikel zu den folgenden Stichwörtern:
Deckungsbeitrag (80 - 81)
Geld (130 - 131)
Gewinn (138 - 139)
Kosten (186 - 187)

Bürgschaft

Klaus betreibt eine kleine Autowerkstatt. Eines Tages versagt seine 20 Jahre alte Hebebühne ihren Dienst. Da sich eine Reparatur nicht mehr lohnt, eine Hebebühne aber für die Fortsetzung der Arbeit notwendig ist, wendet sich Klaus an seine Hausbank mit der Bitte um einen Kredit von 20.000 Euro. Die Hausbank will das erforderliche Darlehen nur gegen eine Sicherheit gewähren. Der Bruder von Klaus erklärt sich zu einer Bürgschaft bereit.

Die Bürgschaft ist ein Vertrag, durch den sich der Bürge gegenüber dem Gläubiger eines Dritten verpflichtet, für die Erfüllung der Verbindlichkeiten des Dritten einzustehen. Der Gläubiger will sich durch die Bürgschaft im Falle einer Zahlungsunfähigkeit seines Schuldners absichern.

In unserem Fall verpflichtet sich der Bruder von Klaus gegenüber der Bank, für die Schulden von Klaus aufzukommen, falls dieser das Darlehen nicht zurückzahlen kann.

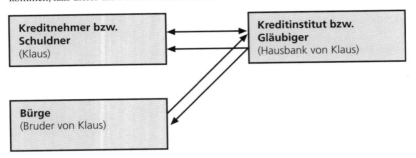

Die Grundlage für eine Bürgschaft ist, daß ein Schuldverhältnis zwischen dem Gläubiger (Bank) und dem Schuldner (Klaus) besteht. Dieses Schuldverhältnis wird im Gesetz als „Hauptverbindlichkeit" (Darlehen 20.000 Euro) bezeichnet. Das Verhältnis, welches zwischen dem Bürgen (dem Bruder) und dem Gläubiger (der Bank) besteht, nennt sich dagegen „Nebenverbindlichkeit" (Bürgschaftsvertrag). Die Bank hat damit eine größere Sicherheit, weil es nun zwei Schuldner gibt: den Hauptschuldner (Klaus) und den Bürgen (Bruder von Klaus).

Akzessorietät

Eine Bürgschaft ist akzessorisch, d.h., die Hauptverbindlichkeit (Darlehen von 20.000 Euro) ist für die Verpflichtung der Bürgschaft maßgebend. Dieser Grundsatz der Akzessorietät bedeutet, dass

- der Bürge (Klaus' Bruder) nur haftet, wenn und so lange die Schuld von Klaus noch besteht.

Beispiel: Der Kredit für Klaus in Höhe von 20.000 Euro wird durch eine Bürgschaft seines Bruders gesichert. Kreditvertrag und Bürgschaftsvertrag werden am 01.06.2003 abgeschlossen, die Auszahlung ist für den 10. 6. 2003 vorgesehen. Klaus verschwindet jedoch am 5. 6. 2003 unauffindbar ins Ausland.

Da der Kredit noch nicht ausgezahlt ist, haftet der Bürge zu diesem Zeitpunkt noch nicht. Die Hauptverbindlichkeit liegt noch nicht vor. Die Bürgschaft würde erst wirksam, wenn der Kredit auch ausgezahlt ist.

- Die Verpflichtung des Bürgen verringert sich, wenn sich die Hauptverbindlichkeit (das Darlehen) verringert.
- Die Verbindlichkeit des Bürgen erhöht sich, wenn sich die Hauptverbindlichkeit durch Zinsen bzw. sonstige Kosten erhöht.
- Die Bürgschaftsverpflichtung kann auch für künftige Schulden des Hauptschuldners übernommen werden.
- Die Bürgschaft erlischt, wenn die Hauptverbindlichkeit nicht mehr besteht, d.h. das Darlehen zurückgezahlt ist.

Arten der Bürgschaft

Bürgschaftsarten

Gewöhnliche Bürgschaft	Selbstschuldnerische Bürgschaft
• Der Bürge haftet nur dann, wenn von dem Hauptschuldner keine Befriedigung zu erlangen ist, d.h., wenn Klaus das Darlehen nicht zurückzahlt. • Der Bürge hat das Recht, vom Gläubiger (der Bank) zu verlangen, dass die Zwangsvollstreckung gegen den Hauptschuldner (Klaus) betrieben wird, bevor er selbst in Anspruch genommen wird.	• Der Gläubiger (die Bank) kann sich sofort an den Bürgen wenden, wenn der Hauptschuldner (Klaus) bei Fälligkeit die verbürgte Verbindlichkeit (das Darlehen) nicht zahlt. • Der Bürge verpflichtet sich selbstschuldnerisch, d.h. wie der Hauptschuldner (Klaus) selbst zu haften. Er verzichtet auf das Recht, dass zunächst die Zwangsvollstreckung gegen den Hauptschuldner betrieben wird.

Besondere Arten der Bürgschaft

Die **Ausfallbürgschaft** ist eine Bürgschaft, die nicht im BGB (Bürgerliches Gesetzbuch) geregelt ist. Sie unterscheidet sich von der gewöhnlichen Bürgschaft dadurch, dass die Bank in jedem Fall die erfolglose Zwangsvollstreckung gegenüber dem Hauptschuldner nachweisen muss, bevor sie den Bürgen in Anspruch nimmt.

Eine **Mitbürgschaft** ist eine gemeinschaftliche Bürgschaft mehrerer Personen für dieselbe Verbindlichkeit. Jeder der Bürgen kann ganz oder teilweise in Anspruch genommen werden.

Die **Teilbürgschaft** ist ebenfalls eine gemeinschaftliche Bürgschaft mehrerer Personen für dieselbe Verbindlichkeit. Im Gegensatz zur Mitbürgschaft haftet jeder Bürge nur für den von ihm verbürgten Teilbetrag.

Die Kreditinstitute nehmen nur Bürgschaften an, die ihnen umfassende Sicherheit bieten. Sie verlangen in der Regel selbstschuldnerische Bürgschaften, um bei Zahlungsunfähigkeit des Hauptschuldners sofort den Bürgen in Anspruch nehmen zu können. Außerdem bevorzugen Kreditinstitute unbegrenzte Bürgschaften, da der Bürge dann für alle Verbindlichkeiten des Kreditnehmers gegenüber dem Kreditinstitut haftet. Oft sind Bürgen jedoch nicht dazu bereit, sondern bestehen darauf, nur auf einen festen Betrag begrenzte Risiken einzugehen. In solchen Fällen wird eine Höchstbetragsbürgschaft vereinbart.

71

Bitte beachten Sie die Artikel zu den folgenden Stichwörtern:
Kredit (192 - 193)

Call Center

Immer mehr Unternehmen erkennen, dass eine langfristig erfolgreiche Unternehmensführung nur mit einer guten Kundenbindung möglich ist. Unternehmen können ihre Kundenbindung steigern, indem sie einen umfassenden Service bieten. Dieser Service beginnt schon bei einem Anruf des Kunden in der Firma. Die Firma muss sicherstellen, dass der Kunde am Telefon freundlich behandelt wird, dass man sich für den Kunden verantwortlich fühlt und dass dem Kunden in jedem Fall weitergeholfen wird. Call Center haben sich auf die Entgegennahme von Kundenanrufen spezialisiert.

Call Center sind Abteilungen in einer Unternehmung bzw. selbständige Dienstleistungsunternehmen, deren Aufgabe es ist, ein serviceorientiertes Gespräch mit Kunden unter Einsatz moderner Informations- und Kommunikationstechnologie zu führen.

Call Center stellen in Deutschland eine noch sehr junge Wirtschaftsbranche dar. Ein Unternehmen hat zwei Möglichkeiten, ein Call Center in Anspruch zu nehmen. Es kann eine Abteilung im eigenen Unternehmen spezialisieren oder ein fremdes, eigenständiges Unternehmen für sich beauftragen.

Ein weiterer Unterschied besteht zwischen
  Inbound Call Center und
  Outbound Call Center.

Inbound Call Center sind darauf spezialisiert, Kundenanrufe entgegenzunehmen. Hier handelt es sich um Reklamationen, Anfragen bzw. auch Bestellungen von Kunden. In den Outbound Call Centern werden die Kunden durch die Call-Center-Mitarbeiter angerufen. Diese Anrufe dienen Umfragen bzw. dem Verkauf von Produkten am Telefon.

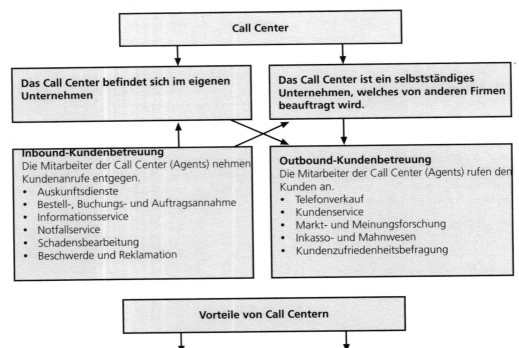

Die Qualität eines Call Centers

Für den Kunden ist das Call Center häufig die entscheidende Kontaktstelle mit dem Unternehmen. Schwächen in diesem Bereich fallen auf das ganze Unternehmen zurück. Darum ist die Qualitätssicherung von großer Bedeutung. Es müssen sowohl technische als auch personelle Qualitätsanforderungen erfüllt werden. Personelle Qualität wird mit Schulungen gewährleistet. Technische Qualität wird durch moderne Software sichergestellt. Dabei wird zum Beispiel angestrebt, dass 85 Prozent aller Anrufe innerhalb einer maximalen Wartezeit von 20 Sekunden angenommen werden.

Call Centern wird von Unternehmensberatungen ein weiteres großes Wachstum vorausgesagt. Durch lange Betriebszeiten (ein Call Center arbeitet oft 24 Stunden am Tag) können besonders viele Arbeitsplätze vergeben werden. Auf einen Arbeitsplatz können 2-3 Arbeitskräfte vermittelt werden.

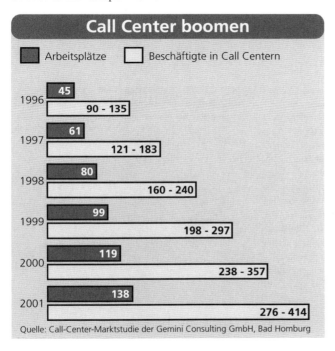

Call Center boomen

■ Arbeitsplätze   □ Beschäftigte in Call Centern

1996
45
90 - 135

1997
61
121 - 183

1998
80
160 - 240

1999
99
198 - 297

2000
119
238 - 357

2001
138
276 - 414

Quelle: Call-Center-Marktstudie der Gemini Consulting GmbH, Bad Homburg

Charttechnik ist eine Analyse von Aktienentwicklungen, in der Experten die voraussichtliche Entwicklung zu prognostizieren versuchen. Auf solch eine Analyse sollte vor jedem Aktienkauf zurückgegriffen werden.

Entscheidend ist dabei in jedem Fall zunächst eine „Fundamentalanalyse", in der für den beabsichtigten Kauf Daten der betroffenen Aktiengesellschaft wie Umsätze, Gewinne, Marktanteile, u.a.m. untersucht werden, um die Gesamtsituation der Firma und damit den „inneren Wert" der Aktie zu ermitteln. Diese Fundamentalanalyse kann ergänzt werden durch die „Chartanalyse" (technische Analyse). Sie stützt sich ausschließlich auf den bisherigen Verlauf der Kursentwicklung und leitet daraus die künftige Entwicklung ab. Die Darstellung erfolgt grafisch in Form von Liniencharts, Balkencharts oder Point-and-Figure-Charts, mit denen Durchschnitte, Trends oder Extremwerte der Entwicklung des Kurses veranschaulicht werden.

Die Chartanalyse geht davon aus, dass die Werte, die in der Vergangenheit gut gelaufen sind, weiter steigen werden. Umgekehrt gilt, dass weiter fallen wird, was bisher gefallen ist. Der „Chart" selbst ist die grafische Darstellung von Kurs- und Umsatzentwicklungen an der Börse. Hieran kann man die Trends des Kursverlaufs erkennen. Kauf- und Verkaufssignale werden aus typischen Erscheinungsbildern (Formationen) abgeleitet.

Gleitender Durchschnitt

Mit Hilfe eines gleitenden Durchschnittes sind Trendänderungen schnell zu erkennen. Ein gleitender 100-Tage-Durchschnittswert zum Beispiel ergibt sich, indem man die Kurse der letzten 100 Tage addiert, durch 100 dividiert und diesen Durchschnittskurs dem Tag zuordnet, an dem man die Berechnung beginnt. Dann wird für den nächsten Tag der jeweils neueste Kurswert im Austausch gegen den ältesten aus der Reihe gewechselt, woraus ein neuer 100-Tage-Durchschnitt errechnet wird. Für jeden Tag errechnet sich ein neuer Durchschnittskurs. Die Verbindung aller Berechnungen ergibt eine 100-Tage-Linie. Bedeutsam sind gleitende Durchschnitte dann, wenn der Kurs die Linie des gleitenden Durchschnittes schneidet. Bricht der Kurs von oben durch den gleitenden Durchschnitt nach unten durch, deutet dies meist auf einen schwerwiegenden Einbruch hin, und umgekehrt.

Durchschnittskursberechnung

Quelle: Handelsblatt

Trendanalyse

Die Trendanalyse ist die wichtigste und einfachste Analysenmethode der Charttechnik. „Trendgeraden" lassen sich anhand des bisherigen Kursverlaufes (Höchst- bzw. Tiefstkurse) mit einer geraden Linie verbinden. Je länger ein Trend ist und umso mehr Berührungspunkte er mit dem Kursgraph hat, desto bedeutender ist er. Je länger und bedeutender der Trend also ist, desto unwahrscheinlicher wird ein Trendbruch. Von einem Trendbruch wird gesprochen, wenn der Kurs den Aufwärtstrend unterschreitet bzw. wenn der Kurs den Abwärtstrend überschreitet (siehe Grafik, Situation B).

Trendbrüche haben in der Regel innerhalb von kürzester Zeit dramatische Auswirkungen. Jeder Bruch eines Aufwärtstrends führt in der Regel zu großen Kursverlusten (siehe Grafik Trendberechnung, Situation A). Jeder Bruch eines Abwärtstrends hat fast immer extreme Kurssteigerungen (Situation B) zur Folge.

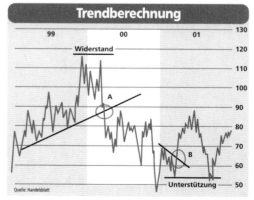

Trendberechnung

Widerstand

A

B

Unterstützung

Quelle: Handelsblatt

Unterstützungs- und Widerstandslinien

Oft zeigt sich, dass ein Kurs auf einem bestimmten Niveau hängen bleibt. Dort kann man so genannte Unterstützungs- und Widerstandslinien (siehe Grafik „Trendberechnung") ausmachen, die auch als psychologische Marken bezeichnet werden. Die Marktteilnehmer richten nach diesen Marken ihre Kurslimits. Erreicht der Kurs ein bestimmtes Niveau, verkaufen die Marktteilnehmer, weil der Kurs an dieser Marke vielleicht schon zwei Mal gescheitert ist. Umgekehrt sieht es bei niedrigen Kursen aus. Erreicht der Kurs nach einem Abschwung ein bestimmtes Kursniveau, erwarten die Marktteilnehmer wieder einen Aufschwung, weil sich auf Grund der niedrigen Bewertung günstige Einstiegskurse bilden.

Auf diese Weise formen sich Widerstands- und Unterstützungslinien. Je häufiger solche Marken getestet werden und halten, desto starrer wird die Bandbreite von Widerstand und Unterstützung, innerhalb deren der Kurs schwankt. Wenn sich viele Börsenteilnehmer danach ausrichten, kommt es zu „sich selbst erfüllenden Prophezeiungen".

Kerzencharts

Noch vor zehn Jahren kannte kaum ein Analyst die Kerzencharts (Candlesticks). Was diese zunächst so interessant macht, ist, dass sie gegenüber allen anderen Darstellungsformen zwei große Vorteile haben: Sie stellen mehr Informationen zur Verfügung und sie sind leichter lesbar.

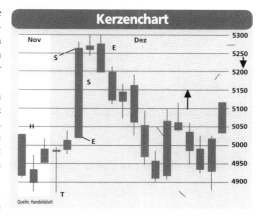

Die Kerzencharts sind so gestaltet, dass sie mit einem Blick eine erste Lagebeurteilung zulassen: Sie sind schwarz (dunkel), wenn die Kurse im Tagesverlauf gefallen sind, und rot (hell), wenn die Kurse im Tagesverlauf gestiegen sind. Dominiert Schwarz in einem Chart, so ist Vorsicht angesagt. Vorwiegend rote Kerzencharts hingegen machen Mut.

Berechnet werden sie unter Verwendung der vier entscheidenden Daten eines jeden Börsentages (Börsenperiode): Eröffnungs- (E) und Schlusskurs (S), Periodenhoch (H) und Periodentief (T). Dabei spannt sich der Körper des Kerzenchart zwischen Eröffnungs- und Schlusskurs. Die Striche, die aus diesen Körpern herauswachsen, markieren das jeweilige Hoch bzw. Tief. Die eigentliche Stärke liegt in einer Vielzahl von „Mustern" (Patterns), die mehrere Kerzen gemeinsam formen. Sie gestatten oftmals mit hohen Wahrscheinlichkeiten die Prognose der Zukunft.

Oszillatoren

Laufen die Kurse an der Börse in die gleiche Richtung wie bisher? Oder steigt die Wahrscheinlichkeit einer Richtungsänderung, weil sie sich bei anhaltendem Trend immer weiter von ihrem „Normalniveau" entfernen? Oszillatoren stellen die letzte Variante in den Vordergrund: In der Regel schwanken Oszillatoren zwischen zwei Extremwerten (siehe Grafik „Oszillatoren" untere Skala (3,5 - 7,5), zwischen oben und unten, hin und her. Nähert sich ein Oszillator der oberen Begrenzung des vorgegebenen Schwankungsbereichs, so spricht man von einem „überkauften", nähert er sich der unteren Begrenzung, von einem „überverkauften" Markt. Im erstgenannten Fall ist damit ein Verkaufssignal, im letztgenannten Fall ein Kaufsignal entstanden.

Die Meinungen der Aktienanleger gegenüber den angeführten Analyse-Instrumenten (Unterstützungslinien, Trendkanäle, Oszillatoren, Kerzen, Widerstandslinien u.a.) sind gespalten. Viele halten sie für Kaffeesatzleserei, andere schwören darauf und machen ihre Käufe und Verkäufe von Aktien davon abhängig. Schon deshalb aber bleiben die Instrumente nicht ohne Einfluss auf die Kurse. Wenn die Prognose steigende Kurse signalisiert und deswegen viele Börsianer anfangen zu kaufen, werden natürlich die Kurse steigen – weil gekauft wird. Sagt die Prognose sinkende Kurse voraus, so wird man versuchen, die entsprechenden Aktien abzustoßen. Die Folge ist natürlich ein Sinken der Kurse. Dies nennt man „sich selbst erfüllende Prophezeiung" („self fulfilling prophecy"). Die Kenntnis dieser Zusammenhänge kann man für die Entwicklung einer eigenen Strategie nutzen.

Controlling ist die Philosophie der Vorsorge, ist das vorausschauende Management

Um heute eine Unternehmung erfolgreich führen zu können, bedarf es nicht mehr nur einer tollen Produkt- oder Service-Idee. Aufstrebend kann ein Unternehmen nur sein, wenn es auf die sich laufend verändernden Marktgegebenheiten flexibel reagieren kann. Die Unternehmen haben hauptsächlich mit den folgenden Entwicklungstendenzen zu kämpfen:

1. Die äußeren Einflussfaktoren eines Unternehmens verändern sich fortlaufend und in einem immer schneller werdenden Tempo. Außerdem wächst die Anzahl der zu beachtenden Umweltfaktoren durch die Globalisierung der Märkte.
2. Die Unternehmensprozesse werden durch Wachstum, technischen Fortschritt und die zunehmende Arbeitsteilung immer komplexer.

Der gesteigerte Wettbewerbsdruck, der auf den Unternehmen lastet, zwingt sie, ihre Unternehmensabläufe ständig zu kontrollieren und zu optimieren. Unternehmen müssen sich also systematisch mit den internen und externen Einflussfaktoren auseinandersetzen, um die Zukunft ihres Unternehmens zu sichern. Marktwirtschaftliches Fingerspitzengefühl allein reicht heute nicht mehr aus, um im Wettbewerb zu bestehen. Deshalb setzen viele Unternehmen auf Controlling.

> **Der Unternehmensbereich Controlling hat durch Analyse aller internen und externen Faktoren, die auf die Entwicklung der Unternehmung einwirken, alle Planungen und Entscheidungen des Management zu unterstützen.**

Welche Aufgaben haben Controller? Was ist Controlling?

Nur wenige Begriffe im Bereich der Wirtschaftswissenschaften sind so kontrovers diskutiert worden wie „Controlling". Eine einheitliche Definition liegt bislang nicht vor.

„Controlling" ist auf den amerikanischen Begriff „Controllership" zurückzuführen. Dem Controllers Institute of America (später Financial Executive Institute [FEI]) gelang es im Jahre 1931, einen weitgehenden Konsens über das Aufgabengebiet des Controllers herzustellen.

Demnach umfasst der Bereich „Controllership" sieben Aufgabenbereiche:

Die sieben Aufgabenbereiche des Bereiches „Controllership"	
1. Planung	Aufstellung, Koordinierung und Durchführung von Unternehmensplänen zur Kontrolle des Geschäftsablaufes. Zunächst werden allgemeine Unternehmenspläne festgelegt. Diese Pläne werden dann in Teilpläne für die einzelnen Unternehmensbereiche und Abteilungen zerlegt.
2. Berichterstattung und Koordination	Die einzelnen aufgestellten Pläne werden laufend auf ihre Zielerreichung hin kontrolliert und die Ergebnisse interpretiert. Gegebenenfalls zu treffende Anpassungen werden ebenfalls berücksichtigt.
3. Bewertung und Beratung	Beratung mit allen Mitarbeitern des Managements, die für die Ausführung in den einzelnen Unternehmensbereichen zuständig sind.
4. Steuerangelegenheiten	Aufstellung und Anwendung von Richtlinien und Verfahren für die Bearbeitung von Steuerangelegenheiten.
5. Berichterstattung und staatliche Stellen	Kontrolle und Koordinierung aller Berichte, die an staatliche Stellen gegeben werden.
6. Sicherung des Vermögens	Innerbetriebliche Kontrollen und Revisionen sowie Überwachung des Versicherungsschutzes.
7. Volkswirtschaftliche Untersuchungen	Ständige Untersuchung der Umwelteinflüsse und Beurteilung möglicher Auswirkungen auf das Unternehmen.

In Deutschland ist Controlling als eigenständige Unternehmensfunktion seit der zweiten Hälfte der fünfziger Jahre bekannt. Richtig durchgesetzt hat sich Controlling in Deutschland aber erst in den siebziger Jahren.

Nach heutiger Auffassung gehören vorrangig die Aufgaben 1, 2, 3 und 7 zum Aufgabenfeld des Controlling. Die übrigen Aufgaben sind eher auf Besonderheiten des amerikanischen Marktes und des amerikanischen Rechts zurückzuführen.

Controlling ist also der Unternehmensbereich, der sich mit der Planung, Steuerung und Koordination betrieblicher Prozesse sowie mit beratenden Tätigkeiten beschäftigt.

Controller zählen sicherlich zu den wichtigsten Personen eines Unternehmens. Während der Manager als „Kapitän" den Kurs des Unternehmens bestimmt, ist der Controller als ein „Lotse" anzusehen, der dem „Kapitän" die entsprechenden Informationen über das Zahlenmeer zur Verfügung stellt. Ein Controller ist also weniger als Kontrolleur, sondern eher als Berater zu sehen. Aber Kontrolle gehört selbstverständlich auch zu seinem Job, was ihn nicht immer zu den beliebtesten Mitarbeitern eines Unternehmens macht.

Bitte beachten Sie die Artikel zu den folgenden Stichwörtern:
Arbeitsteilung (30 - 31)
Globalisierung (142 - 143)
Unternehmung (334 - 335)
Wettbewerb (366 - 367)

Zu einer erfolgreichen Unternehmung gehört es, dass sie ihre Ziele auch nach außen (gegenüber Kunden, Lieferanten und der Öffentlichkeit) sowie nach innen, d.h. gegenüber allen Mitarbeitern, verdeutlicht und vertritt. Für diese „Selbstdarstellung der Unternehmung" wird international der Begriff der Corporate Identity benutzt.

Corporate Identity beschreibt die strategisch geplante und operativ eingesetzte Selbstdarstellung eines Unternehmens nach innen und nach außen.

Häufig wird die Corporate Identity nur als eine visuelle Kommunikationsstrategie des Unternehmens beschrieben. Nach dieser Darstellung ist es Aufgabe der Corporate Identity, Waren oder Dienstleistungen eines Unternehmens optisch so zu präsentieren, dass sie unmittelbar mit dem Namen des Unternehmens in Verbindung gebracht werden. Dies bedeutet, Anzeigen, Broschüren, Briefbögen, Fahrzeugbeschriftungen und sogar die Architektur von Neubauten in einem unverwechselbaren Stil zu gestalten.

Dies ist jedoch nur eine Variante dessen, was zur Corporate Identity zählt: Neben diesem Corporate Design, welches das Unternehmensbild nach außen optisch präsentiert, gehört zur Corporate Identity das gesamte Kommunikationsverhalten. Dazu gehören das Auftreten des Unternehmens gegenüber den Mitarbeitern, gegenüber Geschäftspartnern und in der Öffentlichkeit. Dieses Verhalten soll in jeder Situation das Wertesystem des Unternehmens veranschaulichen, das in dem Unternehmensleitbild und den Führungsgrundsätzen zum Ausdruck kommt.

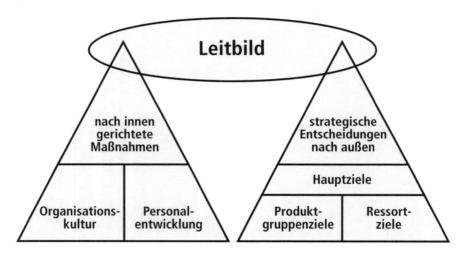

Dies setzt voraus, dass sich alle Mitarbeiter mit dem Unternehmensleitbild identifizieren.

Sowohl in der visuellen Kommunikation wie im Verhalten aller Mitarbeiter muss das Unternehmensbild zum Ausdruck kommen. Dies erleichtert die Identifikation des Unternehmens in der Öffentlichkeit und trägt langfristig zum Aufbau einer Unternehmensidentität bei. Gestaltungsmittel sind also sowohl die inhaltlich-textliche wie die grafische Gestaltung, das Produktdesign, das Architekturdesign und das Mitarbeiterverhalten.

Unternehmenskommunikation ist ein Instrument von höchster Flexibilität. Es muss nicht nur langfristig strategisch, sondern auch schnell, taktisch, zum Einsatz kommen. Alle verbalen und visuellen Botschaften, die vom Unternehmen und den Mitarbeitern ausgehen, sind in diesem Sinne Instrumente der Unternehmenskommunikation. Dazu gehören auch die Public Relations, die gezielt nach außen hin orientiert sind, und die Werbung.

Aus allen diesen Komponenten setzt sich das Konzept einer strategischen Corporate Identity zusammen. Es ist ein Kommunikations-Mix, das der Unternehmensführung als markt- und sozialstrategisches Instrument zur Verfügung steht und bei gekonnter Anwendung von unschätzbarem Wert für die Existenz und Entwicklung des Unternehmens ist.

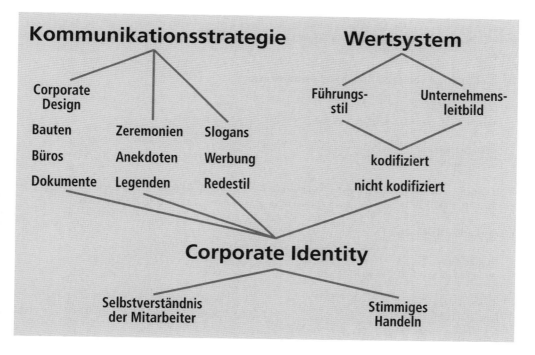

79

Bitte beachten Sie die Artikel zu den folgenden Stichwörtern:
Public Relations (270 - 271)
Unternehmung (334 - 335)
Werbung (360 - 361)

Deckungsbeitrag

Frau Emsig hat nach Abschluss ihres Studiums beschlossen, sich selbständig zu machen, und will einen Copy-Shop eröffnen. Einen entsprechenden Raum hat sie in guter Lage, nahe der Universität, gefunden. Er kostet monatlich 100 Euro. Sie investiert ihre Ersparnis von 18.000 € in ein modernes Kopiergerät für 18.000 €, das eine voraussichtliche Betriebszeit von 3 Jahren haben wird. Sonstige Betriebsmittel und Wartung kosten ca. 2 € je 1000 Kopien; Kopierpapier kann sie für 8 € je 1000 Blatt beziehen. Natürlich muss sie auch etwas für ihren Lebensunterhalt rechnen. Sie geht davon aus, dass sie mit ca. 750 € im Monat auskommen wird.

Sie macht folgende Rechnung auf:	Kosten je Monat:
Kopiergerät = 6.000 € je Jahr	500 €
Miete	100 €
Lebensunterhalt	750 €

Damit ist sie bei 1.350 € je Monat, noch ehe der erste Kunde ihr Geschäft betreten hat. Wir können auch sagen, dass sie fixe Kosten dieser Höhe hat, die unabhängig von der Zahl der anzufertigenden Kopien sind.

Abhängig von der Zahl der Kopien sind jedoch Papierverbrauch sowie die Betriebsmittel und Wartung. Hier fallen zusammen 10 € je 1000 Kopien an. Wir bezeichnen diese Kosten, die sich mit der Stückzahl ändern, als variable Kosten.

Die Kalkulation von Frau Emsig sieht nun so aus:

Fixe Kosten =	1350 €
Variable Kosten – 15.000 Kopien je Monat	150 €
	————
Gesamtkosten =	1500 €
Geteilt durch 15.000 Kopien =	10 Cent je Kopie

Als sie den ersten Monat überstanden hat, stellt sie fest, dass sie keine Aufträge für 15.000 Kopien bekam, sondern nur für 10.000. Die Einnahmen von 1000 € reichen nicht aus, um ihre kalkulierten Kosten zu decken.

Bei einer **neuen Kalkulation** kommt sie zu folgendem Ergebnis:

Fixe Kosten =	1350 €
Variable Kosten – 10.000 Kopien je Monat =	100 €
	————
Gesamtkosten =	1450 €
geteilt durch 10.000 =	14,5 Cent je Kopie

Als sie nunmehr 15 Cent pro Kopie nimmt, gehen ihre Aufträge rapide zurück, so dass sie eigentlich ihren Laden schließen müsste.

Ihr Freund Clever, der Ökonomie studierte, kommt ihr jedoch zu Hilfe. Er schaut sich ihre Kalkulation an und kommt zu folgendem Ergebnis:
Jede Kopie kostet eigentlich nur 1 Cent, nämlich die variablen Kosten von 100 € für 10.000 Stück. Die fixen Kosten sind eine Ausgabe, die man gar nicht in die Überlegung einzubeziehen braucht. Es sind Ausgaben, die auf Frau Emsigs Entscheidung zurückgehen, einen Copy-Shop zu betreiben, und die 1350 € sind notwendig, um überhaupt betriebsbereit zu sein. Ihr Ziel muss nun sein, jeden Monat möglichst schnell diese 1350 € wieder hereinzubekommen, um diese fixen Kosten zu decken.

Jede Einnahme, die über 1 Cent je Kopie liegt, ist ein Beitrag zur Deckung dieser Kosten (= Deckungsbeitrag).

Dies sollte zunächst Frau Emsig als wichtigste Erkenntnis akzeptieren. Die Kalkulation, bei der 10 oder 14,5 Cent je Kopie als Preis herauskommen, ist falsch. Richtig ist, dass die absolute Untergrenze des Preises bei 1 Cent liegt. Welchen Preis man dann vom Kunden fordert, hängt von der Marktlage ab. Hat man starke Konkurrenz, muss der Preis niedriger sein, hat man wenig Konkurrenz, kann der Preis – und damit der Deckungsbeitrag – höher sein.

Clevers Vorschlag:

Jeder Kunde, der mehr als 10 Kopien bei einem Besuch anfertigt, zahlt nur 8 Cent für die Kopie; die anderen zahlen 10 Cent, wie ursprünglich angenommen.

Als Frau Emsig am Monatsende abrechnet, sieht es so aus:

Einnahme:	5.000 Kopien zu 10 Cent =	500 €
	15.000 Kopien zu 8 Cent =	1.200 €
		1750 €
Kosten:	fix 1350 €	
	variabel 200 €	1550 €
Gewinn		200 €

Ihre Erkenntnis ist: Jeder Cent, der mir mehr bringt als die variablen Kosten, ist ein Beitrag zur Deckung meiner fixen Kosten. Mein Bestreben muss es sein, möglichst viele und hohe Deckungsbeiträge hereinzuholen. Dies klappt besonders dann gut, wenn ich die Wünsche und Vorstellungen meiner Kunden besonders gut erkunde (Marktforschung). Ich kann dann mit unterschiedlichen Preisen für unterschiedliche Kundengruppen agieren (Marketing, Preisdifferenzierung).

> **Deckungsbeitrag je Stück = Preis minus variable Kosten je Stück**

> **Deckungsbeitrag insgesamt = Umsatz minus gesamte variable Kosten**

Das Grundprinzip bei diesem Denken in Deckungsbeiträgen ist immer:

Nur die Zukunft zählt! Alles was ich vorher entschieden habe (in unserem Beispiel: Kauf der Maschine, Miete des Raumes), ist für meine gegenwärtigen Entscheidungen nur insofern relevant, als ich mich umso mehr bemühen muss, hohe Deckungsbeiträge hereinzuholen, je aufwändiger die früheren Anschaffungen waren. Daher ist neben der guten Marketingstrategie eine wesentliche Voraussetzung des Erfolgs der Deckungsbeitrags-Strategie die gute Investitionsplanung.

Bitte beachten Sie die Artikel zu den folgenden Stichwörtern:
Kosten (186 - 187)
Marketing (208 - 209)
Marktforschung (214 - 215)

Direktmarketing

Da der Kunde die meisten Waren nicht direkt beim Hersteller, sondern über Einzel- oder Großhandel bezieht, hat er in der Regel nur selten Kontakt zum Hersteller der von ihm genutzten Güter. Seit einiger Zeit nutzen viele Hersteller die Form des Direktmarketings, um gerade diesen fehlenden Kundenkontakt aufzubauen oder zu intensivieren.

Direktmarketing kann als Sammelbegriff für alle Maßnahmen des Herstellers gesehen werden, mit denen er bestrebt ist, einen direkten Kontakt zum Verbraucher aufzubauen. Im Einzelnen zählen beispielsweise die Direktwerbung (z.B. durch Werbebriefe), Katalogversendung (Versandhandel), Messepräsentationen bzw. Ausstellungen und der persönliche Verkauf (Direktvertrieb) dazu.

Die Gründe für diese gewollte direkte Kontaktaufnahme sind vielfältig. Zum einen stehen sicherlich ökonomische Interessen (z.B. Umsatzsteigerungen) im Vordergrund, denn durch jeden Kontakt zum Kunden wird das Produkt wieder ins Gedächtnis des Kunden gerufen. Die Chance, dass er sich dann bei nächster Gelegenheit für dieses entscheidet, steigt.

Generell möchte man aber auch eine intensivere Bindung zum Kunden erreichen. Diese erleichtert dem Hersteller den Zugang zu den Wünschen und Bedürfnissen des Kunden. Wenn der Hersteller die Vorstellungen und Anregungen der Kunden bündelt und auswertet, kann er Markttrends schneller erfassen und dementsprechend reagieren. Er ist nicht auf die indirekten Kontakte über den Handel angewiesen, die evtl. verfälschte Informationen vermitteln.

Als weitere Ziele können unter anderem auch noch die Gewinnung neuer Kunden und die allgemeine Vermittlung von Informationen über das Produkt genannt werden.

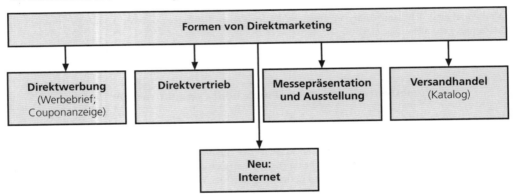

Direktwerbung

Im Gegensatz zur klassischen Werbung, die sich über Massenkommunikationsmittel wie Fernsehen, Radio oder die Printmedien nur an große Käufergruppen richtet, will die Direktwerbung einen möglichst individuellen Kontakt zum Kunden herstellen.

Die verbreitetste Form ist das Versenden von Werbebriefen (direct mail). In diesen Briefen werden die Kunden persönlich angesprochen (z.B. „Sehr geehrte Frau Müller, ..."). Dadurch wird den Kunden das Gefühl vermittelt, wichtig für den Hersteller zu sein. Dies wird noch durch die – wenn auch gedruckte – Unterschrift des Absenders verstärkt. Die Unternehmung erhofft sich durch solche Maßnahmen die Bereitschaft des Kunden, in näheren Kontakt zum Hersteller zu treten (z.B. durch Antwortschreiben, Musteranforderungen etc.).

Eine weitere weit verbreitete Form der Direktwerbung ist die Couponanzeige. Hier wird der Kunde direkt aufgefordert, mit dem Hersteller durch Rücksendung eines Coupons zu kommunizieren. Diese Form der Direktwerbung wird auch als Direct-Response-Maßnahme bezeichnet. Weitere Vorteile der Direktwerbung bestehen in der genauen zeitlichen und geographischen Steuerung der Werbung, die zu geringeren Aufwendungen und vor allem zu einer besseren Erfolgskontrolle führt.

Als nachteilig muss man die teilweise schlechte Qualität des extern erworbenen Adressenmaterials, die hohen Aufwendungen für die Erstellung eigener Datenbanken und die Überladung der Kunden mit Werbeschriften ansehen, die häufig zur Verweigerung der Annahme von Werbeschriften – z.B. durch Aufkleber „KEINE WERBEBRIEFE" auf den Briefkästen – führt.

Versandhandel

Durch die Versendung von Versandhandelskatalogen sollen potenzielle Kunden dazu angeregt werden, Waren aus dem Katalog zu bestellen. Diese Art des Einkaufens ist sehr bequem, da man rund um die Uhr auswählen und bestellen kann.

Der Versandhandel hatte über viele Jahre hinweg jedoch mit einem schlechten Image zu kämpfen, das vor allem durch die oft minderwertige Qualität der angebotenen Waren entstand. Die Versandhausunternehmen (z.B. Quelle, Otto oder Neckermann) haben in den letzten Jahren gezielt an der Verbesserung ihres Images gearbeitet. Als Maßnahmen zur Imageverbesserung können u.a. das 30-Tage-Rückgaberecht, Sonderrabatte bei Erstbestellung oder die Aufnahme von Markenprodukten angeführt werden.

Messepräsentationen und Ausstellungen

Messepräsentationen und Ausstellungen sind unverzichtbar für Unternehmen, denn hier können Hersteller und Kunde direkt miteinander kommunizieren. Die Informationsgewinnung ist für beide Seiten wesentlich höher. Häufig jedoch finden Messen und Ausstellungen nur für den Handel statt, so dass der normale Endverbraucher keine Chance hat, sich am Stand des Herstellers zu informieren.

Direktvertrieb

Beim Direktvertrieb organisiert der Hersteller den Verkauf der von ihm produzierten Waren selbst. Dies kann entweder über Lagerverkaufsstellen ab Werk, werksgebundene Vertriebsstellen (z.B. Ladenketten mit Franchise-System wie Benetton oder Marc'o Polo) oder über Vertreter geschehen.

Diese bisher verbreitetsten Formen des Direktmarketings werden seit einiger Zeit noch durch die Homepages der Hersteller im Internet ergänzt. Viele Unternehmen nutzen jetzt schon die Möglichkeit der Kontaktaufnahme durch das Medium Computer. Der Vorteil liegt vor allem in der möglichen beidseitigen Kommunikation. Die multimediale Präsentation des Herstellers tut ihr Übriges dazu, den Kunden den Kontakt zum Hersteller häufig im wahrsten Sinne des Wortes „schmackhaft" zu machen. Man sehe sich dazu nur die Internetseiten einiger Nahrungsmittelhersteller an.

83

Bitte beachten Sie die Artikel zu den folgenden Stichwörtern:
Franchise-System (122 - 123)

Die Entwicklung des Internets hat in den letzten Jahren dazu geführt, dass sich sowohl der Wirtschaft als auch der Gesellschaft völlig neue Möglichkeiten der Information und Kommunikation eröffnet haben. Hierzu gehören nicht zuletzt Kauf und Verkauf von Produkten und Dienstleistungen über das Internet. Diese neue Form des Handels im Internet heißt Electronic Commerce (E-Commerce).

E-Commerce ist der Handel mit Waren und Dienstleistungen über elektronische Netze. Dabei stellt das Internet die Plattform des E-Commerce dar und kann als „virtueller Marktplatz" angesehen werden.

Beispiele für E-Commerce sind z.B. der Vertrieb von Informationen (Nachrichten), der Vertrieb von Dienstleistungen (Online-Lernmodule oder Online-Bankdienste) und der Vertrieb von physischen Gütern (Bücher, Computer, Autos).

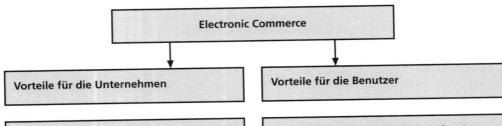

Electronic Commerce	
Vorteile für die Unternehmen	**Vorteile für die Benutzer**
• Erhöhung der Geschwindigkeit und Effizienz von Geschäftsaktionen • Zeit- und Kostenersparnisse bei Auftragsannahme und Auftragsdurchführung • Verbesserung des Service für den Kunden durch schnellere und gezieltere Informationen • Flexiblere Anpassung der Produkte an die Wünsche des Kunden durch die direkte Kommunikation mit dem einzelnen Benutzer • Keine räumliche Entfernung zu anderen Geschäftspartnern • Märkte können zu geringeren Kosten erschlossen werden.	• Unabhängigkeit von den Geschäftszeiten • Bequem kann alles von zu Hause aus erledigt werden • eine große Produkt- und Dienstleistungsauswahl • Ein umfassender und schneller Preisvergleich ist möglich • Ein Überblick über die Lieferfähigkeit der Artikel ist gegeben • Einfache Möglichkeit, auch international anzubieten und zu bestellen.

Unsicherheit beim E-Commerce

Die neue Handelsform im Internet bietet unzweifelhaft sehr viele Vorteile. Obwohl das Einkaufen im Internet so unkompliziert und schnell funktioniert, herrscht doch nach wie vor Misstrauen gegenüber dieser virtuellen Realität. Käufer haben ein geringeres Vertrauen zum elektronischen als zum unmittelbaren Handel. Es fehlt die direkte Beziehung zum Anbieter, der als Person unbekannt und räumlich getrennt bleibt. Vielen Kunden ist auch das Bezahlen zu kompliziert. Rückgabe und Umtausch erweisen sich manchmal als sehr schwierig. Auch Vorbehalte gegen die Angabe persönlicher Daten, die bei Online-Käufen oft gefordert werden, spielen eine große Rolle. Fast jeder dritte Online-Käufer verbindet mit E-Commerce die Preisgabe vieler persönlicher Daten und verzichtet deshalb auf den Kauf.

Rasante Entwicklung des virtuellen Handels

Insgesamt überwiegen jedoch die Vorteile des E-Commerce. Momentan befindet sich keine Branche in einem größerem Wachstum als der Handel über das Internet. Immer mehr Unternehmen setzen auf den virtuellen Markt. Ein Fünftel aller Unternehmen in der EU bieten schon heute, neben ihren klassischen Vertriebswegen, ihre Produkte auch online über das Internet an. Die stärkste Verbreitung hat der elektronische Handel in Deutschland gefunden, wo schon jede dritte Unternehmung diesen Vertriebsweg nutzt. Nachholbedarf gibt es noch in den südeuropäischen Ländern. Da E-Commerce die Produktivität steigernd wirkt und den zwischenstaatlichen Handel begünstigt, bleiben die Länder, die sich nicht daran beteiligen, auf Dauer im Abseits.

E-Business

Neben dem Begriff „E-Commerce" hat sich in letzter Zeit als weiterer Begriff auch „E-Business" etabliert. Dieser Begriff ist weit umfassender. Er bezeichnet nicht nur alle Möglichkeiten, Einkäufe und Verkäufe mit Hilfe des Internets zu realisieren, sondern auch die komplette Umstrukturierung von Unternehmen unter Berücksichtigung der neuen Technologien. Dazu zählen unter anderem E-Mail (Post), E-Book (papierlose Bücher), E-Payment (Zahlungsverkehr) und viele andere Aktivitäten. E-Business bedeutet also die Ausweitung der elektronischen Medien auf sämtliche Geschäftsbereiche der Unternehmung. Ohne die eigene Firma auf die Grundlagen des E-Business umzustellen, kann auch E-Commerce nicht effektiv genutzt werden.

E-Business, das Internet und die Globalisierung hängen sehr stark voneinander ab. Je mehr weltweit tätige Großunternehmen es gibt, desto mehr möchten und müssen sie sich auf E-Business umstellen. Dies führt jedoch dazu, dass immer mehr Menschen als Kunden den direkten Internetzugang nutzen. Je umfangreicher diese Art der Kommunikation wird, desto mehr Marktanteile werden jedoch Unternehmen gewinnen, die sich aktiv um eine optimale Gestaltung von Angebot und Kundenpflege über das Internet bemühen. Hierzu gehören vor allem die internationalen Großunternehmen.

3 Bereiche des E-Business

* **Intranet** - Geschäftliche Tätigkeiten im unternehmensinternen Netzwerk
* **Extranet** - Geschäftliche Tätigkeiten im Netzwerk mit Partnern
* **Internet** - Geschäftliche Tätigkeiten im Netzwerk mit allen anderen

Im Intranet werden die gleichen Standard-Technologien verwendet, die auch das Internet zur Kommunikation bereitstellt. Die firmeninternen Webseiten sind allerdings durch so genannte Firewalls und andere Sicherheitsmaßnahmen von der Welt außerhalb der Unternehmung getrennt, so dass Personen außerhalb der Unternehmung keinen Zugang zu den Informationen haben, die im Intranet ausgetauscht werden. Der zweite Bereich betrifft die Geschäftsvorgänge, die zwischen (in der Regel kooperierenden) Unternehmen über das Extranet abgewickelt werden. Ein Extranet besteht aus mindestens zwei über das Internet verbundene Intranets, wobei die Unternehmen vertrauliche Daten gegenseitig einsehen können. Als Drittes gibt es den Bereich zwischen dem Kunden und der Unternehmung: das Internet. Hier können Waren und Dienstleistungen angeboten werden. Die Firmen präsentieren sich in firmenspezifischen Webseiten und es können Verkäufe stattfinden, was man im klassischen Sinne als E-Commerce bezeichnet.

85

Bitte beachten Sie die Artikel zu den folgenden Stichwörtern:
Globalisierung (142 - 143)
Markt (210- 211)
Produktivität (264 - 265)
Unternehmung (334 - 335)
Wachstum (354 - 355)

Im täglichen Leben wird zwischen Eigentum und Besitz oft nicht genau unterschieden. Für den Juristen haben die beiden Begriffe jedoch eine völlig unterschiedliche Bedeutung.

Beispiel: Das Autohaus Schulz stellt Herrn Ohler einen neuen Golf zur Probefahrt für ein Wochenende zur Verfügung. Herr Ohler ist Besitzer, solange er das Auto zur Probe fährt. Das Autohaus bleibt Eigentümer; es kann z.B. das Auto in der Zwischenzeit an einen anderen Käufer verkaufen. Gibt Herr Ohler das Auto zurück, wird das Autohaus auch wieder Besitzer.

> **Besitz ist die tatsächliche Verfügung über eine Sache; der Besitzer einer Sache kann mit ihr nach Belieben verfahren.**
> **Eigentum ist dagegen die rechtliche Herrschaft über eine Sache. Der Eigentümer darf beliebig über die Sache verfügen (§ 903 BGB).**

Folgende Besitzarten lassen sich unterscheiden:

Wirtschaftliche Ursachen

unmittelbarer Besitz
Ein Mensch verfügt selbst, persönlich über die Sache.

mittelbarer Besitz
Ein Mensch verfügt nicht selbst, sondern durch einen anderen über die Sache. Dieser andere wird „Besitzmittler" genannt. Ein solcher mittelbarer Besitzer ist z.B. der Vermieter einer Wohnung. Der Mieter, der unmittelbare Besitzer, ist Besitzmittler.

Mitbesitz
Wenn ein Mensch den mittelbaren oder unmittelbaren Besitz mit einem anderen gemeinschaftlich ausübt und beide nur gemeinsam verfügen können und dürfen, spricht man von Mitbesitz. Dies ist z.B. bei einer Wohnung der Fall, die von zwei Personen gemeinsam gemietet wurde

Folgende Eigentumsarten lassen sich unterscheiden:

Eigentumsarten

Alleineigentum
Die rechtliche Verfügung einer Sache steht einer Person allein zu.

Miteigentum nach Bruchteilen
Mehrere Personen haben gemeinsam die rechtliche Verfügung über eine Sache; diese wird gemeinschaftlich verwaltet, über sie kann nur gemeinschaftlich verfügt werden, während jeder Bruchteileigentümer über seinen Anteil allein verfügen und jederzeit die Aufhebung der Gemeinschaft verlangen kann. Ein Beispiel hierfür ist Gemeinschaftseigentum wie das Treppenhaus in einer Eigentumswohnanlage.

Miteigentum zur gesamten Hand
Dies entspricht dem Bruchteileigentum, nur dass kein Eigentümer über seinen Anteil verfügen oder Teilung verlangen kann.
Die Übertragung von Eigentum von einem Menschen auf den anderen spielt im privaten wie im geschäftlichen Bereich eine große Rolle. Man muss dabei zwischen der Übertragung von beweglichen Sachen (Waren) und unbeweglichen Sachen (Immobilien) unterscheiden.

Bei beweglichen Sachen kann ein Erwerb von Eigentum auf folgende vier Arten erfolgen:

Einigung und Übergabe

Hier einigen sich Verkäufer und Käufer über die Eigentumsübertragung. Durch die Übergabe der Sache wird das Eigentum übertragen.

Beispiel: Der Juwelier übergibt dem Käufer die verkaufte Uhr.

Einigung und Abtretung

Wenn sich der Gegenstand bei einem Dritten befindet, kann die Übergabe dadurch stattfinden, dass nicht die Sache direkt, sondern der Anspruch auf die Sache übertragen wird. Der Erwerber hat dann das Recht, die Sache beim Dritten herauszufordern.

Beispiel: Ein Lieferant verkauft Ware, die er in einem Lager eingelagert hat. Mit dem Lagerschein geht das Eigentum auf den Erwerber über, der die Ware aus dem Lager holen kann.

Bloße Einigung

Wenn die Ware bereits beim Käufer ist, reicht es aus, sich über die Übertragung zu einigen.

Beispiel: Kauf eines für eine Probefahrt überlassenen Autos. Es bleibt beim Käufer.

Einigung und Besitzkonstitut

Hier bleibt die Sache beim Verkäufer. Der Käufer wird zwar Eigentümer, aber der Verkäufer bleibt Besitzer.

Beispiel: Kauf von Wertpapieren bei der Bank, die die Wertpapiere im Depot behält.

Das Eigentum an Immobilien kann nicht durch Übergabe übertragen werden. Daher wird das Eigentum (z.B. Grundstücke, Gebäude) durch eine Eintragung in das Grundbuch bei der Behörde übertragen. Die Einigung zwischen dem Verkäufer und dem Käufer wird in diesem Fall als „Auflassung" bezeichnet.

Einkommen

Faktoreinkommen, Volkseinkommen, Arbeitseinkommen, Löhne, Gehälter, Gewinne, Transfereinkommen, Einkommen aus Unternehmertätigkeit oder Kapitaleinkommen sind Begriffe, die man täglich in der Wirtschaftsliteratur findet, ohne dass sich jeder unmittelbar vorstellen kann, was damit gemeint ist.

Einkommen kann Entgelt für selbständige oder nichtselbständige Arbeitsleistung sein (=Arbeitseinkommen); man kann es aber auch durch den produktiven Einsatz von Besitz, Vermögen und Kapital (= Kapitaleinkommen) erhalten, z.B. als Miete, Pacht, Zins, Gewinn, Dividende usw.

Das Einkommen der Haushalte kann nach recht unterschiedlichen Kriterien gegliedert werden. Die folgende Abbildung zeigt einen Überblick über die verschiedenen Einkommensbegriffe, die nachfolgend kurz definiert werden.

Die Komponenten der Haushaltseinkommen

Haushaltseinkommen			
Faktoreinkommen der privaten Haushalte (Y_H)			Transfereinkommen = Übertragungseinkommen (Z_H)
Löhne (L) (inkl. Gehälter)	Gewinne (G_H)		
Einkommen aus selbstständiger Arbeit	Einkommen aus Unternehmertätigkeit und Vermögen		
	Einkommen aus Unternehmertätigkeit	Einkommen aus Vermögen = Vermögenseinkommen = Besitzeinkommen	
Erwerbseinkommen		Nichterwerbseinkommen	
Verfügbares Einkommen (Y_H^V)		(Direkte) Steuern der privaten Haushalte (T_H)	

Volkseinkommen und Faktoreinkommen der privaten Haushalte

Volkseinkommen (Y) = Faktoreinkommen = Nettosozialprodukt zu Faktorkosten			
Löhne (L)	Gewinne (G)		
	Ausgeschüttete Gewinne (G_H)	Nichtausgeschüttete Gewinne (G_U) = Faktoreinkommen der Unternehmungen	Gewinne des Staates (G_{St}) = Faktoreinkommen des Staates
	Faktoreinkommen der privaten Haushalte (Y_H)		

Die privaten Haushalte verfügen über die Produktionsfaktoren Arbeit, Kapital und Boden, die im Produktionsprozess eingesetzt und entlohnt werden. In etwas vereinfachter Darstellung kann man sagen, dass für die Nutzung des Faktors Arbeit Löhne bzw. Gehälter, für das Kapital Zinsen und für den Boden Grundrente (Pachten bzw. Mieten) bezahlt werden. Diese Einkommen entstehen direkt im Produktionsprozess durch Inanspruchnahme der Produktionsfaktoren und heißen daher **Faktoreinkommen**.

Außerdem kann ein Haushalt auch Einkommen ohne unmittelbare wirtschaftliche Gegenleistung erhalten, wie beispielsweise Sozialrente, Pensionen oder Krankengeld. Derartige Einkommen, die vornehmlich der Staat zahlt, werden als Übertragungseinkommen oder auch als **Transfereinkommen** bezeichnet.

Bei dem Faktoreinkommen handelt es sich um die Haupteinnahmen der Haushalte, wobei zwei Arten von Faktoreinkommen zu unterscheiden sind:

- Löhne als Entgelt für Arbeitsleistungen = Einkommen aus unselbständiger Tätigkeit und
- Gewinne als Einkommen aus Unternehmertätigkeit und Vermögen, d.h. für die selbständige, unternehmerische Tätigkeit und die Bereitstellung von Kapital (einschl. Boden).

Das Einkommen aus Unternehmertätigkeit ist – im Gegensatz zu dem Lohn, dessen Höhe schon vor der Leistung des Lohnempfängers vertraglich vereinbart wird – vom finanziellen Erfolg der selbständigen Tätigkeit abhängig. Der Selbständige setzt, wie auch der Arbeitnehmer, zur Einkommenserzielung seine Arbeitskraft ein, indem er eine selbständige Tätigkeit z.B. als Rechtsanwalt, Berater, Künstler usw. ausübt oder gewerblich als selbständiger Kaufmann, Handwerker u.a. tätig ist.

Die Summe der Einkommen aus unselbständiger Arbeit und aus Unternehmertätigkeit bezeichnet man daher auch als **Erwerbseinkommen**.

Besitzt ein Haushalt Vermögen (z. B. Sparguthaben, Wertpapiere, Häuser etc.), so erhält er hieraus **Vermögenseinkommen**, auch Besitzeinkommen genannt. Es besteht aus Zinsen, Dividenden, Mieten, Pachten u.a. Beim Vermögenseinkommen erbringt der Haushalt eine ökonomische Gegenleistung, indem er sein Vermögen anderen Menschen zur Nutzung zur Verfügung stellt. Diese Vermögenseinkommen zählen daher, wie die Einkommen aus Arbeit, zu den Faktoreinkommen, den Einkommen durch den Einsatz von Produktionsfaktoren.

Beim Einkommen aus Übertragungen fehlt diese Gegenleistung. Hier erhält der Haushalt Einkommen auf Grund von Rechtsansprüchen (z. B. Kindergeld) oder auf Grund von freiwilligen Leistungen (z.B. der Verwandten, sozialer Einrichtungen oder Kirchen). Die Summe der Einkommen aus Vermögen und aus Übertragungen werden als Nichterwerbseinkommen bezeichnet, weil der Haushalt diese Einkommen bezieht, ohne Arbeitsleistungen zu erbringen.

Das Haushaltseinkommen, also die Summe aus Faktor- und Transfereinkommen, steht nun allerdings nicht in vollem Umfang zur freien Verfügung der privaten Haushalte. Der Staat erhebt Ansprüche auf Teile der Erwerbs- und Vermögenseinkommen in Form von direkten Steuern. Die von den Haushalten zu zahlenden Steuern muss man vom Haushaltseinkommen abziehen, um das verfügbare Einkommen der privaten Haushalte zu erhalten. Das verfügbare Einkommen der privaten Haushalte ist die Entscheidungsgrundlage für die Haushaltspläne, die wiederum wesentlich die wirtschaftliche Entwicklung einer Volkswirtschaft beeinflussen (Konsumausgaben).

Bitte beachten Sie die Artikel zu den folgenden Stichwörtern:
Einkommensteuer (90 - 91)
Gewinn (138 - 139)
Lohnformen (202 - 203)
Produktionsfaktoren (262 - 263)
Steuern (304 - 305)

Einkommensteuer

Die Einkommensteuer ist neben der Umsatzsteuer in der Bundesrepublik Deutschland die Haupteinnahmequelle des Staates. Jeder Mensch, der seinen gewöhnlichen Wohnsitz in der Bundesrepublik hat, ist verpflichtet, Einkommensteuer zu zahlen, wenn er irgendeine Art von Einkommen bezieht. Dies gilt auch für jeden Ausländer, z.B. den türkischen Mechaniker in einer Kölner Automobilfabrik oder den griechischen Gastwirt in Hamburg.

Einkommensteuer ist eine vom Reineinkommen bzw. Nettoeinkommen der natürlichen Personen erhobene Steuer.

Die Arten des Einkommens können sehr unterschiedlich sein: Lohn für Arbeiter, Angestellte und Beamte, Zinsen und Dividenden für Wertpapierbesitzer, Mieten und Pachten für Grundstückseigentümer, **Gewinne** für Unternehmer, Honorare für Rechtsanwälte und anderes mehr.

Der Gesetzgeber hat sie zu sieben Einkunftsarten zusammengefasst:
1. Einkünfte aus Land- und Forstwirtschaft
2. Einkünfte aus Gewerbebetrieb
3. Einkünfte aus selbständiger Arbeit
4. Einkünfte aus nichtselbständiger Arbeit
5. Einkünfte aus Kapitalvermögen
6. Einkünfte aus Vermietung und Verpachtung
7. Sonstige Einkünfte

Für alle diese Einkommensarten sind das Berechnungsverfahren und der Steuersatz, d.h. der Prozentsatz des Einkommens, das als Steuer abzuführen ist, im Wesentlichen einheitlich. Der Steuersatz steigt jedoch mit der Höhe des Einkommens und ist je nach Familienstand unterschiedlich. Außerdem gibt es noch eine geringfügige Erleichterung bei der Einkommensteuer für gewerbliche Unternehmer, weil diese neben der Einkommensteuer von ihrem Gewinn noch zusätzlich eine kommunale Gewerbesteuer zu zahlen haben.

Stufenweise fortschreitende (progressive) Einkommensteuer.
Steuerhöhe bei unterschiedlicher Einkommenshöhe und Familienstand im Jahr 2002

Einkommen	Steuerzahlung			
	Alleinverdiener unverheiratet		Alleinverdiener verheiratet	
	Euro	in %	Euro	in %
7.000 Euro	0	0	0	0
8.000 Euro	168	2,1	0	0
9.000 Euro	387	4,3	0	0
10.000 Euro	611	6,1	0	0
20.000 Euro	3.235	16,2	1.222	6,1
30.000 Euro	6.418	21,4	3.706	12,4
40.000 Euro	10.158	25,4	6.470	16,2
50.000 Euro	14.440	28,9	9.514	19,0
100.000 Euro	38.623	38,6	28.880	28,9
130.000 Euro	53.184	40,9	43.304	33,3

Methoden der Erhebung von Einkommensteuer

Die Methoden der Erhebung der Einkommenssteuer sind sehr unterschiedlich:

- Bei den Arbeitern, Angestellten und Beamten, die unselbständig tätig sind, wird die zu zahlende Einkommensteuer unmittelbar vom Bruttogehalt durch den Arbeitgeber abgezogen und an das Finanzamt abgeführt. Diese Form der Einkommensteuer nennt sich dann Lohnsteuer.
- Eine ähnliche, direkt bei der Quelle des Einkommens für das Finanzamt zurückgehaltene Einkommensteuer ist die sog. „Quellenbesteuerung" von Sparern und Wertpapierbesitzern. Ihnen wird ein prozentualer Anteil der Zinsen und Dividenden direkt von der Bank bei der Auszahlung vorenthalten und an das Finanzamt überwiesen. Aktionäre haben ihre Dividenden nach dem „Halbeinkünfteverfahren" zu versteuern (Körperschaftsteuer)
- Unternehmenseigentümer, Hauseigentümer, Selbständige usw. müssen nach Ablauf eines jeden Jahres eine Einkommensteuererklärung abgeben, nach der dann das Finanzamt die Höhe der zu zahlenden Steuer errechnet. Sie müssen jedoch alle 3 Monate eine geschätzte Vorauszahlung entrichten, die später – nach exakter Berechnung der Höhe – verrechnet wird.

Im letzten Fall wird deutlich, dass die Einkommensteuer eigentlich eine Jahressteuer ist, bei der sich die Berechnung der Steuerhöhe jeweils auf das Einkommen eines ganzen Jahres bezieht. Dies bedeutet, dass auch ein Steuerzahler, der Lohnsteuer zahlt oder dem die Bank die Quellensteuer einbehält, nach Ablauf des Jahres eine Einkommensteuererklärung abgeben muss, wenn er zusätzlich andere Einkünfte (z.B. Mieten) hat. Aus eigenem Interesse sollte er eine Erklärung abgeben, wenn er erwarten kann, dass er von der gezahlten Lohnsteuer bzw. Quellensteuer bei der Bank eine teilweise Rückerstattung durch das Finanzamt erwarten kann.

Beispiel: Ein Arbeiter arbeitet nur 6 Monate eines Jahres, in denen er monatlich 3.000 Euro verdient. Die vom Arbeitgeber monatlich abgezogene Lohnsteuer geht davon aus, dass er im Jahr 12 x 3000 = 36.000 Euro bekommen wird. Die darauf entfallende Lohnsteuer macht ca. 8400 Euro aus, von denen ihm nun monatlich 1/12 = 700 Euro abgezogen und an das Finanzamt abgeführt werden. Nach 6 Monaten hat er damit 6 x 700 Euro = 4.200 Euro Steuern gezahlt. Wenn er die letzten 6 Monate nicht mehr arbeitet, beträgt sein Jahreseinkommen aber nur 18.000 Euro. Hierfür ist wegen der progressiv steigenden Steuersätze bei höheren Einkommen jedoch nur eine Steuer von ca. 700 Euro für das ganze Jahr zu zahlen. Er wird also, wenn er eine Jahres-Einkommensteuererklärung abgibt, eine Rückerstattung von ca. 5 x 700 Euro = 3.500 Euro zu erwarten haben. Vergisst er dies, bleibt das Geld beim Finanzamt.

Werbungskosten

Bei der Berechnung der Steuer wird berücksichtigt, dass u.U. ein Steuerzahler Ausgaben hat, die durch den Beruf bedingt sind und über den normalen Lebensunterhalt hinausgehen. So z.B., wenn er eine weite Anreise zum Arbeitsplatz hat oder spezielle Schutzkleidung benötigt. Er kann die Ausgaben hierfür von seinem Einkommen abziehen, bevor die Steuer errechnet wird. Man nennt solche Ausgaben auch Werbungskosten.

91

Daneben erhält man Steuerermäßigungen für sog. Sonderausgaben, wie Beiträge zu Versicherungen, Spenden für gemeinnützige Organisationen u.a.m. Auch wenn ein Bürger außergewöhnliche Belastungen zu tragen hat, die vergleichbare Einkommensbezieher nicht haben, z.B. durch Krankheit, genießt er Steuervorteile.

Bitte beachten Sie die Artikel zu den folgenden Stichwörtern:
Einkommen (88 - 89)
Körperschaftsteuer (182 - 183)
Steuern (304 - 305)
Umsatzsteuer (314 - 315)

Einkommensverteilung

Einkommen erhalten wir zumeist als Entgelt für die Leistung bei der Produktion von Waren und Dienstleistungen. Man erhält es als Lohn für die geleistete Arbeit, als Zins für die Bereitstellung von Kapital und als Miete oder Pacht, wenn man Boden zur Verfügung stellt. Auch der Gewinn, den der Unternehmer erhält, soll ein Entgelt für die von ihm erbrachte Leistung der Unternehmungsführung sein.

> **Das Einkommen dient den Menschen in erster Linie dazu, die von anderen Menschen produzierten Güter zu erwerben. Damit ist mit der Einkommensverteilung im Grunde die Verteilung aller produzierten Güter auf die Bevölkerung gemeint.**

In früheren Zeiten war die Verteilung des Produktionsergebnisses kein so großes Problem wie heute: Was die bäuerliche Familie erntete und herstellte, gehörte ihr – wobei evtl. ein Teil davon an die Obrigkeit abzugeben war. Infolge der Arbeitsteilung besteht aber heute keinerlei Zuordnung zwischen individueller Leistung und Produktionsergebnis. So stellt sich die Frage nach einer gerechten Verteilung des Einkommens auf bestimmte Bevölkerungsgruppen.

Damit ist das Problem der Einkommensverteilung angesprochen, das in das politische Bewusstsein der Öffentlichkeit stärker vorgedrungen ist, wobei auch noch die Vermögensverteilung eingeschlossen ist. Als Ziel wird häufig die Schaffung einer gerechten Einkommens- und Vermögensverteilung genannt. Dennoch ist es in der Bundesrepublik Deutschland nirgends gesetzlich festgelegt. Dies ist nicht zuletzt wohl auch der Tatsache zuzuschreiben, dass dieses Ziel sehr unterschiedlich interpretierbar ist. Man spricht einerseits von der „Leistungsgerechtigkeit", d.h., dass das Produktionsergebnis entsprechend der Leistung, die der Einzelne erbracht hat, verteilt werden soll. Andererseits erhebt sich die Forderung nach der „Bedarfsgerechtigkeit", d.h., dass man bei der Verteilung den unterschiedlichen Bedürfnissen der Menschen gerecht werden sollte (z.B. Familien mit und ohne Kinder).

In welchen Bereichen wird eine Einkommensverteilung vorgenommen?

Probleme der Einkommensverteilung betreffen nicht nur den meist im Vordergrund stehenden Konflikt um die Höhe von Löhnen und Gewinnen. Sie stellen sich z.B. auch

- beim Anspruch des Staates auf Teile des Volkseinkommens zur Erfüllung der öffentlichen Aufgaben, da kurzfristig die Bereitstellung öffentlicher Güter zur Lasten der Versorgung mit privaten Gütern geht
- zwischen Empfängern von Einkommen aus der Produktion (Faktoreinkommen) und Bevölkerungsgruppen, die noch nicht, nicht mehr oder nie Leistungen als Produktionsfaktoren erbringen, z.B. Schüler und Studenten, Rentner, Kranke, Arbeitslose.
- zwischen Arbeitnehmern unterschiedlicher Branchen, unterschiedlicher Qualifikation, unterschiedlichen Geschlechts, in unterschiedlichen Regionen usw.
- zwischen den Menschen in unterschiedlichen Industrieländern und zwischen den Menschen in Industrieländern gegenüber denen in Entwicklungsländern.

Die Palette der Verteilungskonflikte könnte weit über diese Fälle hinaus ausgebreitet werden. Die angeführten Beispiele sollen nur den Blick für die Vielfalt der realen Verteilungsfragen öffnen.

Wir haben in der Wirklichkeit unserer arbeitsteiligen Wirtschaft keine objektive Möglichkeit der Bewertung von Leistung und Ergebnis. Die Bewertung kommt dadurch zustande, dass sich jeder Mensch seine eigene, selbstbezogene Wertvorstellung macht. Mit diesen unterschiedlichen Wertvorstellungen treten sich die Menschen auf den Märkten gegenüber (Gütermarkt, Arbeitsmarkt, Geldmarkt, Wohnungsmarkt usw.). Jeder Nachfrager, der einem Gut subjektiv einen höheren Wert beimisst, als der Preis beträgt, wird das Gut erwerben wollen; jeder Anbieter, der einem Gut einen niedrigeren Wert beimisst, als der Preis beträgt, wird das Gut verkaufen wollen. So wird beim Tauschverkehr ein Preis gebildet, der dann für alle Tauschpartner Gültigkeit hat. Er ist jedoch kein „objektiver" Wert, denn er kann zu anderen Zeiten und bei anderen Bedingungen völlig anders ausfallen. Letztlich ergibt sich jedoch auf dieser Basis in den marktwirtschaftlichen Systemen die „Primärverteilung" der Einkommen, d.h. der Anteil des Produktionsergebnisses, der auf die einzelnen Produktionsfaktoren in Form von Lohn, Gehalt, Honorar, Zins, Miete, Pacht, Gewinn usw. entfällt. Natürlich wird diese Primärverteilung durch eine Vielzahl von staatlichen Eingriffen und marktwidrigen Absprachen sowie durch Störungen des Wettbewerbs verzerrt. Nicht nur staatlich fixierte oder manipulierte Preise, sondern auch die Ausnutzung von marktbeherrschenden Stellungen verändern das Verteilungsbild.

Neben dieser Primärverteilung, aber nicht abhängig davon, steht die „Sekundärverteilung" der Einkommen. Hierbei korrigiert der Staat die sich durch den Markt ergebende Primärverteilung, indem er einerseits Einkommensteile in Form von Steuern und verschiedenen Abgaben beansprucht und andererseits sog. „Transferzahlungen" für die privaten Haushalte, leistet.

Diese Grafik macht deutlich, dass die Familien der Selbständigen ein drei Mal so hohes Einkommen haben wie die Durchschnittsfamilien – nämlich 88.450 Euro gegenüber 31.040 Euro, dem Durchschnitt aller Haushalte in Deutschland. Das Durchschnittseinkommen je Haushaltsmitglied liegt bei 14.320 Euro. Deutlich weniger hat eine Familie eines Arbeitslosen bzw. Sozialhilfeempfängers. Ihr stehen nur 8.400 Euro zur Verfügung.

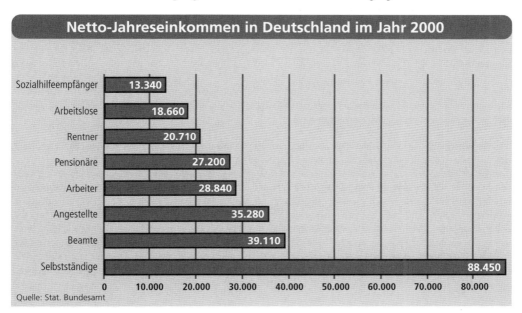

Netto-Jahreseinkommen in Deutschland im Jahr 2000

	Euro
Sozialhilfeempfänger	13.340
Arbeitslose	18.660
Rentner	20.710
Pensionäre	27.200
Arbeiter	28.840
Angestellte	35.280
Beamte	39.110
Selbstständige	88.450

Quelle: Stat. Bundesamt

Bitte beachten Sie die Artikel zu den folgenden Stichwörtern:
Einkommen (88 - 89)
Gewinn (138 - 139)
Markt (210 - 211)
Produktionsfaktoren (262 - 263)
Sozialhilfe (294 - 295)
Steuern (304 - 305)
Wettbewerb (366 - 367)

Entwicklungsländer

Der gebräuchlichste Maßstab zur Messung des Lebensstandards von Staaten ist das Pro-Kopf-Einkommen oder das Inlandsprodukt je Einwohner, das die Wirtschaftsleistung ausdrückt. Diesen Maßstab verwenden unter anderen auch die UN (Vereinte Nationen) bei der Definition eines „Entwicklungslandes".

Entwicklungsländer sind solche, in denen das Pro-Kopf-Einkommen nicht mehr als ein Viertel des Einkommens der Industrieländer beträgt, also der Länder Westeuropas, der USA, Kanada, Japan, Australien und Neuseeland.

Dieser Maßstab ist jedoch sehr unvollkommen, weil unter anderem der Pro-Kopf-Durchschnittswert nichts über die tatsächliche Situation der Bevölkerung aussagt. Häufig ist entscheidend, wie die Einkommensverteilung in einem Land aussieht. Es gibt viele Länder, die nach dem genannten Kriterium nicht unter den Begriff „Entwicklungsland" fallen, weil das durchschnittliche Einkommen nicht sehr niedrig ist, jedoch die Einkommen sehr ungleich verteilt sind: Ein kleiner Teil der Bevölkerung verfügt über ein sehr hohes Einkommen, während die Masse der Bevölkerung sehr arm ist.

Weil das Inlandsprodukt als alleinige Maßgröße viele Mängel aufweist, müssen weitere Kriterien zur Kennzeichnung eines Entwicklungslandes herangezogen werden, z.B. Bildungsstand, technische Entwicklung, Nahrungsmittelversorgung, Arbeitslosigkeit, Infrastruktur usw.

In der wirtschaftlichen Entwicklung spricht man von einem Nord-Süd-Gefälle und einem West-Ost-Gefälle, weil sich die meisten Entwicklungsländer in südlichen und östlichen Teilen der Welt (Asien, Afrika, Südamerika) befinden. Äußerlichen Ausdruck fand die Konfrontation zwischen Industrieländern und Entwicklungsländern als „Nord-Süd-Konflikt" mit der so genannten Erdölkrise zu Beginn der 70er Jahre. Die Erdölkrise ging von einer einseitigen Erhöhung der Erdölpreise durch die Erzeugerländer in der Dritten Welt aus, die sich in der OPEC (Organisation erdölexportierender Länder) zusammengeschlossen hatten. Die durch die OPEC herbeigeführte Verknappung der Rohölversorgung machte einerseits den Industrieländern ihre Energie- und Rohstoffabhängigkeit deutlich, andererseits führte sie den Entwicklungsländern die Möglichkeit einer auf Solidarität beruhenden Durchsetzungsstrategie gegenüber den Industrieländern vor Augen. Die Dritte Welt war über Nacht als neuer Machtfaktor in die Weltpolitik eingetreten mit dem Ziel, Strukturunterschiede durch neue internationale Ordnungen zu beseitigen. Die Entwicklungsländer forderten daher eine neue Weltwirtschaftsordnung, die ihnen eine günstigere Voraussetzung für Produktion und Handel (Welthandelsordnung) und eine günstigere finanzielle Lage (Weltwährungsordnung) gewährleistete. Dies sind auch noch ihre heutigen Forderungen, denn bislang ist nur wenig verwirklicht worden. Die Forderungen werden meist im Rahmen der WTO-Konferenz (Welthandelsorganisation) vertreten, in der sich im Jahre 1964 schon 77 Entwicklungsländer zur „Gruppe der 77" zusammengeschlossen hatten. Die Gruppe der 77 umfasst heute über 133 Staaten und ist damit zwar zahlenmäßig eindeutig dominierend, aber von der Wirtschaftskraft her ohne Durchsetzungsfähigkeit.

Das Problem einer neuen Weltwirtschaftsordnung wird durch das Bevölkerungswachstum, die Verschuldung und die ökologischen Belastungen in der Dritten Welt ständig verschärft. Die Entwicklungsländer befinden sich in einen „Teufelskreis der Armut", aus dem sie sich aus eigener Kraft kaum lösen können.

Unzureichende Produktionsbedingungen, mangelhafter Ausbildungsstand der Bevölkerung, fehlende Infrastruktur und vieles andere mehr führen dazu, dass die Entwicklungsländer nicht nur Investitionsgüter, sondern dazu noch Konsumgüter aus den Industrieländern einführen müssen. Die Exporte beschränken sich aber hauptsächlich auf Rohstoffe und Nahrungsmittel. Die damit eingenommenen Devisen reichen in der Regel nicht zur Finanzierung der Importe aus. Weil die Handelsstruktur kurzfristig nicht zu ändern ist, müssen die Entwicklungsländer sich fortwährend stärker verschulden. Die Tilgungen und Zinszahlungen erfordern wiederum zusätzliche Devisen. Aus diesem Teufelskreis der Armut wird ein Entrinnen nur durch gemeinsame Bemühungen der Entwicklungsländer und der Industrieländer möglich sein. Eine sich hier ergebende Lösung, die nie durch Konfrontation zustande kommen kann, wäre ein wesentlicher Beitrag zum Weltfrieden.

Teufelskreis Armut

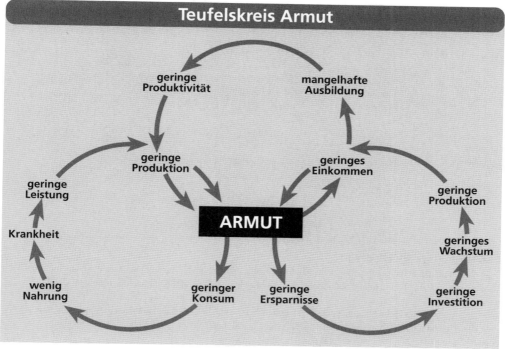

Quelle: Krafft/Wilke, Internationale Wirtschaftsbeziehungen, Heft 183 der Schriftenreihe "Informationen zur politischen Bildung", Bundeszentrale für Politische Bildung, Bonn 1991, S. 39

Bitte beachten Sie die Artikel zu den folgenden Stichwörtern:

Arbeitslosigkeit (26 - 27)
Einkommen (88 - 89)
Einkommensverteilung (92 - 93)
Inlandsprodukt (160 - 161)
WTO (374 - 375)

Die Europäische Union (EU) ist ein Zusammenschluss europäischer Staaten.

Bis Ende des Jahres 2003 gehörten der EU 15 europäische Staaten an:

• Belgien	• Griechenland	• Niederlande
• Dänemark	• Großbritannien	• Österreich
• Deutschland	• Irland	• Portugal
• Finnland	• Italien	• Schweden
• Frankreich	• Luxemburg	• Spanien

2004 erfolgte die Aufnahme von weiteren 10 Staaten (EU-Osterweiterung).

• Estland	• Polen	• Ungarn
• Lettland	• Slowakei	• Zypern
• Litauen	• Slowenien	
• Malta	• Tschechien	

Entstehungsgeschichte der EU

1952 hoben die sechs Staaten Belgien, Bundesrepublik Deutschland, Frankreich, Italien, Luxemburg und die Niederlande in Paris die Europäische Gemeinschaft für Kohle und Stahl (EGKS, Montanunion) aus der Taufe.

1957 gründeten die sechs Staaten in den Römischen Verträgen die Europäische Wirtschaftsgemeinschaft (EWG) und die Europäische Atomgemeinschaft (EURATOM) und beschlossen 1965 eine Zusammenlegung der drei Bereiche. Seit dieser Zeit spricht man von der Europäischen Gemeinschaft (EG).

Seit Inkrafttreten des „Vertrages über die Europäische Union" (1. November 1993), dem so genannten Maastrichter Vertrag, erhielten die drei europäischen Gemeinschaften einen einheitlichen rechtlichen Rahmen. Sie stellten den so genannten „ersten Pfeiler" der Europäischen Union (EU) oder den „Gemeinschaftspfeiler" dar, der sich durch ein hohes Maß an Integration auszeichnet. Zwei weitere Pfeiler ergänzen die Zusammenarbeit: die gemeinsame „Außen- und Sicherheitspolitik (GASP)" und die Zusammenarbeit im Bereich „Justiz und Inneres".

Die Mitgliedsländer der EU haben Verträge miteinander geschlossen, in denen die Formen der Zusammenarbeit geregelt sind. Die ältesten Mitglieder sind die sechs Gründerstaaten der Europäischen Gemeinschaften. Am 1. Januar 1981 wurde Griechenland in die Gemeinschaft aufgenommen. Portugal und Spanien traten am 1. Januar 1986 bei. Zum 1. Januar 1973 traten Großbritannien, Irland und Dänemark bei. Der Beitritt Österreichs, Finnlands und Schwedens erfolgte zum 1. Januar 1995.

Am 1. Januar 1999 wurde die europäische Gemeinschaftswährung – der Euro – eingeführt. Seit dem 1. Januar 2002 ersetzt dieser die nationalen Währungen der teilnehmenden Staaten.

Nach einer 16-monatigen Debatte wurde im Juni 2003 durch den Europäischen Konvent ein gemeinsamer Entwurf zu einer EU-Verfassung verabschiedet, über den im Jahr 2004 weiterhin beraten werden soll.

Der Europäische Rat ist das Leitorgan der EU. Er setzt sich aus den Regierungschefs aller Mitgliedsländer und deren Außenministern zusammen. Das höchste Organ der EU ist der Ministerrat. Er hat praktische Gesetzgebungskompetenz und kann Richtlinien und Verordnungen erlassen. Die Kommission ist die so genannte „Regierung" der EU, sie setzt die Verträge um.

Die Organe der EU

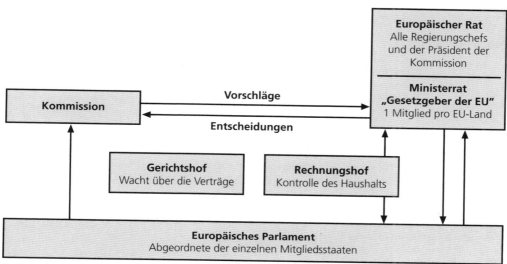

Grafik angelehnt an www.bpb.de

Nach Intensität des Zusammenwirkens und des Zusammenspiels der Organe der EU und der Regierungen der Mitgliedstaaten kann man drei Abstufungen unterscheiden:

1. Koordinierung

Bei dieser Form der Zusammenarbeit sind die Regierungen vertraglich verpflichtet, einander zu informieren und ihre Handlungen aufeinander abzustimmen. Diese Form wird in der EU für Politikbereiche gewählt, in denen die Staaten noch weitgehend selbst bestimmen wollen (z.B. Wirtschaftspolitik, Finanzpolitik, Familienpolitik).

2. Kooperation

Hier vereinbaren die Staaten vertraglich, dass ihre Regierungen in den benannten Politikbereichen nicht mehr allein handeln, sondern zusammenarbeiten, das heißt, dass sie Beschlüsse nur gemeinsam fassen, entweder einstimmig oder mit Mehrheit, und dass diese Beschlüsse für alle bindend sind. Wenn zur Ausführung der Beschlüsse Gesetze erlassen oder geändert werden müssen, so ist dies Sache der nationalen Parlamente der Einzelstaaten. Ein Beispiel für die Zusammenarbeit in der Europäischen Union sind die Bereiche Umwelt oder Gesundheitswesen.

3. Gemeinschaftliche Politik

Bei dieser engsten Form der Integration erfolgt eine Übertragung von Hoheitsrechten der Staaten auf die gemeinsamen Organe der Union. Die Einzelstaaten übertragen dabei sowohl die gesetzgeberischen (legislativen) Rechte als auch das Recht auf Ausführung (das exekutive Recht) auf die gemeinsamen Organe = Rat, Kommission und Parlament. Hier hat die EU also die ausschließliche Zuständigkeit. Beispiele dafür sind die gemeinsame Agrarpolitik, die Verkehrspolitik oder die Außenhandelspolitik.

Bitte beachten Sie die Artikel zu den folgenden Stichwörtern:
EU-Osterweiterung (98 - 99)

Seit der Errichtung der Europäischen Gemeinschaft für Kohle und Stahl (EGKS) mit 6 Mitgliedern im Jahr 1951 ist diese Vereinigung europäischer Staaten über die Europäische Wirtschaftsgemeinschaft (EWG), Europäische Gemeinschaft (EG) und Europäische Union (EU) inzwischen auf 15 Mitglieder erweitert worden.

Mitglieder der EU

Frankreich	Italien	Spanien
Deutschland	Griechenland	Portugal
Niederlande	Dänemark	Österreich
Belgien	Irland	Finnland
Luxemburg	Großbritannien	Schweden

Auf dem EU-Gipfeltreffen im Dezember 2002 wurde beschlossen, dass die EU ab dem 01. Mai 2004 um 10 Staaten erweitert werden soll, die überwiegend in Osteuropa liegen. Mit der Aufnahme der 10 neuen Länder vergrößert sich die Einwohnerzahl dieser europäischen Vereinigung von 375 Mio. auf 450 Mio. Einwohner. Im Vergleich hierzu haben die USA nur 282 Mio. Einwohner.

Die EU-Osterweiterung bedeutet die Vergrößerung der Europäischen Union durch 10 Länder, die in der Hauptsache in Ost- und Südosteuropa liegen.

Die künftigen Staaten der EU

Estland	Slowakei
Lettland	Slowenien
Litauen	Ungarn
Polen	Malta
Tschechien	Zypern

Die Osterweiterung stellt die EU vor eine einmalige historische Chance und politische Herausforderung. Durch die Aufnahme von Ländern, die früher hinter dem „Eisernen Vorhang" lagen, kann die EU einen Beitrag zur dauerhaften Überwindung der Teilung Europas leisten.

Welche Stationen der Erweiterung durchliefen die 10 Länder?

Die EU-Erweiterungspolitik vollzog sich in den neunziger Jahren. Sie verlief schrittweise und richtete sich nach den Entscheidungen des Europäischen Rates. Der Beginn der Verhandlungen war der Gipfel in Kopenhagen im Jahr 1993. Dort verkündeten die Staats- und Regierungschefs die politische Bereitschaft zur Aufnahme der osteuropäischen Länder. Diese Zusicherung wurde jedoch an die Erfüllung von Beitrittskriterien geknüpft. Sie beruhen auf den Bestimmungen der europäischen Verträge und umfassen sowohl wirtschaftliche als auch politische Voraussetzungen für eine Mitgliedschaft.

Welche Beitrittskriterien müssen die neuen Länder erfüllen?

Die Kopenhagener Kriterien benennen folgende Voraussetzungen:
- Stabilität der Demokratie und ihrer Institutionen: Das Bewerberland muss über einen Rechtsstaat und ein Mehrparteiensystem verfügen; es muss die Menschenrechte und den Schutz von Minderheiten gewährleisten.
- Funktionierende Marktwirtschaft
- Übernahme aller Rechte und Pflichten, die sich aus der Mitgliedschaft ergeben
- Einverständnis mit den Zielen der politischen Union sowie der Wirtschafts- und Währungsunion (WWU)

Welche Vorteile sieht Europa in der EU-Osterweiterung?

Aus Sicht der Europäischen Union bietet die EU-Osterweiterung eine dauerhafte Ausweitung der Sicherheitszone sowie der Demokratie und Marktwirtschaft nach Osten.

Nicht nur die Europäische Union sieht Vorteile in der Integration, auch die neuen Kandidaten bekunden großes Interesse. Ihr Bedürfnis liegt auf der Verbindung zum „Westen". Mit dem Zugang zum Binnenmarkt der EU besteht die Möglichkeit zur Stärkung der Exportwirtschaft. Sie können zwischen 50 und 70 Prozent ihrer Produkte auf dem EU-Markt absetzen. Damit haben sie einen nahezu vollständigen Marktwechsel von Ost nach West.

Des Weiteren versprechen sich die Beitrittsländer erhebliche Geldzuschüsse (Nettotransfers) aus dem EU-Haushalt.

Welche Probleme sind mit der EU-Osterweiterung verbunden?

Zwischen den bisherigen und den neuen EU-Mitgliedsländern bestehen noch enorme Unterschiede im ökonomischen Entwicklungsniveau. Trotz des in den vergangenen Jahren zum Teil bemerkenswert hohen Wirtschaftswachstums der mittel- und osteuropäischen Staaten werden die meisten Beitrittskandidaten zum angestrebten Beitrittstermin weniger als 40 % der Pro-Kopf-Wirtschaftsleistung in der EU erreicht haben. Der bestehende Entwicklungsabstand zur EU kann nur in einem längeren Prozess abgebaut werden. Zum Beispiel könnte Polen seinen Rückstand gegenüber dem EU-Durchschnitt bis zum Jahre 2025 nur dann vollständig beseitigen, wenn es eine jahresdurchschnittliche reale Zuwachsrate erzielen könnte, die um 4,4 % höher liegt als diejenige der EU.

Von besonderer Brisanz sind auch die Probleme der Landwirtschaft. In Polen sowie in den baltischen Staaten nimmt der Agrarsektor eine entscheidende Stellung ein. Allein in Polen sind fast vier Millionen Menschen in der Landwirtschaft beschäftigt. In der ganzen bisherigen EU gibt es demgegenüber nur sieben Millionen Beschäftigte. Vermutlich wird es bedeutender Mittel – auch der EU – bedürfen, um die osteuropäische Landwirtschaft zu modernisieren, die freigesetzten Arbeitskräfte umzuschulen und um millionenfache neue Beschäftigungsmöglichkeiten zu schaffen.

Besondere Beachtung finden in den bisherigen EU-Mitgliedsländern die möglichen Gefahren für die heimische Wirtschaft aufgrund niedrigerer Lohn-, Sozial- und Umweltstandards in den neuen Mitgliedsstaaten. Währenddessen fürchten die Beitrittsstaaten einen Ausverkauf heimischen Bodens.

Übergangsregeln

Die Arbeitsmärkte der Alt-Mitglieder bleiben nach einem flexiblen Modell bis zu weiteren sieben Jahre nach dem Beitritt für Arbeitnehmer aus den Neu-Mitgliedern (mit Ausnahme von Malta und Zypern) geschlossen. In Deutschland und Österreich ist zudem die Dienstleistungsfreiheit in bestimmten Bereichen (z.B. Bauindustrie) für osteuropäische Unternehmen eingeschränkt. Der Erwerb von Agrar- und Forstland in den neuen Mitgliedsländern (außer Malta, Zypern und Slowenien) unterliegt für weitere sieben Jahre nationalen Regelungen; in Polen sogar für zwölf Jahre.

Bitte beachten Sie die Artikel zu den folgenden Stichwörtern:
EU (96 - 97)
EWWU (102 - 103)

Mit der für 1999 vorgesehenen Europäischen Währungsunion stand ein Umbruch in dem deutschen Geld- und Währungssystem bevor, wie es die Deutschen in den letzten 47 Jahren, also seitdem es die D-Mark gab, nicht erlebt haben.

Der Euro ist seit seiner Einführung am 01.01.1999 die einheitliche, gemeinsame Währungseinheit innerhalb der Europäischen Union (EU).

Heute ist der Euro, genauso wie früher die D-Mark, ein ganz normales Zahlungsmittel aller Bürger. Die Einführung der neuen Währung durchlief jedoch einen langen Zeitplan. Dieser beschwerliche Weg soll im Folgenden skizziert werden:

Phasen	Veränderungen
Phase bis Ende 1997 (= 1. Phase)	Die Zusammensetzung der Währungsunion und damit auch des Stabilitätspaktes war bis zu diesem Zeitpunkt ungewiss. Es wurde über die Teilnahme einzelner Länder spekuliert und die wirtschaftliche und politische Entwicklung in diesen Ländern besonders aufmerksam verfolgt. Jede Neubewertung eines Landes führte zu lebhaften Kursbewegungen.
Das Jahr 1998 (= 2. Phase)	Die Entscheidung über die Teilnehmer an der Wirtschafts- und Währungsunion (WWU) fällt anhand der Wirtschaftskennzahlen von 1997 (Kriterien des Maastrichter Vertrages). Die Festlegung des Teilnehmerkreises wurde zu einem entscheidenden Signal für die Märkte. Es blieb nicht auszuschließen, dass Korrekturen dieser Entscheidung im Sinne einer zusätzlichen Aufnahme des einen oder anderen Landes stattfinden würde. Anschließend Errichtung der Europäischen Zentralbank (EZB).
1. Januar 1999 (= 3. Phase)	Beginn der 3. Stufe der WWU: • Der Wechselkurs zwischen den Euro-Währungen ist unwiderruflich festgelegt. • Gemeinsame Geldpolitik in der EURO-Währung • Nationale Währungen bleiben zunächst gesetzliches Zahlungsmittel. Die Europäische Zentralbank, die bereits Mitte 1998 vorbereitend ihre Arbeit aufgenommen hat, übernimmt mit Beginn der Währungsunion die geldpolitische Entscheidungskompetenz von den nationalen Notenbanken.
September 2001	Handel und Banken erhalten auf Bestellung abgepackte Mengen Euro-Scheine und Euro-Münzen.
1. Januar 2002 (= 4. Phase)	**„Big Bang"** Ab diesem Tag ist der Euro alleiniges gesetzliches Zahlungsmittel. Banken und Handel geben nur noch Euro aus. Gehälter, Renten und Steuern werden nur noch in Euro gezahlt. Der Umtausch nationaler Währungen findet in Euro statt. Alle zwei Jahre überprüft der EU-Rat, ob weitere Länder die Aufnahmekriterien erfüllen, und entscheiden über den Eintritt.

Vorteile einer gemeinsamen Währung

Zu den Vorteilen des Euro gehören:
- Einsparung von Umtauschkosten der Währungen
- Innerhalb der Europäischen Union entfallen Währungsrisiken und damit die Kosten der Absicherung vor Wechselkursschwankungen
- Erleichterter Marktzugang und Förderung innereuropäischer Investitionen durch einen einheitlichen europäischen Kapitalmarkt.
- Verbesserte Vergleichbarkeit von Preisen und Kosten innerhalb der EU.

Nachteile der Euro-Einführung

Den vielen Vorteilen der neuen Währung stehen jedoch auch einige Nachteile gegenüber:
- Ein sehr bedeutender Nachteil ist der Verlust der nationalen Alleinbestimmungsmöglichkeiten in der Geldpolitik.
- Durch den Verlust des Wechselkurses entfällt die Möglichkeit diesen als Anpassungsinstrument an die Wirtschaftslage zu einzusetzen.
- Es besteht die Gefahr eines steigenden Finanzausgleichs zwischen den Ländern.
- Aus Sicht der Unternehmen: Ein intensiverer Wettbewerb wird gefordert.

„Euro-Teuro"

Aus technischer Sicht verlief die Einführung des Euro-Bargelds zum 1. Januar 2002 reibungslos. Das erste Jahr des neuen Bargeldes war vor allem durch die „Teuro"-Diskussion geprägt. Dieser Vorwurf resultiert daraus, dass viele Unternehmen die Einführung des Euro-Bargelds für übermäßige Preissteigerungen ausgenutzt haben, so dass die Güter, insbesondere Dienstleistungen, erheblich teurer wurden. Die statistischen Bundesämter bestritten jedoch eine Preiserhöhung. Zwischen der von den statistischen Ämtern gemessenen Inflation und der „gefühlten" Teuerung der Verbraucher liegen große Unterschiede: So meldete das Statistische Bundesamt, die Jahresinflation im April 2002 sei mit 1,6% auf ein Zwei-Jahres-Tief gefallen. Für die wirtschaftliche Entwicklung ist jedoch die gefühlte Inflation der Konsumenten entscheidend. Wegen des Ärgers über Preiserhöhungen bei der Euro-Umstellung haben nämlich die Verbraucher ihre Kauflust verloren und größere Anschaffungen verschoben.

Enorme Preiserhöhungen fanden in Gaststättenbetrieben, bei Serviceleistungen von Handwerkern und anderen Dienstleistungen sowie insbesondere bei Niedrigpreisprodukten statt. Bei Schokolade fiel die Teuerung bei der Umrechnung am deutlichsten auf. Eine günstige Tafel Schokolade kostete vor der Einführung des Euro-Bargeldes 0,49 D-Mark (0,25 Euro). Schon einige Monate vor der neuen Währungseinführung hoben die Händler den Preis für die Schokolade auf 0,59 D-Mark (0,30 Euro) an. Nach der Umstellung wurde der Preis auf 0,29 Euro gesenkt. Somit konnten die Händler behaupten, sie haben eher die Preise gesenkt als erhöht.

Die folgende Tabelle soll zeigen, welche Produkte besonders von der Teuerung nach der Währungsumstellung betroffen waren:

Hitliste der Teuerungen bei ausgewählten Produkten. Jahres – Teuerungsrate von Januar 2001 bis Januar 2002	
Produktarten	Rate in %
H-Milch	14,6
Salami	5,8
Kinoeintrittskarte	5,5
Motorenöl	4,8
Tageszeitung (örtlich)	4,4
Vollmilchschokolade	4,2
Chemische Reinigung	4,2
Eiernudeln	4,1
Herrenhaarschnitt	4,1
Verzehr von Bier	4,1
PKW-Oberwäsche	4,0
Rahmspinat (tiefgekühlt)	3,9
Feinstrumpfhose	3,6
Zahncreme	3,3
Übernachtungen	3,2

Statistisches Bundesamt – Wirtschaft und Statistik 3/2002

Bitte beachten Sie die Artikel zu den folgenden Stichwörtern:
EWWU (102 - 103)
Europäische Zentralbank (104 - 105)
Geldpolitik (132 - 133)
Inflation (158 - 159)
Investitionen (166 - 167)
Kosten (186 - 187)
Wechselkurse (358 - 359)
Wettbewerb (366 - 367)

Die Europäische Wirtschafts- und Währungsunion (EWWU) startete am 1. Januar 1999 mit 11 von 15 EU-Mitgliedsstaaten. Großbritannien, Dänemark und Schweden wollten beim Euro-Start noch nicht dabei sein. Griechenland wurde zunächst abgelehnt, da es die Konvergenzkriterien nicht erfüllen konnte. Seit Anfang 2001 ist nun auch Griechenland vollwertiges und zwölftes Mitglied in der EWWU.

Die EWWU ist ein Schritt zur Vollendung der wirtschaftlichen Integration in der Europäischen Union (EU).

Folgende 12 Länder nehmen an der EWWU teil:

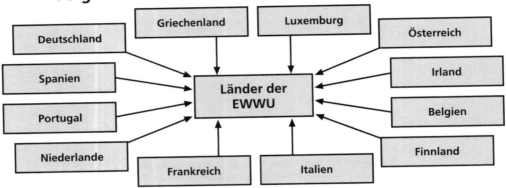

Die eigentliche Geschichte der EWWU begann 1968 mit dem „Werner-Bericht". Dieser Bericht sah bereits die schrittweise Schaffung der EWWU vor. 1979 wurde das Europäische Währungssystem (EWS) eingeführt, das feste Wechselkurse der beteiligten Währungen untereinander festlegte. 1989 schuf der so genannte „Delors-Bericht" die Grundlagen für den Euro und 1992 stellte der Vertrag von Maastricht die Rechtgrundlage der EWWU und einer einheitlichen Währung auf.

Der Vertrag von Maastricht

Der Vertrag von Maastricht sieht für die Verwirklichung der EWWU drei Stufen vor:
1. Die erste Stufe begann am 1. Juli 1990 und war durch den freien Kapitalverkehr gekennzeichnet.
2. Die zweite Stufe begann am 01. Januar 1994. Sie sah eine einheitliche Währung vor und führte zur Errichtung des Europäischen Währungsinstitutes (EWI).
3. Die dritte Stufe begann am 01. Januar 1999. Ihre wichtigsten Elemente sind Schaffung der Europäischen Zentralbank sowie die gemeinsame Währung „Euro".

Mit dem 1992 abgeschlossenen Maastrichter Vertrag intensivierte sich die Integration der Volkswirtschaften der Europäischen Union (EU) mit dem Ziel einer einheitlichen Geldpolitik, und Währung. Dies wurde als Bedingung für eine einheitliche Wirtschafts- und Währungsunion angesehen.

Stufen zunehmender wirtschaftlicher Integration

Ausgehend von einer geschlossenen Volkswirtschaft lassen sich in der EWWU folgende Stufen zunehmender wirtschaftlicher Integration unterscheiden:

Europäische Wirtschafts- und Währungsunion (EWWU)

Stufen wirtschaftlicher Integration	
1. Stufe **Präferenzraum**	Staaten vereinbaren in einem Handelsvertrag Vergünstigungen (z.B. Zollsenkungen oder Abbau von Kontingenten) für den Handel mit bestimmten Produkten untereinander.
2. Stufe **Freihandelszone (FHZ)**	Zölle und andere Handelsschranken werden zwischen den Partnerländern aufgehoben. Gegenüber Drittländern behält jedoch jedes Land seine Zollhoheit.
3. Stufe **Zollunion (ZU)**	Die Mitgliedsstaaten einigen sich auf einen Zollabbau im Inneren der Zone und gemeinsame Zölle gegenüber Drittländern.
4. Stufe **Gemeinsamer Markt**	Über den freien Warenverkehr hinaus werden Freizügigkeit der Arbeitskräfte, Niederlassungs- und Dienstleistungsfreiheit sowie freier Kapitalverkehr vereinbart (= vier Freiheiten).
5. Stufe **Wirtschaftsunion**	Über die Verwirklichung eines gemeinsamen Marktes hinaus wird eine gemeinsame Wirtschaftspolitik angestrebt. Die EU hat wirtschaftspolitische Kompetenzen in der Agrar-, Regional-, Umwelt- und Wettbewerbspolitik. Außerdem bemüht sich die EU um einheitliche Verbrauchs- und Umsatzsteuern.
6. Stufe **Wirtschafts- und Währungsunion**	Die Gemeinschaft führt eine gemeinsame Währung ein. Geld- und Währungspolitik werden auf Gemeinschaftsinstitutionen übertragen

Historische Beispiele für eine WWU sind die Einführung einer Reichswährung 1876 im Deutschen Reich sowie die WWU vom 2. Juli 1990 zwischen der Bundesrepublik und der damaligen DDR im Vorgriff auf die Wiedervereinigung am 03. Oktober 1990.

In der Europäischen Gemeinschaft (EG) hatte es 1971 – nach dem Zusammenbruch des Weltwährungssystems von Bretton Woods – bereits einen Versuch gegeben, stufenweise bis 1980 eine WWU zu verwirklichen. Es konnte jedoch keine wirksame Koordinierung der Wirtschaftspolitik durchgesetzt werden. Nach verschiedenen Währungskrisen wurde der Plan zunächst aufgegeben. Erst 1979 wurde er durch das Europäische Währungssystem (EWS) ersetzt.

Mit den Beschlüssen zur Verwirklichung des Binnenmarktes begann eine erneute Diskussion um die WWU. Im Vertrag von Maastricht wurde dieses Ziel für 1997 bzw. spätestens 1999 zusammen mit den Schritten einer europäischen Union beschlossen und eingehalten.

Warum ist die EWWU umstritten?

Für eine WWU spricht die Verbilligung des Handels- und Kapitalverkehrs in der EU sowie der Wegfall des Wechselkursrisikos durch eine einheitliche Währung.

Dagegen spricht, dass die Handels- und Kapitalverflechtung in der EU eine solche Intensität erreicht hat, dass sich Konjunkturschwankungen und Preisentwicklungen aus einem Land in die anderen Länder übertragen, ohne dass Wechselkursänderungen diesen Prozess abmildern. Nur eine gemeinsame Wirtschafts- und Finanzpolitik, die Priorität gegenüber der gemeinsamen Währung haben sollte, könnte dies ersetzen. Außerdem wird befürchtet, dass die Stabilität der Euro-Währung geringer sein könnte als in den damals geldwertstabilsten Ländern (z.B. Deutschland). Die tiefgreifende Rezession in den Jahren seit der Einführung des Euro hat noch keinen Test hierzu erlaubt, weil in dieser Situation inflationäre Entwicklungen kaum eintreten können.

Bitte beachten Sie die Artikel zu den folgenden Stichwörtern:
EU (96 - 97)
Europäische Zentralbank (104 - 105)
Europäisches Währungssystem (106 - 107)
Geldpolitik (132 - 133)

Europäische Zentralbank

Die Europäische Zentralbank spielt in der Gemeinschaft der Europäischen Union eine wichtige Rolle. Sie bildet zusammen mit den Nationalen Zentralbanken (NZB) der 15 Mitgliedsstaaten der EU das Europäische System der Zentralbanken (ESZB).

Die Europäische Zentralbank (EZB) hat ihren Sitz in Frankfurt am Main. Sie wurde am 01. Juni 1998 gegründet und ist somit eine der jüngsten Zentralbanken der Welt.

> **Die Europäische Zentralbank (EZB) muss vor allem dafür sorgen, dass es nicht zur Geldentwertung kommt, d.h., dass in Europa die Preisniveau-Stabilität gesichert und damit Inflation oder Deflation verhindert wird.**

Die rechtliche Grundlage für die EZB und das Europäische System der Zentralbanken (ESZB) bildet der Vertrag zur Gründung der Europäischen Gemeinschaft. Gemäß diesem Vertrag besteht das ESZB aus der EZB und den Zentralbanken aller Mitgliedsstaaten der Europäischen Union.

Aufgaben des Europäischen Systems der Zentralbanken

Die grundlegenden Aufgaben des ESZB sind in Artikel 3 der ESZB-Satzung festgelegt und bestehen darin:
- die Geldpolitik der Gemeinschaft festzulegen und auszuführen,
- Devisengeschäfte durchzuführen,
- die offiziellen Währungsreserven der teilnehmenden Mitgliedsstaaten zu halten und zu verwalten,
- das reibungslose Funktionieren der Zahlungssysteme zu fördern und
- zur reibungslosen Durchführung der von den zuständigen Behörden auf dem Gebiet der Aufsicht über die Kreditinstitute und der Stabilität des Finanzsystems ergriffenen Maßnahmen beizutragen.

Die drei Gremien der Europäischen Zentralbank

Die Europäische Zentralbank (EZB) hat zwei Gremien, in denen ihre Beschlüsse gefasst werden:

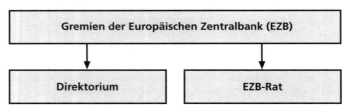

Das Direktorium

Das Direktorium der EZB besteht aus dem Präsidenten, dem Vizepräsidenten und vier weiteren Mitgliedern, die von den Staats- und Regierungschefs der 12 Länder ernannt werden, die am 1. Januar 2002 das Euro-Bargeld eingeführt haben. Das Direktorium ist für die Durchführung der vom EZB-Rat festgelegten Geldpolitik zuständig und bestimmt, wie viele Banknoten die nationalen Zentralbanken drucken und in Umlauf bringen dürfen.

[1] Solange es Mitgliedsstaaten gibt, die den Euro noch nicht eingeführt haben, gibt es auch einen „Erweiterten Rat", in dem auch die nationalen Zentralbanken vertreten sind, die den Euro noch nicht eingeführt haben. Der erweiterte Rat beteiligt sich an den Beratungs- und Koordinierungsaufgaben der EZB und an den Vorbereitungen für eine mögliche Erweiterung des Euro-Währungsgebietes.

Der EZB-Rat

Das wichtigste Beschlussorgan der EZB ist der EZB-Rat. In ihm sitzen die 6 Mitglieder des Direktoriums und die Präsidenten der Mitgliedsstaaten, die den Euro eingeführt haben (Jahr 2001 = 12). Übersteigen die Mitgliedsstaaten, die den Euro eingeführt haben, die Zahl 15, dann werden zwar weiterhin alle Präsidenten vertreten sein, jedoch immer nur 15 von ihnen stimmberechtigt (mit Rotationssystem).

Die wichtigste Aufgabe des EZB-Rates ist die Festlegung der Geldpolitik des Euro-Währungsgebietes, um die Preisniveaustabilität zu sichern. Dabei steht dem Rat insbesondere das Recht zu, die Zinssätze festzulegen, zu denen sich die Geschäftsbanken Geld von der Zentralbank beschaffen können.

Die folgende Grafik soll noch einmal die Zusammenhänge und Aufgaben von ESZB, EZB sowie NZB deutlich machen:

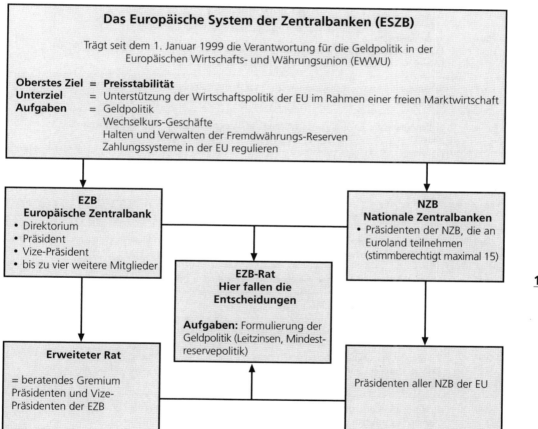

Bitte beachten Sie die Artikel zu den folgenden Stichwörtern:
EU (96 - 97)
Europäische Wirtschafts- und Währungsunion (EWWU) (102 - 103)
Geld (130 - 131)
Geldpolitik (132 - 133)
Inflation (158 - 159)

Mit der Schaffung des Europäischen Währungssystems (EWS) am 13. März 1979 kam die währungspolitische Integration Europas einen entscheidenden Schritt voran. Es schaffte eine Zone der Währungsstabilität in Europa. Durch feste, nur innerhalb enger Grenzen veränderliche Wechselkurse zwischen den beteiligten Währungen wurde der Waren-, Dienstleistungs- und Kapitalverkehr in der Europäischen Union (EU) vor Wechselkursrisiken bewahrt und damit wesentlich erleichtert.

Das Europäische Währungssystem führte 1979 feste Wechselkurse und 1999 eine gemeinsame Währung (Euro) ein. Ziel beider Maßnahmen ist es, den Waren-, Dienstleistungs- und Kapitalverkehr zwischen den teilnehmenden EU-Ländern vor Wechselkursrisiken zu bewahren, um ihn zu erleichtern und auszuweiten.

Der Aufbau des Europäischen Währungssystems sowie die Einführung der neuen Währung dauerte sehr lange. Der beschwerliche Weg dahin soll im Folgenden skizziert werden:

Der Euro-Kalender	
Phasen	**Veränderungen**
1958	Die Römischen Verträge – unterzeichnet von Belgien, Bundesrepublik Deutschland, Frankreich, Italien, Niederlande und Luxemburg – treten in Kraft.
1967	Schaffung der Europäischen Gemeinschaft (EG) durch Zusammenlegung von EWG, EGKS und EURATOM.
1968	Vollendung einer Zollunion: Abschaffung der Binnenzölle sowie Schaffung gemeinsamer Außenzölle.
1973	Dänemark, Großbritannien und Irland treten bei.
1979	Einführung des Europäischen Währungssystems (EWS).
1981	Griechenland tritt bei.
1986	Portugal und Spanien treten bei. Unterzeichnung der einheitlichen Europäischen Akte mit dem Ziel eines Binnenmarktes.
1991	Unterzeichnung der Verträge von Maastricht über die Europäische Union (EU)
1993	Beginn des europäischen Binnenmarktes
1994	Errichtung des Europäischen Währungsinstitutes in Frankfurt am Main.
1995	Finnland, Österreich und Schweden treten bei. Entscheidung des Europäischen Rates über die Bezeichnung „Euro" und den Zeitplan zu seiner Einführung.
1998	Prüfung und Entscheidung über die Teilnahme an der Währungsunion. Festsetzung unveränderlicher Euro-Kurse zwischen den Teilnehmern. Errichtung der Europäischen Zentralbank (EZB) und des Europäischen Systems der Zentralbanken (ESZB), zu dem die EZB und die nationalen Zentralbanken der EU-Länder gehören, die den Euro nicht eingeführt haben.
1999	Beginn der Währungsunion (Euro-Währungsgebiet) mit elf Teilnehmern
2001	Erweiterung der Währungsunion auf zwölf Teilnehmer durch Beitritt Griechenlands
2002	Ausgabe der Euro-Banknoten und -Münzen. Der Euro wird im Euro-Währungsgebiet alleiniges gesetzliches Zahlungsmittel.

Das Europäische Währungssystem gliedert sich in zwei Phasen:

- Ab dem 13. März 1979 bis zum 31. Dezember 1998 gilt das Europäische Währungssystem I mit festen Wechselkursen zwischen den Ländern.
- Ab dem 01. Januar 1999, also mit der Einführung des Euro, gilt das Europäische Währungssystem II (Eurosystem), innerhalb dessen es Länder gibt, die den Euro eingeführt haben (Währungsunion / Euro-Währungsgebiet) und solche, die ihn (noch) nicht eingeführt haben.

Der Euro

Im Mittelpunkt des Europäischen Währungssystems II steht der Euro. Er wird benutzt als Bezugsgröße für die Wechselkurse, als Rechengröße für Forderungen und Verbindlichkeiten sowie als Zahlungsinstrument und Reserveinstrument der Europäischen Zentralbank. Das Europäische Währungssystem, welches für die Stabilität des Euro verantwortlich ist, unterliegt folgenden Regeln:

- An erster Stelle steht die Sicherung der Preisstabilität.
- Der Euro ist dabei der Anker des Systems. Nach ihm richten sich die Leitkurse, ihm gegenüber werden die zulässigen Schwankungsbreiten definiert.
- Eine Mitgliedschaft im EWS II ist Voraussetzung für einen späteren Beitritt zur Europäischen Wirtschafts- und Währungsunion.

Konvergenzkriterien

Staaten die dem Europäischen Währungssystem sowie der Europäischen Wirtschafts- und Währungsunion (EWWU) noch nicht beigetreten sind, dieses jedoch beabsichtigen, müssen gewisse Regeln erfüllen, um in dieses System aufgenommen zu werden. Diese Regeln nennen sich „Konvergenzkriterien". Für die Entscheidung über die Zulassung einzelner Staaten sowohl in das EWS als auch in die EWWU wurden vier vertraglich festgelegte Kriterien herangezogen, die als geeignet angesehen werden, einen ausreichenden wirtschaftlichen Gleichlauf zu überprüfen.

Folgende Konvergenzkriterien wurden festgelegt:
- Die Inflation eines Landes darf nicht mehr als 1,5 Prozentpunkte über der Inflationsrate der drei preisstabilsten Mitgliedsstaaten liegen.
- Die jährliche Neuverschuldung eines Landes bei den öffentlichen Finanzen darf nicht mehr als drei Prozent und die Gesamtverschuldung nicht mehr als 60 Prozent vom Bruttoinlandsprodukt (BIP) betragen.
- Jedes Land muss vor dem Eintritt die im Rahmen des Wechselkursystems der EWS vorgesehenen Bandbreiten in den beiden letzten Jahren eingehalten haben.
- Der durchschnittliche langfristige Nominalzins darf nicht mehr als zwei Prozentpunkte von dem drei stabilsten Länder abweichen.

107

Bitte beachten Sie die Artikel zu den folgenden Stichwörtern:
Euro (100 - 101)
Europäische Zentralbank (104 - 105)
Wechselkurse (358 - 359)

Viele Menschen haben schon einmal daran gedacht, sich selbständig zu machen. Die meisten scheuen jedoch den Aufwand und das Risiko, tatsächlich zur Tat zu schreiten, obwohl sie eine viel versprechende Idee haben. Diese Gefahren einer Firmengründung können jedoch minimiert werden, wenn die Gründung gewissenhaft geplant und vorbereitet wird.

> **Existenzgründung ist die Gründung eines eigenen Unternehmens. Mit dieser Unternehmensgründung kommen viele Fragen, Aufgaben, Informationen, Anforderungen und Entscheidungen auf den Gründer zu.**

Obwohl eine Unternehmensgründung viele Risiken beinhaltet, steigt die Zahl der Existenzgründungen in Deutschland weiterhin an. Das ist sehr positiv, denn gerade kleine und mittlere Unternehmen haben einen wesentlichen Anteil an der Wirtschaftsleistung Deutschlands.

Was erwartet den Unternehmer bei einer Unternehmensgründung?

In den ersten Jahren der Selbständigkeit hat der Unternehmensgründer mit folgenden Anforderungen und Risiken zu rechnen:

- Statt einer 35- bis 40-Stunden-Arbeitnehmer-Woche eine 60- bis 80-Stunden-Woche.
- Statt 220 regulären Arbeitstagen pro Jahr müssen ca. 365 Tage gearbeitet werden.
- Bei einem Misslingen gibt es kein Arbeitslosengeld.
- Der Jungunternehmer erzielt in den ersten Jahren nur ein geringes oder sogar negatives Einkommen.
- Statt eines positiven sozialen Ansehens einer Führungsposition im Angestelltenverhältnis hat er eher ein negatives Unternehmerimage.

Welche Vorteile erhofft sich ein Unternehmensgründer?

Den hohen Anforderungen an einen Jungunternehmer stehen aber auch positive Beweggründe gegenüber:

- Der Unternehmensgründer erlangt unternehmerische Selbständigkeit und kann somit seine eigenen Ideen durchsetzen.
- Er hat keinen übergeordneten Chef, er hat absolute Entscheidungs- und Handlungsfreiheit und ist wirtschaftlich unabhängig.
- Wenn die härteste Anfangszeit vorbei ist, erwarten ihn flexible Arbeitszeiten, ein hohes Einkommen und bei einem hohen Unternehmenswert ein großes Vermögen.

Warum scheitern Unternehmer?

Die häufigsten Gründe, warum sich Existenzgründer nach drei Jahren wieder abmelden, sind laut einer Studie des IFO-Instituts in München: Finanzierungsmängel, Informationsdefizite, Qualifikationsmängel, Planungsmängel, Familienprobleme und Überschätzung der Betriebsleistung. Meist führt fehlende Zahlungsfähigkeit in der Anfangsphase zu einem Todesurteil der jungen Unternehmung. Junge Unternehmer haben häufig auch steuerliche Probleme, da die wirksame Besteuerung erst nach zwei Jahren einsetzt. Vorher gibt der Unternehmer nur Selbstschätzungen an das Finanzamt. Wenn der Unternehmer nicht ausreichend fachliche Vorbildung (Know-how) mitbringt, um z.B. schnell auf Veränderungen des Marktes reagieren zu können, kann das Unternehmen ebenfalls in Gefahr geraten. Nicht zuletzt kommt es oft vor, dass die Motivation der Unternehmensgründer nach einiger Zeit nachlässt, dass es zu Missverständnissen bzw. zu Vertrauensbrüchen zwischen Mitarbeitern und ihm kommt und dass die eigene Familie bei den physischen und psychischen Belastungen den Jungunternehmer nicht unterstützt. Was ist daher zu überlegen?

Existenzgründung – Wie gehe ich vor? Was habe ich zu bedenken?	
Grundfragen Was ist meine Geschäftsidee? Wem bringt sie Nutzen? Welche formellen Voraussetzungen sind zu erfüllen? Welche Kosten verursacht meine Leistung? Welche Risiken habe ich zu bedenken?	**Wo will ich starten?** Welche Faktoren muss ich für den Standort beachten? Welche Lage ist dann für mein Geschäftslokal richtig? Gibt es dort genügend Kunden bzw. Kaufkraft?
Fähigkeiten und Fertigkeiten Was sind meine besonderen Stärken und Schwächen? Welche Fahigkeiten bringe ich mit? Wie sieht es mit kaufmännischen Kenntnissen aus?	**Was muss ich finanziell berechnen?** Investitionsumfang Kapitalbedarf und Liquiditätsplan Umsatz- und Erfolgsplan für 3 Jahre
Mit wem arbeite ich zusammen? Allein oder mit anderen? Welche Personen kämen als Partner (Mitarbeiter, Lieferanten, Berater u.a.) in Betracht?	**Vertriebsplanung** Zielgruppe bei Kunden Abhängigkeit von Großkunden? Marketingstrategie
Mit wem muss ich mich auseinandersetzen? Welche Konkurrenten habe ich? Wie liegen die Konkurrenzangebote hinsichtlich Preis, Qualität, Service u.a.	**Zukunftsplanung** Entwicklungtrend meiner Branche? Geschäftsidee zur Schaffung von Wettbewerbsvorteilen

Existenzgründungsfahrplan

In der Regel dauert die Vorbereitung einer Existenzgründung ein Jahr. Die verschiedenen Phasen, die ein Gründer dabei durchläuft, werden in der folgenden Tabelle aufgezeigt:

Existenzgründungsfahrplan	
Phasen	**Inhalt der Phasen**
1. Phase **Die Idee**	In dieser Phase sollte die Geschäftsidee mit Freunden besprochen werden. So kann der angehende Jungunternehmer testen, ob die anderen das Angebot verstehen und für gut befinden.
2. Phase **Die Informationsphase**	Institutionen wie z.B. die Industrie- und Handelskammer (IHK) oder das Bundesministerium für Wirtschaft und Arbeit (BMWI) informieren durch Broschüren, Workshops und Informationsveranstaltungen. Die Phase der Information kann bis zu 6 Monaten dauern.
3. Phase **Die Konzeptionsphase**	In dieser Phase muss ein Unternehmenskonzept mit den Unterpunkten • Business Plan • Fähigkeiten und Fertigkeiten des Existenzgründers • Ablaufplan zur Gründung • Investitions- und Finanzierungsplan erarbeitet werden. Der Jungunternehmer sollte dafür sorgen, dass das Konzept hieb- und stichfest ist, um es Dritten (insbesondere den Banken) glaubhaft zu machen.
4. Phase **Die Realisationsphase**	Zu dieser Phase gehört die Anmietung eines Ladenlokals oder Büros, Marketing sowie die Eröffnung des Unternehmens. Diese Phase kann bis zu 3 Monaten dauern.

Bitte beachten Sie die Artikel zu den folgenden Stichwörtern:
Markt (210 - 211)
Unternehmung (334 - 335)

Externe Effekte

> „Externe Effekte" sind immer dann gegeben, wenn ein Mensch oder eine Unternehmung zwar Kosten verursacht, aber diese nicht selbst trägt bzw. wenn Individuen oder Unternehmen – ohne selbst etwas zu leisten – Erträge (Vorteile) erhalten.

Dieses Phänomen hat durch die Umweltbelastungen und Störungen des ökologischen Gleichgewichts als Folge der Industrialisierung und des Bevölkerungswachstums eine enorme politische Bedeutung bekommen.

Für die anschauliche Beschreibung von externen Effekten hier ein Beispiel:

Eine große Papierfabrik liegt an einem Fluss. Für die Fabrik ist dies ein großer Vorteil, denn sie kann ihre schmutzigen Abwässer (Chemikalien) in den Fluss ableiten. Dabei spart die Fabrik Kosten ein, die sie sonst bei der Entsorgung der Chemikalien hätte.

Der Fluss wird jedoch nicht nur von der Fabrik genutzt. Er wird von Fischern genutzt, liefert vielen Menschen Wasser für den täglichen Gebrauch, dient Kindern zum Baden u.a.m. Durch die Fabrik verschlechtert sich nun die Wasserqualität. Die Stadt, die an dem Fluss stromabwärts liegt, wird nun durch den schlechten Geruch belästigt, die Fischer können kaum noch angeln, denn die Fische sterben ab oder sind nicht genießbar, die Stadt hat höhere Kosten bei der Trinkwasseraufbereitung usw. Die Nachteile, die die Fabrik verursacht, werden als negative externe Effekte (externe Kosten) bezeichnet.

Positive externe Effekte (externe Erträge / externe Nutzen) können dagegen entstehen, wenn z.B. in der Nähe vom einem bislang unbedeutenden Hotel / Restaurant ein Gewerbegebiet entsteht, so dass der Hotelier nun viele höhere Erträge erwirtschaftet, zu deren Entstehung er nicht beigetragen hat.

An diesen Beispielen wird deutlich, dass die Auswirkungen menschlicher Handlungen für unbeteiligte Dritte vorteilhaft oder nachteilig sein können. Sind sie vorteilhaft, spricht man von positiven externen Effekten; sind sie nachteilig, so handelt es sich um negative externe Effekte. Entscheidend für die Existenz externer Effekte ist die Einseitigkeit der Begünstigung oder Belastung. Trotz einer eindeutigen Begünstigung bzw. Belastung besteht zwischen den Beteiligten an den externen Effekten kein Anspruch auf Gegenleistung. Das heißt, dass sie für die positive oder negative Wirkung keinen Ausgleich bekommen.

Wie die Beispiele deutlich machen, sind externe Effekte sehr vielseitig. Sie können
- positiv oder negativ sein,
- einzelne oder mehrere Personen und Institutionen betreffen und
- sowohl in der Produktions- als auch in der Konsumsphäre auftreten.

Externe Effekte stören den marktwirtschaftlichen Mechanismus oder setzen ihn völlig außer Kraft, d.h., sie führen zur Verschwendung von Ressourcen und verzerren den Wettbewerb. Ziel muss es daher sein, externe Effekte zu internalisieren.

Was bedeutet Internalisierung externer Effekte?

Externe Effekte spielen vor allem im Hinblick auf die Erhaltung der Umwelt eine große Rolle. Sie sind Hauptursachen für die Überbeanspruchung der Umwelt. Um externe Effekte zu verhindern, ergreift der Staat so genannte „Internalisierungsmaßnahmen". „Internalisierung" bedeutet eine Umwandlung der externen Effekte in interne Effekte. In unserem Beispiel würde es bedeuten, dass die Papierfabrik z.B. für Filteranlagen sorgen oder für die Ableitung der Abwässer in den Fluss eine Gebühr bezahlen muss. Beides bedeutet eine Kostenbelastung, d.h., die verursachten externen Kosten werden zu internen Kosten der Unternehmung. Ohne solche Internalisierung wird die Nutzung der Ressourcen nicht in die Kalkulation einbezogen. Dies gilt für den einzelnen Menschen wie für Unternehmen. Das Individuum verbraucht dann übermäßig wertvolle Ressourcen (Luftverschmutzung durch Autoabgase); die Unternehmung kalkuliert mit falschen Kosten, wobei umweltintensive Güter zu billig und in zu großer Menge produziert werden. Dieses Problem wurde schon in den 20er Jahren von Arthur Cecil Pigou beschrieben. Er schlug einen Weg vor, der die Folgen externer Effekte ausgleichen sollte: Durch eine staatliche Steuer oder Subvention sollten die entstehenden externen Kosten von den Unternehmen getragen werden, also internalisiert werden. Diese Steuer wurde nach ihrem Erfinder „Pigou-Steuer" genannt.

Die Pigou-Steuer

Die Pigou-Steuer ist zur Internalisierung externer Kosten entworfen worden. Die Pigou-Steuer ist damit gleichzeitig eine Umweltsteuer. Die Existenz von externen Kosten hat zur Folge, dass mehr Güter produziert werden als bei Belastung der Unternehmen mit diesen Kosten. Ziel dieser Steuer ist es daher, die Unternehmen zu zwingen, alle Kosten in der Kalkulation zu berücksichtigen. Dabei wird meistens das „Verursacherprinzip" angewendet. Verursacher ist derjenige, der die externen Effekte hervorruft, in unserem Beispiel die Papierfabrik.

Mit der Pigou-Steuer ergeben sich zwei Probleme:
1. das Informationsproblem über die richtige Höhe und
2. das Problem der ökologischen Treffsicherheit.

Es ist fraglich, ob jeweils ausreichende Informationen darüber vorliegen, wie hoch die externen Kosten, deren Berechnung sehr schwierig ist, anzusetzen sind. Diese Information müsste jedoch vorliegen, um eine genaue Messung zu ermöglichen. Wenn dies nicht erfolgt, kann es sein, dass die negativen Auswirkungen der Besteuerung größer sind als die positiven Wirkungen der Internalisierung. Hierbei können sich besonders Zielkonflikte zwischen den Vorstellungen der heutigen Marktteilnehmer und den Ansprüchen zukünftiger Generationen ergeben.

Die Zertifikatlösung

„Zertifikate" sind Instrumente zur Steuerung des mengenmäßigen Einsatzes von Ressourcen. Sie werden vom Staat ausgegeben. Hierzu wird zunächst berechnet oder festgelegt, in welchem Umfang ein Verbrauch von Ressourcen in einer bestimmten Region möglich ist, ohne dass das ökologische Gleichgewicht gestört wird. Für die damit festgelegte maximale Menge von Schadstoffemissionen werden vom Staat Zertifikate an die Emittenten (Umweltverschmutzer = Unternehmen) ausgegeben. Diese Zertifikate muss der Emittent kaufen. Er darf dann nur so viele Schadstoffe freisetzen, wie er Zertifikate besitzt.

Für die Produzenten entstehen dadurch zusätzliche Kosten. In unserem Beispiel bedeutet dies, dass die Papierfabrik entscheiden muss, ob sie eigene Filteranlagen einbaut und damit Schadstoffausstoß vermeidet, ob sie Zertifikate kauft oder ob sie den Betrieb insgesamt in eine Gegend verlagert, in der die Emission weniger oder keinen Schaden verursacht. Die Papierfabrik wird mit der kostengünstigsten Lösung dann i.d.R. gleichzeitig die umweltverträglichste wählen.

111

Bitte beachten Sie die Artikel zu den folgenden Stichwörtern:
Kosten (186 - 187)
Ökologie (240 - 241)
Steuern (304 - 305)
Subvention (308 - 309)
Umweltzertifikate (318 - 319)
Unternehmung (334 - 335)

Externes und internes Rechnungswesen

Eine Unternehmung dient dazu, aus verschiedenen Produktionsfaktoren (Arbeit, Kapital, Rohstoffe, Boden u.a. = Input) Waren und Dienstleistungen (= Output) herzustellen, die dazu geeignet sind, die Bedürfnisse der Menschen in unserer Gesellschaft zu befriedigen.

Ziel der Unternehmung muss es sein, die Produktionsfaktoren so rationell einzusetzen, dass das dann erreichte Produktionsergebnis für die Menschen einen höheren Wert hat als die Summe der einzelnen Produktionsfaktoren.

Beispiel: Aus der Kohle, die ich im Ofen verbrenne, um Wärme in meine Wohnung zu bekommen, können die Gas- und Elektrizitätswerke in Kombination mit technischen Anlagen, die aus Eisenerz und vielen anderen Materialien – immer in Verbindung mit menschlichem Arbeitseinsatz – entstanden sind, Gas bzw. Strom herstellen, wodurch die Heizung vielleicht kostengünstiger und sicher bequemer wird. Die Kohle kann aber auch zur Produktion von Medikamenten eingesetzt werden und so einen ganz anderen Nutzen stiften.

> **In dem Rechnungswesen einer Unternehmung werden die Ströme der verschiedenen Produktionsfaktoren mit allen ihren Verzweigungen und Verknüpfungen von der Beschaffung der Produktionsfaktoren bis zum Absatz der Produkte im Zeitablauf registriert.**

Diese Unterlagen dienen einerseits dazu, Informationen an externe Interessenten zu liefern, z.B. an Finanzämter, Banken, Behörden, Gläubiger; andererseits bieten diese Unterlagen aber auch Informationen für innerbetriebliche Interessenten, d.h., sie liefern dem Management Entscheidungs- und Kontrollgrundlagen für alle Bereiche betrieblicher Funktionen (z.B. Marketing, Investition, Einkauf usw.) und damit die Möglichkeit, die Produktion wirtschaftlicher zu organisieren.

Das Rechnungswesen soll dabei alle ein- und ausfließenden Ströme von realen Produktionsfaktoren und Produkten und ihren finanziellen Gegenwerten erfassen. In die Unternehmung strömen Arbeit, Rohstoffe und andere Produktionsfaktoren; aus der Unternehmung kommen Waren und Dienstleistungen. Im Gegenzug fließen Zahlungen heraus an Beschäftigte, an Lieferanten, usw. und es kommen welche herein, die meist von Kunden stammen.

Die Erfassung aller dieser Ströme erfolgt in der Finanzbuchhaltung (externes Rechnungswesen), in der die Außenbeziehungen der Unternehmung registriert werden, soweit sie mit Ein- und Auszahlungen zu tun haben. Diese Aufzeichnungen dienen vor allem der Information von Außenstehenden und müssen nach genau vorgeschriebenen gesetzlichen Regeln vorgenommen werden. (Wirtschaftsrecht, Steuerrecht)

Vor allem die Bilanz und die Erfolgsrechnung (Gewinn-und-Verlust-Rechnung) einer Unternehmung sind die wesentlichen Informationsquellen, die über den Verlauf der Geschäftstätigkeit Aufschluss geben. Zu den Außenstehenden, die auf diese Informationen angewiesen sind, muss man nicht nur den Fiskus, die Banken, Darlehensgeber, Lieferanten und andere Fremdkapitalgeber zählen, sondern auch die Eigentümer einer Unternehmung, soweit sie nicht zum Management gehören. Dies betrifft z.B. die Aktionäre von Aktiengesellschaften, aber auch einen Teil der Gesellschafter von Personen- und anderen Kapitalgesellschaften. Sie sind auf die Daten der veröffentlichten Teile der Finanzbuchhaltung, also Bilanz und Erfolgsrechnung, angewiesen. Natürlich sind auch die Mitarbeiter einer Firma und z.T. die Öffentlichkeit an solchen Geschäftsergebnissen interessiert, wenn das Wohl und Wehe einer Gemeinde oder einer ganzen Region von einer großen Unternehmung abhängig ist.

Neben dieser – vor allem für externe Zwecke gedachten – Finanzbuchhaltung verfügen moderne Unternehmungen jedoch häufig auch über eine (interne) Kostenrechnung. Hier werden Zahlen verarbeitet, die in vielen Fällen gar nichts mit Zahlungsvorgängen, d.h. mit Geld, zu tun haben. Dies liegt daran, dass man als „Kosten" den realen Verbrauch von Ressourcen durch die Produktion ansieht. Solche Ressourcen sind alles, was uns die Natur zur Verfügung stellt: Pflanzen, Tiere, Rohstoffe, Energie; auch der Mensch selbst mit seiner Leistungsfähigkeit zählt zu diesen Ressourcen. Ob sie – wie es für die Erfassung im externen Rechnungswesen Voraussetzung ist – gekauft und bezahlt wurden, ist dabei unerheblich. Zu den Kosten rechnet also z.B. nicht nur die bezahlte Arbeitskraft eines Mitarbeiters, sondern auch der Einsatz der Arbeitskraft des Unternehmers selbst; die Nutzung des eigenen Hauses als Büroraum ebenso wie die Nutzung einer gemieteten Maschinenhalle; der Einsatz des eigenen Geldes wie der des gegen Zinsen von der Bank geliehenen Kredits. Diesen gesamten Verbrauch von Ressourcen muss ich in der Kostenrechnung erfassen und zusammenzählen, wofür dann als „Generalnenner" wieder der (oft geschätzte) Geldwert dient. Für diese Bewertung gibt es jedoch keinerlei gesetzliche oder anderweitig vorgeschriebenen Regeln.

Im externen Rechnungswesen (Finanzbuchhaltung) versucht die Unternehmung – im Rahmen der rechtlich gegebenen Gestaltungsmöglichkeiten – das Ergebnis der Geschäftstätigkeit im Eigeninteresse zu manipulieren. Im internen Rechnungswesen (Kostenrechnung) zeigt sich aber das wahre Ergebnis der Geschäftstätigkeit.

Immer mehr Unternehmungen erkennen bei zunehmendem internationalem Wettbewerb die Notwendigkeit, für sich neben dem rechtlich vorgeschriebenen externen Rechnungswesen, der Finanzbuchhaltung, auch ein internes Rechnungswesen, die Kostenrechnung, zu entwickeln, denn nur auf der Basis dieser Zahlen werden Entscheidungen wie
- Produziere ich bestimmte Teile lieber selbst oder kaufe ich sie,
- Lasse ich lieber meine Kantine durch eine Cateringfirma bewirtschaften,
- Soll ich dieses oder ein anderes Produktionsverfahren einführen,
- Welches Material, welche Energieart soll ich einsetzen,
- Ist ein anderer Standort evtl. günstiger

rational begründet werden können.

Bitte beachten Sie die Artikel zu den folgenden Stichwörtern:

Was ist Factoring? Stellen Sie sich vor, Sie haben eine Fabrik oder ein Handelsunternehmen, Sie verfügen über wenig Bargeld und müssen ständig eine lange Zeit auf die Zahlungen Ihrer Kunden warten. Nun bietet Ihnen eine Unternehmung an, Ihnen die Forderungen, die Sie bei Ihren Kunden haben, abzukaufen. Sie erhalten dann sofort das Geld und haben keine Mühe und keine Sorgen mehr, diese Forderungen einzutreiben.

Ihr Helfer hat sich ausschließlich die Aufgabe gestellt, Ihnen bei Verwaltung Ihrer Finanzen zu helfen. Eine solche Unternehmung bezeichnet man als „Factor", ihre Tätigkeit als „Factoring". Natürlich erwartet der Factor einen Lohn für seine Leistung, d.h., Sie müssen ihm einen Teil Ihrer Forderung abtreten. Diese Art von Geschäft wurde in Europa aus den USA übernommen und hilft bei Geschäften im Inland zur Überbrückung kurzfristiger Finanzierungsprobleme, d.h. zumeist bei Laufzeiten der Forderungen bis 90 Tagen; im Auslandsgeschäft sind auch längere Laufzeiten möglich.

> Factoring ist ein Finanzierungssystem, bei dem das Finanzierungsinstitut (Factor) die Forderungen eines Vertragspartners ankauft, die dieser durch den Verkauf von Waren und Dienstleistungen erworben hat.

Der Factor kann im Rahmen eines Factoring-Vertrages für seinen Kunden drei Funktionen übernehmen:

1. Die Finanzierungsfunktion:

Der Factor kauft in der Regel sämtliche Forderungen eines Unternehmens, soweit die Schuldner kreditwürdig und nicht Endverbraucher sind. Für jeden Schuldner, der Waren von einem Lieferanten auf Kredit bezogen hat (Debitor), wird eine bestimmte Höchstgrenze der möglichen Außenstände festgesetzt. Für die angekauften Forderungen zahlt der Factor zunächst nur 70 - 90% des Wertes als Anzahlung; der Rest dient als Sicherheit für Rechnungskürzungen bei Reklamationen des Käufers.

2. Delkrederefunktion:

Der Factor übernimmt für die angekauften Forderungen das Risiko, dass der Schuldner zahlungsunfähig wird und die Forderung nicht eingetrieben werden kann. Der Factor muss daher auch dessen Ruf bezüglich der Zahlungsfähigkeit (Bonität) prüfen und überwachen.

3. Dienstleistungsfunktion:

Der Factor übernimmt alle Verwaltungsaufgaben, die mit der Forderung verbunden sind. Dazu zählen z.B. das Inkasso- und Mahnwesen, die Beratung, bei welchen Kunden man mit Zahlungsschwierigkeiten rechnen muss (Bonitätsberatung), das Verbuchen und Verwalten von Forderungen, auch wenn der Factor sie nicht angekauft hat, und das Erstellen von Umsatzstatistiken. Dieser „Service" macht das Factoring besonders für viele mittelständische Betriebe attraktiv, die sich auf Produktion und Verkauf konzentrieren wollen.

Arten des Factoring:

1. Echtes und unechtes Factoring

Übernimmt der Factor alle drei genannten Funktionen, spricht man vom echten Factoring. Bleibt das Kreditrisiko hingegen beim Verkäufer der Forderung, so liegt unechtes Factoring vor.

2. Offenes, halboffenes und stilles Factoring

Ist auf den Rechnungen des Verkäufers der Hinweis zu finden, dass er die Forderung im Rahmen eines Factoring-Vertrages abtreten wird, so spricht man von offenem Factoring. Der Kunde muss dann die Schuld an den Factor bezahlen, um seine Pflicht aus dem Kaufvertrag zu erfüllen. Beim stillen Factoring zahlen dagegen die Kunden weiter an ihren Lieferanten, der dann die eingegangenen Zahlungen an den Factor weiterleitet. Beim halboffenen Factoring zeigt der Lieferant durch einen Vermerk auf den Rechnungen zuvor die Zusammenarbeit mit dem Factor an, verzichtet aber auf eine ausdrückliche Zustimmung des Kunden, so dass der Kunde auch an seinen Lieferanten zahlen kann.

Vorteile des Factoring

Die Vorteile des Factoring-Verfahrens sind zahlreich. Sie können z.B. im Wegfall kostenintensiver Verwaltungsarbeit, der sofortigen Verfügung über Barmittel und damit in der Verringerung des Finanzbedarfs liegen. Nicht zu unterschätzen ist auch, dass man sich nicht mit dem Kunden wegen der säumigen Zahlung selbst auseinander setzen muss. Das verkaufende Unternehmen kann sich somit voll und ganz auf seine eigentliche unternehmerische Tätigkeit konzentrieren.

Nachteile des Factoring

Diesen Vorteilen stehen die Kosten des Factoring gegenüber. Sie richten sich nach den Verhältnissen der Kunden (Gesamtumsatz, durchschnittlicher Jahresumsatz pro Kunde, durchschnittlicher Rechnungsbetrag, Risiko) und werden individuell kalkuliert.
Die Kosten des Factoring bestehen aus:
*   Zinsen für die Vorschüsse (abhängig von der Marktlage)
*   Factor-Gebühr für die Dienstleistung (0,3 - 2% vom Umsatz)
*   Delkrederegebühr für das kalkulierte Risiko (0,2 - 0,5% vom Umsatz)

Weitere Nachteile können sich für den Forderungsverkäufer ergeben, wenn seine Kunden die Abtretungsanzeige als wirtschaftliche Schwäche ansehen oder beim offenen Factoring durch zu schnelles Mahnen wichtige Kunden verärgert werden.

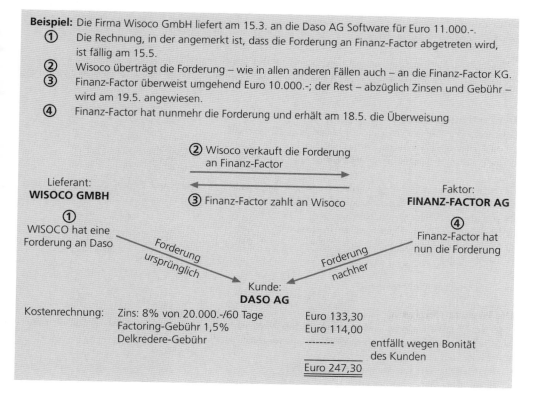

Beispiel: Die Firma Wisoco GmbH liefert am 15.3. an die Daso AG Software für Euro 11.000.-.
①   Die Rechnung, in der angemerkt ist, dass die Forderung an Finanz-Factor abgetreten wird, ist fällig am 15.5.
②   Wisoco überträgt die Forderung – wie in allen anderen Fällen auch – an die Finanz-Factor KG.
③   Finanz-Factor überweist umgehend Euro 10.000.-; der Rest – abzüglich Zinsen und Gebühr – wird am 19.5. angewiesen.
④   Finanz-Factor hat nunmehr die Forderung und erhält am 18.5. die Überweisung

② Wisoco verkauft die Forderung an Finanz-Factor

Lieferant: **WISOCO GMBH**

③ Finanz-Factor zahlt an Wisoco

Faktor: **FINANZ-FACTOR AG**

115

① WISOCO hat eine Forderung an Daso

Forderung ursprünglich

④ Finanz-Factor hat nun die Forderung

Forderung nachher

Kunde: **DASO AG**

Kostenrechnung: Zins: 8% von 20.000.-/60 Tage   Euro 133,30
Factoring-Gebühr 1,5%   Euro 114,00
Delkredere-Gebühr   --------   entfällt wegen Bonität
des Kunden
Euro 247,30

Bitte beachten Sie die Artikel zu den folgenden Stichwörtern:
Kredit (192 - 193)
Liquidität (196 - 197)

Fertigungsplanung

Ziel der Fertigungsplanung ist die optimale Kombination der Produktionsfaktoren bei der Erstellung von Sachgütern (Waren) und Dienstleistungen für die Kunden.

Die Fertigungsplanung beginnt bereits dann, wenn Standort, Ausstattung des Betriebes mit Betriebsmitteln und Arbeitskräften (Kapazität) und damit auch die grobe Produktstruktur festgelegt werden. Hierbei handelt es sich um die langfristige Fertigungsplanung oder auch Strukturplanung.

Die kurzfristige Fertigungsplanung

Die kurzfristige Fertigungsplanung nimmt die gegebene Struktur als Datum hin und beschäftigt sich dann
*   mit der Planung des Fertigungsprogramms
*   mit der Planung des Fertigungsablaufs.

Das Fertigungsprogramm

Bei dem Fertigungsprogramm geht es um Entscheidungen über
*   Produktarten
*   Produkteigenschaften
*   Produktmengen

Hierbei ist eine enge Zusammenarbeit der Abteilungen „Fertigung" und „Absatz" erforderlich. Entscheidungsbedarf entsteht insbesondere dann, wenn Kapazitätsengpässe vorliegen. Hierbei spielen die Deckungsbeiträge als Entscheidungskriterium eine wesentliche Rolle.

Um das Produktionsergebnis optimal zu gestalten, wird man denjenigen Fertigungsablauf wählen, der im Rahmen des technisch Möglichen zu den geringsten Kosten führt. Dabei spielt sowohl die räumliche als auch die sachliche Organisation eine Rolle.

Der Fertigungsablauf

Entscheidungen über den Fertigungsablauf beziehen sich daher auf:
*   die Fertigungsverfahren (räumliche Organisation)
*   die Fertigungstypen (sachliche Organisation)

Fertigungsverfahren legen fest, wie der Fertigungsablauf räumlich organisiert wird. Es geht also im Wesentlichen um die Anordnung der Arbeitsplätze, die Wege, die das Produkt bei der Fertigung nimmt, und alle Probleme, die sich dabei ergeben (z.B. Bildung von Zwischenlagern).
In der Grundform der Fertigungsverfahren kann man
*   Werkstattfertigung und
*   Fließfertigung

mit Zwischenformen unterscheiden.

Die Werkstattfertigung

Bei der Werkstattfertigung sind die Produktionsfaktoren stationiert (z.B. Stanzerei, Fräserei) und die (unterschiedlichen) Produkte nehmen ihren Weg durch die verschiedenen Werkstätten.
Vorteile der Werkstattfertigung sind:
*   die Flexibilität bei Produktionsumstellungen und
*   die geringere Monotonie der Arbeit.

Die Fließfertigung

Bei der Fließfertigung läuft dagegen das Produkt einen festen Weg und die Produktionsfaktoren kommen zum Produkt.

Vorteile der Fließfertigung sind:

*   die geringen Kosten von Zwischenlagern
*   die hohe Arbeitsproduktivität (gleichartige Tätigkeit)
*   die gute Planbarkeit von Produktion, Arbeitseinsatz, Bestellmengen.

Die Vorteile des einen Verfahrens sind gleichzeitig die Nachteile des anderen. Es gibt eine Vielzahl von Zwischenformen und Variationen, um die Nachteile zu minimieren.

Insbesondere die computergesteuerten Fertigungsverfahren haben hier wesentliche Veränderungen mit sich gebracht. Computer Aided Manufacturing (CAM) bestimmt sowohl Werkstatt- wie Fließfertigung. NC-Maschinen (numerical control) laufen computergesteuert durch Eingabe von Programmen (Lochstreifen, Bänder, Disk), oder sind als CNC-Maschinen (computerized numerical control) frei programmierbar. Mehrere CNC-Maschinen können auch zentral über ein Rechnersystem direkt gesteuert und kontrolliert werden, so dass ein Höchstmaß an Flexibilität der Produktion erreicht wird. Beim Einsatz in der Fließfertigung führt CAM zu flexiblen Fließstraßen, welche die Vorteile der Fließfertigung mit schneller Umrüstmöglichkeit verbinden.

Fertigungstypen

Durch Fertigungstypen wird bestimmt, auf welche Art und Weise die geplanten Produkte produziert werden sollen. Man kann hier unterscheiden in:

*   Einzelfertigung und
*   Mehrfachfertigung, die wiederum untergliedert ist in
*   Sortenfertigung
*   Serienfertigung
*   Massenfertigung

Einzelfertigung war die typische Produktionsart in den früheren Handwerksbetrieben, wo „auf Bestellung" produziert wurde. Auch heute findet man die Einzelfertigung noch häufig vor, z.B. als gängigen Fertigungstyp im Baugewerbe, jedoch auch in vielen anderen Branchen, wo es um spezielle Anfertigungen geht (Maschinen, Maßkleidung u.a.).

Eine kostengünstigere Produktion ist durch die **Mehrfachfertigung** gegeben, wo nicht nur die Projektionskosten (Entwurf usw.) sich auf mehrere Produkte verteilen, sondern eine Vielzahl anderer Kosten, z.B. Umrüstkosten, die Gesamtkosten des einzelnen Stückes sinken lassen. Allerdings muss man mit wachsender Auflage (Auflage = Losgröße) davon ausgehen, dass die Produkte nicht sofort zum Käufer gelangen, sondern eine gewisse Lagerdauer haben, da ich „auf Vorrat" produziere. Hier ein Optimum zwischen den Produktions- und den Lagerkosten zu finden (optimale Losgröße) ist ein betriebswirtschaftliches Rechenexempel.

Die oben genannten verschiedenen Formen der Mehrfachfertigung unterscheiden sich nur durch die Häufigkeit der Wiederholung des gleichen Produktionsvorganges.

Bitte beachten Sie die Artikel zu den folgenden Stichwörtern:
Deckungsbeitrag (80 - 81)
Kosten (186 - 187)
Produktionsfaktoren (262 - 263)

Finanzausgleich

Der Begriff „Finanzausgleich" wurde im 19. Jahrhundert in der Schweiz geprägt. Unter dem Begriff versteht man ein System, nach dem die einzelnen Gebietskörperschaften die fiskalpolitischen Beziehungen mit- und untereinander regeln.

> Der Finanzausgleich regelt die Finanzbeziehungen (Aufgaben, Ausgaben und Einnahmen) zwischen Gebietskörperschaften (Bund, Ländern und Gemeinden).

Wozu dient ein Finanzausgleich?

Zwischen den einzelnen Bundesländern in Deutschland ist ein Finanzausgleich oft notwendig, denn in bestimmten Fällen reicht die Finanzkraft einiger Bundesländer nicht aus, um die zugewiesenen Aufgaben zu erfüllen. Durch den Finanzausgleich wird diesen Ländern ein Mindestniveau finanzieller Mittel für öffentliche Aufgaben zugesichert. Die unterschiedliche Finanzkraft der einzelnen Länder wird somit ausgeglichen. Das derzeitige Finanzausgleichssystem, welches für die deutschen Bundesländer besteht, gilt seit 1995 und ist bis Ende 2004 befristet.

Der Begriff des Finanzausgleichs lässt sich im Allgemeinen in folgende Bereiche aufteilen:

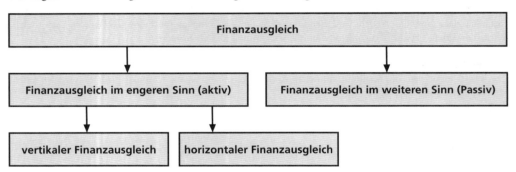

Was versteht man unter Finanzausgleich im engeren und im weiteren Sinn?

Der Begriff des Finanzausgleichs wird unterschiedlich weit gefasst. Im weiteren Sinn versteht man unter Finanzausgleich die Verteilung der Aufgaben. Dadurch findet eine Vorstrukturierung statt, denn aus der Erfüllung dieser Aufgaben ergeben sich Ausgaben und zu ihrer Finanzierung sind Einnahmen notwendig. Wie die öffentlichen Aufgaben und die daraus resultierenden Ausgaben auf die einzelnen Ebenen verteilt werden, wird durch den **passiven Finanzausgleich** geregelt.

Der Finanzausgleich im engeren Sinn bezieht sich nur auf die Umverteilung von Einnahmen. Diese Umverteilung der Einnahmen wird durch den **aktiven Finanzausgleich** geregelt. Dies bedeutet entweder eine Verteilung der Steuereinnahmen auf die Ebenen Bund, Länder und Gemeinden (**vertikaler Finanzausgleich**) oder eine Umverteilung durch Zahlungen zwischen den einzelnen Gebietskörperschaften der gleichen Ebene (**horizontaler Finanzausgleich**).

Beim Länderfinanzausgleich in Deutschland kommt es zu Zahlungen von reichen an arme Bundesländer (horizontaler Finanzausgleich) sowie zu Zahlungen des Bundes an besonders finanzschwache Länder (vertikaler Finanzausgleich).

Wie funktioniert der Finanzausgleich in der Europäischen Union?

Auch zwischen den Mitgliedsstaaten der EU findet ein indirekter Finanzausgleich statt. Gegenwärtig zahlen alle Mitgliedsländer 1,06 Prozent ihres Bruttosozialproduktes in den EU-Haushalt ein. Auch die neuen Länder sind nach ihrem Beitritt dazu verpflichtet, in den EU-Haushalt einzuzahlen. Diese Einzahlungen der Länder werden hauptsächlich dafür verwendet, strukturschwache Regionen zu fördern und damit das Wohlstandsgefälle innerhalb der Europäischen Union zu verringern. Mit der Förderung soll ein Finanzausgleich zwischen wohlhabenderen und ärmeren Regionen erreicht werden. Darum gibt es Länder, die mehr Mittel erhalten, als sie an die EU abführen. Das betrifft zur Zeit die Länder Spanien, Portugal, Griechenland und Irland. Auf der anderen Seite gibt es die so genannten Nettozahler, die mehr einzahlen, als sie von der EU ausgezahlt bekommen.

Mit der Aufnahme neuer Kandidaten wird sich das Förderungsgefüge verändern. Ein wesentlicher Anteil an Unterstützung fließt in den Agrarbereich, der in den neuen Mitgliedstaaten Mittel- und Osteuropas besonders ausgeprägt ist.

Die folgende Grafik soll das Gefälle zwischen Netto-Zahler und Netto-Empfänger deutlich machen.

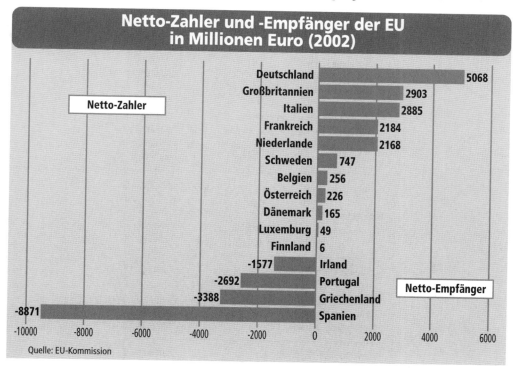

119

Bitte beachten Sie die Artikel zu den folgenden Stichwörtern:
EU (96 - 97)
EU-Osterweiterung (98 - 99)

In der Finanzbuchhaltung werden alle Güter- und Geldströme, die ein Unternehmen mit seiner Umwelt abwickelt, registriert.

Dies beginnt bei der Gründung einer Firma, wenn der oder die Eigentümer ihr Geld in der Unternehmung anlegen, wenn Lieferanten Waren liefern, wenn Beschäftigte ihren Lohn erhalten, wenn Kunden bezahlen, das Finanzamt Steuern abbucht oder die Bank einen Kredit gewährt. Die Aufschreibung aller Vorgänge erfolgt auf jeweils speziellen Konten, durch die dann ein Überblick gegeben wird, wie hoch z.B. mein Bestand in der „Kasse" oder auf der „Bank" ist, wie viele „Verbindlichkeiten" ich habe, welche Summen bislang für „Personalaufwand" oder „Materialaufwand" ausgegeben wurden und wie hoch mein „Umsatz" war. Diese Einzelinformationen werden ergänzt durch einen Gesamtüberblick über alle meine „Vermögenswerte" und „Schulden" bzw. über alle „Aufwendungen" und „Erträge".

Sammelstelle aller Informationen der Finanzbuchhaltung sind Inventar / Bilanz sowie Gewinn-und-Verlust-Rechnung (G+V-Rechnung).

Inventar / Bilanz

Das Inventar ist die Zusammenstellung aller Vermögenswerte und Schulden einer Unternehmung in ausführlicher Form zu einem bestimmten Termin. Jeder Vermögensgegenstand muss einzeln mit Mengen- und Wertangabe angeführt werden, z.B. in folgender Form (wobei die angeführten Verzeichnisse als Anlage verfügbar sein müssen):

A. Vermögen

I. Anlagevermögen	
Haus Darweg 37	500.000.-
Haus Tollstraße 14	250.000.-
II. Umlaufvermögen	
Waren lt. Verzeichnis 1	30.000.-
Forderungen lt. Verzeichnis F 1	50.000.-
Bankguthaben SK Kto. 40 666	32.000.-
Bankguthaben VB Kto. 569090	76.000.-
Bargeld	30.000.-
Summe des Vermögens	968.000.-
B. Schulden	
Darlehen Verzeichnis VB	80.000.-
Verbindlichkeiten lt. Liste V1	40.000.-
Summe der Schulden	120.000.-
C. Ermittlung des Eigenkapitals	
Summe des Vermögens	968.000.-
Summe der Schulden	120.000.-
Reinvermögen/Eigenkapital	848.000.-

Unter dem Anlagevermögen fasst man die langfristigen Vermögenswerte zusammen, die zur Struktur, d.h. zur Grundausstattung der Unternehmung, gehören, z.B. Gebäude, Maschinen, Büroeinrichtungen. Das Umlaufvermögen ist dagegen dazu bestimmt, sich im Rahmen der betrieblichen Prozesse ständig zu verändern: Waren werden zu Forderungen, Forderungen zu Bargeld, Bargeld wird wieder zu Waren usw.

Aus der Differenz von Vermögen minus Fremdkapital ergibt sich das Eigenkapital. Es ist der Teil des Vermögens, der den Eigentümern gehört:

Vermögen – Fremdkapital = Eigenkapital

Ein solches Inventar kann viele Seiten umfassen und mit den verschiedenen Verzeichnissen ein dickes Buch ergeben. Die Bilanz ist dagegen eine Zusammenfassung des Inhaltes eines Inventars. In ihr werden nicht mehr einzelne Vermögenswerte und einzelne Schuldpositionen angeführt, sondern zusammengefasste Gruppen. Die Bilanz enthält auch keine Mengen-, sondern nur noch Wertangaben:

Bilanz

Aktiva (Vermögenswerte)		Passiva (Vermögensquellen)	
Anlagevermögen		**Eigenkapital**	**848.000**
• Gebäude	750.000		
		Fremdkapital	
Umlaufvermögen		• Darlehen	80.000
• Waren	30.000	• Verbindlichkeiten	40.000
• Forderungen	50.000		
• Bankguthaben	108.000		
• Bargeld	30.000		
Bilanzsumme	968.000	Bilanzsumme	968.000

G + V-Rechnung (Erfolgsrechnung)

Im Gegensatz zu Inventar / Bilanz stehen in der Gewinn-und-Verlust-Rechnung niemals die Bestände von Werten, sondern stets die Veränderungen meines Eigenkapitals, die sich im Zeitablauf ergeben. Haben wir z.B. die Waren, die in der Bilanz stehen, für 50.000 verkauft und gleichzeitig 5.000 an Löhnen und 3.000 an Steuern bezahlt, dann sind wir um 20.000 reicher und um 8000 ärmer geworden, d.h., im Endeffekt ist unser Eigenkapital um 12.000 gestiegen.

G + V-Rechnung

Aufwand		Ertrag	
Lohnzahlung	5.000	Gewinn aus Warenverkauf	20.000
Steuern	3.000		
Überschuss			
(des Ertrages über den Aufwand)	12.000		
	20.000		20.000

121

Bitte beachten Sie die Artikel zu den folgenden Stichwörtern:
Bilanz (60 - 61)
Geld (130 - 131)
Gewinn (138 - 139)
Steuern (304 - 305)
Unternehmung (334 - 335)

Franchise-System

In den letzten Jahren hat in hohem Maße eine besondere Form der Vertriebspolitik in Deutschland Fuß gefasst: das Franchise-System. Es handelt sich hierbei um eine in vielerlei Hinsicht neue Vertriebsform, deren Ursprung in den USA liegt und die dort eine umfangreiche Verbreitung gefunden hat Sie wurde weltweit ausgedehnt.

In der Regel beginnt ein Franchise-System damit, dass ein Unternehmer ein Produkt oder eine Dienstleistung entwickelt hat, die überregional erfolgreich vertrieben werden könnte. Der Unternehmer (Franchise-Geber) verkauft dann an andere Unternehmer (Franchise-Nehmer) das Recht, im Rahmen eines selbständigen Betriebes die Produkte oder Dienstleistungen unter dem Zeichen des Franchise-Gebers in einem festgelegten Verkaufsgebiet zu vertreiben.

Mit dem Franchise-Vertrag wird aber nicht nur das Verkaufsrecht übertragen, sondern es werden für beide Seiten auch ein Bündel an Rechten und Pflichten festgehalten. Der Franchise-Geber verpflichtet sich in der Regel zur Starthilfe (z.B. Personalausbildung, Beschaffung von Geschäfts- und Verkaufsausstattung, Finanzierungshilfen etc.) und zur laufenden Unterstützung (regelmäßige Belieferung, überregionale Werbung, Ausbildung, Marktforschung, laufende technische Beratung etc.).

Der Franchise-Nehmer verpflichtet sich hingegen, die Produkte bzw. Dienstleistungen unter Einhaltung bestimmter vertraglich festgehaltener Verkaufsvorschriften (z.B. die Gestaltung der Verkaufsräume, Wahl des Standortes, Einhaltung einheitlicher Außenwerbung, Anpassung der inneren Organisation) zu verkaufen und Franchisegebühren (Lizenzgebühren) an den Franchise-Geber zu entrichten. Diese Gebühren fallen zusätzlich zu der Vertragsabschlussgebühr (Aufnahmegebühr) an und betragen in der Regel 1 - 3% vom Umsatz des Franchise-Nehmers. Es können jedoch auch fixe monatliche Beträge vereinbart werden. Beide Partner bleiben trotz der engen vertraglich geregelten Kooperation selbständige Unternehmer.

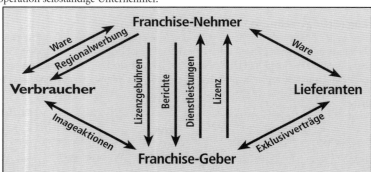

Vorteile

Vorteile für den Franchise-Geber	Vorteile für den Franchise-Nehmer
• Er kann in relativ kurzer Zeit, den von ihm vorgesehenen Absatzmarkt lückenlos abdecken.	• Durch den Anschluss an ein bewährtes Franchise-System sinkt das Risiko des Misserfolges.
• Da er keine eigenen Geschäfte oder Zweigstellen errichten muss, spart er die dafür benötigten Investitionen.	• Das Image, die überregionale Werbung sowie die technischen und organisatorischen Erfahrungen des Franchise-Gebers können von ihm genutzt werden.
• Da der Franchise-Nehmer auch Eigentümer ist, ist er weitaus stärker am Erfolg orientiert, als wenn er nur Angesellter des Franchise-Gebers wäre. Durch das finanzielle Interesse des Franchise-Nehmers und sein eigenes Selbstverständnis als Geschäftsmann wird also sichergestellt, dass sich der Franchise-Nehmer mit aller Kraft dem Verkauf der Waren des Franchise-Gebers widmet.	• Der Franchise-Nehmer bietet seinen Kunden sofort etablierte Waren oder Dienstleistungen an.
• Das Risiko wird auf den Franchise-Nehmer übertragen.	• Der Start in die Selbständigkeit wird durch die umfangreiche Unterstützung des Franchise-Gebers erleichtert. In der Regel ist der Kapitalbedarf geringer als bei einer unabhängigen Geschäftsgründung.

Zu den bekanntesten Franchise-Unternehmungen gehören z.B. McDonald's, Pizza Hut, Burger King, Mister Minit, Pit Stop, Coca-Cola, TUI und Benetton.

Das Vertriebssystem des Franchising zeigt, dass man durch die kooperative Zusammenarbeit – insbesondere im Bereich von Marketingaktivitäten – Vorteile erzielen kann. Dieser unbestrittene Vorteil kann aber durchaus auch außerhalb von Franchise-Verträgen verwirklicht werden. Seit langer Zeit gibt es beispielsweise im Lebensmittel-einzelhandel Zusammenschlüsse zu freiwilligen Ketten oder aber auch Zusammenschlüsse zu Einkaufsgemein-schaften, deren Konstruktion ähnlich ist.

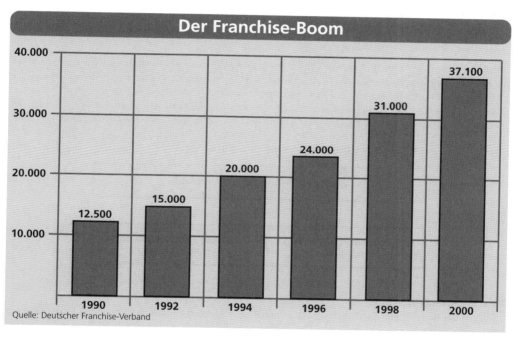

Quelle: Deutscher Franchise-Verband

Bitte beachten Sie die Artikel zu den folgenden Stichwörtern:

Marketing (208 - 209)
Marktforschung (214 - 215)
Vertriebsformen (350 - 351)

Führungstechniken

„Führungstechniken" sind alle Konzeptionen, Vorgehensweisen und Maßnahmen zur Verwirklichung der vom Unternehmer gesetzten Ziele und zum Umgang mit seinen Mitarbeitern.

Konkret beziehen sich Führungstechniken u.a. auf:
* die Vorbereitung von Entscheidungen
* die Delegation von Aufgaben und Verantwortung
* die Formen von Anweisungen
* die Information der Mitarbeiter
* den Einsatz positiver und negativer Kritik
* die Durchführung von Kontrolle

Führungstechnische Fertigkeiten kommen im konkreten Führungsverhalten zum Ausdruck. Sie prägen zusammen mit persönlichen Einstellungen und den Umfeldfaktoren den Führungsstil, d.h. das typische Führungsverhalten. Sie machen in wechselnden Situationen die Führungskompetenz deutlich. Unter einem Führungsstil versteht man traditionell die grundsätzliche Handlungsmaxime des Vorgesetzten. Gegenüber dem in unterschiedlichen Situationen durchaus stark veränderlichen Führungsverhalten bleibt der Führungsstil über einen längeren Zeitraum konstant.

Man kann zwei elementare Führungsstile als Gegensatzpaar unterscheiden:

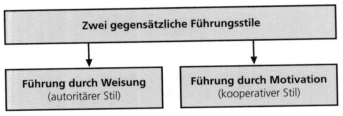

Führung durch Weisung:

Das System der Führung durch Befehl / Anordnung basiert konsequent auf der Zuständigkeit der obersten Führungsebene für die Aufgabenzuweisung. Den direkt nachgeordneten Führungskräften wird ein exakt abgegrenztes Aufgabenfeld zugewiesen, wobei die einzelnen Führungstätigkeiten in Art und Ausführung bis hin zu vorgegebenen Entscheidungsmöglichkeiten genau fixiert sind. Die Aufgabenzuweisung an weitere Führungsebenen und ausführende Mitarbeiter erfolgt ebenfalls durch die oberste Führungsebene, wobei die jeweils vorgesetzte Führungskraft deren Vorstellungen lediglich weiterträgt. Die nachgeordneten Führungsebenen haben in diesem System also nur eine stark eingeschränkte Entscheidungskompetenz und tragen geringe Verantwortung.

Führung durch Motivation:

Bei der Führung durch Motivation werden die Qualifikationen der nachgeordneten Mitarbeiter genutzt. Man macht sie mit den Betriebszielen und ihrer Aufgabe als Führungskraft vertraut. Motivation wird dadurch erreicht, dass die nachgeordneten Führungskräfte in die ihren Bereich betreffenden generellen Entscheidungen einbezogen werden. Daneben wird die volle Entscheidungsbefugnis und Verantwortung an die Mitarbeiter für ein bestimmtes, abgegrenztes Aufgabengebiet übertragen.

Zwischen den beiden Führungsstilen liegen noch verschiedene Zwischenstufen, die in der nachfolgenden Abbildung alternativer Führungsstile deutlich werden.

Autoritärer und demokratischer Führungsstil

autoritär: Der Vorgesetzte entscheidet. Er setzt sich – im Zweifel durch Zwang – durch
patriarchalisch: Der Vorgesetzte entscheidet und setzt sich mit Manipulation durch
informierend: Der Vorgesetzter entscheidet und setzt sich durch Überzeugung durch
beratend: Der Vorgesetzte entscheidet und berücksichtigt die Meinung von Betroffenen
kooperativ: Die Gruppe entwickelt Vorschläge, der Vorgesetzte wählt aus
partizipativ: Gruppe entscheidet im gegebenen Rahmen autonom
demokratisch: Die Gruppe entscheidet autonom. Der Vorgesetzte ist Koordinator

Diese Führungstechniken sind Idealtypen, die in der Realität in reiner Form selten existieren. Modifikationen und Mischungen von Führungsstilen entstehen durch die Persönlichkeit des Vorgesetzten und die Stärke seiner Positionsmacht sowie die Situationen, in denen geführt wird. Außerdem sind die Ansprüche, Qualifikationen, Erfahrungen und Kompetenzen der Mitarbeiter und die Art der sozialen Beziehungen in der Gruppe für den Führungsstil ausschlaggebend.

Managementtechniken basieren auf Führungsstilen, wobei besondere Anforderungen an die Struktur der Organisation, in der sie praktiziert werden sollen, berücksichtigt werden. In der Praxis spricht man vom „Management-by"-Konzepten. Bekannte Modelle sind:
- Management by Exception (MbE),
- Management by Objectives (MbO),
- Management by Delegation (MbD) und
- Management by System (MbS).

Bei „**Management by Exception**" handelt es sich um ein Führungskonzept mit weitgehender Dezentralisation. Ein Eingriff des Vorgesetzten erfolgt nur im Ausnahmefall (Exception). „**Management by Objectives**" setzt eine abgestimmte Zielvereinbarung zwischen Vorgesetzten und Mitarbeitern voraus. Das partizipative Führungskonzept „**Management by Delegation**" überträgt weitgehend Entscheidungsfreiheit und Verantwortung an die Mitarbeiter. Hier muss eine klare Aufgabendefinition und Kompetenzabgrenzung gegeben sein. „**Management by System**" ist ein Führungskonzept mit – meist computergestützter – Systematisierung aller Leistungs- und Kontrolltätigkeiten, um Verwaltungskosten zu reduzieren und die Leistungsfähigkeit der Verwaltung zu verbessern.

125

Bitte beachten Sie die Artikel zu den folgenden Stichwörtern:
Management (204 - 205)
Motivation (230 - 231)

Fusion

Fusion ist ein Zusammenschluss von zwei oder mehr Unternehmen zu einer Einheit. Die Unternehmen werden dabei wirtschaftlich und rechtlich zu einem einheitlichen Unternehmen miteinander vereint.

Vorteile und Motive einer Fusion	
Rationalisierung	Durch Zusammenfassung und Umorganisation von Produktionsprozessen und gemeinsame Nutzung von Ressourcen können Rationalisierungseffekte erzielt, d.h. Kostensenkungen erreicht werden. Ist die Fusion nicht gleichzeitig mit Kapazitätsausweitungen verbunden, kommt es in der Regel zu Personalfrei- oder -umsetzungen.
Spezialisierung	Kostenvorteile können auch erreicht werden, wenn die fusionierten Einheiten sich auf bestimmte Produktbereiche oder Marktsegmente konzentrieren, auf denen sie besondere Qualitätsvorsprünge besitzen.
Verbesserung der Marktstellung	Die durch Fusionen steigende Betriebsgröße ist gegenüber Abnehmern, Lieferanten, potenziellen Kreditgebern und dem Staat von besonderer Wichtigkeit. Dies besonders dann, wenn es zu einer größeren Marktmacht aufgrund des steigenden Marktanteils kommt, durch den die Möglichkeit wächst, kleinere Unternehmen im Wettbewerb einzuschränken. Hinzu kommt, dass sich i.d.R. sowohl die Kreditbasis verbessert als auch die eventuelle staatliche Förderung im Bereich Forschung und Technologie.
Minderung der Risiken	Durch Aufteilung des Risikos auf mehrere Partner wird eine Minderung durch die breitere Verteilung des unternehmerischen Risikos erreicht.

Die mit einer Fusion verfolgten Ziele erstrecken sich auf alle Funktionsbereiche eines Unternehmens. Dabei kann man sich auf ein bestimmtes Ziel für die Fusion konzentrieren, z.B. die Rationalisierung im Fertigungsbereich, es können aber auch mehrere Ziele nebeneinander verfolgt werden. Die Rangordnung der Ziele wird stets so bestimmt, dass der langfristig größtmögliche Gewinn angestrebt wird. Das verfolgte Ziel oder die verfolgte Zielkombination bestimmt in der Regel auch die rechtliche Form sowie die Intensität und die Dauer der Fusion.

Die Fusion ist die engste Form des Unternehmenszusammenschlusses, weil die sich zusammenschließenden Unternehmen nicht, wie bei einem Konzern oder einem Kartell, ihre rechtliche Selbständigkeit behalten, sondern nach der Verschmelzung nur noch eine rechtliche Einheit besteht. Bei der Fusion unterscheidet man drei Arten von Verschmelzungen:

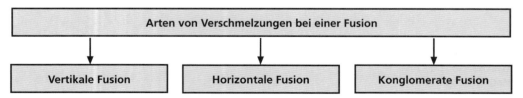

Vertikale Fusion bedeutet, dass Unternehmen, die bislang als Lieferanten und Kunden miteinander in Beziehung standen, sich zur Kosteneinsparung sowie zur Sicherung des Absatzes und der Beschaffung zusammenschließen. Das Ziel ist also, aufeinander folgende Produktions- und Handelsstufen zu einer Einheit zusammenzufassen.

Horizontale Fusion vereinigt Unternehmen der gleichen Branche und Produktionsstufe, um den Marktanteil und damit die wirtschaftliche Macht gegenüber Dritten auszuweiten. Zudem haben diese Unternehmen die Möglichkeit, ihr Produktionsprogramm zu spezialisieren und/oder zu vereinheitlichen.

Konglomerate Fusion bedeutet eine Verschmelzung von Unternehmen aus verschiedenen Branchen. Diese Vereinigung dient der Verteilung und dem Ausgleich von Risiken auf verschiedenen Beschaffungs- und Absatzmärkten und soll die Durchführung von finanzwirtschaftlichen Transaktionen erleichtern.

Die Fusion von Unternehmungen kann in zwei Formen erfolgen:

1. Wollen sich z.B. zwei oder mehr Aktiengesellschaften zusammenschließen, so können sie ihr Vermögen insgesamt in eine neu gebildete Aktiengesellschaft übertragen. Die bisherigen Aktionäre tauschen dabei ihre Aktien gegen Aktien der neuen Gesellschaft ein. Das Umwandlungsgesetz bezeichnet diese Form der Verschmelzung als „Verschmelzung durch Neubildung". Sie ist nur zulässig, wenn jede der bisherigen Gesellschaften mindestens zwei Jahre im Handelsregister eingetragen war. Eine Fusion muss von den Hauptversammlungen der beteiligten Gesellschaften mit Dreiviertelmehrheit des anwesenden Aktienkapitals beschlossen werden.

2. Die zweite Möglichkeit der Fusion besteht darin, dass ein Unternehmen sein Vermögen in ein anderes, bereits bestehendes Unternehmen überträgt. Handelt es sich um Aktiengesellschaften, so werden die Aktionäre der bisherigen – und nun untergehenden – Gesellschaft mit Aktien der übernehmenden Gesellschaft entschädigt. Nach der Verschmelzung existiert als Firma nur noch die übernehmende Gesellschaft. Das Umwandlungsgesetz nennt diese Form der Verschmelzung „Verschmelzung durch Aufnahme".

Diese Formen der Verschmelzung gelten auch für die Fusionen von Unternehmen in anderen Rechtsformen.

Das Bundeskartellamt kann Fusionen von Unternehmen untersagen (Fusionskontrolle), wenn zu erwarten ist, dass es durch die Verschmelzung zur Ausnutzung einer marktbeherrschenden Stellung kommen kann. Als marktbeherrschend gilt ein Unternehmen, wenn es als Anbieter oder Nachfrager keinem wesentlichen Wettbewerb ausgesetzt ist und im Verhältnis zu seinen Wettbewerbern über eine überragende Marktstellung verfügt. Dabei liegt das Grundprinzip zugrunde, dass es kleineren Unternehmen ermöglicht werden muss, ihre Marktstellung und Wirtschaftlichkeit durch Zusammenschluss zu verbessern und in einen funktionsfähigen Wettbewerb einzutreten, dass aber der Zusammenschluss von Unternehmen zu verhindern ist, wenn durch Größe die Gefahr des Missbrauchs einer marktbeherrschenden Stellung entsteht. Man verfolgt als ideale Marktstruktur das Leitbild des „weiten Oligopols" (siehe Marktformen), das die höchste Wirtschaftlichkeit bei den Unternehmen und die höchste Wettbewerbsintensität auf dem jeweiligen Markt verspricht. Es werden also nicht viele, viele, kleine Unternehmen, sondern wenige, leistungsfähige angestrebt. Dabei darf die Zahl jedoch nicht so klein sein, dass leicht Marktabsprachen möglich sind.

127

Bitte beachten Sie die Artikel zu den folgenden Stichwörtern:
Fusionskontrolle (128 - 129)
Markt (210 - 211)
Rationalisierung (274 - 275)
Unternehmenszusammenschlüsse (332 - 333)
Unternehmung (334 - 335)
Wettbewerb (366 - 367)

Die soziale Marktwirtschaft setzt voraus, dass ein funktionsfähiger Wettbewerb gesichert sein muss. Hierfür hat sich der Staat – in Form seiner Kartellämter – als „Hüter des Wettbewerbs" einzusetzen. Wettbewerb, so nützlich er einerseits für den Ablauf des Wirtschaftsgeschehens, für die Anreize zur Verbesserung der Leistung und für die Auswahl der kostengünstigsten und bestmöglichen Nutzung der Ressourcen ist, hat andererseits die fatale Tendenz, sich selbst zu vernichten. Bei funktionierendem Wettbewerb müssen immer die Unternehmen, die keine ausreichende Leistungsfähigkeit aufweisen, aus dem Wirtschaftsprozess ausscheiden. Damit ergibt sich eine ständige Verringerung der Wettbewerber, wenn keine neuen Unternehmen hinzukommen. Bei der heutigen Wirtschaftsstruktur gibt es jedoch schon relativ viele Branchen, in denen es auf Grund der technologischen Bedingungen und finanziellen Dimensionen kaum noch möglich ist, als „newcomer" einzusteigen. Damit führt der Entwicklungsprozess der Unternehmen zu schrumpfenden Zahlen. Hierbei spielt nicht nur das Ausscheiden von Unternehmen, sondern auch die Übernahme von Unternehmen durch andere Unternehmen eine wichtige Rolle (siehe Fusion).

Die Arbeit der Kartellbehörden hat sich daher seit einiger Zeit mehr und mehr von der ursprünglichen Funktion der Aufsicht über die Kartell-Entstehung (bei der es um die Beschränkung des Wettbewerbs durch das Zusammenwirken von weiterhin selbständigen Unternehmen geht) zur Aufsicht über die Zusammenschlüsse von Unternehmen (= Fusionen) verlagert. Fusion ist die Vereinigung von zwei oder mehr Unternehmen zu einem einzigen Unternehmen.

Fusionskontrolle ist eine vom Bundeskartellamt ausgeübte Kontrolle über die Verschmelzung (Fusion) von Unternehmen.

Ziel der staatlichen Fusionskontrolle ist der Schutz des Wettbewerbs, i.d.R. durch die Verhinderung des Entstehens bzw. den Ausbau marktbeherrschender Positionen[1]. Dabei kann es sich sowohl um horizontale Zusammenschlüsse (Unternehmen der gleichen Branche schließen sich zusammen), vertikale Zusammenschlüsse (Lieferant und Kunde schließen sich zusammen) und diagonale oder konglomerate Zusammenschlüsse (Unternehmen völlig unterschiedlicher Branchen schließen sich zusammen) handeln.

Nun sehen allerdings der Gesetzgeber und die Kartellämter nicht jeden Zusammenschluss als etwas Negatives an, sondern lassen – insbesondere wenn es um die Förderung der Wirtschaftlichkeit und Wettbewerbsfähigkeit von kleinen und mittleren Unternehmen geht – die Firmen gewähren. Je größer die Unternehmen und die von ihnen ausgeübte Marktbeherrschung sind, desto intensiver wird jedoch der staatliche Eingriff.

Zusammenschluss kleiner und mittlerer Unternehmen

In der Tendenz kann man sagen, dass dem Zusammenschluss von kleinen bis mittleren Unternehmen keine Steine in den Weg gelegt werden. Ausnahmen sind dann gegeben, wenn ein Großunternehmen sich kleine oder mittlere „einverleibt". Verstärkt sich durch den Zusammenschluss eine marktbeherrschende Stellung, dann wird das Kartellamt tätig.

Zusammenschluss von Großunternehmen

1. Bei einem Zusammenschluss, bei dem die beteiligten Unternehmen weltweit insgesamt Umsatzerlöse von mehr als 500 Millionen Euro und
2. mindestens ein beteiligtes Unternehmen im Inland Umsatzerlöse von mehr als 25 Millionen Euro

erzielen, wird das Kartellamt i.d.R. tätig (GWB § 35). Die Fusion muss in diesem Fall beim Bundeskartellamt angemeldet werden. Durch diese Anzeigepflicht verschafft sich das Bundeskartellamt vor allem einen allgemeinen Überblick über den Konzentrationsprozess in der Wirtschaft. Es wird den Zusammenschluss untersagen, wenn zu erwarten ist, dass durch die Fusion eine marktbeherrschende Stellung geschaffen oder ausgebaut wird. Es kann sich aber aufgrund der Prüfung des Einzelfalles auch ergeben, dass die Nachteile der eintretenden Marktbeherrschung nicht so groß sind wie die Verbesserung der Wettbewerbsbedingungen durch den Zusammenschluss. Dies kann z.B. der Fall sein, wenn durch die Fusion eine Unternehmung als Wettbewerber in einem Markt erhalten bleibt, der schon sehr starke Konzentrationstendenzen aufweist. Das Kartellamt steht in solchen Fällen häufig vor Problemen der Abwägung von Vor- und Nachteilen und wird nach eingehender Lageanalyse vor der Genehmigung i.d.R. versuchen, die gesamtwirtschaftlichen Vorteile durch zusätzliche Auflagen an die Fusionspartner zu verstärken.

Damit die Unternehmen keine wirtschaftlichen Nachteile durch lange Entscheidungsfristen erleiden, die den Zusammenschlussprozess verzögern, hat das Kartellamt die Auflage, innerhalb eines Monats nach Eingang der Anmeldung zu bestätigen, dass die Prüfung des Antrags erfolgt, und innerhalb von weiteren drei Monaten eine endgültige Entscheidung zu treffen. Wird dies versäumt, so kann die Fusion von den Unternehmen vorgenommen werden. Die Fristsetzung für die Behandlung des Falles ist sehr eng gefasst, da es um enorme wirtschaftliche Konsequenzen geht (Gesetz gegen Wettbewerbsbeschränkungen §§ 37 – 42).

Den Unternehmen steht bei allen Entscheidungen des Kartellamtes das Recht zu, die Entscheidung gerichtlich überprüfen zu lassen.

Im Falle der Fusionskontrolle gibt es daneben aber auch die gesetzliche Möglichkeit, dass der Bundesminister für Wirtschaft die Erlaubnis zu einem Zusammenschluss trotz vorheriger Ablehnung des Kartellamtes erteilt. Dies setzt voraus, dass nach Ansicht des Wirtschaftsministers
* „die Wettbewerbsbeschränkung von gesamtwirtschaftlichen Vorteilen des Zusammenschlusses aufgewogen wird" oder
* „der Zusammenschluss durch ein überragendes Interesse der Allgemeinheit gerechtfertigt ist".

Der Minister hat jedoch darauf zu achen, dass „durch das Ausmaß der Wettbewerbsbeschränkung die marktwirtschaftliche Ordnung nicht gefährdet wird" [2].

[1] Es kommt allerdings auch vor, dass der Staat das Zusammenwirken von mehreren mittleren bis kleineren Unternehmen fördert, wenn diese einem einzelnen mächtigen Wettbewerber gegenüberstehen.
[2] Gesetz gegen Wettbewerbsbeschränkungen § 42

Bitte beachten Sie die Artikel zu den folgenden Stichwörtern:
Fusion (126 - 127)
Markt (210 - 211)
Wettbewerb (366 - 367)

Geld

„Geld regiert die Welt" heißt es, oder auch „Geld macht nicht glücklich, aber es beruhigt". Unzählig ist die Menge der Sprichwörter, die sich auf das Geld beziehen. Dies zeigt, welche große Bedeutung die Menschen dem Geld zumessen.

Aus täglicher Anschauung kennen wir als Geld die Münzen und Scheine. Die meisten Menschen denken dabei gar nicht daran, dass dieses Geld im Grunde völlig wertlos ist (nur ein Stück Papier oder Metall) und die Bedeutung nur dadurch zustande kommt, dass wir im Allgemeinen immer jemanden finden, der uns dafür eine Ware oder Dienstleistung gibt, die wir benötigen. Sehr häufig erlebten es die Menschen, dass sie für Münzen und Scheine nichts bekamen, dagegen für Zigaretten oder Kugelschreiber fast jede beliebige Ware erhielten. In manchen Ländern erlebt man es, dass man für die einheimische Währung nichts erhält, dafür aber für Dollar oder Euro. Wir wissen auch, dass in früheren Zeiten nicht mit Münzen oder Scheinen, sondern mit Vieh, Honig, Muscheln, Salz, Gold oder Silber u.a. bezahlt wurde. In den modernen Volkswirtschaften existiert Geld sogar völlig materielos – als „Buchgeld", d.h. als Guthaben auf einem Bankkonto, mit dem man durch Scheck oder Überweisung bezahlen kann. Was ist also eigentlich „Geld"?

Geld ist jedes allgemein anerkannte Zahlungsmittel.

Im Grunde geht es nämlich gar nicht um das „Geld", sondern um ein allgemein akzeptiertes Austauschmittel, das häufig gar keinen eigenen Nutzen für den Besitzer hat. Wie einfach wäre es auch sonst, die Armut vieler Menschen zu beheben: Man brauchte nur die Druckerpressen für neue Banknoten in Bewegung zu setzen, um ihnen so viel Geld zu verschaffen, wie sie benötigen. Ein Überschwemmen des Landes mit Banknoten würde aber die Armut in keiner Weise beheben. Armut ist nicht der Mangel an Geld, sondern an Gütern. So „verschleiert" das Vorhandensein von Geld oft die wirklichen Wirtschaftsprozesse.

Geld ist ein Gutschein für Güter, jedoch ohne festen Wert. Der Wert hängt u.a. von dem Verhältnis von Geld- und Gütermenge in einer Volkswirtschaft ab:

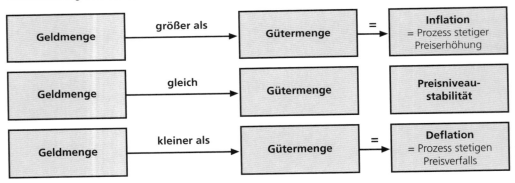

Entscheidend für Geld ist nicht die Erscheinungsform, die fast beliebig sein kann, sondern die **Aufgaben**, die Geld erfüllt.

Aufgaben des Geldes:

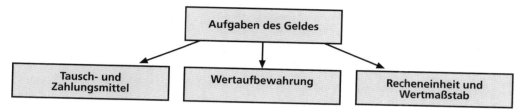

1. Tauschmittel, Zahlungsmittel

Eine arbeitsteilige Wirtschaft kann ohne einen Güteraustausch nicht existieren. Hauptaufgabe des Geldes ist es, für einen reibungslosen Tauschverkehr zu sorgen. Die ursprüngliche Tauschbeziehung

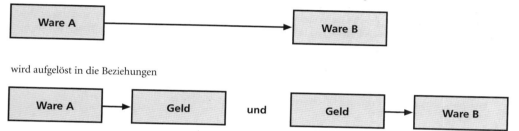

wird aufgelöst in die Beziehungen

Hierdurch wird erreicht, dass die Tauschbeziehungen vielfältiger werden, weil man nicht darauf angewiesen ist, seine eigenen Erzeugnisse nur an Abnehmer zu geben, die das haben, was man selbst benötigt;

2. Wertaufbewahrungsmittel

Die Tauschbeziehungen können zeitlich verschoben werden, weil man ein Gut heute verkaufen und erst später ein benötigtes Gut kaufen kann. Man kann einen Vorrat von Gütern in Geldform aufbewahren, um ihn im Bedarfsfall später zu nutzen.

3. Recheneinheit, Wertmaßstab

Mit Hilfe des Geldes kann man verschiedenartige Güter miteinander vergleichen, d.h. ihre Werte bestimmen und gegeneinander abwägen. Die Bedeutung wird Ihnen klar, wenn Sie einmal an einen Aufenthalt im Ausland denken, wo Ihnen in der ersten Zeit jede Orientierung des Wertes / Preises von Gütern durch das Rechnen mit der ausländischen Währung verloren geht.

Daher ist Geld für eine arbeitsteilige Wirtschaft, die effizient funktionieren soll, unersetzlich. Der Staat muss jedoch darauf achten, dass ein ausgewogenes Verhältnis von Gütermenge und Geldmenge gesichert wird.

131

Bitte beachten Sie die Artikel zu den folgenden Stichwörtern:
Geldpolitik (132 - 133)
Preisbildung (256 - 257)

Zeitungsbericht

Frankfurt: Am heutigen Vormittag kommen die Hüter der Währung bei der Europäischen Zentralbank zusammen, um über die Höhe der Zinssätze zu entscheiden. Die Experten erwarten gegenwärtig keine Veränderung. Die Zinssätze der Zentralbank beeinflussen die Inflationsraten, das Wirtschaftswachstum und auch den Wechselkurs des Euro. Natürlich beeinflussen sich diese Größen auch gegenseitig. Die wichtigste Aufgabe der Zentralbank besteht darin, das Preisniveau zu stabilisieren. Zuletzt war es etwas stärker angestiegen als gewollt. Um dies zu bereinigen, wäre eine Geldverknappung angebracht, die durch eine Erhöhung der Zinsen erreicht werden kann. Da aber dadurch eventuell das wirtschaftliche Wachstum leidet, muss man abwarten, wie sich der Zentralbankrat entscheidet, zumal die Inflation auch von anderen Einflüssen, z.B. den Tarifabschlüssen am Arbeitsmarkt und der Wirtschaftsentwicklung im Ausland, abhängt.

Unter „Geldpolitik" versteht man alle Maßnahmen, welche die Geldmenge, d.h. die Kaufkraft der Bevölkerung, beeinflussen. Die Geldpolitik ist die zentrale Aufgabe der Europäischen Zentralbank (EZB) in Frankfurt. Sie versucht, durch eine Veränderung der Geldmenge und des Zinses, auf die wirtschaftliche Lage einzuwirken und die Geldversorgung in den Ländern der Europäischen Union an die Menge der angebotenen Waren und Dienstleistungen anzupassen.

Nach welchen Regeln richtet sich die Geldpolitik?

- Steigt die Geldmenge, ohne dass die Gütermenge steigt, so steigen die Preise
- Sinkt die Geldmenge, ohne dass die Gütermenge sinkt, so sinken die Preise

Vereinfachend wird dies oft in solchen oder ähnlichen Darstellungen demonstriert:

Inflation | Deflation
Gütermenge | Geldmenge | Gütermenge | Geldmenge

In der Realität sind die Zusammenhänge zwar etwas komplizierter, doch das Grundprinzip wird auf diese Art und Weise deutlich.

Wenn Inflation und Deflation vermieden werden sollen, muss also die Zentralbank versuchen, die Geldmenge zu steuern. Dies ist ihre gesetzliche Aufgabe und hierfür stehen ihr eine Reihe geldpolitischer Instrumente zur Verfügung, von denen nur die drei wichtigsten aufgeführt werden:

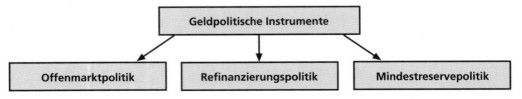

Geldpolitische Instrumente

Offenmarktpolitik | Refinanzierungspolitik | Mindestreservepolitik

Offenmarktpolitik

Sie steht im Zentrum der geldpolitischen Maßnahmen und ist die wichtigste Quelle, bei der die Banken des Europäischen Währungssystems sich das Zentralbankgeld beschaffen. Offenmarktpolitik bedeutet, dass die Zentralbank „am offenen Markt" (Börse) Wertpapiere kauft und später wieder verkauft. Der überwiegende Teil aller Käufe erfolgt nur für eine sehr kurze Zeitspanne. Die verkaufende Bank muss sich verpflichten, die Papiere nach einer bestimmten Zeit (z.B. nach 7 bis14 Tagen) wieder zurückzunehmen. Dieses Offenmarktgeschäft mit Rückkaufsvereinbarung nennt man auch „Wertpapierpensionsgeschäft", weil das Wertpapier für eine kurze Zeitspanne gewissermaßen „in Pension" gegeben wird, bevor man es wieder zurücknimmt. Dabei fließt das Geld wieder zurück zur Zentralbank. Auf diese Art und Weise kann die Geldmenge sehr kurzfristig erhöht oder gesenkt werden, denn die Zentralbank kann nach Ablauf der Pensionsfrist den Banken ein neues Geschäft anbieten, bei dem die Nachfrage der Zentralbank höher oder niedriger als vorher ausfällt. Auch der von den Banken zu zahlende Zins kann dabei verändert werden.

Refinanzierungspolitik

Eine längerfristige Beschaffung von Geld ist für die Banken bei „längerfristigen Refinanzierungsgeschäften" möglich. Bei dieser von der Deutschen Bundesbank als „Diskontpolitik" und „Lombardpolitik" bekannten Maßnahme werden von den Banken bei der Zentralbank Wechsel oder Wertpapiere hinterlegt und die Banken erhalten dafür Zentralbankgeld, in der Regel für 3 Monate.

Mindestreservepolitik

Die Mindestreserveverpflichtung für die Banken verlangt von diesen, dass sie einen bestimmten Teil der Einlagen ihrer Kunden zinslos bei der Notenbank stilllegen. Die Höhe dieses Betrages richtet sich nach den Mindestreservesätzen. Sie werden von der Zentralbank festgelegt.

Die Mindestreserve dient in erster Linie dazu, die Geldmarktzinsen zu stabilisieren und ein weiteres Mittel zu haben, um die Liquidität der Banken zu beschränken oder zu erweitern.

Vielfach fordern Regierung oder Interessenverbände der Wirtschaft von der Zentralbank, ihre Mittel einzusetzen, um Wachstumsschwächen der Wirtschaft auszugleichen und durch Geldvermehrung mehr Nachfrage zu schaffen. Hierbei befindet sich die Zentralbank jedoch in einem Konflikt, denn in der heute üblichen Situation der Stagflation besteht meist gleichzeitig Inflationsgefahr. Daher kommt es häufig zu gravierenden Auseinandersetzungen zwischen diesen Gruppen und der Zentralbank, zu deren Aufgaben zwar auch die Unterstützung der Wirtschaftspolitik der Regierung ist, jedoch nur, soweit nicht ihre eigentliche gesetzliche Zielvorgabe, die Sicherung der Währung, gefährdet ist.

133

Bitte beachten Sie die Artikel zu den folgenden Stichwörtern:
Europäische Zentralbank (104 - 105)
Geld (130 - 131)
Inflation (158 - 159)
Stabilisierungspolitik (300 - 301)
Wertpapier (362 - 363)
Wertpapierpensionsgeschäft (364 - 365)

Genossenschaften

Die ersten Genossenschaften entstanden in der Mitte des 19. Jahrhunderts, um Landwirten und kleinen Gewerbetreibenden die Möglichkeit zu geben, unter Wahrung der eigenen Selbständigkeit im Wettbewerb mit großen Unternehmen bestehen zu können. Impulse für die Gründung von Genossenschaften zur Milderung der wirtschaftlichen Not gingen hauptsächlich von Schulze-Delitzsch (1808 - 1883) und Raiffeisen (1818 - 1888) aus.

In Genossenschaften schließen sich Menschen zusammen, um eine wirtschaftliche Selbsthilfeorganisation zu schaffen. Sie wollen gemeinsame Probleme auch gemeinsam lösen. Zweck der Genossenschaft ist also die Förderung des Erwerbs ihrer eigenen Wirtschaftsbetriebe oder der wirtschaftlichen Anliegen durch einen gemeinschaftlichen Geschäftsbetrieb. Dabei zählen Selbsthilfe, Selbstverwaltung und Selbstverantwortung zu ihren obersten Prinzipien. Bei den Genossenschaften steht nicht die Gewinnorientierung, sondern stets das Ziel der gemeinsamen Förderung im Vordergrund.

Die Genossenschaften lassen sich in vier Arten einteilen:

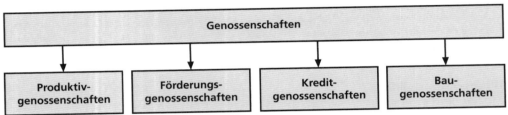

Produktivgenossenschaften stellen Waren oder Dienstleistungen auf gemeinsame Rechnung her und vertreiben diese. Sie dienen ihnen und den Mitgliedern als Erwerbsquelle (landwirtschaftliche Genossenschaften, Winzergenossenschaften u.a.).

Förderungsgenossenschaften streben keinen Gewinn für den eigentlichen Genossenschaftsbetrieb an. Sie leisten lediglich Hilfestellung beim Warenbezug bzw. beim Absatz der Ware und nutzen damit die Vorteile eines Großbetriebes aus (Konsumgenossenschaften, Einkaufsgenossenschaften, Lagergenossenschaften u.a.).

Kreditgenossenschaften versorgen als Selbsthilfeeinrichtung ihre Mitglieder mit Krediten zu günstigeren Konditionen, als sie bei anderen Kreditinstituten erhältlich wären (Volksbanken, Raiffeisenkassen u.a.).

Baugenossenschaften fördern ihre Mitglieder durch Überlassung von Wohnungen, durch Hilfe bei der Eigentumsbildung mit Immobilien sowie bei der Modernisierung und Sanierung.

Zur gegenseitigen Unterstützung und Koordinierung ihrer Tätigkeit schließen sich die Genossenschaften häufig zu Zentralgenossenschaften zusammen. Das hat den Vorteil, dass sie als größere Wirtschaftseinheiten auftreten und sich im wirtschaftlichen Wettbewerb besser durchsetzen können.

Wie wird eine Genossenschaft gegründet?

Die Gründung einer Genossenschaft erfolgt durch Vertrag (Statut) zwischen mindestens sieben Personen, die einen Vorstand und Aufsichtsrat zu wählen haben. Nach der Gründung erfolgt eine Eintragung in das Genossenschaftsregister. Im Statut werden die Rechte und Pflichten der Mitglieder geregelt.

Die Aufnahme von weiteren Mitgliedern in die Genossenschaft erfolgt auf Antrag, dem der Vorstand zustimmen muss. Beim Eintritt ist eine Pflichtgeldeinlage zu erbringen, durch die das Eigenkapital der Genossenschaft aufgebracht wird und die beim Austritt zurückgezahlt wird. Der Eintritt in die Genossenschaft berechtigt dann zur Benutzung aller Einrichtungen und – falls nicht anders im Statut festgelegt – zum Anspruch auf einen Anteil am Gewinn.

Verbindliche Rechtsnormen für Genossenschaften regelt das Genossenschaftsgesetz (GenG), das schon 1867 in Preußen und 1889 im Deutschen Reich eingeführt wurde. Es erleichterte nicht nur die Gründung, sondern garantierte auch ein einwandfreies Funktionieren der Genossenschaften bei gleichzeitigem Schutz der Außenstehenden (Banken, Kreditgeber, Lieferanten u.a.) vor unseriösen Praktiken.

Organe der Genossenschaft:

Die Mitglieder der Genossenschaft bilden die Generalversammlung. Von der Generalversammlung werden Vorstand und Aufsichtsrat gewählt. Bemerkenswert dabei ist, dass jedes Genossenschaftsmitglied, unabhängig von seinem Kapitalanteil, nur eine Stimme hat. Der Vorstand führt die Geschäfte und hat die Genossenschaft nach außen zu vertreten. Er wird kontrolliert und beraten durch den Aufsichtsrat. Zudem unterliegen sämtliche Einrichtungen der Genossenschaften einer regelmäßigen Pflichtprüfung durch einen genossenschaftlichen Prüfungsverband.

Die Mitgliedschaft in der Genossenschaft kann durch schriftliche Kündigung, durch Ausschließung oder durch Übertragung des Geschäftsguthabens auf einen Genossen beendet werden.

Wird die Genossenschaft aufgelöst, erfolgt generell Liquidation. Ursache dafür kann ein entsprechender Beschluss der Generalversammlung sein (2/3-Mehrheit der erschienenen Mitglieder), das Sinken der Mitgliederzahl unter sieben, der Ablauf der im Statut festgesetzten Bestandsdauer, gesetzwidrige Handlungen, Verfolgung anderer als der im Gesetz zugelassenen Zwecke oder Genossenschaftskonkurs.

Dass die Beliebtheit der Genossenschaften inzwischen etwas zurückgegangen ist, liegt u.a. daran, dass sie für die immer geringere Zahl kleinerer Gewerbetreibender – insbesondere im ländlichen Raum – konzipiert waren, die auf gegenseitige Unterstützung angewiesen sind.

Für expansionswillige Genossenschaftsunternehmen hingegen wird die Rechtsform der Genossenschaft rasch zu eng, da das Gesetz das Bedürfnis nach einer hinreichenden Kapitalgrundlage nicht genug berücksichtigt. Es kommt jedoch auch zu genossenschaftlichen Zusammenschlüssen, die großen Aktiengesellschaften hinsichtlich Umsatz und Beschäftigtenzahl nicht nachstehen.

Bitte beachten Sie die Artikel zu den folgenden Stichwörtern:
Bankensystem (48 - 49)
Kredit (192 - 193)
Rechtsformen (276 - 277)

Gewerkschaften

Ein wesentlicher Bestandteil des Systems der Sozialen Marktwirtschaft ist die Sozialpartnerschaft. Freie, autonome, vom Staat unabhängige Sozial- und Tarifparteien als Gewerkschaften und Arbeitgeberverbände vertreten die Interessen von Arbeitnehmern und Arbeitgebern. Sie handeln in sozialer Selbstverantwortung alle Arbeits- und Wirtschaftsbedingungen aus und legen sie in Tarifverträgen fest. Zu den wichtigsten Aufgaben gehören Tarifverhandlungen, also das Aushandeln der Löhne und Gehälter, der Arbeitszeit und sonstiger Arbeitsbedingungen.

Gewerkschaften sind Zusammenschlüsse der abhängig Beschäftigten, d.h. der Arbeiter, Angestellten und Beamten sowie der Auszubildenden Sie vertreten die sozialen, ökonomischen und kulturellen Interessen ihrer Mitglieder gegenüber Arbeitgebern, Staat und anderen gesellschaftlichen Gruppen.

Zur Geschichte der Gewerkschaften

Mit der deutschen Revolution 1848/49 wurden verstärkt Arbeiter- und Handwerkerorganisationen als Schutz- und Kampforganisationen zur Verbesserung der Lebens- und Arbeitsbedingungen und ab 1860 Arbeiterbildungsvereine als Träger der Arbeiterbewegung gegründet. Materieller Schutz bei Krankheit, Unfall, Arbeitslosigkeit sowie im Alter war ein Aufgabengebiet der Arbeiterorganisationen. 1869 wurde der Deutsche Buchdruckerverein als erster Arbeitgeberverband gegen die Gewerkschaft der Buchdruckergehilfen ins Leben gerufen. 1890 konstituierte sich als Dachorganisation die Generalkommission der Freien Gewerkschaften; einige Jahre später der Gesamtverband der Christlichen Gewerkschaften Deutschlands. 1916 wurden Arbeitgeber- und Arbeitnehmervereinigungen als wirtschaftliche Vereinigungen staatlich anerkannt. Die drastisch steigende Arbeitslosigkeit ab 1921 schwächte die Gewerkschaften. Ihr Verbot in der Zeit des Nationalsozialismus (1933-1945), in der auch ein Verbot der Arbeitgeberverbände erlassen wurde, war ein Rückschlag in der Geschichte der Sozialpartnerschaft.

Die nach dem Krieg entstandenen Gewerkschaften (1947/48) und Arbeitgeberverbände (1948/50) haben bis heute die Grundlage für soziale Stabilität und erfolgreiches Wirtschaften geschaffen. Im Zuge der deutschen Einigung konnten die freien, unabhängigen Gewerkschaftsorganisationen ab 1990 auch in Ostdeutschland tätig werden. Die frühere DDR-Einheitsgewerkschaft FDGB löste sich auf.

Organisation der Gewerkschaften

Die Gewerkschaften in der Bundesrepublik sind für alle in ihrem Bereich Beschäftigten zuständig, ohne dass es auf deren Beruf oder die Stellung als Arbeiter oder Angestellter ankommt. Die meisten Gewerkschaften hatten sich 1949 zum Deutschen Gewerkschaftsbund (DGB) zusammengeschlossen. Er ist jedoch nur die Dachorganisation autonomer Gewerkschaften, wobei allein diese Gewerkschaften (und nicht der DGB als Dachorganisation) tariffähig und damit für den Abschluss von Tarifverträgen zuständig sind. Unter dem Dach des DGB sind gegenwärtig 8 Einzelgewerkschaften zusammengeschlossen

Das nach 1945 angestrebte Prinzip einer Einheitsgewerkschaft hat sich jedoch nicht voll durchgesetzt. Neben den Gewerkschaften des DGB bestehen noch Gewerkschaften, welche nach dem Berufsprinzip organisiert sind. Zu nennen ist hier u.a. der Deutsche Beamtenbund (DBB) oder als christlich orientierte Gewerkschaft der Christliche Gewerkschaftsbund Deutschlands (CGB), dem sieben Arbeiter- und vier Angestelltengewerkschaften sowie fünf Gewerkschaften des öffentlichen Dienstes angehören. Auch der Deutsche Bundeswehr-Verband (DBwV), der die Interessen aktiver und ehemaliger Soldaten vertritt, gehört zu den großen Berufsorganisationen der Bundesrepublik.

In den letzten Jahren sind die Mitgliedszahlen bei den Gewerkschaften stark zurückgegangen. Für frühere Generationen traditionsbewusster Arbeiter war die Mitgliedschaft in einer Gewerkschaft selbstverständlich. Heute (Anfang 2003) hat der Deutsche Gewerkschaftsbund noch ca. 7,7 Mio Mitglieder, die sich auf seine 8 Einzelgewerkschaften etwa wie folgt verteilen:

- **IG BAU** = IG Bauen-Agrar-Umwelt (ca. 6,4 %)
- **IG BCE** = IG Bergbau, Chemie, Energie (ca. 10,8%)
- **IG Metall** = (ca. 34,3 %)
- **GEW** = Gewerkschaft Erziehung und Wissenschaft (ca. 3,4 %)
- **GNGG** = Gewerkschaft Nahrung-Genuss-Gaststätten (ca. 3,2 %)
- **GdP** = Gewerkschaft der Polizei (ca. 2,4 %)
- **Transnet** = (Gewerkschaft für Mobilität, Kommunikation) (ca. 3,9 %)
- **Ver.di** = Vereinte Dienstleistungsgewerkschaft e. V. (ca. 35,6 %)

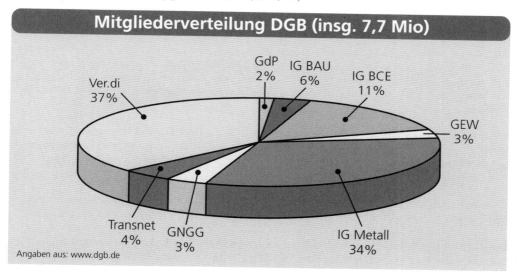

Mitgliederverteilung DGB (insg. 7,7 Mio)

Angaben aus: www.dgb.de

137

Aufgaben der Gewerkschaft

Die Hauptaufgabe der Gewerkschaften besteht im Abschluss von Tarifverträgen. Daneben ist ihnen eine Reihe wichtiger Kompetenzen eingeräumt worden. Sie haben z.B.:

- Befugnisse in den Betrieben aufgrund des Betriebsverfassungsrechts
- Anhörungsrechte im Gesetzgebungsverfahren,
- Vorschlags- und Entscheidungsrechte im Bereich der Gerichtsverfassung (Arbeits- und Sozialgerichte) und in Wirtschaft und Verwaltung (z. B. Bundesagentur für Arbeit, Sozialversicherungsträger).

Für die Durchsetzung verfügen die Gewerkschaften über das Recht, zum Streik aufzurufen.

Bitte beachten Sie die Artikel zu den folgenden Stichwörtern:
Aussperrung (46 - 47)
Mitbestimmung (220 - 221)
Soziale Marktwirtschaft (290 - 291)
Streik (306 - 307)
Tarifverhandlungen (310 - 311)

Gewinn

Es gibt in der Ökonomie kaum einen so schillernden, so vielfältig interpretierbaren Begriff wie den des „Gewinns". Ganz deutlich wird dies an Umfragen, die gelegentlich bei der Bevölkerung gemacht werden und in denen dann die durchschnittliche „Gewinnspanne" der Händler in Größenordnungen von 20 - 50 % angesiedelt wird, wobei Extreme nach oben zahlreicher sind als nach unten. Was wird hier als „Gewinn" angesehen?

Der Gewinn einer Unternehmung kann als der Erfolg angesehen werden, der sich aus der Differenz zwischen zwischen den aufgewandten Werten und den erzielten Werten der unternehmerischen Tätigkeit ergibt.

Nach laufenden Erhebungen der Deutschen Bundesbank sieht diese Relation als Durchschnittszahl wie für gesamte deutsche Wirtschaft (Industrie, Handwerk, Handel, Dienstleistungen) etwa wie folgt aus:

Einkauf	Euro	60.- bis 65.-
Verkauf	Euro	100.-
Differenz	Euro	35.- bis 40.- = 35 - 40 % des Verkaufspreises.

Damit hätte die Volksmeinung durchaus das richtige Ergebnis getroffen. Analysiert man jedoch die Zahlen genauer, so wird fraglich, ob diese Differenz als „Gewinn" angesehen werden kann, da ja der Unternehmer von der Differenz zwischen Ein- und Verkauf auch den gesamten sonstigen Aufwand z.B. für Personal, Einrichtung, Zinsen oder Steuern zahlen muss. Außerdem werden diesem Überschuss noch Steuern abgezogen. Ist der dann verbleibende Rest der „Gewinn"?

Man könnte noch einen Schritt weiter gehen und fragen, wie es sich mit den vom Unternehmer zu zahlenden Versicherungsbeiträgen wie Krankenversicherung und Altersvorsorge verhält, da er ja keine Sozialversicherung hat und somit diese Versicherungsbeiträge dem entsprechen, was dem Arbeitnehmer direkt vom Lohn abgezogen wird. Ist der dann verbleibende Betrag der Gewinn?

Sie sehen, dass hier mehr Fragen aufgeworfen als Antworten gegeben werden. Es gibt keinen eindeutigen Gewinnbegriff. Versuchen wir, uns den wichtigsten Auslegungen des Gewinnbegriffes durch Beispiele zu nähern:

Beispiel: Familie Witte hat ein Lebensmittel-Einzelhandelsgeschäft in einem für 1.000 Euro monatlich gemieteten Laden. Herr und Frau Witte arbeiten dort ohne Angestellte. Für die Einrichtung des Ladens und die Finanzierung der Vorräte wurden 100.000 Euro aus eigenen Mitteln aufgebracht. Außerdem musste ein Bankkredit von 200.000 Euro zu 8 % Zinsen aufgenommen werden. Die sonstigen Ausgaben für Telefon, Strom usw. belaufen sich monatlich auf 500 Euro. Durchschnittlich kauft Herr Witte (ihm obliegt vor allem der Einkauf) monatlich für ca. 32.000 Euro Waren ein. Frau Witte (ihr obliegt vor allem der Verkauf) erreicht durchschnittlich eine monatliche Einnahme (Erlös, Umsatz) von 45.000 Euro.

1. Gewinn = Einkünfte aus Gewerbebetrieb in der Einkommensteuererklärung gegenüber dem Finanzamt

Erlös 45000 x 12 =		Euro 540.000
Aufwand		
Einkaufswert	Euro 384.000	
Miete	Euro 12.000	
Zins an Bank	Euro 16.000	
sonst. Aufwand	Euro 6.000	
insgesamt		Euro 418.000
= Unternehmensüberschuss, Jahresüberschuss (vor **Steuern**)		Euro 122.000

2. Gewinn = Einkünfte aus Gewerbebetrieb nach steuerlicher Veranlagung

Überschuss vor Steuern	Euro 122.000
Einkommenssteuer	Euro 36.000
Überschuss nach Steuern	Euro 86.000

3. Gewinn = betriebswirtschaftlich ermittelter Überschuss der Tätigkeit von Herrn und Frau Witte

Erlös		Euro 540.000
Kosten		
Einkaufswert	Euro 384.000	
Miete	Euro 12.000	
Zins an Bank	Euro 16.000	
Sonst. Aufwand	Euro 6.000	
Zins für Eigenkapital	Euro 8.000	
Lohn für Herrn und Frau Witte	Euro 96.000	
insgesamt		Euro 522.000
Betriebswirtschaftlicher Gewinn (vor Steuern)		Euro 18.000

Die letzte Rechnung berücksichtigt, dass die Arbeit von Frau und Herrn Witte ebenfalls den Einsatz von Ressourcen zur Erbringung der betrieblichen Leistung darstellt und auch die Nutzung des Eigenkapitals als Ressource berücksichtigt werden muss. Man stellt hier also die Schaffung von Werten (Erlös = Euro 540.000) und den Verbrauch von Ressourcen (Kosten = Euro 522.000) gegenüber. Diese beiden Positionen sind bei der offiziellen Rechnung des Unternehmens, die aus der Bilanz bzw. der Gewinn-und-Verlust-Rechnung besteht und die auch zur Grundlage der Besteuerung gemacht wird, nie enthalten. Der Unternehmerlohn (Euro 96.000) und die Verzinsung des eigenen Kapitals (Euro 8.000) stellen keinen Aufwand dar, den die Finanzverwaltung anerkennt, es sind jedoch ohne Zweifel Kosten des Einsatzes von Arbeitskraft und Kapital, die zur Herstellung der Unternehmensleistung ebenso erforderlich sind wie die Lohnzahlungen an Mitarbeiter oder Zinszahlungen an die Banken.

Man sollte also bei Diskussionen über die Höhe der Gewinne in der Wirtschaft sehr genau prüfen, welche Zahlen eigentlich gemeint sind. 20 % Jahresüberschuss einer Aktiengesellschaft wären z. B. sehr viel, die gleichen 20 % Jahresüberschuss bei einem selbständigen Handwerker aber sehr wenig.

Bitte beachten Sie die Artikel zu den folgenden Stichwörtern:

Bilanz (60 - 61)
Einkommensteuer (90 - 91)
Jahresabschluss (172 - 173)
Krankenversicherung (190 - 191)
Sozialversicherung (296 - 297)
Steuern (304 - 305)
Unternehmung (334 - 335)

Gewinnmaximierung

Für die Unternehmen in einem marktwirtschaftlichen System unterstellt man in der Regel, dass ihre oberste Zielsetzung die „Gewinnmaximierung" sei. Da dieses Gewinnmaximierungsprinzip sowohl in der politischen Diskussion als auch in der Wirtschaftstheorie eine große Rolle spielt, wollen wir uns damit auseinandersetzen.

Gewinnmaximierung ist eine dem Vernunftprinzip (Rationalprinzip) folgende unternehmerische Verhaltensregel: Die vorhandenen Mittel werden so eingesetzt, dass sie den höchstmöglichen Gewinn erbringen.

Eine einfache Begründung der Verfechter der Gewinnmaximierungsthese sieht folgendermaßen aus:
In der Marktwirtschaft stehen die Wettbewerber in einem ständigen Kampf, in dem die Nicht-Leistungsfähigen ausscheiden müssen. Gewinne erleichtern technischen Fortschritt und führen damit zu einer Erhöhung der Leistungsfähigkeit. Je besser die Leistung, desto höher wird der Gewinn, desto größer sind die Chancen für eine weitere Leistungssteigerung und das Bestehen im Wettbewerb. Verzichtet einer der Wettbewerber auf die Erzielung möglichst hoher Gewinne, so schmälert er damit seine eigenen Zukunftsaussichten und wird nicht überleben. Auf diese Weise wird die Zielsetzung der „Gewinnmaximierung" durch den Wettbewerb erzwungen.

Die Begründung klingt logisch, hat jedoch für das reale Wirtschaftsleben nur eingeschränkt Gültigkeit. Der in ihr zum Ausdruck kommende Mechanismus basiert auf einigen Voraussetzungen, die in der Realität nicht erfüllt sind. Beispiele mögen dies belegen.

Beispiele:
1. Es wird unterstellt, dass der Käufer immer das günstigste Angebot auswählt. Dies wäre die Voraussetzung dafür, dass der leistungsfähigste Anbieter zum Zuge kommt. Aus Erfahrung wissen Sie selbst, wie oft dies nicht der Fall ist, weil Sie etwa
   - die Qualität der Waren nicht beurteilen und vergleichen können,
   - im Regelfall bei „Ihrem" Kaufmann kaufen, auch wenn er etwas höhere Preise verlangt,
   - oft nicht wissen, dass man den gleichen Gegenstand in dem nächsten Geschäft billiger bekommt.
2. Es wird unterstellt, dass der Wettbewerb die Anbieter zu „knapper Kalkulation" zwingt. Aus Erfahrung wissen wir, dies in der Realität nicht immer zutrifft, weil etwa Unternehmen eine mangelhafte Kostenrechnung haben und/oder über Preise ihrer Konkurrenten unvollkommen informiert sind bzw. statt eines „Kampfes um den Markt" Absprachen erfolgen.
3. Im Gegensatz zu früheren Zeiten sind die heutigen Großunternehmen von angestellten Managern geführt, für welche die Interessen der Aktionäre an hohen Gewinnen nur eines unter vielen Zielen sind, die sie bei der Unternehmensführung berücksichtigen müssen. Dabei kann durchaus z.B. die Förderung eines „guten Betriebsklimas" mit zusätzlichen Kosten, d.h. Gewinnminderung, verbunden sein.

Die Gründe sind noch viel zahlreicher, die hier genannten dürften aber ausreichen, um Ihnen die beschränkte Gültigkeit der These vom „Zwang zur Gewinnmaximierung" aufzuzeigen.

Dennoch ist das Ziel der „Gewinnmaximierung" damit aber noch nicht hinfällig. Auch wenn man den „Zwang" als nur bedingt richtig anerkennt, wäre es ja denkbar, dass Unternehmen aus Eigeninteresse Gewinnmaximierung anstreben, ohne dazu unbedingt gezwungen zu sein. Hiergegen gibt es indessen eine Reihe von Einwänden, die teilweise in folgenden Zitaten von Katona, einem der bekanntesten amerikanischen Sozialforscher, zum Ausdruck kommen:

„ ... Es ist dem Unternehmer in der Regel nicht möglich, alle vorkommenden Alternativen rational gegeneinander abzuwägen und dann zu entscheiden, welche von ihnen den höchsten Gewinn erbringen wird. „

„Es gilt gewöhnlich als schlechte Geschäftspolitik, wenn man Kunden, Lieferanten, Konkurrenten, Angestellte oder die öffentliche Meinung im allgemeinen gegen sich aufbringt, selbst wenn dies zu höheren Gewinnen führen sollte."

„Ungewöhnlich hohe Gewinne könnten nach Ansicht einiger Unternehmer zur Einführung neuer Steuern oder staatlicher Lenkung und Aufsicht führen. Auch könnten sie Lohnforderungen von Seiten der Belegschaft provozieren oder neue Unternehmungen auf den Plan rufen."

„Wohin führen uns diese Fragen? Wenn die Unternehmer Gewinne erzielen wollen, nicht aber maximale Gewinne, was ist dann also ihre klare Absicht? Es ist denkbar, dass sie „befriedigende" Gewinne anstreben ... Streben nach befriedigenden Gewinnen bedeutet in erster Linie, einen Rückgang der Gewinne nach Möglichkeit zu vermeiden."

(KATONA, G., Das Verhalten der Verbraucher und Unternehmen, Tübingen 1960)

Diese kritischen Einwände von Katona besagen im Kern, dass die Unternehmen im allgemeinen das Ziel der Gewinnmaximierung in der Realität weder anstreben wollen noch können. Tatsächlich verfolgen die Unternehmen in der Praxis unterschiedliche Ziele, wie etwa:
- die Erhaltung oder Vergrößerung des Marktanteils,
- die Schaffung eines „guten" Markennamens,
- die Sicherung ständiger Zahlungsfähigkeit
- die Erhaltung des selbständigen Familienbetriebes.

Außerdem können noch andere Motive des Unternehmers hinzukommen, wie etwa die Erlangung politischer Macht oder die Schaffung gesellschaftlichen Ansehens in der Gemeinde.

Aus allem wird deutlich, dass der Gewinnmaximierung – entgegen den üblichen Annahmen – in der Realität keine überragende Stellung zukommt, was indessen keineswegs den Verzicht auf Gewinne bedeutet. Privatwirtschaftliche Unternehmen können auf Dauer nur existieren und andere Ziele anstreben, wenn die Kosten durch die Erlöse (= Umsätze) mindestens gedeckt sind. Gewinnstreben – aber nicht Gewinnmaximierung – ist damit zweifellos in herausragendes Ziel der privaten Betriebe.

141

Bitte beachten Sie die Artikel zu den folgenden Stichwörtern:
Gewinn (138 - 139)
Kosten (186 - 187)
Markt (210 - 211)
Preisbildung (256 - 257)
Steuern (304 - 305)
Wettbewerb (366 - 367)

Globalisierung

Die Globalisierung ist heute zum dominierenden Thema der internationalen Wirtschaftspolitik geworden. Seit dem Ende des 2. Weltkrieges nahmen Welthandel und insbesondere Kapitalverkehr rapide zu und viele Volkswirtschaften sind heute mehr denn je von den außenwirtschaftlichen Beziehungen abhängig. Die Welt ist durch die Zunahme schneller Verkehrsmittel relativ gesehen „klein" geworden, aber noch mehr durch die Kommunikationsinstrumente, die Nachrichtenübermittlung und Finanztransaktionen weltweit in Sekundenschnelle bewältigen lassen.

Globalisierung kann als ein Prozess verstanden werden, bei dem sich die wirtschaftlichen Strukturen von Ländern und Kontinenten durch vielfältige Mechanismen immer mehr verflechten. Der Begriff beschreibt also die transnationale Vernetzung von Systemen, Gesellschaften und Märkten.

Das folgende Bild zeigt, wie schnell der weltweite Außenhandel (Exporte) in den letzten Jahren gewachsen ist, wobei er die Produktion um mehr als das Doppelte übertroffen hat.

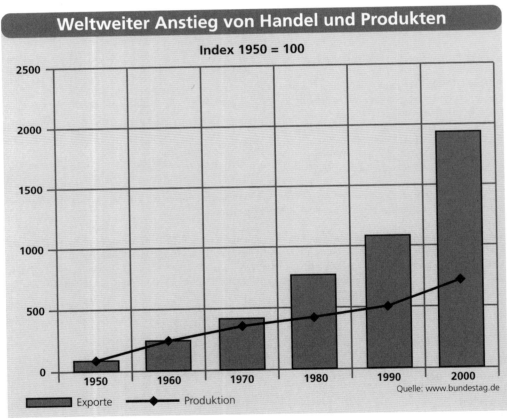

Weltweiter Anstieg von Handel und Produkten

Index 1950 = 100

Quelle: www.bundestag.de

Exporte — Produktion

Die Globalisierung aller Beziehungen hat eine große Veränderung der Weltlage mit sich gebracht. Die neue Weltlage hat einen tiefgreifenden Einfluss auf Art, Umfang und Abhängigkeit des Wirtschaftens. Die elektronische und die stark verbilligte telefonische Kommunikation erleichtern Preisvergleiche und weltweite Märkte. Hieraus entsteht zugleich eine erhebliche Verschärfung des Wettbewerbs. Auf vielen Gütermärkten ist die Produktionskapazität stärker als die Nachfrage gewachsen, so dass der Wettbewerb mit einem starken Kostendruck einhergeht. Unter diesem Druck, der enorme Rationalisierungsanstrengungen, verschärfte Arbeitsbedingungen und Freisetzung von Arbeitskräften mit sich bringt, rücken Faktoren wie die länderspezifische Kultur, der Schutz der Umwelt und die soziale Ausgewogenheit oft in den Hintergrund.

Vorteile der Globalisierung

Globalisierung ist die Konsequenz der Internationalisierung der Wirtschaft. Sie realisiert die Möglichkeiten, weltweit zu produzieren sowie weltweiten Handel zu betreiben. Durch den Rückgang der Kosten von schnellen Informations- und Kommunikationstechnologien wird eine genaue Steuerung und Überwachung der Produktionsprozesse an jedem Ort möglich und durch die Senkung von Transportkosten die weltweite Anlieferung und Verteilung. Durch die freie Wahl des Standortes sinken die Produktionskosten von Gütern. Die Senkung der Produktionskosten förderte ein schnelles Wirtschaftswachstum, einen höheren Lebensstandard und verhalf zu neuen, zuvor ungeahnten Chancen. Und doch hat eine Gegenreaktion eingesetzt. Wieso?

Folgen der Globalisierung

Der Antrieb für die Globalisierung ergibt sich aus den Mechanismen des Marktes. Leistungsstreben und Gewinnorientierung sind Prinzipien, die nunmehr für den ganzen Weltmarkt Geltung haben. Der Zusammenbruch der Planwirtschaft in den Ostblockländern sowie die ökonomischen Erfolge der asiatischen Länder haben eine Ausweitung der Teilnehmer am globalen Marktgeschehen mit sich gebracht. Auch Entwicklungsländer haben sich für ausländische Investoren geöffnet. Die Attraktivität dieser Länder für gewinnorientierte Unternehmen liegt auf der Hand. Durch kostengünstige Arbeitsstätten, billige Arbeitskräfte, niedrige Steuern und geringe Bürokratie können die Kosten der Produktion gesenkt werden. Transnationale Wirtschaftsimperien müssen solche Chancen nutzen, wenn sie nicht ins Hintertreffen geraten wollen. Sie erstellen heute rund ein Drittel der globalen Industrieproduktion und haben durch die großen Marktanteile einen dominanten Einfluss auf das globale Geschehen. Sie sind die Befürworter der Globalisierung. Ihnen gegenüber stehen Menschen und Staaten, die sich häufig machtlos fühlen. Die Kontrolle des Weltmarktes durch Wirtschaftskonzerne kann die Entmachtung des Staats zur Folge haben. Gewinnorientierte Unternehmen wählen den Standort für ihr Unternehmen unabhängig von ihrem Herkunftsland und unabhängig von der Bevölkerung. Der Staat gerät in die Rolle eines Bittstellers: Erfüllt er nicht die Forderung der Unternehmen (billiger Standort, niedrige Steuern), drohen sie auszuwandern.

Gewinner und Verlierer der Globalisierung

Was macht Firmen, Staaten, Kulturen und Einzelpersonen zu Gewinnern bzw. zu Verlierern? Wie eben schon dargestellt, sind es Unterschiede in der Verteilung von Macht. Es sind aber auch Unterschiede bezüglich des verfügbaren Kapitals und der Anpassungsfähigkeit der Länder. Die Globalisierung geht mit einer starken Beschleunigung des Strukturwandels einher. Länder und Unternehmen, die bei diesem schnellen Strukturwandel nicht mithalten können, kommen ins Hintertreffen. Sie verfügen weder über Macht, Reichtum noch über die Fähigkeit der Ressourcenausnutzung und sind in Gefahr, abgehängt oder unterjocht zu werden. Die Gewinner der Globalisierung sind solche Länder, die sich dem Strukturwandel rasch anpassen können. Sie bestimmen den Strukturwandel zu ihren Gunsten mit und lassen die mehr traditionsbehafteten Länder zurück. Die dynamischen und die strukturschwachen Länder (also Gewinner und Verlierer) driften immer mehr auseinander.

143

Bitte beachten Sie die Artikel zu den folgenden Stichwörtern:

Gesellschaft mit beschränkter Haftung (GmbH)

Die GmbH ist eine Kapitalgesellschaft, bei der nicht die persönliche Beteiligung der Gesellschafter entscheidend ist, sondern ihre Kapitaleinlage.

Die GmbH wird durch das GmbH-Gesetz geregelt. Sie ist eine Unternehmung mit eigener Rechtspersönlichkeit. Ihr in Gesellschaftsanteile zerlegtes Gesellschaftskapital (Stammkapital, gezeichnetes Kapital) wird von den Gesellschaftern durch Geld- oder Sacheinlagen aufgebracht.

Eine Beteiligung ohne Kapitaleinlage ist nicht möglich; dagegen wird eine persönliche Mitarbeit der Gesellschafter nicht erwartet und ist im Regelfall nicht üblich. Allerdings kann sich ein Gesellschafter von der Gesellschafterversammlung zum Geschäftsführer bestellen lassen. Er nennt sich dann „Geschäftsführender Gesellschafter" und gilt als Angestellter der GmbH.

Im Gegensatz zur Aktiengesellschaft besteht der Kreis der Gesellschafter einer GmbH selten aus mehr als 10 Personen. Besonders kleine und mittlere Unternehmen, welche die Vorteile der Kapitalgesellschaften nutzen möchten, wählen diese Rechtsform. Ein wesentlicher Vorteil besteht darin, dass der Gesellschafter einer GmbH – im Gegensatz zu den Gesellschaftern einer Offenen Handelsgesellschaft oder den Komplementären einer Kommanditgesellschaft – nur mit dem in das Unternehmen investierten Kapital haftet. Ein Zugriff von Gläubigern auf das Privatvermögen der GmbH-Gesellschafter ist ausgeschlossen.

Die Anteile an einer GmbH können wesentlich schwieriger veräußert werden als die Aktien bei einer AG, weil die Geschäftsanteile nicht öffentlich gehandelt werden und die Übertragung eines notariellen Vertrages bedarf. Häufig wird auch der Verkauf der Anteile noch durch den Gesellschaftsvertrag an weitere Voraussetzungen geknüpft, z.B. an die Genehmigung der anderen Gesellschafter, weil diese nicht gern einen völlig Fremden neu in ihren kleinen Kreis aufnehmen wollen.

Gründung einer GmbH

Die Gründung einer GmbH erfolgt durch eine oder mehrere Personen mit Abschluss eines Gesellschaftsvertrages, der notariell beurkundet werden muss. Das gezeichnete Kapital muss mindestens 25.000 Euro betragen, wobei die Einlage jedes Gesellschafters mindestens 250 Euro betragen muss. Die Gründung einer GmbH ist für jeden gesetzlich zulässigen Zweck möglich, also nicht nur zu Handelsgeschäften oder anderen Erwerbszwecken.

Organe der GmbH

Die GmbH wird gesetzlich durch einen oder mehrere Geschäftsführer vertreten, die die Unternehmung leiten und eine nach außen hin unbeschränkte Vertretungsvollmacht haben, die jedoch durch Gesellschaftsvertrag im Innenverhältnis anders geregelt sein kann. Der oder die Geschäftsführer werden im Gesellschaftsvertrag bestimmt oder durch Beschluss der Gesellschafterversammlung bestellt und können jederzeit wieder abberufen werden.

Ein zweites Organ jeder GmbH ist die Gesellschafterversammlung. Sie entscheidet zum Beispiel über die Gewinnverwendung. Es gilt in der Regel die einfache Stimmenmehrheit, wobei die Stimmanteile den Kapitalanteilen der einzelnen Gesellschafter entsprechen. In der Regel erhält jeder Gesellschafter pro 50 Euro eingesetztes Kapital eine Stimme. Die Gewinnbeteiligung der Gesellschafter an der GmbH erfolgt, wenn nichts anderes vereinbart ist, im Verhältnis zu den Geschäftsanteilen.

Ein Aufsichtsrat als drittes Organ wird erst bei einer GmbH mit mehr als 500 Mitarbeitern gesetzlich vorgeschrieben.

Gesellschaft mit beschränkter Haftung (GmbH)

Vorteile einer GmbH

Ein Vorteil der GmbH liegt darin, dass durch die geringe Anzahl von Gesellschaftern Beschlüsse schnell und reibungslos verwirklicht werden können. Zudem ist es günstig, dass die Pflicht zur Veröffentlichung von Unternehmensdaten nicht so umfangreich ist wie bei der Aktiengesellschaft. Der Konkurrenz wird somit fast kein Einblick in die Vermögens- und Finanzstruktur des Unternehmens gewährt.

Die erschwerte Übertragbarkeit der Geschäftsanteile trägt dazu bei, dass die Gesellschafter in der Regel nicht so häufig wechseln und folglich eine Kontinuität der Geschäftspolitik gewährleistet wird.

Neben evtl. steuerlichen Gründen liegt der wichtigste Vorteil der GmbH in der schon erwähnten Haftungsbeschränkung auf das Gesellschaftsvermögen. Während der Kapitalgeber bei Personengesellschaften fast immer mit seinem gesamten privaten Vermögen für die Schulden der Gesellschaft haftet, riskiert er bei einer Investition in eine Kapitalgesellschaft nur den Verlust der Einlage. Allerdings ist es bei einer GmbH zu erwarten, dass die Kapitalgeber bei Krediten sehr vorsichtig sind, so dass die Kapitalbeschaffung von Fremdkrediten häufig schwierig ist. Dass diese Vorsicht nicht unberechtigt ist, zeigt die Statistik der Insolvenzen (Konkurse und Vergleichsverfahren) von Unternehmen, bei denen die GmbHs die Spitzenstellung einnehmen.

Insolvenzen Deutschland 2002 nach Rechtsform

Rechtsform	Insolvenzen	Anteil	Von 10.000 Unternehmen dieser Rechtsform wurden insolvent:
Einzelunternehmen	13.554	36,1%	66
OHG, KG	3.194	8,5%	88
GmbH	19.770	52,6%	278
Ag, KgaA	631	1,7%	664
Sonstige Unternehmen	430	1,1	84
Summe	37.579	100%	
Durchschnitt			236 oder 2,4%

Quelle: Statistisches Bundesamt Deutschland, Stand 2002

Was bedeutet die Abkürzung: GmbH & Co. KG?

Die häufig zitierte GmbH & Co. KG ist keine GmbH, sondern eine Kommanditgesellschaft. In dieser gibt es Gesellschafter, die mit ihrem gesamten Vermögen haften (Komplementäre) und solche, die nur mit der Einlage haften (Kommanditisten). Möchte man aus steuerlichen oder anderen Gründen lieber eine KG gründen, scheut jedoch den Haftungsumfang eines Komplementärs, dann kann man eine GmbH gründen. Diese GmbH gründet eine KG, in der sie selbst Komplementär wird und ein oder mehrere Gesellschafter Kommanditisten. Da die Gesellschafter einer GmbH nicht mit dem Privatvermögen haften und auch die Kommanditisten einer KG nicht, gibt es in diesem Fall in der KG niemanden, der sein Privatvermögen riskiert.

145

Bitte beachten Sie die Artikel zu den folgenden Stichwörtern:
Aktiengesellschaft (12 - 13)
Insolvenz (164 - 165)
Kredit (192 - 193)
Rechtsformen (276 - 277)
Unternehmung (334 - 335)

Großhandel

Der Großhandel verkauft im Gegensatz zum Einzelhandel nicht an Konsumenten, sondern an Wiederverkäufer (Einzelhändler oder andere Großhändler), an Gewerbebetriebe (Industrie und Handwerk) oder an Großverbraucher (z.B. Kantinen).

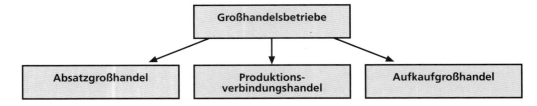

Der Absatzgroßhandel

Der Absatzgroßhandel handelt mit Fertigwaren, die er in großen Mengen bei den Produzenten kauft und in kleineren Mengen an die Einzelhändler oder Handwerksbetriebe abgibt (z.B. Lebensmittel, Textilwaren, Farben).

Der Absatzgroßhandel übernimmt für die Kunden die Lagerhaltung und ermöglicht ihnen, ihre Lager möglichst klein zu halten. Trotzdem versucht der Großhandel durch Mindestbestellmengen, Rabattgewährungen und Kleinmengenzuschläge seine Kunden zu großen Bestellmengen zu bewegen.

Der Produktionsverbindungshandel

Der Produktionsverbindungshandel kauft Halb- und Fertigerzeugnisse bei Industrie und Handwerk und verkauft sie an andere Produktionsunternehmen, die diese Waren verwenden (z.B. Baustoffgroßhandel). Er hat also eine Verbindungsfunktion zwischen den verschiedenen Stufen der Produktion.

Häufig wird die Ware auf Anweisung des Großhändlers direkt vom Hersteller zum Käufer geliefert, ohne über das Lager des Großhändlers zu laufen („Streckengeschäft"). Die Hauptaufgabe des Produktionsgroßhandels liegt nicht so sehr in der Lagerung sondern in der Warenverteilung.

Der Aufkaufgroßhandel

Der Aufkaufgroßhandel (Sammelhandel) kauft von den – meist kleinen – Produzenten und verkauft an die Unternehmen, welche die Waren weiterverarbeiten. Zum Beispiel werden vom Aufkaufgroßhandel landwirtschaftliche Produkte wie Getreide, Kartoffeln, Gemüse, aber auch Altwaren oder Abfallstoffe gekauft, um diese Waren dann nach Sortierung (z.B. nach Handelsklassen) und nach Aufarbeitung als Rohstoffe an Betriebe der Industrie und des Handwerks oder an Wiederverkäufer abzugeben. Der Aufkaufgroßhandel sammelt in der Regel zunächst kleinere Warenmengen und bietet sie in größeren Posten seinen Abnehmern an. Er hat also eine wichtige Sammelfunktion. Zum Aufkaufgroßhandel gehören insbesondere die landwirtschaftlichen Absatzgenossenschaften, der Landhandel und der Altmaterialhandel. Nicht selten werden die gesammelten Waren durch Versteigerungen verkauft (z.B. Obst, Tabak).

Sortimentspolitik

Wichtig für den Erfolg eines Großhändlers ist seine Sortimentsgestaltung (Verkaufs- und Lieferprogramm). Man sagt, er hat ein „breites Sortiment" (Sortimentsbreite), wenn er eine große Zahl verschiedener Warenarten führt; dagegen spricht man von einem „tiefen Sortiment" (Sortimentstiefe), wenn er eine große Anzahl verschiedener Typen der gleichen Warenart vertreibt. Die Ausgestaltung von Sortimentsbreite und -tiefe bezeichnet man als Sortimentspolitik. Das Sortiment muss ständig beobachtet werden, um sich dem Beschaffungs- und Absatzmarkt adäquat anzupassen. So kann insbesondere die Sortimentstiefe durch Rationalisierungsmaßnahmen der Hersteller verringert werden.

Beispiel: Statt acht Typen von Staubsaugern werden zugunsten der Massenproduktion nur noch zwei Typen hergestellt. Der Großhändler wird sich nach anderen Lieferanten umsehen müssen, um seine Sortimentstiefe zu erhalten. Zur Sortimentspolitik gehören neben der Anpassung an den Beschaffungs- und Absatzmarkt auch Maßnahmen zur Kostensenkung, Risikoverminderung und Rationalisierung, z.B. durch Sortimentsbereinigung und Sortimentsstraffung.

Eine besondere Rolle spielt die Finanzierung des Einzelhandels durch den Großhandel. So gewährt der Großhandel dem Einzelhandel z.B. kurzfristige Kredite durch Zielkäufe (Kauf heute, Zahlung später) oder langfristige Investitionskredite für die Gründung oder den Umbau von Einzelhandelsgeschäften bzw. für die Durchführung von Rationalisierungsmaßnahmen (z.B. Umstellung auf Selbstbedienung).

Daneben übernimmt der Großhandel wichtige Dienstleistungsaufgaben für seine Kunden, z.B. in Form von Beratung bei der Anwendung und Bedienung von Waren (z.B. bei Elektrogeräten), bei der Schulung des Verkaufspersonals, der Unterstützung der Werbung und der Beratung bei der Betriebsorganisation (Datenverarbeitung, Steuerberatung, Rechnungswesen, Statistik, Planungsfragen etc.) des Einzelhandels.

Typische Betriebsformen des Großhandels sind:

Zustellgroßhandel, der entweder als Sortimentsgroßhandel oder als Spezialgroßhandel betrieben wird. Der Sortimentsgroßhandel führt ein breites Warensortiment (z.B. Lebensmittel, Textilien und Haushaltsartikel). Der Spezialgroßhandel befasst sich nur mit bestimmten Warenarten. Er hat ein schmales, dafür aber tiefes Sortiment (z.B. Wein). Die Waren werden dem Kunden in der Regel in sein Geschäft zugestellt.

Cash-and-Carry-Betriebe sind Selbstbedienungsgeschäfte des Großhandels (engl. cash = bezahlen; carry = mitnehmen). Sie sind meist als Sortimentsgroßhandel anzutreffen. Der Einzelhändler holt die Ware selbst ab und bezahlt sie sofort. Sie werden auch „Warenhäuser für den Einzelhandel" genannt.

Regal-Großhändler mieten Regale in Ladengeschäften von Einzelhändlern, füllen sie mit Waren und übernehmen das volle Verkaufsrisiko. Der Einzelhändler kann hierdurch ohne Risiko seine Sortimentspolitik gestalten. Er verkauft die Ware auf Rechnung des Großhändlers und erhält hierfür eine Umsatzprovision. Man bezeichnet diese Betriebsform auch als Rack-Jobber-System (Regal-Makler-System).

147

Bitte beachten Sie die Artikel zu den folgenden Stichwörtern:
Kredit (192 - 193)
Rationalisierung (274 - 275)
Werbung (360 - 361)

Grundpfandrecht

Grundpfandrechte sind Belastungen von Grundstücken und dienen als Kreditsicherheiten. Sie können an Grundstücken sowie an grundstücksgleichen Rechten bestellt werden. Grundpfandrecht ist eine Sammelbezeichnung für die Hypothek, die Grundschuld und die Rentenschuld.

Der Begriff des Grundpfandrechts soll im Folgenden an einem Beispiel erklärt werden:

Paul möchte ein Textilunternehmen eröffnen. Von seiner verstorbenen Tante hat er vor zwei Jahren ein großes Grundstück geerbt, auf welchem er auch wohnt. Für sein Textilunternehmen muss Paul eine Produktionshalle errichten, für die er jedoch nicht genügend Geld hat. Aus diesem Grund geht Paul zur Bank, um einen Investitionskredit zu beantragen. Die Bank ist jedoch nur bereit den Kredit zu bewilligen, wenn Paul ihnen eine Sicherheit bietet. Da Paul Besitzer eines großen Grundstückes ist, bietet er der Bank dieses als Sicherheit an. Die Bank hat mehrere Möglichkeiten, das Grundstück zu belasten. Diese Möglichkeiten sind:

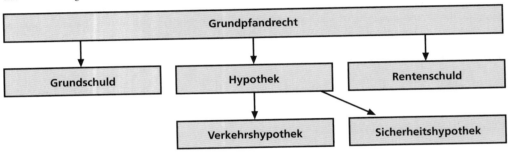

Für welche der drei Grundpfandrechte sollte sich Paul entscheiden?

Die Hypothek

Die Hypothek ist eine Belastung eines Grundstückes. Derjenige, zu dessen Gunsten die Hypothek eingetragen ist (Pauls Bank), hat einen Anspruch auf eine bestimmte Geldsumme, die im Notfall durch Verkaufserlös von dem Grundstück zu zahlen ist. Die Hypothek zeichnet sich vor anderen Grundpfandrechten dadurch aus, dass sie an eine ganz bestimmte Forderung gebunden ist, d.h., dass Pauls Bank nur Rechte auf diese Zahlung hat, wenn Paul sein Darlehen für die Produktionshalle nicht zurückzahlen kann. Kann Paul irgendwelche anderen Verpflichtungen nicht zurückzahlen, so hat die Bank keine Rechte an Pauls Grundstück. Diese Art der Hypothek ist die übliche Form der Verkehrshypothek.

Der Hypothekenbrief hat die Funktion, das Grundpfandrecht verkehrsfähig (mobil) zu machen. Es kann also auf andere Kreditgeber übertragen werden, ohne dass eine Veränderung im Grundbuch vorgenommen werden muss. Benötigt Pauls Bank den Hypothekenbrief nicht mehr, da Paul seinen Kredit zurückgezahlt hat, kann der Brief an eine andere Person übertragen werden, bei der Paul weitere Schulden hat. Die Übertragung des Briefes braucht nicht mehr ins Grundbuch eingetragen zu werden. Die Übertragung erfolgt durch die Übergabe des Hypothekenbriefes mit schriftlicher Abtretungserklärung.

Eine weitere Form der Hypothek ist die Sicherungshypothek. Sie ist jedoch weniger gebräuchlich. Die Sicherungshypothek wird im Grundbuch ausdrücklich gekennzeichnet. Im Gegensatz zur Verkehrshypothek muss der Gläubiger (Pauls Bank) zur Geltendmachung seines Grundpfandrechtes das Bestehen seiner persönlichen Forderung (aus dem Kredit) nachweisen. Die Sicherungshypothek lässt sich nicht übertragen.

Die Grundschuld

Eine andere Form des Grundpfandrechts ist die Grundschuld. Im Gegensatz zur Hypothek ist die Grundschuld an keine bestimmte Forderung gebunden. D.h., Pauls Bank hat ein Recht auf Erlöse aus dem Grundstück, wenn Paul seine Verbindlichkeiten nicht bezahlen kann, egal um welche es sich handelt. Die Grundschuld ist nicht an ein bestimmtes Darlehen gebunden, sondern an alle Forderungen, die die Bank hat. Dies ist für Pauls Bank ein Vorteil, da ihr Anspruch an Paul auch dann noch bestehen kann, wenn die ursprüngliche Forderung durch den Kredit für die Halle aus irgendeinem Grund nichtig wäre.

Die Grundschuld dient hauptsächlich der Finanzierung von Grundstücks- und Gebäudekäufen. Sie sichert langfristige Kredite ab und hat aus diesem Grund die Hypothek weitgehend verdrängt.
Eine Grundschuld kann zu jeder Zeit in eine Hypothek umgewandelt werden.

Die Rentenschuld

Bei der Rentenschuld ist kein Kapital (wie bei der Hypothek und Grundschuld), sondern eine Rente aus dem Grundstück zu zahlen. Sie ist, wie die Grundschuld, nicht an eine persönliche Forderung gebunden. Sie kann durch eine Ablösesumme beglichen werden. Diese Ablösesumme muss bei der Bestellung bestimmt und ins Grundbuch eingetragen werden.

Welche Bedeutung hat das Grundbuch?

Alle Grundpfandrechte werden grundsätzlich in das Grundbuch eingetragen. Das Grundbuch ist ein amtliches Register, welches die Rechtsverhältnisse eines Grundstücks der Öffentlichkeit darlegt. Aus dem Grundbuch erfährt man, wer der Eigentümer des Grundstücks ist und welche Lasten und Beschränkungen (Grundpfandrechte) das Grundstück belasten. Eine Eintragung ins Grundbuch erfolgt nur auf Antrag.

Damit Paul eine Entscheidung treffen kann, welches Grundpfandrecht für ihn von Vorteil ist, sollen die beiden wichtigsten Grundpfandrechte im Überblick dargestellt werden:

Hypothek	Grundschuld
• Die Hypothek ist nur an des Bestehen der Forderung für die Produktionshalle gebunden. • Die Hypothek gilt nicht für zukünftige Verpflichtungen.	• Das Grundstück muss für alle Verpflichtungen herhalten. • Die Grundschuld ist fast immer höher, als die tatsächliche Schuld.

Aus dieser Übersicht wird deutlich, dass für den Kreditnehmer (Paul) eine Hypothek von Vorteil ist, für den Kreditgeber (Pauls Bank) jedoch die Grundschuld.

Bitte beachten Sie die Artikel zu den folgenden Stichwörtern:
Kredit (192 - 193)

Haushaltsplan

Der Haushaltsplan ist eine Gegenüberstellung von erwarteten Einnahmen und geplanten Ausgaben innerhalb einer Haushaltsperiode (meistens ein Jahr) zur Feststellung und Deckung des Finanzbedarfs eines öffentlichen oder privaten Haushalts.

Der Haushaltsplan kann z.B. für private Haushalte, Unternehmen oder auch öffentliche Haushalte nützlich sein. Die größte Bedeutung hat der Haushaltsplan jedoch für die öffentlichen Haushalte. Öffentliche Haushalte sind in Deutschland z.B. der Bund, die Länder und die Gemeinden sowie eine Reihe von öffentlichen Körperschaften wie Sozialversicherungen, Universitäten u.a.

Der Haushaltsplan, also die geplanten Einnahmen und Ausgaben, müssen von den jeweiligen Entscheidungsgremien, z.B. den Parlamenten oder Stadträten, genehmigt werden. Ist die Genehmigung erfolgt, gibt der Haushaltsplan die „Soll-Zahlen" für ein Jahr vor. Nach Ablauf dieses Jahres werden nachträglich die „Ist-Zahlen" von der jeweiligen Institution zusammengefasst und mit den vorgegebenen Soll-Zahlen verglichen.

Wie kann so ein Haushaltsplan aussehen?

Hier ein verkürzter Haushaltsplan einer Gemeinde mit einigen wichtigen Positionen:

Kommunalhaushalt

Verwaltungshaushalt	
Einnahmen z.B.	**Ausgaben z.B.**
• Steuern	• Personalausgaben
• Finanzzuweisungen	• Verwaltungs- und Betriebsaufwand
• Gebühren und Entgelte	• Öffentl. Einrichtungen (Bibliothek, Museum), Schülerfahrtkosten
• Einnahmen aus Verwaltung	• Steuern, Versicherungen; Schadensfälle
• Finanzeinnahmen, z.B. Bußgelder	• Soziale Leistungen, z.B. Sozialhilfe, Jugendhilfe

Vermögenshaushalt	
Einnahmen z.B.	**Ausgaben z.B.**
• Zuführung vom Verwaltungshaushalt	• Baumaßnahmen, z.B. Straßen, Schulen, Theater
• Rückflüsse von Darlehen	• Gewährung von Darlehen
• Einnahmen aus Veräußerungen von Vermögen	• Tilgung von Krediten und Zinsausgaben
• Zuweisungen und Zuschüsse für Investitionen	• Zuweisungen und Zuschüsse für Investitionen, z.B. Baumaßnahmen
• Beiträge und ähnliche Entgelte	• Vermögenserwerb

Der Haushaltsplan gilt zumeist für das jeweilige Kalenderjahr, d.h. vom 1. Januar eines jeden Jahres an. Er bedarf einer frühzeitigen Vorbereitung, zu der alle Abteilungen der Institution beizutragen haben. Die Voraussetzungen für die Aufstellung eines Haushaltsplans sind:

- **Die Erfahrung des Haushaltsbedarfs:** Derjenige, der den Haushaltsplan aufstellt, muss mehrjährige Erfahrungen hinsichtlich des Aufkommens und der Verwendung der Finanzmittel aufweisen.

- **Die Abstimmung der einzelnen Haushaltsbedürfnisse:** Hier erfolgt die Feststellung der Bedürfnisse in Zusammenarbeit mit den einzelnen Ressorts und die Aufstellung des Haushaltsplanentwurfs.

- **Die Einbringung des Entwurfs in die Gemeindevertretung:** Der Entwurf wird in den jeweiligen Fachausschüssen beraten und durch die Gemeindevertretung genehmigt (Verabschiedung).

- **Die Genehmigung durch die Kommunalaufsicht:** Soweit Kreditaufnahmen notwendig sind, ist eine spezielle Genehmigung erforderlich.

- **Die ortsübliche öffentliche Bekanntmachung:** Bekanntgabe der Haushaltssatzung und Offenlegung des Haushaltsplans.

Erst nach Beachtung und Einhaltung dieser Voraussetzungen kann der Haushaltsplan in Kraft treten. Grundsätzlich ist der Haushaltsplan so einzuhalten, wie er beschlossen wurde. Überplanmäßige Ausgaben sind jedoch dann zulässig, wenn sie unvorhergesehen und unabweisbar sind und ihre Deckung im laufenden Haushaltsjahr gewährleistet ist.

Bei der Aufstellung und Ausführung des Haushaltsplans ist den Erfordernissen des gesamtwirtschaftlichen Gleichgewichts Rechnung zu tragen. Dazu sind verschiedene Haushaltsgrundsätze zu beachten:

Welche Grundsätze sind bei der Haushaltsaufstellung zu beachten?

- **Das Prinzip der Periodizität des Haushaltsplans:** Dieser Grundsatz sagt aus, dass der Haushaltsplan für einen Bewilligungszeitraum von einem Jahr (meist vom 1. Januar bis zum 31. Dezember) aufgestellt wird.

- **Das Prinzip des Haushaltsgleichgewichts:** Die Summen der Einnahmen und Ausgaben eines Haushaltsplans sollten ausgeglichen sein. Die Ausgaben sollten vor allem nicht höher als die Einnahmen sein.

- **Das Prinzip der Wirtschaftlichkeit und Sparsamkeit der Haushaltsführung:** Für Ausgaben von großer finanzieller Bedeutung muss vorher eine Kosten-Nutzen-Rechnung durchgeführt werden.

- **Das Prinzip der Spezialität:** Hier müssen die Ausgabeposten genau beschrieben werden, die Höhe der Ausgabe muss genau angegeben werden und auf eine Periode beschränkt sein.

- **Das Prinzip der Haushaltswahrheit und Haushaltsklarheit:** Alle Angaben haben wahrheitsgemäß zu erfolgen. Dies dient der wirksamen Kontrolle des Haushaltsplans.

Bitte beachten Sie die Artikel zu den folgenden Stichwörtern:
Kredit (192 - 193)
Sozialhilfe (294 - 295)
Sozialversicherung (296 - 297)
Steuern (304 - 305)

Homo oeconomicus

In wirtschaftswissenschaftlichen Schriften findet man häufig bei bestimmten Aussagen die Unterstellung des Verfassers, dass die Menschen wie ein „homo oeconomicus" entschieden und gehandelt haben. Die Ergebnisse der Untersuchungen bzw. die dargestellten Theorien gelten, so heißt es manchmal, unter der Prämisse des Handelns eines Homo oeconomicus bzw. des „Wirtschaftlichkeitsprinzips". Dies bedeutet, dass für wirtschaftswissenschaftliche Theorien ein bestimmtes Menschenbild zugrunde gelegt wird:

Ein Homo oeconomicus handelt zielgerichtet, um seine eigene Situation zu verbessern. Er handelt rational, indem er die Maximierung seines Nutzens als Ziel verfolgt.

Dabei gilt es zu bedenken, dass „Nutzen" immer ein persönlich geprägter Begriff ist. Der eine Mensch mag einen schnellen Rennwagen als großen Nutzen empfinden, der andere einen für unfangreiches Gepäck geeigneten Kombi und der dritte vielleicht einen Geländewagen. Man kann die Summe aller Nutzen eines Menschen auch mit der von ihm empfundenen Lebensqualität gleichsetzen. Allerdings ist es nur bedingt möglich, diesen „Nutzen" in einer festen Zahl auszudrücken. Ein Hilfsmittel wäre der Geldbetrag, den jemand bereit ist, für ein bestimmtes Gut maximal zu zahlen. Dies hängt immer von der eigenen Wertschätzung ab. Es wird daran deutlich, warum – bei einem solchen Menschenbild des „Homo oeconomicus" – es keine sachliche Kennzeichnung eines Wertes der Dinge gibt. Jedes Ding ist das wert, was es dem Einzelnen, dem Individuum, bedeutet. Dieses Individuum steht als „Homo oeconomicus" im Mittelpunkt aller wirtschaftswissenschaftlichen Theorien.

Vor der Einführung des Homo oeconomicus in wirtschaftswissenschaftliche Theorien war das Menschenbild in der Wirtschaft eher pessimistisch gefärbt. Hobbes (1588-1679) und Machiavelli (1469-1527) sahen im Menschen nicht nur ein egoistisches, sondern auch ein unstetes, also ruheloses und durch vielerlei verderbliche Leidenschaften getriebenes, machtgieriges Wesen. Der insbesondere durch Adam Smith (1723-1790) geförderte Gedanke des „Homo oeconomicus" sah hingegen den Menschen als mehr von Interessen als von Leidenschaften geleitetes Wesen, dem Eigenschaften wie Zuverlässigkeit, Zielstrebigkeit und Methodik zugesprochen werden. Er hat das düstere Menschenbild des 17. Jh. abgelöst.

Das ursprüngliche Konzept des Homo oeconomicus hat sich im Zeitverlauf gewandelt: Das Menschenbild ist verengt, erweitert und verändert worden. Marshall (1842-1924) hat zum Beispiel zu einer Verengung des Menschenbildes beigetragen und damit die Basis zur Etablierung einer „exakten" Wirtschaftswissenschaft gelegt, die auch mengenmäßige Ergebnisse liefert. Weiterhin wurde das Bild ergänzt, indem dem in der Theorie am Markt handelnden Menschen völlige Transparenz bzw. völlige Voraussicht bei allen wirtschaftlichen Entscheidungssituationen unterstellt wurde. Er wurde interpretiert als „ständiger Berechner", der bei jeder Entscheidung durchrechnet, ob diese zur Vermehrung seines Nutzens beiträgt. Für die Entwicklung einer exakten, mengenmäßig orientierten Wirtschaftswissenschaft ist dieser beschränkte Ansatz so erfolgreich gewesen, dass vielfach der weitergehende philosophische und politische Gehalt des Menschenbildes der ökonomischen Klassik in Vergessenheit geriet. Erweiterungen und Veränderungen des Homo oeconomicus haben sich aus Gegensätzen zwischen den einzelnen wirtschaftswissenschaftlichen Schulen ergeben, aber darüber hinaus werden unterschiedlichste Interpretationen in den Sozialwissenschaften diskutiert, wobei diese Diskussion einen hohen Grad von Interdisziplinarität aufweist. Beteiligte sind außer den Ökonomen nämlich Psychologen, Philosophen, Soziologen, Politikwissenschaftler u.a.m.

Der moderne Homo oeconomicus unterscheidet sich stark von seinem Urtypus, ohne jedoch die grundlegende Merkmale des Menschenbildes – Vernunft und Nutzenberechnung – aufzugeben. Die moderne Wirtschaftswissenschaft berücksichtigt, dass das Individuum nicht über völlige Markttransparenz verfügt. Da die Beschaffung zusätzlicher Informationen Kosten verursacht, werden Entscheidungen meist getroffen, ohne dass man über vollständige Informationen verfügt.

Neben der unterstellten unvollkommenen Markttransparenz wird dem modernen Homo oeconomicus auch eine eingeschränkte Vernunft unterstellt. Dabei verhält sich der Mensch nicht so, als strebe er den höchstmöglichen Nutzen an, sondern er begnügt sich damit, sich ein bestimmtes Anspruchsniveau zu erfüllen. Während dieses Prozesses sucht er unter den ihm zugänglichen Alternativen so lange, bis er auf eine hinreichend akzeptable stößt, für die er sich dann entscheidet. Findet er jedoch nach längerem Suchen keine solche Alternative, so senkt er sein Anspruchsniveau und sucht dann nach einer Erfüllung auf diesem tieferen Niveau. So suchen die Wissenschaftler, ein einigermaßen zutreffendes Menschenbild zu finden, mit dem sie Strukturen und Prozesse im Wirtschaftsleben erklären können.

Neben den körperlich greifbaren Eigenschaften von Gütern stiften auch die nicht greifbaren Eigenschaften der Güter (Ansehen, Bequemlichkeit, Geborgenheit, Sicherheit u.a.m.) dem modernen Homo oeconomicus Nutzen. Außerdem muss die Verbesserung der eigenen Situation nicht zwingend an Egoismus gekoppelt sein. Der Homo oeconomicus vermag durch selbstloses Verhalten selbst ein höheres Nutzenniveau zu erreichen. Dies gilt etwa für Eltern, die zu Gunsten ihrer Kinder Verzicht üben, weil deren Wohlergehen den Eltern Freude spendet. Solche und andere Erweiterungen bzw. Veränderungen des Modells haben zu einer größeren Wirklichkeitsnähe und Nutzbarkeit geführt. Hierzu gehört sicher auch die Idee von Elster, dass Menschen durchaus auch irrational sind, aber um ihre Irrationalität wissen, so dass sie rationale Methoden zum Umgang mit Irrationalität entwickelt haben.

Bitte beachten Sie die Artikel zu den folgenden Stichwörtern:
Kosten (186 - 187)
Markt (210 - 211)

Immobilienfonds

Vielleicht gehören auch Sie zu den Menschen, die ihr Geld nicht auf dem Sparbuch oder in Aktiengesellschaften anlegen wollen, sondern mehr auf die Entwicklung der Grundstückspreise setzen, weil Grund und Boden nun einmal nicht vermehrbar sind und daher auf Dauer das Angebot immer niedriger als die Nachfrage sein wird? Wenn Sie daran schon gedacht haben, dann wissen Sie auch, welche Probleme dabei auftauchen: Man muss schon eine relativ große Summe zum Anlegen haben, um ein bebautes oder unbebautes Grundstück, eine Eigentumswohnung, ein Ein- oder sogar Mehrfamilienhaus kaufen zu können. Selbst wenn das Geld vorhanden ist, wird man meist das Risiko scheuen, diese Summe „auf ein Pferd zu setzen", häufig ist das Bedenken groß, welche unvorhersehbaren Veränderungen der Verkehrsplanung oder der staatlichen Erschließungspolitik eintreten können, die das kostbare Anlagegut schnell entwerten können.

Der Immobilienfonds ist eine Vermögensmasse, welche von Investmentgesellschaften für gemeinsame Rechnung (im Auftrag) der Anteilseigner verwaltet wird. Der Immobilienfonds ist ein Fonds, welcher aus Grundstücken und Gebäuden besteht.

Die Immobilie als Festung in der unsicheren Landschaft von Aktienmärkten und anderen Anlageformen? Die Immobilie ist im Vergleich zu diesen eine solide Anlageform. Bei Befragungen geben 35,4 % der Deutschen den Wunsch nach Immobilieneigentum als wichtigsten Spargrund an.

Entscheidend ist die Lage. Lage bedeutet nicht nur das Ambiente der Umgebung, sondern auch die infrastrukturelle Anbindung bis hin zur Versorgung einer Wohngegend mit Schulen. Anleger sollten deshalb darauf achten, wo Eigennutzer anlegen. Denn die untersuchen den Standort ihres künftigen Eigenheimes ganz genau (Cash, 01/2001 Immobilienreport 2001).

Will man diesen Problemen aus dem Wege gehen, ohne das Ziel „Vermögensanlage in Immobilien" außer Acht zu lassen, dann bieten sich Immobilienfonds an. Sie sammeln von vielen Interessenten Geldbeträge, die dann im Namen des Fonds, aber für die gemeinschaftliche Rechnung aller Beteiligten in Immobilien angelegt werden. Die Beteiligten erhalten Anteilscheine. Auf diese Art und Weise ist es möglich, sich durch die gemeinsame Investition vieler Anleger an Großprojekten zu beteiligen, die für den einzelnen Anleger unerschwinglich sind, und gleichzeitig an vielen verschiedenen Objekten beteiligt zu sein, so dass ein evtl. Wertverlust bei einer Immobilie nicht so stark ins Gewicht fällt. Daneben sorgt die professionelle Organisation eines solchen Fonds, der in der Regel mit einer Bank verbunden ist, dafür, dass vor und während der Geldanlage ständige Analysen vorgenommen werden, die das Risiko eines Wertverlustes stark vermindern helfen.

Die Immobilienfonds investieren in Haus- und Grundstücksbesitz mit dem Ziel, eine möglichst hohe Wertsteigerung der Objekte und hohe Mieten zu erwirtschaften. Aus diesem Grund wird bevorzugt in gewerblich genutzte Mietimmobilien investiert. Gegenüber den Wertpapierfonds (Aktien-, Renten-, Misch- und Geldmarktfonds) müssen Immobilienfonds immer über ausreichend Liquiditätsreserven verfügen, da der Erwerb (Kauf) neuer Immobilien häufig mit extrem hohen Anschaffungskosten verbunden ist. Seit frühester Zeit gehört der Kauf von Grund und Boden zu den begehrtesten Anlageformen, denn Immobilien gelten als wertbeständig und werden weniger von Krisen (z. B. Inflation) berührt als andere Geldanlagen.

Immobilienfonds

offene Immobilienfonds | geschlossene Immobilienfonds

Offene Immobilienfonds:

Bei offenen Immobilienfonds ist die Anzahl der ausgegebenen Zertifikate unbegrenzt. Diese Fonds geben Anteile in unbeschränkter Menge heraus und verwenden den Erlös zum Erwerb weiterer Grundstücke und Gebäude. Die Mindestmenge von Objekten muss, damit eine Streuung des Risikos gegeben ist, bei zehn Grundstücken liegen. Als Grundstücke kommen in Frage:

- Mietwohngrundstücke,
- Geschäftsgrundstücke,
- gemischt genutzte Grundstücke,
- unbebaute Grundstücke, die für eine baldige Bebauung bestimmt sind.

Der Wert des Fondsvermögens muss mindestens einmal jährlich durch einen Sachverständigenausschuss überprüft werden.

Die Erträge für den Anleger ergeben sich aus Steuervorteilen, aus jährlichen Ausschüttungen und den Wertsteigerungen der Grundstücke. Ausschüttungen errechnen sich aus erzielten Zinsen und Mieterträgen, von denen die Bewirtschaftungskosten der gekauften Objekte und die Verwaltungskosten abgezogen werden.

Geschlossene Immobilienfonds:

Bei geschlossenen Immobilienfonds ist die Anzahl der auszugebenden Zertifikate genau festgelegt, d.h., der Kreis der Anleger und die Anzahl der Objekte sind beschränkt. Das Fondsvermögen kann aus einer einzelnen Immobilie bestehen, z. B. ein Einkaufszentrum, oder aus mehreren Objekten. Die Erträge aus geschlossenen Immobilienfonds sind überwiegend Einkünfte aus Vermietung und Verpachtung.

Insbesondere geschlossene Immobilienfonds bieten dem Anleger einen enormen Steuervorteil. Der Anleger wird vom Fiskus wie ein Bauherr behandelt. Er profitiert damit von allen Steuervorteilen, die damit verbunden sind. Zur Verbesserung des Steuereffekts arbeiten die geschlossenen Immobilienfonds mit einer Fremdkapitalquote von mindestens 50%. Das steuerbegünstigte Fremdkapital wird in Form einer Hypothek aufgenommen und zur Finanzierung der Fondsobjekte verwendet.

Problematisch kann – im Gegensatz zu den Anteilen an offenen Immobilienfonds – der Verkauf der Anteile werden. Wenn sich ein Anleger von seinen Anteilen trennen möchte, muss er selbst für einen Nachfolger sorgen, der für ihn zu denselben Konditionen einspringt.

Das Risiko ist bei den geschlossenen Fonds insofern höher, als es sich um den Erwerb nur einer oder weniger Immobilien handelt, so dass die breite Streuung und Veränderung, die bei einem offenen Fonds gegeben ist, fehlt.

155

Bitte beachten Sie die Artikel zu den folgenden Stichwörtern:

Aktiengesellschaft (12 - 13)
Anlageformen (20 - 21)
Inflation (158 - 159)
Investitionen (166 - 167)
Liquidität (196 - 197)
Steuern (304 - 305)

Incoterms ist die Abkürzung für International Commercial Terms. Die Incoterms sind internationale Regeln für die im Außenhandel üblichen Lieferungsbedingungen. Sie regeln vor allem, wer ab welchem Zeitpunkt das Risiko auf dem Weg der Ware vom Verkäufer zum Käufer zu tragen hat und welche Kosten Verkäufer und Käufer bei einem internationalen Handelsgeschäft übernehmen müssen.

Die Incoterms regeln jedoch nicht die eigentlichen Inhalte des Vertragsabschlusses, die Art der Zahlung usw. Die Vereinbarung von Incoterms bedeutet für die vertragsschließenden Unternehmen aber eine Rationalisierung des Angebots- und Vertragswesens und die Möglichkeit einer eindeutigen Kalkulation von Auslandsgeschäften, weil nicht alle Einzelheiten von denkbaren Risiken und evtl. auftretenden Kosten im Vertrag gesondert berücksichtigt werden müssen.

Die Incoterms wurden 1936 von der Internationalen Handelskammer (ICC) in Paris nach mehrjähriger Arbeit aufgestellt, weil internationale Vereinbarungen fehlten. Sie werden von Zeit zu Zeit erneuert, um sie der jeweiligen Handelspraxis anzupassen. Die derzeit gültige Fassung trat im Jahre 2000 („Incoterms 2000") in Kraft. Der Grund für die letzte Neufassung der Incoterms war der zunehmende Einsatz des elektronischen Datenaustausches und die veränderten Transporttechniken (z.B. Transport durch kombinierten Verkehr).

Ursprünglich waren die Klauseln nur für den Überseehandel gedacht. Heute regeln die Incoterms alle gängigen Transportarten. Sie erfreuen sich einer umfassenden Anwendung, da sich ihre Geltung nicht auf bestimmte Waren oder Branchen beschränkt.

Nach Zeitpunkt und Gefahr (Risiko) unterscheidet man zwischen

*   **Einpunktklauseln**, bei denen der Übergang von Kosten und Risiko vom Verkäufer auf den Käufer zum gleichen Zeitpunkt erfolgt (z.B. EXW, FOB)
*   **Zweipunktklauseln**, bei denen die Zeitpunkte von Kosten- und Gefahrenübergang auseinander liegen (CFR, CIF, DDP)

Die Incoterms haben rein privaten Charakter und gelten nur, wenn ihre Anwendung von Verkäufer und Käufer vereinbart wurde. Es steht den Parteien frei, diese Regeln in ihren Verträgen zugrunde zu legen; sie können auch Änderungen und Zusätze vereinbaren. Für Auslegungsstreitigkeiten der Incoterms ist ein internationaler Handelsschiedshof in Paris zuständig.

156

Folgende Tatbestände werden durch Incoterms für die wichtigsten Typen des Kontinental-, See- und Luftverkehrs geregelt (Stand 2000):

Abkürzung des Incoterm	Bezeichnung des Incoterm	Inhalt des Incoterm
EXW	Ex works (ab Werk)	Der Verkäufer hat dem Käufer die Ware zum vereinbarten Zeitpunkt oder innerhalb der vereinbarten Frist auf seinem Gelände (Werk, Lager usw.) zur Verfügung zu stellen. Er trägt die Gefahren des Verlusts oder der Beschädigung der Ware sowie alle Kosten, bis die Ware dem Käufer in der genannten Weise zur Verfügung gestellt worden ist. Die Klausel gilt für alle Transportarten.
FOB	Free on board (frei an Bord)	Der Verkäufer hat die Ware zum vereinbarten Zeitpunkt oder innerhalb der vereinbarten Frist an Bord des Schiffes im Verschiffungshafen zu liefern. Er trägt die Gefahren des Verlusts oder der Beschädigung der Ware sowie alle Kosten, bis die Ware die Schiffsreling überschritten hat. Diese Klausel eignet sich nur für den See- und Binnenschiffstransport.
CFR	cost and freight (Kosten und Fracht)	Der Verkäufer hat die gleichen Verpflichtungen wie bei FOB. Außerdem zahlt er die Fracht zum benannten Bestimmungshafen. Der Käufer trägt die Gefahren des Verlusts oder der Beschädigung der Waren sowie alle Kosten (außer Fracht) von dem Zeitpunkt an, in dem die Ware die Schiffsreling im benannten Bestimmungshafen überschritten hat. Die Klausel eignet sich nur für den See- oder Binnenschiffstransport.
CIF	cost, insurance, freight (Kosten, Versicherung, Fracht)	Der Verkäufer hat die gleichen Verpflichtungen wie bei CFR. Er muss jedoch zusätzlich die Seetransportversicherung gegen die vom Käufer zu tragenden Gefahren des Verlusts oder der Beschädigung der Ware während des Transports abschließen und die Versicherungsprämie zahlen. Soweit nichts anderes vereinbart wurde, ist der Verkäufer nur verpflichtet, eine Mindestversicherung abzuschließen, die den Kaufpreis zuzüglich 10% deckt und auf die Währung des Kaufvertrages lautet. Auch diese Klausel eignet sich nur für den See- und Binnenschiffstransport.
DDP	Delivered duty paid (geliefert verzollt)	Der Verkäufer hat dem Käufer die Ware zum vereinbarten Zeitpunkt oder innerhalb einer benannten Frist am benannten Ort im Einfuhrland zur Verfügung zu stellen. Zusätzlich muss er die bei der Einfuhr anfallenden Zölle, Steuern und andere Abgaben übernehmen. Er trägt die Gefahren des Verlustes bzw. der Beschädigung der Ware sowie alle Kosten, bis die Ware dem Käufer in der genannten Weise zur Verfügung gestellt worden ist. Die Klausel ist für jede Transportart geeignet.

157

Bitte beachten Sie die Artikel zu den folgenden Stichwörtern:
Kosten (186 - 187)

Inflation

Von Inflation sprechen wir, wenn die Preise der meisten Waren und Dienstleistungen, die wir im Alltag für unser Leben benötigen, ständig steigen. Dabei geht es nicht darum, dass vielleicht die eine oder andere Ware teurer wird, sondern dass es sich um den überwiegenden Teil aller Güter handelt (Preisniveau), so dass ich mir mit derselben Geldsumme nicht mehr dieselbe Gütermenge kaufen kann. Das Geld verliert also an Kaufkraft, d.h., der Geldwert sinkt.

Um diese Geldentwertung genauer zu bestimmen, gibt es als Maßstab die Inflationsrate, die angibt, um wieviel Prozent in einem bestimmten Zeitraum (Monat, Jahr) das Geld an Wert verloren hat. Hierzu wählt man eine Menge von bis zu 1000 verschiedenen Waren und Dienstleistungen aus, für die ein Normalbürger regelmäßig sein Geld ausgibt (Warenkorb, Preisrepräsentanten), und vergleicht nun von Jahr zu Jahr, wie sich die Preise aller dieser Waren im Durchschnitt verändern. Haben diese Waren im Vorjahr vielleicht 10.000 Euro gekostet und kosten sie nun 11.200 Euro, so haben wir eine Jahres-Inflationsrate von 12 % oder von monatlich 1%.

Diese Geldentwertung bedeutet z.B., dass ich mir bei gleichem Einkommen weniger Güter kaufen kann und dass mein Erspartes um 12 % weniger wert geworden ist, so dass auch die Zinsen von vielleicht 5%, die ich bei der Sparkasse bekam, den Verlust nicht ausgleichen. Als Sparer werde ich ärmer. Habe ich jedoch einen Kredit aufgenommen, für den ich 10 % Zinsen bezahlen muss, so verdiene ich letztlich sogar daran.

Durch die beiden großen Kriege im 20. Jahrhundert sind solche Prozesse der Geldentwertung in Deutschland besonders brisant verlaufen. So musste man für die gleiche Warenmenge, für die man im Jahr 1914, dem ersten Kriegsjahr, 100 Mark ausgab, am Ende des Krieges, im Jahr 1918 schon über 300 Mark bezahlen. Die schlimmsten Folgen zeigten sich jedoch erst einige Jahre später, als man 1921 dafür über 1.300 Mark, 1922 über 15.000 und 1923 gar 15.897.000.000.000 Mark!!! bezahlen musste. Es gab zu dieser Zeit Geldscheine im Wert von hundert Billionen Mark.

Inflationsbekämpfung

Die Verhinderung von Inflation (aber auch von ihrem Gegenteil, der Deflation) stellt eines der wichtigen Ziele der Wirtschaftspolitik dar, weil Inflation:

- Ungerechtigkeit schafft, wenn Sparer verlieren und Kreditnehmer gewinnen oder Menschen mit gleichbleibend hohem Einkommen (z.B. bei Kindergeld, bei Renten oder Sozialhilfe) an Wohlstand verlieren, während andere, bei denen das Einkommen der Preisentwicklung angeglichen wird, keinen Verlust erleiden;
- Unsicherheit schafft, wenn man nicht weiß, ob man lieber heute schon kaufen soll, weil es morgen vielleicht schon wieder teurer wird, und jeder Unternehmer Schwierigkeiten bei seiner Kalkulation bekommt;
- eine Zukunftssicherung wegen des ständig sinkenden Geldwertes erschwert und Menschen, die sparen, bestraft;
- unnötige Kosten verursacht, wenn z.B. bei rapider Inflation ständig neue Preisauszeichnungen an den Waren vorgenommen, ständig neue Kataloge und Preislisten gedruckt und ständig neue Richtlinien für den Geldverkehr ausgegeben werden müssen.
- unter Umständen zu wachsender Arbeitslosigkeit führt, wenn Preise und Löhne permanent wechselseitig angehoben werden und die Unternehmen ihre Tätigkeit einschränken, weil sie diese Entwicklung als zu risikoreich ansehen.

Alle diese Konsequenzen können dazu führen, dass Inflation zur Zerstörung der wirtschaftlichen Grundlagen eines Staates und der Gesellschaft führt, wie viele Beispiele in der Geschichte zeigen. Die Ermittlung und Bekämpfung der Ursachen ist daher eine wichtige Aufgabe. Hierbei kann man vielfältige Gründe für die Auslösung von Inflation anführen, jedoch ist der zentrale Punkt immer die Bereitschaft des Staates, mehr oder weniger Geld in Umlauf zu bringen. Da der Staat fast immer zu den Inflationsgewinnern gehört (die beiden angeführten Kriege wurden z.B. durch das Drucken von mehr Geld finanziert), ist es sehr zweckmäßig, die Versorgung einer Volkswirtschaft mit Geld einer unabhängigen Notenbank anzuvertrauen.

In der Zeit nach dem Zweiten Weltkrieg hat die Deutsche Bundesbank sich große Verdienste bei der Verhinderung von inflationären Preisentwicklungen erworben. Die höchste Inflationsrate lag bei 7%, während in anderen Ländern, in denen die Regierung unmittelbar die Notenpresse bedienen kann, Inflationsraten manchmal bis zu 1.000 % oder sogar mehr anstiegen.

Inflation kann auch versteckt auftreten, wenn die Regierung einen Preisstopp verordnet. Dann können zwar die Preise nicht steigen, aber die negativen Folgen der Inflation wie Güterknappheit, Käuferschlangen, Geldüberfluss usw. können so nicht beseitigt werden. Geld ist dann in einem so hohen Maße vorhanden, dass es seine Funktion als Tauschmittel verliert, d.h., man kann dafür nichts mehr kaufen. Die Anordnung eines Preisstopps ist daher weniger als Therapie geeignet, sondern Eingeständnis der Machtlosigkeit gegenüber der Inflation.

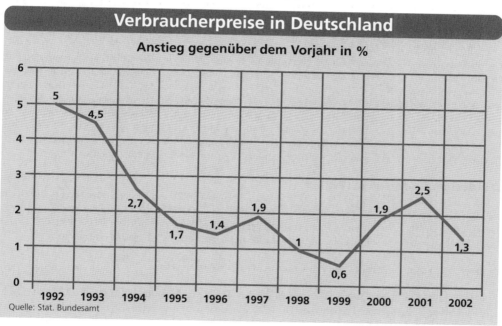

Verbraucherpreise in Deutschland

Anstieg gegenüber dem Vorjahr in %

Quelle: Stat. Bundesamt

Die in früheren Zeiten häufig auftretende Deflation (Absinken des Preisniveaus) ist ebenso negativ zu beurteilen wie die Inflation. Auch hier ist der Wirtschaftsablauf durch Unsicherheiten und unnötige Kosten gekennzeichnet. Die Gewinner und Verlierer der Preisveränderungen sind dieselben wie bei Inflation, nur gerade mit umgekehrter Wirkung. Sparer gewinnen, Kreditnehmer verlieren. Letzteres trifft (neben dem Staat) zumeist die Unternehmen, so dass die Konjunkturentwicklung leidet.

Bitte beachten Sie die Artikel zu den folgenden Stichwörtern:
Arbeitslosigkeit (26 - 27)
Einkommen (88 - 89)
Geld (130 - 131)
Konjunktur (180 - 181)
Kredit (192 - 193)
Preisbildung (256 - 257)
Preisniveau (258 - 259)
Sozialhilfe (294 - 295)

Jede Volkwirtschaft produziert mit Hilfe ihres Produktionsapparates und den menschlichen Arbeitsleistungen innerhalb einer Periode eine gewisse Menge an Sachgütern und Dienstleistungen. Das Inlandsprodukt ist eine Maßgröße für das Ergebnis dieser Produktionstätigkeit. Da man Autos, Bleistifte, Glühbirnen, Haarschnitte, ärztliche Behandlung usw. nicht zusammenzählen kann, ist die Grundlage für die Bewertung aller Sachgüter und Dienstleistungen der jeweilige Preis. Da die vom Staat produzierten Dienstleistungen (z.B. Verkehrsregelung, Gewerbeaufsicht, Schulunterricht) keine Preise haben, sondern i.d.R. unentgeltlich abgegeben werden, bewertet man die staatlichen Dienstleistungen zu den Kosten, die bei ihrer Erstellung anfallen, insbesondere durch die Bezahlung der Mitarbeiter in der öffentlichen Verwaltung.

Das Inlandsprodukt gibt Auskunft über die Produktionshöhe der vergangenen Perioden. Es soll ein zahlenmäßiges Gesamtbild des wirtschaftlichen Geschehens einer Volkswirtschaft liefern und Maßstab für die Wirtschaftsleistung eines Landes sein.

Zur Ermittlung des Inlandsprodukts bedient man sich zunächst der Angaben über die verkauften Waren und Dienstleistungen, die alle Unternehmungen gegenüber den Finanzbehörden in regelmäßigen Meldungen über ihre Umsätze machen müssen. Rechnet man zu diesen Umsätzen die staatlichen Leistungen hinzu, so erhält man den Wert der gesamtwirtschaftlichen Produktion. Dieser muss jedoch korrigiert werden, weil dabei viele Güter doppelt gezählt werden. Zum Beispiel melden sowohl die Reifenfabrik wie die Automobilfabrik und der Autohändler ihren Umsatz. Im Umsatz der Automobilfabrik sind aber die von der Reifenfabrik gelieferten Reifen bereits enthalten, da das Auto ja mit Reifen verkauft wird. Das gleiche gilt für das Blech, aus dem das Auto besteht, die elektrische Einrichtung usw. Alle diese im Auto enthaltenen Werte sind dann nochmals im Umsatz des Händlers enthalten. Derartige Vorleistungen muss man also, um Doppelzählungen zu vermeiden, vom Produktionswert abziehen.

Das Bruttoinlandsprodukt (BIP)

Das Ergebnis dieser Rechnung ist dann das Bruttoinlandsprodukt (BIP). Es gibt den Gesamtwert der in einem Land produzierten Werte an. Will man das Bruttonationaleinkommen (BNE) , d.h. die von der Bevölkerung eines Landes erstellten Werte, errechnen, so muss man von dem BIP die Leistungen abziehen, die Ausländer im Inland erbracht haben, und die Leistungen hinzurechnen, die die eigene Bevölkerung im Ausland erbracht hat.

Das Ergebnis ist dann das **Buttonationaleinkommen (BNE) zu Marktpreisen.**

Bei der Produktion dieses BNE zu Marktpreisen wurden jedoch Maschinen und Anlagen, Produktionsgebäude und Verkehrswege abgenutzt und verschlissen. Ein Teil der produzierten Güter muss also zunächst abgezweigt werden, um diese „Abnutzungen (=Abschreibungen)" zu ersetzen und das Produktionspotenzial der Volkswirtschaft auf den ursprünglichen Stand zu bringen. Den dann verbleibenden Teil des Produktionsergebnisses nennt man das Nettonationaleinkommen (NNE) zu Marktpreisen.

Da in fast allen Volkswirtschaften die Marktpreise durch staatliche Einflüsse verändert werden, ist eine weitere Korrektur notwendig: Ohne staatlichen Eingriff in Form der Mineralölsteuer würde z.B. das Benzin an der Tankstelle einen viel niedrigeren Preis haben. Dies gilt für fast alle Güter durch die Mehrwertsteuer. Durch diese „indirekten Steuern" (indirekt, weil der Bürger sie nicht direkt zahlt, sondern indirekt über den Kauf einer Ware) ist der Marktpreis künstlich erhöht. Zahlt andererseits der Staat den Unternehmen Subventionen, so können diese ihre Güter billiger verkaufen als ohne staatliche Hilfe. Subventionen verringern also tendenziell die Marktpreise. Ziehe ich vom NNE zu Marktpreisen die indirekten Steuern ab und zähle die Subventionszahlungen hinzu, so erhalte ich das Nettonationaleinkommen zu Faktorkosten. Es wird auch **Volkseinkommen** genannt, weil es identisch ist mit den Einkommen aller Menschen, die an der Produktion beteiligt waren. Dieses Einkommen besteht aus Löhnen, Gewinnen, Mieteinkommen und Zinseinkommen, alles, was also die Eigentümer von Unternehmungen und die Arbeitnehmer bei der Produktion verdient haben.

> Brutto-Inlandsprodukt
> - Einkommen von Ausländern im Inland
> + Einkommen von Inländern im Ausland
>
> = Brutto-Nationaleinkommen zu Marktpreisen
> - Abschreibungen
>
> = Netto-Nationaleinkommen zu Marktpreisen
> - indirekte Steuern
> + Subventionen
>
> = Netto-Nationaleinkommen zu Faktorkosten
> = Volkseinkommen

Bei dem Vergleich der Inlandsprodukte oder Nationaleinkommen zweier Länder oder zweier Zeiträume muss Folgendes beachtet werden:

1. Weil die Werte aufgrund der Marktpreise ermittelt werden, hat ein Land mit hoher Inflationsrate ein stark steigendes Inlandsprodukt. Um einen sinnvollen Vergleich zu machen, muss man also aus dem (monetären) Inlandsprodukt die Preissteigerungsraten herausrechnen. Man erhält dann das reale Inlandsprodukt.

2. Weil das Inlandsprodukt aufgrund der Umsätze der Unternehmen ermittelt wird, fehlen alle Sachgüter und Dienstleistungen, die in den Haushalten produziert werden. Das Gemüse im eigenen Garten, das selbst gebackene Brot oder der in Heimarbeit erstellte Schrank sind im Inlandsprodukt nicht enthalten. Daher haben Länder, in denen die Bevölkerung sehr viel in häuslicher Arbeit erwirtschaftete, von vornherein ein niedrigeres Inlandsprodukt. Sie könnten selbst ganz ohne Inlandsprodukt leben, wenn jeder Haushalt alles nur für sich selbst produziert.

Bitte beachten Sie die Artikel zu den folgenden Stichwörtern:
Abschreibung (10 - 11)
Einkommen (88 - 89)
Inlandsprodukt (160 - 161)
Steuern (304 - 305)
Subvention (308 - 309)

Der Begriff „Innovation" kommt aus dem Lateinischen und bedeutet „Neuerung". Eine Neuerung ist eine Erfindung die z.B. dem technologischen Wandel zu Grunde liegt. Innovationen sind Ergebnisse von Forschungen von Unternehmen oder einzelnen Erfindern. Ein großer Teil von Erfindungen wird entweder überhaupt nicht oder nur mit zeitlichen Verzögerungen wirtschaftlich genutzt. Entscheiden sich Wirtschaftssubjekte, eigene oder fremde Erfindungen wirtschaftlich zu nutzen, so spricht man von Innovation.

Eine Innovation ist eine Umsetzung von Erfindungen im Produktionsprozess. Sie kann auf der Produktebene (Produktinnovation) sowie auf der Verfahrensebene (Prozessinnovation) stattfinden.

Was sind Pioniergewinne?

Jedes Unternehmen geht mit der Innovation ein gewisses Risiko ein, da vorher nicht die Sicherheit besteht, dass die teure Innovation auch einen Erfolg am Markt gewährleistet. Hat der Innovator (der Erfinder) Glück, so ist sein neues Produkt bzw. kostensenkendes Verfahren das einzige auf dem Markt. Ist das der Fall, sichert sich der Unternehmer eine Monopolstellung am Markt und erwirtschaftet dadurch hohe Gewinne. Diese Gewinne, die aus einer Innovation hervorgehen, werden „Pioniergewinne" genannt.

Wie kommt es vom Pioniergewinn zur Diffusion?

Der Pioniergewinn stellt den wesentlichen Anreiz dafür dar, das Risiko der Innovation einzugehen. Die Konkurrenten (andere Unternehmen) werden jedoch versuchen, den Innovationsvorsprung möglichst schnell einzuholen, um die verlorenen Marktanteile wieder für sich zu gewinnen. Sie werden versuchen, die Innovation zu imitieren (nachzumachen). Dieser Prozess der Imitation ist volkswirtschaftlich erwünscht, denn er führt zu einer schnellen Verbreitung (= **Diffusion**) erfolgreicher technischer Neuerungen. Durch die schnelle Verbreitung der technischen Neuerungen entsteht wiederum der Druck zu neuen Innovationen.

Wie kann ein Unternehmer seine Innovation absichern?

Wenn ein Unternehmen an einer erfolgreichen Innovation interessiert ist, sollte es sich mit Hilfe des gewerblichen Rechtsschutzes gegen Nachahmung schützen. Für diesen Schutz gibt es das **Patentrecht**. Mit einem Patent erhält der Inhaber bis zu 20 Jahre das Monopol, seine Innovation wirtschaftlich zu verwerten. Mit der Patentierung wird seine Erfindung offen gelegt und als Stand der Technik festgehalten. Andere interessierte Unternehmen sollen dadurch informiert und angeregt werden, durch Weiterentwicklung neue Technologien zu schaffen.

Ein Patent wird jedoch nur erteilt, wenn die Erfindung neu ist. Sie darf vor der Anmeldung nirgendwo schriftlich oder mündlich veröffentlicht worden sein.

Was wird als Schlüsseltechnologie bezeichnet?

Innovationen, deren Diffusion in verschiedene Anwendungsbereiche bedeutende Effekte auf die Entwicklung von Technik, Wirtschaft und Gesellschaft hervorruft, werden als Schlüsseltechnologien bezeichnet.

In den 1990er Jahren waren die Informations- und Kommunikationstechnologien die bedeutendsten Schlüsseltechnologien. Zur Zeit werden große Erwartungen in die Biotechnologie gesetzt.

Aber auch andere Branchen investieren in die Zukunft. So gibt zum Beispiel die Elektrotechnologie (gemessen an ihrem Umsatz) mehr Geld für Innovationsprojekte aus als jede andere Branche.

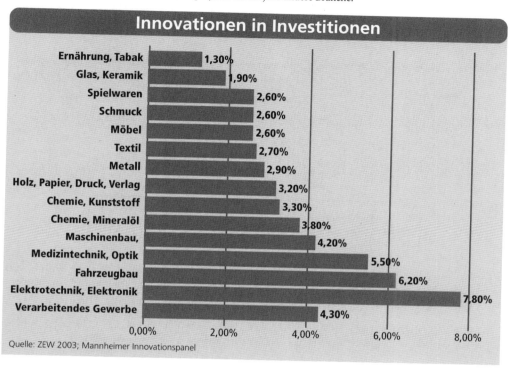

Innovationen in Investitionen

Branche	Wert
Ernährung, Tabak	1,30%
Glas, Keramik	1,90%
Spielwaren	2,60%
Schmuck	2,60%
Möbel	2,60%
Textil	2,70%
Metall	2,90%
Holz, Papier, Druck, Verlag	3,20%
Chemie, Kunststoff	3,30%
Chemie, Mineralöl	3,80%
Maschinenbau,	4,20%
Medizintechnik, Optik	5,50%
Fahrzeugbau	6,20%
Elektrotechnik, Elektronik	7,80%
Verarbeitendes Gewerbe	4,30%

Quelle: ZEW 2003; Mannheimer Innovationspanel

Wie wichtig ist heute Innovationsmanagement?

Noch in den 1980er hing der Erfolg eines Unternehmens von seinen Fähigkeiten im Wettbewerb mit traditionellen Produkten ab. Heute sind jedoch die Fähigkeiten eines Unternehmens im Innovationswettbewerb von großer Bedeutung. Es ist nicht nur wichtig, neue Bedürfnisse frühzeitig zu entdecken, sondern diese auch in neuartige und verbesserte Leistungsangebote umzuwandeln. Für diese Zwecke hat sich das Innovationsmanagement herausgebildet. Es bezeichnet die innerbetriebliche (unternehmensinterne) Steuerung von Prozessen von der Idee bis zur wirtschaftlich erfolgreichen Verwertung eines neuen Produktes.

Die wichtigsten Schritte des Innovationsmanagements sind:
1. Strategischer Ideenfindungsprozess:
    Hier finden innerbetriebliche Innovationsworkshops statt, in denen zunächst neue Produkte erkannt und definiert werden. Voraussetzung sind die Anwendung von Kreativität, Bewertungs-, Moderations- und Besprechungstechniken.
2. Prüfung mit Hilfe von Markt- und Wettbewerbsanalysen, ob für das neue Produkt zukünftig Märkte vorhanden sind und ob Kundenwünsche berücksichtigt werden.
3. Prüfung mit Hilfe von Patentrecherchen, ob die Idee wirklich „neu" ist und somit durch den gewerblichen Rechtsschutz gesichert werden kann.

Bitte beachten Sie die Artikel zu den folgenden Stichwörtern:

Brainstorming (66 - 67)
Gewinn (138 - 139)
Management (204 - 205)
Markt (210 - 211)
Monopol (228 - 229)
Wettbewerb (366 - 367)

Seit einigen Jahren ist eine neue Insolvenzordnung in Kraft getreten. Dieses neue Gesetz soll die Chancen einer Unternehmung verbessern, eine „Pleite", also einen Vergleich oder Konkurs, zu vermeiden. Ziel ist es, die Sanierungschance (Rettung) von Unternehmen zu erhöhen, die zahlungsunfähig geworden sind. Das Konkursverfahren bleibt weiterhin bestehen, es ist jedoch nur noch eine Möglichkeit des Insolvenzverfahrens. Daneben steht als vorrangiges Verfahren ein Planverfahren zur Rettung des Unternehmens

Insolvenz bedeutet, dass ein Unternehmen zahlungsunfähig ist. Diese Zahlungsunfähigkeit liegt dann vor, wenn das Unternehmen nicht mehr in der Lage ist, seine fälligen Geldschulden in voller Höhe und zum vorgesehenen Termin zu begleichen.

Den Unterschied zwischen Insolvenz und Konkurs soll die folgende Grafik deutlich machen:

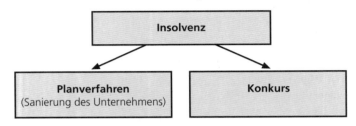

Die Insolvenz eines Unternehmens kann ein Konkursgrund sein, das heißt, bei Insolvenz kann ein Konkurs- oder Vergleichsverfahren eröffnet werden. In diesen Verfahren wird nur versucht, eine gleichmäßige und geordnete Befriedigung der Gläubiger zu erreichen.

Der volkswirtschaftliche Schaden bei Konkursen von Unternehmen beläuft sich in Zeiten schlechter Konjunktur auf viele Milliarden Euro. Hunderttausende von Arbeitsplätzen können dadurch verloren gehen.

Umso wichtiger ist ein dem Konkurs vorbeugendes, durchdachtes Insolvenzverfahren. Mit dem am 01.01.1999 in Kraft getretenen Recht sind wesentliche Fehler des alten Konkursverfahrens beseitigt worden. Zu diesen Fehlern gehörten unter anderem, dass die Gläubiger ungleich behandelt wurden, dass das Konkursverfahren ein Vernichter der Unternehmenswerte war (Verkauf unter Zeitdruck und mit erheblicher Wertminderung, Gefährdung der Forderungen und vieles mehr). Mit der Reform sollten die Mängel der seit 1879 geltenden Konkursordnung beseitigt werden.

Ziele des neuen Insolvenzverfahrens

Das Insolvenzverfahren ist in erster Linie auf die Werterhaltung und damit bestmögliche Befriedigung der Gläubiger ausgerichtet. Anders als beim Konkursverfahren besteht hier die Möglichkeit zur Sanierung, das heißt zur Rettung des Unternehmens. Zusammen mit dem Insolvenzverwalter wird nach einer Entschuldungsmöglichkeit gesucht. Mit diesem Ziel kommt dem Insolvenzverwalter ein anspruchsvollerer Aufgabenbereich zu als dem Konkursverwalter. Der Konkursverwalter hatte nur die Aufgabe, den Konkurs abzuwickeln; der Insolvenzverwalter muss eher eine Managementfunktion ausüben. Er muss für das Unternehmen nach Lösungen suchen, um es vor einer Pleite zu bewahren.

Ablauf des Insolvenzverfahrens

1. Aufnahme und Präsentation der vorherrschenden Unternehmenssituation

2. Analyse der Schwachstellen des Unternehmens sowie Beratung und Beseitigung im Unternehmen

2. Bei Zahlungsunfähigkeit wird auf Antrag des Schuldners bzw. eines Gläubigers das Insolvenzverfahren eingeleitet. Vom Gericht wird ein Insolvenzverwalter bestellt.

3. Festlegung von Maßnahmen zur kurz- und mittelfristigen Aufrechterhaltung des Geschäftsbetriebes. Sicherung der kurzfristigen Liquidität. Zu solchen Maßnahmen gehören:
- Forderungsmanagement
- Verhandlung mit Banken und Gläubigern
- Zinsentlastung
- Kostenmanagement

3. Drei Monate nach Eröffnung des Insolvenzverfahrens wird entschieden, ob das Unternehmen aufgelöst oder ob es saniert wird.

4. Entwicklung eines Sanierungskonzeptes für die Sicherung von mittel- und langfristigem betriebswirtschaftlichem Erfolg. Zu solchen Maßnahmen gehören:
- Entwicklung eines neuen Geschäftsplanes
- Pflege der Kontakte mit Investoren
- Umgliederung der Organisations- und Betriebsabläufe
- Schaffung einer professionellen Marketing- und Vertriebsstruktur
- Kundenorientierte Marktbearbeitung

4. Im Fall der Auflösung des insolventen Unternehmens werden alle ungesicherten Gläubiger zu gleichen Anteilen befriedigt. Vorrechte, wie sie im früheren Konkursrecht verankert waren, gibt es nicht mehr. Arbeitnehmer bleiben durch das Insolvenzgeld geschützt, d.h., Lohnausfälle werden für die Zeit von drei Monaten übernommen. Des Weiteren erhalten die Arbeitnehmer bei einer Betriebsschließung regelmäßig Abfindungsleistungen (Sozialplan).

Das Verbraucherinsolvenzverfahren

Ebenfalls neu in der neuen Insolvenzordnung ist die Berücksichtigung der privaten Haushalte bzw. der Privatpersonen. Ist eine Privatperson maßlos überschuldet, hat sie – wie eine Unternehmung – die Möglichkeit, bei Gericht Insolvenz anzumelden. Gründe für eine Überschuldung bzw. Zahlungsunfähigkeit privater Personen gibt es viele, z.B. Arbeitslosigkeit, Scheidung, leichtsinnig aufgenommene Kredite u.a.m.

Für den privaten Haushalt gilt jedoch ein vereinfachtes Insolvenzverfahren. Kann der private Schuldner sich mit seinen Gläubigern nicht außergerichtlich einigen, so wird ein gerichtliches Insolvenzverfahren eingeleitet. Hat der Schuldner sechs Jahre lang seine Gläubiger bestmöglich – d.h. entsprechend seinen materiellen Möglichkeiten – befriedigt, wird er von seinen restlichen Schulden befreit.

Bitte beachten Sie die Artikel zu den folgenden Stichwörtern:
Arbeitslosigkeit (26 - 27)
Konjunktur (180 - 181)
Kredit (192 - 193)
Liquidität (196 - 197)
Management (204 - 205)
Unternehmung (334 - 335)

Investitionen

Kaum ein anderer Begriff aus dem Wirtschaftsleben wird so unterschiedlich verstanden wie der Begriff „Investition" bzw. „investieren". Im Folgenden wird der Begriff nur aus betriebswirtschaftlicher Sicht erläutert; geht es um volkswirtschaftliche Probleme, wird wiederum anderes darunter verstanden.

Was kann mit Investitionen gemeint sein?

- eine Erweiterung des Anlagevermögens (Kauf von Maschinen)
- eine Erweiterung des Sachvermögens (Erhöhung der Lagerbestände)
- Erweiterung der Produktionskapazität durch zusätzliche Ressourcen
- jeder Einsatz von Kapital im Rahmen der Unternehmung
- Geld in eine Unternehmung stecken
- Vorsorge für die Zukunft treffen

> **Investition bedeutet also, dass man Geld, welches als „Gut höchster Liquidität" angesehen wird, für irgendwelche Zwecke zur Herstellung von Gütern ausgibt. Investition ist der Einsatz finanzieller Mittel (Geld) für produktive Zwecke, insbesondere zur Beschaffung von Produktionsfaktoren.**

Liquidität bedeutet „Flüssigkeit", im übertragenen Sinn „Zahlungsfähigkeit". Man kann mit Geld viele andere Dinge kaufen, jedoch erhält man für diese Dinge dann nicht so leicht wieder Geld. (Beispiel: Sie kaufen eine antike Vase für Ihr Geld; u.U. müssen Sie aber lange einen Käufer suchen, um diese Vase dann wieder zu Geld zu machen).

Bei einer Investition wird das Geld also gebunden und kann damit nur schwer wieder für einen anderen Zweck verwendet werden. Dies bedeutet, dass man mit der Liquiditätsaufgabe einen Verzicht leistet, für den man sich nun ein zusätzliches Entgelt erhofft, d.h. einen Gewinn aus der Investition. Dies auch deshalb, weil man in der Zeit bis zum Rückfluss von Einnahmen das Risiko eingeht, dass das Geld gar nicht mehr zurückkehrt.

Eine Investition liegt also immer dann vor, wenn eine Ausgabe von liquiden Mitteln in der Absicht erfolgt, später diese Mittel durch einmalige oder laufende Einnahmen zurückzuerhalten (und dabei nach Möglichkeit einen Gewinn zu erzielen). Die Erfolgserwartung muss nicht mit finanziellem Gewinn identisch sein, sondern kann generell in jeder Art von betriebswirtschaftlichem bzw. volkswirtschaftlichem Nutzen bestehen.

Die Ausgabe von Geld für Gebäude, Maschinen, Anlagen, Betriebseinrichtungen jeder Art rechnet damit also ebenso zu Investitionen wie die Ausgabe für Personal, Material, Energie usw. Dagegen ist die Geldausgabe bei der Rückzahlung von Krediten, der Ausschüttung von Gewinnen oder der Zahlung von Gewinnsteuern keine Investitionsausgabe, weil bei diesen Ausgaben nicht mit einem Rückfluss gerechnet wird.

In diesem weiten Sinn kann man bei Investitionen die

- Sachinvestitionen
- immateriellen Investitionen
- Finanzinvestitionen

unterscheiden.

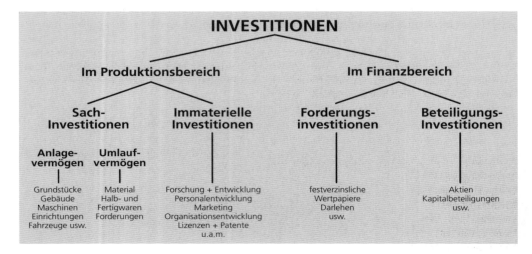

Ein engerer Begriff der Investition ist die Ausgabe von Geldmitteln für die Beschaffung von Anlage- oder Umlaufvermögen (Sachinvestition). Im Bilanz-Zusammenhang lässt sich diese Investition, zusammen mit der Finanzierung, wie folgt darstellen:

Investition und Finanzierung im Bilanzzusammenhang

Aktiva = Vermögen	Passiva = Kapital
Anlagevermögen Umlaufvermögen	Eigenkapital Fremdkapital
= Investition	= Finanzierung
= Verwendung von Geldmitteln	= Beschaffung von Geldmitteln

Die Entscheidung über größere Investitionen ist oft außerordentlich schwierig. Zum einen werden i. d. R. liquide Mittel sehr langfristig gebunden, was meist nicht revidierbar ist; zum zweiten beruhen diese Entscheidungen in der Regel auf sehr unsicheren Erwartungen aufgrund der mangelnden Voraussicht über zukünftige Entwicklungen. Die Beschaffung von Kennzahlen für eine Investitionsentscheidung ist sehr kompliziert: Hier müssen sowohl innerbetriebliche Informationen als auch externe über den Markt, den Wettbewerb, die Wirtschaftsentwicklung und Wirtschaftspolitik, über den Stand und die Entwicklung der Technologie herangezogen werden. Die Beschleunigung des wirtschaftlichen Wandels in den letzten Jahrzehnten trägt dazu bei, das Problem noch zu verschärfen. Nicht zuletzt sollte die Komplexität der Entscheidung bedacht werden, da praktisch alle Unternehmensbereiche davon betroffen werden. Letztlich kommt zu allem häufig noch die Schwierigkeit der Kapitalbeschaffung.

Bitte beachten Sie die Artikel zu den folgenden Stichwörtern:
Geld (130 - 131)
Gewinn (138 - 139)
Kredit (192- 193)
Liquidität (196 - 197)
Marketing (208 - 209)
Markt (210 - 211)
Steuern (304 - 305)
Wertpapiere (362 - 363)
Wettbewerb (366 - 367)

Warum sind Fonds beliebt?

Die Deutschen haben die Börse als Instrument zur Altersvorsorge entdeckt. Wer bis jetzt sein Geld in Bausparverträgen oder Versicherungen angelegt hat, versucht es heute mit den Chancen auf höhere Gewinne am Aktienmarkt. Viele wissen, dass mit den Renten der heute Dreißigjährigen die Grundversorgung im Alter nicht mehr gewährleistet wird. Aus diesem Grund wird der Idee der privaten Vorsorge in Deutschland immer mehr Beachtung geschenkt.

Investmentfonds funktionieren nach einem sehr einfachen Prinzip: Tausende von Anlegern geben ihr Geld einer speziellen Kapitalanlagegesellschaft, bei der die Gelder gesammelt und von Experten, den Fondsmanagern, angelegt werden.

Sparer können sich schon mit ganz kleinen Beträgen beteiligen, wie z.B. 50 Euro. Investmentfonds ermöglichen somit für jeden Menschen einen bequemen Zugang zu den Finanzmärkten in der ganzen Welt.

Die von vielen Sparern eingezahlten Summen ergeben einen großen Betrag, der von den Fondsmanagern verwaltet wird. Ihre Aufgabe besteht darin, Aktien, Anleihen und andere Werte zu kaufen und zu verkaufen sowie das Fondsvermögen zu vermehren. Steigen nämlich die Werte im Kurs, so sind auch die Fondsanteile mehr wert. Der Wert eines Fondsanteils (man spricht hier vom Rücknahmekurs) wird einmal pro Börsentag ermittelt und ist nichts anderes als der Wert des gesamten Fondsvermögens geteilt durch die Anzahl aller in Umlauf befindlicher Anteile.

Da die Gesellschaften, die Investmentfonds auflegen und vertreiben (verkaufen), Anbieter von Dienstleistungen sind, muss dieser Service auch bezahlt werden. Deshalb wird dem Fondsvermögen regelmäßig eine Verwaltungsgebühr entnommen. Für die meisten Fonds muss dadurch beim Kauf ein Ausgabeaufschlag von bis zu 6% bezahlt werden, der zu einem Teil an die „beratende" Bank und zum anderen Teil an die Fondsgesellschaft geht. Wer also für 100 Euro Anteile eines Fonds mit 5% Ausgabeaufschlag kauft, investiert in Wirklichkeit nur 95 Euro. Den Rest teilen sich die Anbieter und Verkäufer.

Welche Vorteile bringen Investmentfonds den Anlegern?

Der Anleger hat die Möglichkeit, durch Investmentfonds sein Kapital in sehr vielen börsennotierten nationalen und / oder internationalen Unternehmen oder in mehreren Anleihen bzw. Immobilien gleichzeitig zu investieren. Sparer können sich schon mit kleinen Beiträgen beteiligen. Dadurch bekommt jeder Sparer die Möglichkeit, mit geringem Kapitalaufwand am Wachstum der Wirtschaft teilzunehmen.

Fonds haben noch weitere Vorzüge: Sie weisen langfristig eine überdurchschnittliche Rendite (Gewinn) auf. Ihr Wert lässt sich durch die Veröffentlichung der Fondspreise täglich verfolgen und bei Bedarf können die Fondsanteile an die Fondsgesellschaft ohne Abzug von Kosten zurückgegeben werden.

Wer bietet Investmentfonds an?

Hauptsächlich werden Investmentfonds von Banken und Versicherungen angeboten. Fast allen Kreditinstituten gehören eigene Fondsgesellschaften, welche die eben genannten Fonds anbieten. So gehört z. B. die DEKA den Sparkassen und die Union-Investment den Volksbanken.

Alle Fondsvermögen erzielen Einnahmen in Form von Zins- und Mietzahlungen und / oder Dividenden. Diese werden in der Regel einmal pro Jahr an die Anleger ausgeschüttet. Lediglich so genannte thesaurierende Fonds legen dieses Geld direkt wieder im Fonds an und schütten, wenn der Anleger einen Freistellungsauftrag vorlegt, nur den Steueranteil aus.

Welche Arten von Fonds gibt es?

Fondsbezeichnung	Eigenschaften
Rentenfonds	Das Fondsvermögen wird in festverzinslichen Wertpapieren (z.B. Anleihen) mit unterschiedlichen Laufzeiten angelegt. Neben regelmäßigen Zinseinnahmen hat der Anleger auch die Möglichkeit, Kursgewinne zu erzielen.
Aktienfonds	Das Management dieser Fonds investiert das Geld der Anleger nur in Aktien. Die Fondsanteile steigen im Wert durch die Kursgewinne und die ausgeschütteten Dividenden der Aktiengesellschaften.
Gemischte Fonds	Mischfonds investieren sowohl in Anleihen als auch in Aktien. Die Gewichtung der unterschiedlichen Anlageformen wird vom Management regelmäßig der Einschätzung der Marktsituation angepasst.
Offene Immobilienfonds	Vom Geld der Anleger werden hauptsächlich gewerbliche Immobilien gekauft. Diese Fonds werden von Bankberatern gern den Kunden empfohlen, die ihr Vermögen vor Inflation schützen möchten, aber dem Kursrisiko von Aktien und Anleihen aus dem Weg gehen wollen.
AS-Fonds (Altersvorsorge-Sondervermögen)	AS-Fonds wurden von den Fondsgesellschaften als Baustein der privaten Altersvorsorge ins Leben gerufen. Sie investieren in Aktien, Anleihen und Immobilien. Nach gesetzlichen Vorgaben müssen Fonds mit „AS-Gütesiegel" stets mindestens 51% des Fondsvermögens in Sachwerten (Aktien oder Immobilien) halten.
Dachfonds	Dachfonds sind im übertragenen Sinne Fonds von Fonds. Das Management kauft verschiedene Investmentfonds und fasst diese in einem eigenen Dachfonds zusammen, der vermarktet wird.

Wie kauft und verkauft man Fondsanteile?

Wer einen Anteil kaufen oder verkaufen möchte, kann dies jederzeit tun. Die Preise werden einmal pro Börsentag ermittelt. Ein Auftrag, der noch am selben Tag ausgeführt werden soll, muss der Bank oder der Fondsgesellschaft normalerweise bis 11:00 oder 12:00 Uhr vorliegen. Andernfalls wird er erst am nächsten Börsentag ausgeführt.

Der Anleger hat die Wahl zwischen Einmalzahlungen und dem Abschluss von Sparplänen. Bei Sparplänen wird regelmäßig (z.B. monatlich) durch die Fondsgesellschaft ein bestimmter Betrag vom Girokonto abgebucht, um dafür Fondsanteile zu kaufen.

Wer über seine Hausbank Fondsanteile erwirbt, hat die Wahl zwischen zwei Verwahrungsarten: Der Anleger kann die Fondsanteile seinem Wertpapierdepot bei seiner Hausbank gutschreiben lassen oder er kann sie direkt von der Fondsgesellschaft verwahren lassen. Letzteres ist meist günstiger, da die Ausschüttungen der Fonds kostenlos wieder angelegt werden (keine erneuten Ausgabeaufschläge!).

169

Bitte beachten Sie die Artikel zu den folgenden Stichwörtern:
Aktienfonds (16 - 17)
Börse (64 - 65)
Geld (130 - 131)
Gewinn (138 - 139)
Immobilienfonds (154 - 155)
Rentenfonds (278 - 279)
Steuern (304 - 305)
Versicherung (348 - 349)

Internationaler Währungsfonds (IWF / IMF)

Der Internationale Währungsfonds (IWF) (engl. International Monetary Fund / IMF) wurde zusammen mit der Weltbank am 22.07.1944 auf der „Internationalen Währungs- und Finanzkonferenz der Vereinten und Assoziierten Nationen" in Bretton Woods (USA) gegründet und sollte nach dem 2. Weltkrieg zur Neuordnung der internationalen Wirtschaftsbeziehungen beitragen.

Das Abkommen trat am 27.12.1945 mit einer Mitgliederzahl von 44 Ländern in Kraft. Gegenwärtig beläuft sich die Anzahl der Mitglieder auf über 184. Der Beitritt der Bundesrepublik Deutschland zum IWF, der seinen Sitz in Washington D.C. hat, erfolgte 1959. Durch seine Tätigkeit soll der IWF zur Steuerung der internationalen Finanzierung und Linderung von Währungskrisen beitragen.

Welche Ziele verfolgt der IWF?

* Förderung der Zusammenarbeit zwischen den Mitgliedsstaaten in Fragen der internationalen Währungs- und Außenwirtschaftspolitik durch freie Austauschbarkeit der Währungen (Konvertibilität) und Errichtung eines multilateralen Zahlungssystems.
* Stabilisierung von Wechselkursen und Sicherung der internationalen Liquidität.
* Unterstützung der Mitgliedsstaaten bei Zahlungsungleichgewichten durch Kreditgewährung.

Der finanzielle Beistand der Mitgliedsstaaten kann unterschiedliche Gestalt annehmen:

* Unbedingtes Zahlungsrecht: Recht, mit einem bestimmten Limit beim IWF die benötigte Währung gegen einen entsprechenden eigenen Währungsbetrag zu kaufen.
* Bedingtes Zahlungsrecht: Recht, beim IWF gegen Schuldscheine einen Kredit in einer konvertiblen Währung aufnehmen zu können. Dieses Recht ist jedoch zustimmungsbedürftig und kann u.U. mit währungspolitischen Auflagen verbunden sein. Die Rückzahlung erfolgt durch Rückkauf der eigenen Währung oder durch Einlösung der Schuldscheine gegen Gold oder eine andere konvertible Währung.
* Sonderziehungsrechte (SZR): Die SZR stellen eine Art „Ersatzleitwährung" dar und werden auf die Mitgliedsländer im Verhältnis fester Quoten verteilt. Sie stellen Kredite dar, die der IWF seinen Mitgliedern gewährt. Befindet sich ein Mitgliedsstaat in Zahlungsbilanzschwierigkeiten, so kann er jede beliebige Währung gegen Abgabe von SZR erwerben. Man kann diese Art der Kreditgewährung an Staaten mit „Überziehungskrediten" eines privaten Haushalts bei seiner Hausbank vergleichen.

Die Höhe der Beiträge und der mögliche Kreditumfang, der von einem Mitgliedsland beansprucht werden kann, richtet sich nach einer Quote, die sich nach der Höhe des Volkseinkommens, den Währungsreserven und dem Umfang des Außenhandels richtet. Nach ihr bemisst sich auch das Stimmrecht in den IWF-Organen. Die Quote wird im Abstand von fünf Jahren überprüft.

Jeder Mitgliedsstaat unterliegt der Verpflichtung, die Regeln des IWF einzuhalten. Um kurzfristige Finanzhilfe an Länder mit Zahlungsschwierigkeiten gewähren zu können, muss ein Mindestbeitrag in den Fonds eingezahlt werden. Die Höhe des Beitrags ergibt sich aus der zugewiesenen Quote. Die Einzahlung des Mitgliedsbeitrages erfolgt zu 25 % in so genannten Sonderziehungsrechten (SZR) und zu 75 % in eigener Landeswährung (wahlweise auch konvertible Fremdwährung). Mit der Schaffung der SZR ergab sich ein internationales Reservemittel, das von Geldwertschwankungen möglichst unbeeinflusst ist und eine internationale Zahlungsmöglichkeit gewährleistet.

Besonders für Entwicklungsländer werden durch erweiterte Zugänge zu den Fondsmitteln zusätzliche Kreditmöglichkeiten geschaffen, wobei die Kreditvergabe unter strengen wirtschaftlichen Auflagen erfolgt. Hierüber gibt es häufig Auseinandersetzungen, wenn diese Länder die Auflagen als unzumutbare Belastungen empfinden.

Wie setzt sich das oberste Organ des IWF zusammen?

Das oberste Organ des IWF ist der Gouverneursrat, in den jedes Mitglied einen Vertreter entsendet. Er tritt einmal jährlich zusammen und ist für grundlegende Fragen zuständig. Den Vorsitz über den Gouverneursrat hat der geschäftsführende Direktor. Er ist zugleich Präsident des IWF. Die laufende Geschäftsführung unterliegt dem Exekutivdirektorium. Ihm gehören derzeit 24 Direktoren an, von denen fünf von den Mitgliedern mit den höchsten Quoten (USA, BRD, Japan, Frankreich, Großbritannien) entsandt werden, während die übrigen alle zwei Jahre neu gewählt werden. Darüber hinaus gibt es diverse Gremien mit beratender Funktion.

Die Quoten entscheiden über das Stimmgewicht im IWF und über die Höhe der Zahlungsbilanzhilfe, die ein Land vom Fonds erhalten kann.

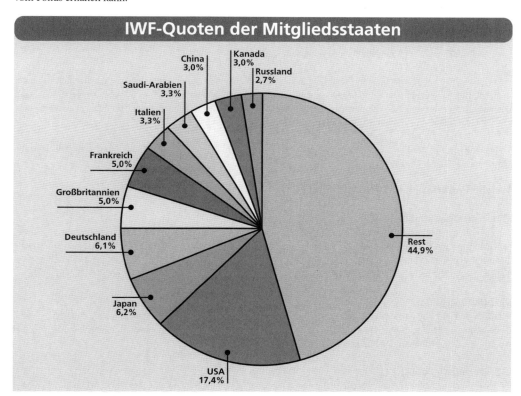

IWF-Quoten der Mitgliedsstaaten

- China 3,0%
- Kanada 3,0%
- Russland 2,7%
- Saudi-Arabien 3,3%
- Italien 3,3%
- Frankreich 5,0%
- Großbritannien 5,0%
- Deutschland 6,1%
- Japan 6,2%
- USA 17,4%
- Rest 44,9%

171

Bitte beachten Sie die Artikel zu den folgenden Stichwörtern:
Entwicklungsländer (94 - 95)
Kredit (192 - 193)
Liquidität (196 - 197)
Wechselkurse (358 - 359)

> Der Jahresabschluss einer Unternehmung besteht nach § 242 HGB im Regelfall aus einer Bilanz (= Vermögensbilanz) sowie einer Gewinn-und-Verlust-Rechnung (= Erfolgsbilanz).

Bei den Kapitalgesellschaften, wie der Aktiengesellschaft (AG) der GmbH u.a., werden jedoch besondere Anforderungen an den Jahresabschluss gestellt, so dass nicht nur Bilanz und G+V-Rechnung , sondern auch ein „Anhang" und ein „Lagebericht" (§ 264 HGB) erforderlich sind, die bei größeren Gesellschaften auch veröffentlicht werden müssen. Darüber hinaus ist bei großen Gesellschaften eine Prüfung durch einen unabhängigen Wirtschaftsprüfer notwendig.

Die Abschlussprüfung durch diesen Wirtschaftsprüfer, der vom Aufsichtsrat bestellt wird, erstreckt sich auf die Prüfung
- der Buchhaltung,
- des Jahresabschlusses (einschließlich Anhang und Lagebericht),

Ergibt die Prüfung keine Einwendungen, so erklärt der Prüfer dies durch einen entsprechenden Bestätigungsvermerk. Billigen Aufsichtsrat und Hauptversammlung danach den Jahresabschluss, so ist dieser festgestellt (gültig). Die gesetzlichen Vertreter der Unternehmung haben danach den Jahresabschluss beim Handelsregister und – bei großen Gesellschaften – auch im Bundesanzeiger bekannt zu machen.

Der Anhang soll die Bilanz und die G+V ergänzen, um so dem Bilanzanalytiker einen besseren Einblick in die Vermögens-, Finanz- und Ertragslage einer Kapitalgesellschaft zu ermöglichen.

Welche Funktionen hat der „Anhang"?

a) Interpretationsfunktion

Im Anhang muss angeführt werden, nach welcher Methode die verschiedenen Vermögenswerte bewertet wurden (z.B. Marktpreise, Börsenkurse), welche Umrechnungskurse für ausländische Währungen angesetzt wurden, welche Termine bei der Rückzahlung von Schulden eingehalten werden müssen, wie sich die Umsätze auf die verschiedenen Tätigkeitsbereiche verteilen, welche Bezüge die Vorstands- und die Aufsichtsratsmitglieder erhalten haben u.a.m.

b) Entlastungsfunktion

Durch den Anhang ist es möglich, die Bilanz und G+V von einer Reihe von Informationen zu entlasten, so dass diese übersichtlicher und einfacher werden, ohne dass jedoch die Informationen verloren gehen. Die Angaben im Anhang sind den Inhalten der Bilanz und G+V rechtlich völlig gleichgestellt.

c) Ergänzungsfunktion.

Der Anhang enthält daneben zahlreiche Informationen, die in Bilanz und G+V gar nicht auftauchen könnten, weil sie sich nicht auf Zahlen der Vermögensbestände oder der Aufwendungen und Erträge beziehen, wie z.B. die Zahl der Arbeitnehmer, Bezüge von Vorstand und Aufsichtsrat u.a. In der Praxis sind Checklisten entwickelt worden, die genau angeben, an was man alles bei Erstellung des Anhanges denken muss. Diese können bis zu 81 verschiedene Positionen umfassen.

Welche Aufgaben erfüllt der Lagebericht?

Der Lagebericht soll über die Interpretation der Zahlen von Bilanz und G+V hinaus den Geschäftsverlauf und die Lage der Unternehmung schildern. Er soll insbesondere darstellen:
- wichtige Vorfälle, die nach Abschluss des Geschäftsjahres eingetreten sind, auf das sich die Daten des Jahresabschlusses beziehen;
- die voraussichtliche Entwicklung der Unternehmung auf der Grundlage der gegenwärtigen Situation;
- die aktuelle und in naher Zukunft vorgesehene Forschungs- und Entwicklungstätigkeit der Unternehmung.

Kurzfassung einer Checkliste über allgemeine Angaben im Anhang des Jahresabschlusses

gesetzliche Fundstelle HGB	Gesetzestext
	Allgemeine Angaben zum Jahresabschluss, zu Bilanzierungs- und Bewertungsmethoden.
§ 264 I	Die gesetzlichen Vertreter einer Kapitalgesellschaft haben den Jahresabschluss (§242) um einen Anhang zu erweitern, der mit der Bilanz und der Gewinn-und-Verlust-Rechnung eine Einheit bildet, sowie einen Lagebericht aufzustellen.
§ 264 II	Der Jahresabschluss der Kapitalgesellschaft hat unter Beachtung der Grundsätze ordnungsgemäßer Buchführung ein den tatsächlichen Verhältnissen entsprechendes Bild der Vermögens-, Finanz- und Ertragslage der Kapitalgesellschaft zu vermitteln. Führen besondere Umstände dazu, dass der Jahresabschluss ein den tatsächlichen Verhältnissen entsprechendes Bild im Sinne des Satzes 1 nicht vermittelt, so sind im Anhang zusätzliche Angaben zu machen.
§ 265 IV	Sind mehrere Geschäftszweige vorhanden und bedingt dies die Gliederung des Jahresabschlusses nach verschiedenen Gliederungsvorschriften, so ist der Jahresabschluss nach der für einen Geschäftszweig vorgeschriebenen Gliederung aufzustellen und nach der für die anderen Geschäftszweige vorgeschriebenen Gliederung zu ergänzen. Die Ergänzung ist im Anhang anzugeben und zu begründen.
§ 265 I	Die Form der Darstellung, insbesondere die Gliederung der aufeinander folgenden Bilanzen und Gewinn-und-Verlust-Rechnungen, ist beizubehalten, soweit nicht in Ausnahmefällen wegen besonderer Umstände Abweichungen erforderlich sind. Die Abweichungen sind im Anhang anzugeben und zu begründen.
§ 265 II	In der Bilanz sowie in der Gewinn-und-Verlust-Rechnung ist zu jedem Posten der entsprechende Betrag des vorhergehenden Geschäftsjahres anzugeben. Sind die Beträge nicht vergleichbar, so ist dies im Anhang anzugeben und zu erläutern. Wird der Vorjahresbetrag angepasst, so ist auch dies im Anhang anzugeben und zu erläutern.
§ 284 II (1)	Im Anhang müssen die auf die Posten der Bilanz und der Gewinn-und-Verlust-Rechnung angewandten Bilanzierungs- und Bewertungsmethoden angegeben werden.
§ 284 II (2)	Im Anhang müssen die Grundlagen für die Umrechnung in Euro angegeben werden, soweit der Jahresabschluss Posten enthält, denen Beträge zugrunde liegen, die auf fremde Währung lauten oder ursprünglich auf fremde Währung lauteten.
§ 284 II (3)	Im Anhang müssen Abweichungen von Bilanzierungs- und Bewertungsmethoden angegeben und begründet werden; deren Einfluss auf die Vermögens-, Finanz- und Ertragslage ist gesondert darzustellen.
§ 285	In 16 Unterpunkten sonstige Pflichtangaben für den Anhang wie Aufgliederung der Verbindlichkeiten, der Umsatzerlöse, Abschreibungsmethoden, Zahl der Arbeitnehmer nach Gruppen, Bezüge von Geschäftsführung, Aufsichtsrat, Beiräten u.a., Beteiligungen, Erläuterung zu Rückstellungen u.a.m.

173

Bitte beachten Sie die Artikel zu den folgenden Stichwörtern:

Bilanz (60 - 61)
Bilanzanalyse (62 - 63)
Gewinn (138 - 139)
Rückstellungen (284 - 285)

Joint Venture

Wenn zwei oder mehr Partner aus verschiedenen Ländern sich durch einen Vertrag zur langfristigen Zusammenarbeit verpflichten, spricht man von einem Joint Venture („Gemeinsames Wagnis", „Gemeinsames Unternehmen").

In der Regel ist dies mit Kapitalbeteiligungen verbunden. Die Zusammenarbeit der beiden Partner soll Synergieeffekte hervorbringen, die letztlich beiden Parteien von Nutzen sind.

Beispiel: Das Unternehmen Kühl aus Deutschland fertigt komplexe Klimaanlagen für Bürogebäude. Da es seine Produkte bisher nur auf dem deutschen Markt angeboten hat, verfügt es über kein Vertriebsnetz im Ausland.

Der neue Geschäftsführer Herr Schrudde würde den Absatzmarkt gern auf den italienischen Markt ausdehnen. Da er aber keine eigene Vertriebsorganisation in Italien aufbauen möchte – das Investitionsvolumen und das Risiko auf Grund der unterschiedlichen Kulturen erscheinen ihm zu hoch –, ist er auf der Suche nach einem geeigneten Partner, der Erfahrungen im Vertrieb von erklärungsbedürftigen Produkten in Italien hat. Hier bietet sich zum Beispiel die Firma Fragatti an, die über eine Reihe von fertigen Marketing- und Vertriebskonzepten verfügt. Auf der einen Seite steht also die Firma Kühl, die ein gutes Produkt anbietet, und auf der anderen Seite steht die Firma Fragatti, die über ausgezeichnete Marketing- und Vertriebsstrategien auf dem italienischen Markt verfügt. Da keiner von ihnen allein großen Erfolg hätte, erscheint es sinnvoll, dass beide Unternehmen partnerschaftlich zusammenarbeiten, um zu dem gewünschten Erfolg zu gelangen. Dies könnte dadurch geschehen, dass beide Unternehmen ein weiteres – rechtlich selbständiges – Unternehmen gründen, ein so genanntes Joint Venture-Unternehmen. Der hier dargestellte Vorteil der Firma Kühl liegt in der Verbesserung der Möglichkeiten der Erschließung neuer Auslandsmärkte und der Minderung des Kapitalbedarfes und des Risikos im Vergleich zu einer alleinigen Erschließung.

Vorteile eines Joint Ventures sind:

- **Überwindung von Importrestriktionen und -verboten einzelner Zielländer:**
Viele Länder versuchen ihre nationalen Märkte vor Produkten aus dem Ausland zu schützen. Dies geschieht beispielsweise durch Importbeschränkungen oder enorme Strafzölle, die die Einfuhr von ausländischen Produkten unattraktiv machen sollen. Durch Joint Ventures in diesen Ländern können solche Importrestriktionen umgangen werden.

- **Imagevorteile im Zielland.**
Durch die Investition ins Zielland können enorme Vorteile im Absatz entstehen, wenn die Bevölkerung sehr stark den Kauf einheimischer Produkte bevorzugt.

- **Nutzung von Förderprogrammen im Gastland.**
Unter Umständen ist es möglich, durch die Investition ins Ausland in den Genuss von Fördermitteln zu kommen. Dadurch sinkt auch der notwendige Kapitalbedarf für die Auslandsinvestition.

- **Erlangung von Wettbewerbsvorteilen durch Know-how-Transfer.**
Durch den Zusammenschluss zweier Unternehmen lernen die beteiligten Unternehmen voneinander. Die Stärken des jeweiligen Partners können gelernt und genutzt werden. Dies bezeichnet man als Know-how-Transfer. Die Stärken eines Unternehmens können sich beispielsweise auf Technologien oder Management-Kenntnisse stützen. Marktkenntnisse und Kontakte zu potenziellen Kunden können aber für einige Unternehmen ebenfalls wertvolle Informationen sein.

Die Nachteile des Joint Venture

Den Vorteilen stehen aber auch eine Reihe von möglichen Nachteilen gegenüber:

- **Know-how-Verlust.**

Durch die Offenlegung der eigenen Stärken verliert ein Unternehmen auch an bisher alleinigen Wettbewerbsvorteilen. Das Partnerunternehmen könnte beispielsweise (wenn es wollte) das Know-how (vor allem Technologien) kopieren und im Bereich des eigenen Heimatunternehmens nutzen. Dadurch könnte der „Partner" zum Konkurrenten auf anderen Absatzmärkten werden.

- **Ungenügende Selektionsmöglichkeiten bei der Partnerwahl.**

Die Wahl des geeigneten Joint-Venture-Partners ist sehr komplex. Schnell investiert man in ein Unternehmen mit einem Partner, dessen Qualifikation und Leistungspotenzial überschätzt wurde. Die gewünschten Erfolge werden dann unter Umständen nicht nur ausbleiben; auch die möglichen Chancen sind durch den Zeitverlust u.U. vertan.

- **Differenzen bei der Geschäftsführung.**

Durch die Partnerschaft können eventuell Differenzen bei der Geschäftsleitung entstehen. Diese können sich zum Beispiel auf die Strategie der Marktbearbeitung oder aber auf Neuinvestitionen oder die Gewinnverwendung beziehen.

- **Problem der Gastlanddominanz.**

Häufig gibt es gesetzliche Vorschriften, die es ausländischen Unternehmen untersagen, im Inland eine Kapitalmehrheit von Unternehmen zu besitzen. Dies bedeutet, dass der Joint-Venture-Partner aus dem Ausland eventuell nur eine maximale Beteiligung von 49% des neu gegründeten Unternehmens erhält. Dadurch können sich Probleme bei der Geschäftsführung ergeben. Das ausländische Unternehmen könnte sich in einem solchen Konfliktfall nicht durchsetzen.

- **Erhöhung von Kapitalbindung und Risiko.**

Im Vergleich zu anderen Erscheinungsformen des Auslandsgeschäftes (zum Beispiel Export) kann es zu einer höheren Kapitalbindung und zu einem größeren Risiko kommen.

Die Joint Ventures haben in letzter Zeit durch diverse internationale Handelsabkommen – die den Import von ausländischen Waren erleichtern – ein wenig an Gewicht verloren. Dennoch gibt es, wie die oben angeführten Punkte belegen, immer noch genug Gründe, sich für diese Form der Unternehmenszusammenarbeit zu entscheiden.

175

Bitte beachten Sie die Artikel zu den folgenden Stichwörtern:
Investitionen (166 - 167)
Management (204 - 205)
Marketing (208 - 209)
Wettbewerb (366 - 367)

Die Grundidee des Kartells besteht darin, dass sich rechtlich und wirtschaftlich selbständige Unternehmen vertraglich untereinander binden, um durch ihr Verhalten gegenüber Dritten (z. B. Kunden) den Wettbewerb zu beschränken. Hierbei kann es sich um die vertragliche Vereinbarung von Konditionen, Rabatten, Preisen, Produktionsmengen, Absatzgebieten u.a. handeln.

Da Kartelle den wirtschaftlichen Grundsätzen unserer Marktwirtschaft widersprechen, sind sie grundsätzlich verboten. Das Gesetz gegen Wettbewerbsbeschränkungen (GWB oder auch Kartellgesetz) erlaubt allerdings auch Ausnahmen durch Freistellung vom Kartellverbot auf besonderen Antrag.

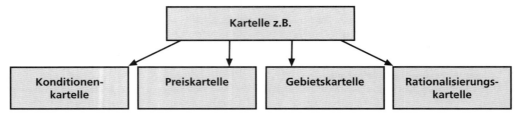

Wesentliche Bedingungen für die Entstehung eines Kartells sind:
* Rechtlich selbständige Unternehmen
* Beschränkung des Wettbewerbs
* Abschluss eines Vertrages

Falls nur die ersten beiden Bedingungen zutreffen, liegt kein Kartell, sondern eine abgestimmte Verhaltensweise (auch scherzhaft „Frühstückskartell" genannt) vor. Die rechtlichen Konsequenzen sind identisch, allerdings sind abgestimmte Verhaltensweisen in der Praxis sehr viel schwerer nachweisbar.

Das Syndikat

In der extremsten Form des Kartells kommen die einzelnen Unternehmen gar nicht mehr mit ihren Kunden (und/oder Lieferanten) in Berührung, sondern Ein- und Verkauf werden zentral geregelt. In diesem Fall spricht man von einem Syndikat, das man als „höchste" Form des Kartells ansehen kann, weil dort der Grad der Wettbewerbsbeeinträchtigung sehr hoch ist.

Die Fusion

Wenn ein Unternehmen bei einer Zusammenarbeit seine rechtliche Selbständigkeit aufgibt, indem es in dem anderen Unternehmen aufgeht, oder bilden zwei oder mehr Unternehmen unter Aufgabe ihrer rechtlichen Selbständigkeit ein neues Unternehmen, so spricht man von Fusion. Der Unterschied zum Kartell besteht also darin, dass die rechtliche Selbständigkeit nicht mehr existiert.

Der Konzern

Von einem Konzern spricht man dagegen, wenn eine wirtschaftliche, aber keine rechtliche Verschmelzung erfolgt. Rechtlich selbständige Unternehmen sind von einem anderen, herrschenden Unternehmen abhängig und stehen unter einheitlicher Leitung. Zu dieser Abhängigkeit kommt es in der Regel durch Kapitalbeteiligungen, die personelle Verflechtungen in der Unternehmensspitze nach sich ziehen.

Historischer Hintergrund

Bis in die Zeit nach dem Ersten Weltkrieg vollzog sich die Kartellbildung in Deutschland völlig ungehemmt. Eine Verordnung des Jahres 1923 unterstellte zwar das Kartellwesen staatlicher Aufsicht, war jedoch in der Praxis weitgehend wirkungslos. In den 30er Jahren gewann der Staat einen übermächtigen Einfluss und funktionierte die Kartelle zur Durchsetzung eigener Zwecke der Kriegswirtschaft um.

Nach dem Zweiten Weltkrieg kam es in Westdeutschland zur „Entflechtung" (Aufhebung von Fusionen) und zu einem umfassenden Verbot wettbewerbsbeschränkender Zusammenschlüsse zum Teil nach dem Vorbild der amerikanischen Wettbewerbsgesetzgebung. Diese sieht allerdings ein Verbot jedes Zusammenwirkens zum Versuch monopolistischer Marktbeherrschung vor und lässt nur Ausnahmen bei „wirtschaftlich vernünftigen Wettbewerbsbeschränkungen" zu. Diesem so genannten Verbotsprinzip stand als Alternative für die deutsche Wettbewerbsgesetzgebung das Missbrauchsprinzip gegenüber. Danach wird ein Zusammenschluss nur dann untersagt, wenn er zum Missbrauch der entstehenden Marktmacht ausgenutzt wird. Solange dies nicht geschieht, sieht man den Zusammenschluss als akzeptabel an.

Die 1957 vorgenommene gesetzliche Regelung des Wettbewerbs in der Bundesrepublik Deutschland durch das Gesetz gegen Wettbewerbsbeschränkungen (GWB), das am 1.1.1958 in Kraft trat, stellt eine Mischung aus beiden Prinzipien dar. Einerseits sind bestimmte wettbewerbsbeschränkende Maßnahmen – wie Kartelle – grundsätzlich verboten und nur enge Ausnahmen erlaubt, andererseits sind aber marktbeherrschende Unternehmen durchaus gestattet, solange sie nicht ihre Stellung missbrauchen.

Bei verschiedenen Kartelltypen genehmigt die Kartellbehörde auf Antrag leichter Ausnahmen, wenn sie z.B. der Ansicht ist, dass die Kartellabsprache mehr Vor- als Nachteile hat. Dies kann z.B. der Fall sein, wenn eine Branche Liefer- und Zahlungsbedingungen vereinheitlicht (Konditionenkartell), so dass der Kunde sich bei seiner Entscheidung auf Preis- und Qualitätsunterschiede der Wettbewerber konzentrieren kann. Diese müssen allerdings genehmigt werden:

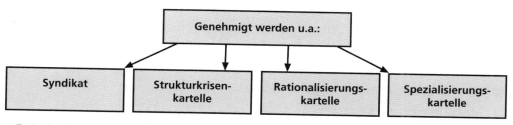

Zu Beginn des GWB stand noch sehr das Ziel im Vordergrund, den Wettbewerb durch Aufrechterhaltung möglichst vieler leistungsfähiger kleiner und mittlerer Unternehmen zu sichern. Die heutige Einsicht geht dahin, dass für eine rationelle Betriebsführung in vielen Branchen, insbesondere bei internationalem Wettbewerb, eine gewisse Mindestgröße Voraussetzung ist, deren Erreichen ein Wettbewerbsgesetz nicht behindern darf. Außerdem haben empirische Untersuchungen gezeigt, dass ein besonders intensiver Wettbewerb sich eher zwischen einer beschränkten Anzahl von Großunternehmen als zwischen sehr vielen kleinen Unternehmen entwickelt.

Bitte beachten Sie die Artikel zu den folgenden Stichwörtern:
Fusion (126 - 127)
Fusionskontrolle (128 - 129)
Wettbewerb (366 - 367)

Kaufvertrag

Der häufigste Vertrag, den ein Mensch im Wirtschaftsleben abschließt, ist der Kaufvertrag. Bei ihm geht es um den Erwerb einer Sache gegen Geld. Der Kauf besteht dabei zum einen aus dem Abschluss des Vertrages, zum anderen aus dessen Abwicklung. Beim Alltagskauf im täglichen Leben fallen beide Teile des Kaufaktes zeitlich zusammen.

Der Vertrag wird durch ein Angebot der Ware und die Annahme dieses Angebotes abgeschlossen und die Abwicklung erfolgt durch die Übergabe der Ware und des Geldes.

Der Kaufvertrag ist ein gegenseitiger Vertrag, der auf den Austausch von Sachen und Rechten gegen Geld gerichtet ist.

Für Kaufverträge in der Bundesrepublik Deutschland gelten dabei die Bestimmungen des Bürgerlichen Gesetzbuches (BGB). Ist an dem Geschäft mindestens ein professioneller Kaufmann beteiligt, so muss er zusätzlich Bestimmungen des Handelsgesetzbuches (HGB) beachten.

Ein Kaufvertrag kommt – wie jeder andere Vertrag – durch Antrag bzw. Angebot und Annahme dieses Angebotes zustande, d.h., es müssen übereinstimmende Willenserklärungen beider Partner, Käufer und Verkäufer, vorliegen. Ob dies mündlich oder schriftlich geschieht, ist gleichgültig; beides gilt. In der Regel richtet sich Verkäufer zunächst an einen Käufer und erklärt diesem, unter welchen Voraussetzungen er bereit ist, seine Waren zu liefern. Auf dieses Angebot kann der Käufer unterschiedlich reagieren:

- Er nimmt das Angebot fristgerecht und unverändert an; der Kaufvertrag gilt als geschlossen.

- Er nimmt das Angebot nur mit Einschränkungen (z.B. bei einem Preisnachlass von 10 %) an. Damit gilt das Angebot als abgelehnt, aber der Käufer unterbreitet dadurch gleichzeitig ein neues, eigenes Angebot. Diesem kann nun der Verkäufer zustimmen oder es ablehnen.

- Er nimmt das Angebot zu spät an. Sein Auftrag ist damit unwirksam und gilt nun als neues Angebot an den Verkäufer.

- Der Verkäufer hat sein Angebot als „freibleibend" gekennzeichnet. Die Annahme durch den Käufer gilt dann als neues, eigenes Angebot, dem der Verkäufer wieder zustimmen oder es ablehnen kann

Welche Bestandteile sollte ein Angebot beinhalten?

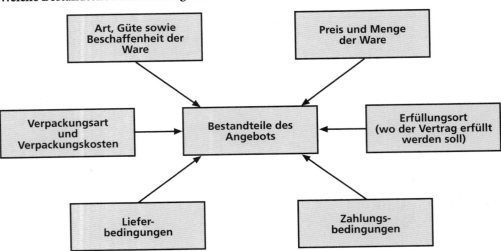

Durch den Abschluss des Kaufvertrages werden sowohl dem Käufer als auch dem Verkäufer Pflichten auferlegt, die erfüllt werden müssen.

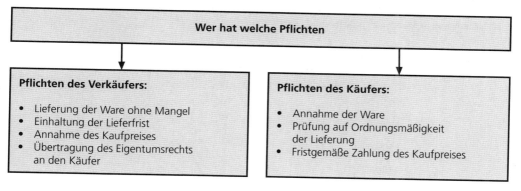

Ist die gekaufte Sache mit einem Mangel behaftet, dann ist der Verkäufer zur „Wandlung" (der Kauf wird storniert) oder zur Minderung (Verringerung des Kaufpreises) verpflichtet. Wenn der Sache eine Eigenschaft fehlt, die der Verkäufer zugesichert hat, kann der Käufer auch Schadenersatz verlangen.

Abzahlungskauf

Besondere Bedingungen gelten in der Bundesrepublik Deutschland für den Abzahlungskauf. Abzahlungskauf bedeutet, dass in diesem Fall der Preis nicht in einer Summe, sondern mit Teilzahlungen gezahlt wird. Aufgrund des Verbraucherkreditgesetzes von 1991 wird der Käufer besonders geschützt, indem seine Zustimmung zu dem Kaufvertrag erst dann wirksam ist, wenn er sie nicht innerhalb einer Woche nach Vertragsabschluss schriftlich rückgängig macht. Damit hat der Käufer bei Teilzahlungskäufen, zu denen man sich manchmal unbedacht überreden lässt, nochmals eine Bedenkfrist, in der er in Ruhe seine Entscheidung prüfen kann. Eine Begründung für den Widerruf ist nicht notwendig.

Bitte beachten Sie die Artikel zu den folgenden Stichwörtern:
Eigentum / Besitz (86 - 87)
Geld (130 - 131)
Kredit (192 - 193)

„Konjunktur" beschreibt, dass unser Wirtschaftswachstum (Schaubild 1) nicht gleichmäßig verläuft, sondern sich gute und schlechte Wirtschaftsphasen regelmäßig abwechseln, so dass das Wachstum bei genauer Betrachtung in Wellenlinien (Schaubild 2) verläuft.

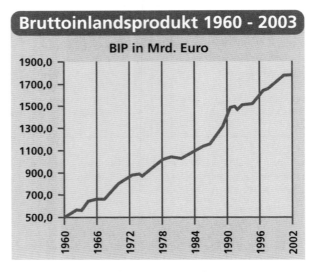

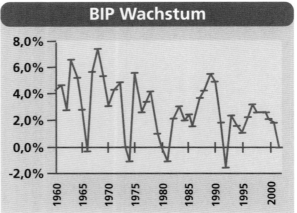

Diese Wellenlinien des Wachstums des Bruttoinlandsprodukts geben an, dass sich das wirtschaftliche Wachstum nicht gleichmäßig vollzieht, sondern sich die Zeiten einer geringen Steigerung oder gar einer Senkung des (realen) Inlandsprodukts mit Zeiten einer hohen Steigerung abwechseln. Schon in der Bibel war die Rede von 7 mageren und 7 fetten Jahren, die eine Analogie zum Konjunkturverlauf bieten. Die Konjunkturzyklen dauerten früher 7 - 11 Jahre; in der Zeit nach dem Zweiten Weltkrieg haben sie sich auf einen Zeitraum von 3 - 5 Jahren eingependelt

Die Schwankungen der wirtschaftlichen Tätigkeit bedeuten, dass die Auslastung der Produktionskapazitäten einer Volkswirtschaft im Zeitablauf sehr unterschiedlich ist: Perioden unausgelasteter Kapazitäten und hoher Arbeitslosenzahlen wechseln mit Zeiten der „Vollbeschäftigung", in denen es i.d.R. zu starken Preissteigerungen kommt.

Die Zeichnung zeigt, dass sich das Sozialprodukt im Zeitraum 1960 bis 2003 von ca. 500 Mrd. auf 1800 Mrd. Euro erhöht hat. Man sieht aber auch, dass dieses Wachstum unterschiedlich verlief. Diese Schwankungen des Sozialprodukts bezeichnet man als Konjunkturzyklen. Der Zyklus hat die Phasen Aufschwung, Boom, oberer Wendepunkt, Abschwung und unterer Wendepunkt (D).

Folgende Merkmale sind für die unterschiedlichen Phasen kennzeichnend:

Phasen	Kennzeichen
Aufschwung	• Die vorhandenen Lagerbestände werden abgebaut, • die Produktion steigt langsam, • das Bruttoinlandsprodukt wächst wieder stärker, • die Arbeitslosigkeit nimmt ab, • die Auslastung der Produktionsanlagen nimmt zu, • der Preisauftrieb ist noch gering.
Boomphase	• Rasches und hohes Wachstum des Bruttoinlandsprodukts, • sehr große Nachfrage, • hohe Auslastung der Produktionsanlagen, • hoher Beschäftigungsstand, • verstärkte Preissteigerungen, • Lohnsteigerungen, • Zinssteigerungen,
Oberer Wendepunkt	• Entstehen einer Preis / Kosten-Schere für die Unternehmen • Kosten der Produktionsfaktoren steigen stärker als die Preise
Abschwung	• Investitionsrückgang, • Auslastung der Produktionsanlagen sinkt, • Beschäftigung sinkt, • Einkommen sinken, • Konsumnachfrage geht zurück, • Lagervorräte steigen, • Kurzarbeit und Arbeitslosigkeit nehmen zu.
Unterer Wendepunkt	• Die Produktion ist so gering, dass selbst die geringe Nachfrage für einen Abbau der Lagervorräte sorgt; • die Produktion steigt wieder geringfügig, der Aufschwung kommt.

Seit Beginn der Industrialisierung bis in die 30er Jahre diese Jahrhunderts nahm man die Konjunkturzyklen als Selbstverständlichkeit hin. Man sah weder eine Notwendigkeit noch eine Möglichkeit, in das freie Spiel der Marktkräfte einzugreifen (Liberalismus). Erst die Weltwirtschaftskrise 1930/31 brachte ein Umdenken, zu dem der Engländer J. M. Keynes (Antizyklische Fiskalpolitik) entscheidend beitrug. Seine Bemühungen galten der Erhaltung der Vollbeschäftigung, d.h. der Verkürzung der Abschwungphase. Die Veränderung der Zyklen von durchschnittlich 9 auf 4 Jahre dürfte eine unmittelbare Folge dieser Bemühungen um eine Stabilisierung des Wachstums sein. Diese Konjunkturpolitik zur Stabilisierung des Wachstums ist ein heute allgemein akzeptiertes Ziel, dem staatliche wirtschaftspolitische Bemühungen dienen. Allerdings haben sich die Voraussetzungen für einen Erfolg der keynesianischen Politik stark geändert.

181

Bitte beachten Sie die Artikel zu den folgenden Stichwörtern:
Antizyklische Fiskalpolitik (22 - 23)
Arbeitslosigkeit (26 - 27)
Einkommen (88 - 89)
Inlandsprodukt (160 - 161)
Investitionen (166 - 167)
Stabilisierungspolitik (300 - 301)
Wachstum (354 - 355)

Körperschaftsteuer

Die Körperschaftsteuer ist die Einkommensteuer von nicht natürlichen, d.h. von juristischen Personen (Aktiengesellschaften, Gesellschaften mit beschränkter Haftung, Genossenschaften, Vereinen, Stiftungen etc.).

Die Vorschriften lehnen sich in wesentlichen Punkten an die Regeln bei der Einkommensteuer an. Auch die juristischen Personen müssen in Deutschland unabhängig von der Nationalität der Eigentümer Steuern zahlen, wenn sie ihre Geschäftsleitung oder ihren Sitz im Inland haben. Ist die Geschäftsleitung bzw. der Sitz im Ausland, so muss nur von den inländischen Einkünften die Steuer gezahlt werden.

Die Höhe der Körperschaftsteuer richtet sich – wie bei der Einkommensteuer – nach der Höhe des zu versteuernden Einkommens (Gewinn), das die Unternehmung innerhalb eines Jahres erzielt. Ausgangspunkt für die Ermittlung des Einkommens ist das Ergebnis aus dem Jahresabschluss. Aus ihm ergibt sich das zu versteuernde Einkommen. Da juristische Personen keine Privatsphäre haben, entfallen die bei der Berechnung der Steuer für Privatpersonen möglichen Erleichterungen durch „Sonderausgaben" oder „außergewöhnliche Belastungen".

Andererseits ergeben sich gegenüber einer Einzelunternehmung oder der Personengesellschaft (offene Handelsgesellschaft, Kommanditgesellschaft), deren Gewinne nach den Regeln der Einkommensteuer versteuert werden, u.U. Erleichterungen für die Körperschaft dadurch, dass verschiedene Zahlungen unter Betriebsausgaben fallen (und damit den Gewinn mindern), die bei der Einkommensteuer nicht abgezogen werden können.

Beispiel:
- Der Gesellschafter einer juristischen Person (z.B. einer GmbH), der gleichzeitig Geschäftsführer ist, kann – im Gegensatz zu einem Geschäftsführer einer Personengesellschaft oder einem Inhaber eines Einzelhandelsgeschäftes – sein Gehalt als Betriebsausgaben geltend machen;
- das Gleiche gilt, wenn der Gesellschafter der GmbH ein Darlehen gibt und dafür Zinsen erhält oder der GmbH Räume vermietet bzw. ein Grundstück verpachtet;
- der Gesellschafter kann auch als Berater für die Unternehmung tätig werden und dafür Honorar erhalten, das ebenfalls als Betriebsausgabe gewinnmindernd angesetzt werden kann.

Natürlich müsste der Gesellschafter diese bei seiner Firma erzielten Einkünfte als Privatperson bei seiner Einkommensteuererklärung angeben und davon dann Einkommensteuer zahlen. Es kommt für die Wahl der Rechtsform einer Unternehmung dann oft darauf an, wie hoch die Steuersätze der Einkommensteuer und die der Körperschaftsteuer sind.

Hierbei gibt es einen gravierenden Unterschied: Die Einkommensteuersätze sind stufenweise aufsteigend gestaltet und steigen inkl. Solidaritätszuschlag bis auf 44 % in der Spitze (2004). Bei der Körperschaftsteuer wird dagegen der Gewinn mit einem festen Prozentsatz versteuert, der ab 2003 bei fast 28 % (incl. Solidaritätszuschlag) liegt.

Bis ins Jahr 2001 galt die Regel, dass der von einer Körperschaft ausgeschüttete Gewinn (z.B. Dividende der Aktiengesellschaft) zwar bereits von der Gesellschaft versteuert werden musste, der Empfänger des Gewinns jedoch darüber eine Bescheinigung erhielt und bei seiner privaten Einkommensteuererklärung die von der Gesellschaft gezahlte Steuer verrechnet wurde, um eine Doppelbesteuerung zu vermeiden.

Beispiel:
Herr Bormann erhält von der Kosmos AG eine Dividende in Höhe von 700 Euro ausgezahlt. Der Bruttobetrag war eigentlich 1.000 Euro, doch hat die Kosmos AG bereits 30 % = 300 Euro an das Finanzamt abgeführt. Hat Herr Bormann ein sehr geringes Jahreseinkommen, so dass er einkommensteuerfrei bleibt, dann erhält er vom Finanzamt auf Antrag die 300 Euro erstattet. Hat er allerdings ein sehr hohes Einkommen, dann wird er zu den bereits von der Kosmos AG gezahlten Steuern selbst auch noch etwas von den 700 Euro an das Finanzamt zuzahlen müssen.

Dieses Verfahren wird zwar allgemein als besonders exakt und gerecht angesehen. Es hat aber den Mangel, dass es innerhalb der Europäischen Union zu Verzerrungen führt, wenn es nicht in allen Ländern gleichzeitig angewandt wird. Leider ist es nur in ganz wenigen Ländern eingeführt. Daher wird es bei der zunehmenden internationalen Verflechtung der Wirtschaft als nicht akzeptabel betrachtet und entspricht auch nicht den für die EU festgelegten Rechtsvorschriften.

Das Halbeinkünfteverfahren

Die beschriebene Regelung war im Jahr 2001 letztmalig gültig und es gilt ab 2002 das sog. Halbeinkünfteverfahren. Dies bedeutet, dass die Gewinne der juristischen Personen ab 2003 in jedem Fall – ob einbehalten oder ausgeschüttet – mit dem Körperschaftsteuersatz von 26,5 % (dazu kommen 5,5 % Solidaritätszuschlag) ≈ 28 % zu versteuern sind. Der Empfänger des ausgeschütteten Gewinns muss dann nochmals Einkommensteuer entsprechend seinen privaten Verhältnissen (Einkommenshöhe, Familienstand, Sonderausgaben usw.) zahlen; allerdings nur von der Hälfte der Kapitaleinkünfte. Die zweite Hälfte ist steuerfrei. Mit dieser Halb/halb-Regelung soll die Konsequenz der Doppelbesteuerung gemildert werden.

Das aus der Körperschaftsteuer fließende Geld steht dem Bund und den Ländern in der Bundesrepublik Deutschland zu.

Internet-Dokumentation der Bundesregierung – 2.11.2000

Im Jahr 2001 kann letztmals nach dem Anrechnungsverfahren mit Körperschaftsteuerguthaben für den Anteilseigner ausgeschüttet werden. Ab 2002 wird das Vollanrechnungssystem durch das europataugliche Halbeinkünfteverfahren ersetzt. Anteilseigner müssen dann nur noch die Hälfte der Ausschüttungen einer Kapitalgesellschaft im Rahmen der Einkommensteuer versteuern. Dafür entfällt die Verrechnung der vom Unternehmen bereits gezahlten Körperschaftsteuer. Die Systemumstellung wird durch eine praktikable und sowohl für die Unternehmen als auch den Fiskus finanziell tragfähige Übergangsregelung erleichtert.

Bitte beachten Sie die Artikel zu den folgenden Stichwörtern:

Aktiengesellschaft (12 - 13)
Einkommen (88 - 89)
Einkommensteuer (90 - 91)
EU (96 - 97)
Genossenschaften (134 - 135)
Gewinn (138 - 139)
GmbH (144 - 145)
Jahresabschluss (172 - 173)
Steuern (304 - 305)
Unternehmung (334 - 335)

Das Wort Korruption kommt aus dem Lateinischen (corrumpere) und bedeutet so viel wie verderben, vernichten, bestechen. Im allgemeinen Sprachgebrauch werden unter diesem Begriff außerordentlich unterschiedliche Erscheinungsformen umschrieben. Sie gehen von der Beamtenbestechung über den politischen Machtmissbrauch bis hin zum allgemeinen Sittenverfall. Mit der Korruption sind folgende Wörter sinnverwandt: Einfluss, Veruntreuung, Bestechung, Bestechlichkeit, Überredung, Begünstigung, Nepotismus, Protektion, Beziehung, Interesse, Machenschaft, Vorteilsgewährung, Vorteilsannahme, Intrige, Schmiergeld, Erpressung, Empfänglichkeit, Verführbarkeit, Anstiftung, Druck, Reiz, Versuchung, Schwarzarbeit sowie „Verletzung der Normen".

Der Begriff „Korruption" weist folgende drei Elemente auf:
1. ein anvertrautes (öffentliches) Amt,
2. das der Amtsträger ausnutzt, um private Vorteile zu erlangen,
3. wobei seine Handlungen / Unterlassungen einvernehmlich geheim gehalten werden.

Korruption ist der Missbrauch eines Amtes oder einer Vertrauensstellung zu privaten Zwecken.

Drei Bereiche missbräuchlichen Verhaltens sind besonders hervorzuheben:

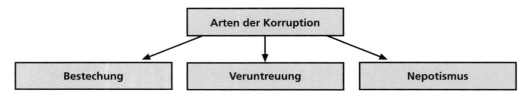

Die Bestechung

Die Bestechung vollzieht sich zwischen zwei Akteuren, dem Bestechenden und dem Bestochenen. Der Bestechende bekommt für Geld (=Bestechungssumme) eine Gegenleistung (=Bestechungsleistung), die er sonst nicht erhalten hätte. Dies kann z.B. die Erteilung einer Lizenz oder die Vergabe eines öffentlichen Auftrages sein. Mit der Annahme des Bestechungsgeldes missbraucht der Amtsträger seine Stellung und verletzt die mit seinem Amt verbundenen Pflichten.

Die Veruntreuung

Bei einer Veruntreuung eignet sich der Amtsträger Mittel an, die ihm im Rahmen der Amtsausführung anvertraut worden sind. Die Veruntreuung öffentlicher Mittel erfolgt durch die Politiker oder Beamten, die Entscheidungs-spielräume über das staatliche Budget haben. Die Veruntreuung ist eine individuelle Handlung; im Gegensatz zur Bestechung setzt sie keinen Kontakt mit einem Partner voraus. Oft kooperieren Gruppen von Politikern/ Beamten bei der Veruntreuung und bei der Absicherung ihres Verhaltens, um Kontrollen zu umgehen, die nur durch die Zusammenarbeit der Einzelnen umgangen werden können.

Nepotismus

Von Nepotismus wird gesprochen, wenn eine Amtsstellung ausgenutzt wird, um Einzelpersonen oder Gruppen, zu denen der Amtsträger eine persönliche Beziehung hat, zu bevorzugen. Er bevorzugt (z.B. bei der Einstellung von Personal) unter Missachtung bestehender Regeln Angehörige seiner Familie oder gleicher politischer Ausrichtung.

Man kann bei „Handlungen im Rahmen der Korruption" drei Varianten unterscheiden:
- die kleine, situative Korruption,
- die große, langfristig angelegte Korruption (strukturelle Korruption)
- die so genannte „endemische" Korruption

Bei den **kleinen und situativen Korruptionen** kommt es zu spontanen Bestechungsversuchen aus aktuellem Anlass. Beispiel: Der alkoholisierte Autofahrer bietet dem kontrollierenden Beamten Geld an, in der Hoffnung, von einer Strafverfolgung verschont und im Besitz seines Führerscheins zu bleiben.

Bei der **großen, langfristig angelegten Korruption** handelt es sich oft um jahrelang bestehende Beziehungen, die ständig vertieft werden. Beispiel: Der Leiter einer Baubehörde trifft sich privat mit bestimmten Bauunternehmern, um mit ihnen Angebotsabsprachen zu treffen.

Die **endemische Korruption** ist eine Sonderform der Korruption, eine Art „interne" Korruption. Das korruptive Verhalten erfolgt offen und regelmäßig, jedoch unter einem falschen Vorwand. Beispiele: Es werden wissenschaftliche Veranstaltungen organisiert, bei denen für überflüssige Reden sehr hohe Honorare gezahlt werden. Es werden Dienstreisen unternommen, deren Zweck nie überprüft wird.

Ursachen für Korruption

Die erste Schwachstelle in der Gesellschaft ist der Mensch selbst. Die Ursachen für den Korrumpierten (den Vorteilsnehmer) sind materielle Motive (Abbau von Schulden und Erzielung von Nebeneinkünften), immaterielle Motive (die Aufwertung der eigenen Person oder Prestigevorteile) sowie organisationsbezogene Motive (Frust im Dienst, keine Beförderung, fehlende Anerkennung oder Mobbing). Der Korrumpierende (Vorteilsgeber) hat ebenso materielle Motive (Steuerung des Profits und Gewinnsicherheit), immaterielle Motive (Verbesserung der Reputation und Risikominimierung), aber auch Motive zur Verbesserung des Informationsstandes (Kenntnis geheimer Informationen).

Die zweite Schwachstelle liegt in der Organisations- und Führungsebene. Zur Korruption kommt es meist, wenn ein mangelndes Kontrollsystem vorherrscht.

Rang	Land	Bewertung (0-10)
1	Finnland	9,7
5	Singapur	9,3
10	Großbritannien	8,7
15	Österreich	7,8
16	USA	7,7
18	Deutschland	7,3
25	Frankreich	6,3
31	Italien	5,2
71	Russland	2,7

Der Korruptionsindex zeigt, wie verbreitet Korruption im öffentlichen Dienst und unter Politikern ist.
(10 = keine Bereitschaft,
0 = höchste Bereitschaft zur Bestechung)

Quelle: www.transparency.org, Stand 2002

Vielfach hören wir im Alltag: „Das hat aber viel gekostet!" Wir verbinden den Begriff „Kosten" mit Geld. Dies ist aus der Sicht der Wirtschaftswissenschaft nicht richtig. Ausgangspunkt für das Verständnis des Begriffes „Kosten" ist die Tatsache, dass ökonomisches Handeln durch die Knappheit der Ressourcen bedingt ist. Jeder Verlust, jeder Verbrauch, jede Abnutzung der für uns wertvollen Ressourcen, der Werte, die sich für die Bedürfnisbefriedigung der Menschen eignen, sind aus volkswirtschaftlicher Sicht „Kosten".

Kosten sind der Verzehr von Ressourcen.

Beispiele:
1. Bei einem Unwetter in Spanien werden 50.000 Bäume, die als Bauholz geeignet gewesen wären, vernichtet.
2. Bei einem Unwetter in den Anden werden in einem Gebiet, das praktisch unbewohnt und völlig unerschlossen ist, 50.000 Bäume vernichtet.
3. Bei einem Unwetter in Norditalien werden in einem Sägewerk 2.000 cbm Bauholz vernichtet.

In welchem Fall sind Kosten entstanden?

In den Fällen 1 und 3 ist die Situation eindeutig. Hier werden nutzbare Güter vernichtet, also Werte verzehrt. Dies gilt nicht nur für das mit vielem Aufwand gesägte Holz im Sägewerk, sondern auch für die spanischen Bäume, die noch im Wald stehen. Im Fall 2 ist aber die Frage offen, ob diese Bäume für den Menschen nutzbar sind oder sein werden und damit einen Wert darstellen. Vielleicht würde das ökologische Gleichgewicht gestört und das menschliche Leben dadurch beeinträchtigt! Vielleicht ist es aber auch ein Naturereignis, das sich seit Jahrtausenden immer wiederholt und zum ökologischen Gleichgewicht gehört!

Denken Sie an die Probleme des Umweltschutzes! Die Vernichtung und Verschlechterung von Luft, Wasser u.a. sind, soweit die „Lebensqualität" dadurch beeinträchtigt wird, im volkswirtschaftlichen Sinn „Kosten". Es geht dabei nicht um Geldbeträge, um Ausgaben, die man gehabt hat, sondern um die real vernichteten Werte. Man spricht der Deutlichkeit halber dann oft von „realen Kosten", im Gegensatz zu den „monetären Kosten". Dieser Geldbezug bei „monetären Kosten" kommt nur ins Spiel, weil man mit den realen Kosten nicht rechnen kann. Wenn durch eine Naturkatastrophe Bäume entwurzelt, Häuser zerstört und Vorräte vernichtet werden, so lassen sich diese Werte real nicht zusammenzählen. Der Gesamtwert des Schadens muss dann errechnet und durch einen Geldwert ausgedrückt werden. Geld wird so hilfsweise zur Erklärung des Werteverzehrs, des eingetretenen Verlustes, benutzt.

Beispiel:

In einem Zementwerk werden bei der Produktion von Zement Arbeitskraft, Kalksteine, Brennstoffe u.a.m. eingesetzt. Maschinen werden abgenutzt, umliegende Wälder und Wohngebiete u.U. durch Zementstaub beeinträchtigt. Alle diese verzehrten Werte sind „Kosten". In Geld bewertet ergeben sie z.B. die Summe von 5 Mio. Euro je Monat, die dann als monetäre Kosten, in der Praxis aber ganz einfach als „Kosten" bezeichnet werden. Dabei muss man berücksichtigen, dass die Kosten oft nur schwer abschätzbar sind, die Bewertung sehr oft mehr oder weniger willkürlich ist. Dies gilt auch dann, wenn die Ressourcen zu ihren Marktpreisen bewertet werden.

Sicher taucht bei Ihnen die Frage auf, welcher Wert eigentlich vernichtet wird, wenn im obigen Beispiel die menschliche Arbeitskraft als Ressource auftaucht. Der Mensch nutzt sich ja in der Regel nicht – wie eine Maschine – bei der Produktion ab. Manchmal gewinnt er gerade durch die Erfahrung noch an Wert! Da Sie bei einem solchen Beispiel Ihre eigenen Erfahrungen einbringen können, wird Ihnen ein wichtiger Gesichtspunkt bei dem Verständnis des Begriffes „Kosten" bewusster: Empfinden Sie den Einsatz Ihrer Arbeitskraft im Beruf nicht als „Verzehr eines Wertes"? Könnten Sie diese Zeit nicht auch anderweitig sehr sinnvoll nutzen?

Im Prinzip gelten diese Zusammenhänge auch für den betriebswirtschaftlichen Kostenbegriff (vgl. Kostenrechnung). Auch für die Unternehmung sind Kosten der reale Werteverzehr, hier allerdings nur, soweit dieser Werteverzehr durch den Produktionsprozess bedingt ist und von der Unternehmung auch getragen wird.

Betriebswirtschaftliche Kosten sind der durch den Produktionsprozess bedingte Verzehr von Ressourcen, der vom Betrieb getragen wird.

Häufig kommt es vor, dass Unternehmen zwar durch den Produktionsprozess Kosten verursachen, diese Kosten aber nicht selbst tragen.

Beispiele:
- Luftverunreinigung, wenn keine Luftfilter eingebaut sind;
- Wasserverunreinigung, wenn die Kosten für die Säuberung der öffentlichen Hand angelastet werden;
- Lärmbelästigung, wenn Motoren die Ruhe stören und Anlieger Doppelfenster einbauen müssen;
- Müllanfall, wenn für die Beseitigung nicht entsprechend der Verursachung gezahlt wird.

Externe Kosten

In diesen Fällen tritt eine Differenz zwischen den volkswirtschaftlich anfallenden und den betriebswirtschaftlich getragenen Kosten auf, die man als externe Kosten (siehe auch externe Effekte) bezeichnet.

Volkswirtschaftliche Kosten = betriebswirtschaftliche Kosten + externe Kosten

Externe Kosten sind solche, die nicht vom Verursacher, sondern von unbeteiligten Dritten getragen werden. Sie sind volkswirtschaftlich schädlich, weil

- für den Verursacher kein Druck gegeben ist, diese Kosten abzubauen, so dass unnötig Ressourcen verbraucht werden
- Wettbewerbsverzerrungen auftreten; denn der Betrieb, der die Kosten abwälzt, kann billiger produzieren und seinen Konkurrenten, der die vollen Kosten trägt, aus dem Rennen werfen.

Ein Ziel der sozialen Marktwirtschaft muss es daher sein, das Verursacherprinzip bei der Kostenanlastung zur Geltung zu bringen und alle externen Kosten in betriebswirtschaftliche Kosten umzuwandeln.

Bitte beachten Sie die Artikel zu den folgenden Stichwörtern:
Externe Effekte (110 - 111)
Kostenrechnung (188 - 189)
Produktionsfaktoren (262 - 263)
Soziale Marktwirtschaft (290 - 291)
Umweltzertifikate (318 - 319)
Unternehmung (334 - 335)

Unternehmungen haben die Aufgabe, Leistungen zu schaffen, das Einkommen der in ihnen tätigen Menschen zu sichern, Steuern für den Staat zu erwirtschaften und zur Erfüllung von sozialen und wirtschaftlichen Leistungen beizutragen. Hierbei wird die Arbeit in den Unternehmen entscheidend von zwischenmenschlichen Beziehungen und moderner Technik geprägt.

Zweck der Unternehmung ist es, durch die Kombination der Produktionsfaktoren einen Output zu erreichen, der für die Bedürfnisbefriedigung der Menschen einen höheren Wert hat als die Summe der einzelnen Inputs. Durch die Kombination soll also ein zusätzlicher Nutzenwert entstehen.

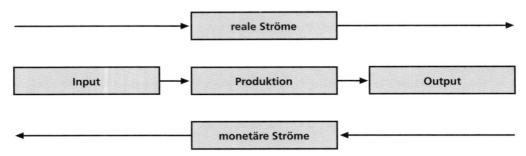

Das betriebliche Rechnungswesen einer Unternehmung hat die Aufgabe, die Ströme aller Inputs bis zum Absatz des neu geschaffenen Produktes im Zeitablauf zu registrieren. Die Inputströme können in monetäre Ströme (Auszahlungen, Einzahlungen, Ausgaben, Einnahmen) und reale Ströme (Produktionsfaktoren und -mittel, Erzeugnisse) unterteilt werden. Während sich die Finanzbuchhaltung um die Erfassung der monetären Ströme kümmert, sollen durch die Kostenrechnung die realen Ströme festgehalten und kontrolliert werden.

> **Kostenrechnung ist die Ermittlung aller in einem Betrieb mit der Produktion eines Gutes entstehenden Kosten, um die Abweichungen zu den geplanten Kosten zu erfassen, damit in Zukunft rationeller gewirtschaftet und vermeidbare Kosten eingespart werden können.**

Die Ermittlung der Kosten ist für eine wirtschaftliche Betriebsführung außerordentlich wichtig. Sie dient vor allem den folgenden betriebsinternen Zwecken:

1. der Bestimmung des Leistungserfolges und der Feststellung des Betriebsergebnisses.

Es geht hierbei um die Frage, ob sich die Arbeit in dem Jahr gelohnt hat, d.h., ob das Betriebsergebnis höher war als der Einsatz der Ressourcen im Rahmen der Produktion. Der Leistungserfolg kann für den Gesamtbetrieb, jedoch auch für einzelne Betriebe einer Unternehmung oder für Betriebsteile ermittelt werden, um deren Wirtschaftlichkeit und/oder Produktivität im einzelnen zu beurteilen. Dies ist für die Analyse der wirtschaftlichen Lage eine Daueraufgabe und kann z.B. für die Entscheidung über die Schließung von Betriebsteilen oder die Durchführung von Rationalisierungsmaßnahmen als Sondermaßnahmen von Bedeutung sein.

2. Entscheidungshilfe für Betriebsdisposition und -kontrolle

Hier kann es darum gehen, das beste Produktionsverfahren auszuwählen, über Investitionen zu entscheiden, die günstigsten Werkstoffe einzusetzen, die Frage zu klären, ob etwas selbst produziert oder lieber gekauft werden sollte und vieles andere mehr. Auch ist bei dezentralisierter Geschäftsführung eine Kontrolle unerlässlich, um Wirtschaftlichkeit der Einzelnen Betriebsteile ständig überprüfen zu können. Was im Handwerksbetrieb die koordinierende Aufsicht des Meisters, ist im dezentral geführten Großbetrieb die ausgefeilte Kostenrechnung.

3. Hilfsmittel für die Preispolitik

Kosten bieten dem Unternehmer eine Orientierungshilfe für seine preispolitischen Entscheidungen, denn der Verkauf der Erzeugnisse und Produkte soll zu Preisen erfolgen, die ihm möglichst eine Erstattung der eingesetzten Produktionsfaktoren (und etwas darüber hinaus) gewährleisten. Die Ermittlung der Kosten ist notwendig für die Ermittlung der Untergrenze für die Preise im Verkauf und für die Ermittlung von Obergrenzen für die Preise im Einkauf von Ressourcen.

Unabhängig vom gewählten Kostenrechnungssystem gliedert sich jede Kostenrechnung immer in die folgenden Teilbereiche:

Kostenartenrechnung

Die wichtigste Aufgabe der Kostenartenrechnung liegt in der zweckmäßigen, auf die betrieblichen Verhältnisse abgestellten Aufgliederung der Kosten in unterschiedliche Kostenarten. Die Kostenartenrechnung beschäftigt sich also mit der Frage: Welche Art von Kosten sind in der Rechnungsperiode in welcher Höhe angefallen? Da die Gesamtkostensumme für die Erfüllung der oben genannten Aufgaben wenig aussagen würde, werden die Kosten nach verschiedenen Kategorien unterschieden, z.B.

- Personalkosten, Materialkosten, Abschreibungen, Zinsen u.a.
- Beschaffungskosten, Fertigungskosten, Vertriebskosten, Verwaltungskosten u.a.
- gleichbleibende (fixe) Kosten und veränderliche (variable) Kosten,
- Einzelkosten (die sich für das einzelne Produkt erfassen lassen) und Gemeinkosten, (die ich nur für mehrere meiner Produkte oder gar alle gemeinsam erfassen kann) u.v.a.m.

Kostenstellenrechnung

Nach ihrer Erfassung im Rahmen der Kostenartenrechnung werden die Kosten mit Hilfe der Kostenstellenrechnung auf die verschiedenen Betriebsbereiche – die Kostenstellen – verteilt. Hierdurch wird es möglich, in den einzelnen Teilbereichen des Unternehmens eine systematische Kontrolle durchzuführen. Die Kostenstellenrechnung beschäftigt sich also mit Fragen wie:

- Wo sind welche Kosten in welcher Höhe angefallen?
- Haben sie sich verändert?
- Welche Kosten entstehen bei uns im Vergleich zu anderen Unternehmen?
- u.v.a.m.

Kostenträgerrechnung

Jedes Produkt, das wir erzeugt haben, ist ein „Kostenträger". Es trägt in das Produkt eingegangene Ressourcen nach außen zum Abnehmer. Im Gegenzug erwarten wir, dass uns mindestens im gleichen Wert finanzielle Mittel zufließen, mit denen wir wieder die notwendigen Ressourcen für die weitere Produktion kaufen können.

In der Kostenträgerrechnung wird versucht, eine Verbindung zwischen den angefallenen Kosten und den erstellten Leistungen herzustellen. Es werden die Kosten je Stück der erstellten Sachgüter und Dienstleistungen ermittelt.

189

Bitte beachten Sie die Artikel zu den folgenden Stichwörtern:
Abschreibung (10 - 11)
Einkommen (88 - 89)
Externes und internes Rechnungswesen (112 - 113)
Kosten (186 - 187)
Preispolitik (260 - 261)
Produktionsfaktoren (262 - 263)
Produktivität (264 - 265)
Unternehmung (334 - 335)

Krankenversicherung

Zwischen 80 und 90 % aller Menschen in der Bundesrepublik Deutschland sind in der gesetzlichen Krankenversicherung versichert. Für den überwiegenden Teil davon ist diese Versicherung Pflicht. Eine relativ kleine Minderheit ist von der Pflicht zum Beitritt befreit und hat eine private Krankenversicherung abgeschlossen bzw. ist auf andere Art und Weise oder gar nicht abgesichert. Eine gesonderte Regelung existiert für Beamte, für die der öffentliche Arbeitgeber die Verpflichtung übernommen hat, in Krankheitsfällen dem Beamten Beihilfen für die Behandlung zu zahlen.

Die gesetzliche Krankenversicherung

Die gesetzliche Krankenversicherung dient der Erhaltung und Wiederherstellung der Gesundheit. Die Mitglieder der Krankenversicherung haben freie Behandlung bei Ärzten und in Krankenhäusern. Sie sind auch gegen den Einkommensausfall bei Krankheit abgesichert.

In der gesetzlichen Krankenversicherung ist die Beitragshöhe abhängig von dem Einkommen. Die Versorgung im Krankheitsfall ist jedoch unabhängig vom Einkommen und für alle Versicherten gleich. Sie gewährleistet alle zur Gesundung notwendigen Mittel.

Wer ist in Deutschland pflichtversichert?

- alle Arbeitnehmer (außer Beamten) bis zu einer bestimmten Einkommenshöhe, die ständig an die Einkommensentwicklung angepasst wird.
- Rentner
- arbeitslose Arbeitnehmer, die Anspruch auf finanzielle Hilfen haben.
- Wehrdienst- und Zivildienstleistende
- Studenten, sofern sie nicht eine private Krankenversicherung nachweisen

Ein wichtiges Merkmal der gesetzlichen Krankenversicherung ist das „Prinzip der Mitversicherung". Ist der erwerbstätige Elternteil gesetzlich krankenversichert, so sind auch die Ehepartner und Kinder ohne Mehrkosten mitversichert.

Steigt das Einkommen eines Arbeitsnehmers durch beruflichen Aufstieg oder Lohnerhöhungen über die Versicherungspflichtgrenze, so kann er als freiwilliges Mitglied in der Pflichtversicherung bleiben.

Für bestimmte Leistungen sind gesetzlich festgelegte Zuzahlungen durch den Versicherten zu leisten, z.B. ein Anteil zu Arzneimitteln oder eine „Praxisgebühr" von z.Z.10 Euro je Quartal bei einem Arztbesuch. Der Gesetzgeber erhofft sich hiervon eine höhere Eigenverantwortung beim Verbrauch von Medikamenten und der Abwägung, ob ein Arztbesuch notwendig ist.

Leistungen der gesetzlichen Krankenversicherung sind:

- Maßnahmen zur Förderung der Gesundheit
- Maßnahmen zur Früherkennung von Krankheiten (Vorsorgeuntersuchungen)
- Krankenbehandlung (einschließlich Krankenhauspflege)
- Krankengeld (noch bis Ende 2005)

Die gesetzlichen Krankenkassen lassen sich in so genannte „Pflichtkassen" und „Ersatzkassen" einteilen.

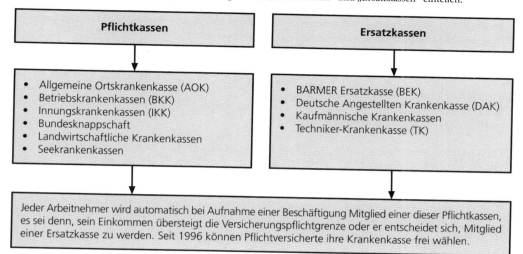

Pflichtkassen	**Ersatzkassen**
• Allgemeine Ortskrankenkasse (AOK) • Betriebskrankenkassen (BKK) • Innungskrankenkassen (IKK) • Bundesknappschaft • Landwirtschaftliche Krankenkassen • Seekrankenkassen	• BARMER Ersatzkasse (BEK) • Deutsche Angestellten Krankenkasse (DAK) • Kaufmännische Krankenkassen • Techniker-Krankenkasse (TK)

Jeder Arbeitnehmer wird automatisch bei Aufnahme einer Beschäftigung Mitglied einer dieser Pflichtkassen, es sei denn, sein Einkommen übersteigt die Versicherungspflichtgrenze oder er entscheidet sich, Mitglied einer Ersatzkasse zu werden. Seit 1996 können Pflichtversicherte ihre Krankenkasse frei wählen.

Bei der Krankenbehandlung geht es um ärztliche und (eingeschränkt) zahnärztliche Leistungen, um Arznei-, Verbands- und Heilmittel, um Hilfsmittel, um Rehabilitationsmaßnahmen u.a.m. Krankenbehandlung wird ohne zeitliche Begrenzung gewährt.

Zahnersatz (etwa Brücken, Kronen, Prothesen) wird ab 2005 aus dem Leistungskatalog der gesetzlichen Krankenversicherung herausgenommen. Hierfür kann dann eine gesonderte Versicherung abgeschlossen werden. Eine ähnliche Regelung wird für das Krankengeld ab 2006 gelten.

Beiträge

Die Beiträge bei den gesetzlichen Krankenversicherungen sind unterschiedlich hoch und liegen bei ca. 12 bis 15 % des Lohnes. Sie werden i.d.R. je zur Hälfte vom Arbeitgeber und Arbeitnehmer getragen.

Private Krankenversicherung

Neben der gesetzlichen Krankenversicherung gibt es private Krankenversicherungen, die fast ausschließlich von den Menschen genutzt werden, die nicht pflichtversichert sind (Selbständige, Arbeitnehmer mit Einkommen über der Versicherungspflichtgrenze, Beamte u.a.). Die privaten Krankenversicherungen berechnen ihre Beiträge nach dem tatsächlichen Krankheitsrisiko und den individuell erwünschten Leistungen im Krankheitsfall. Die Beiträge sind somit unabhängig von der Höhe des Einkommens. Die Leistungen der privaten Krankenkassen werden oft als besser angesehen, weil Ärzte höhere Entgelte und zusätzliche Leistungen abrechnen oder Medikamente verschreiben können, die von den Pflichtkassen nicht getragen werden; ebenso sind Auslandsaufenthalte abgedeckt. Die Nachteile können – je nach versichertem Risiko – in höheren Beiträgen liegen und darin, dass der Versicherte zunächst die Rechnungen bei dem Arzt selbst begleichen muss und erst danach eine Erstattung durch die Krankenkasse erfolgt, was ein Finanzpolster bei ihm voraussetzt.

191

Bitte beachten Sie die Artikel zu den folgenden Stichwörtern:
Einkommen (88 - 89)
Sozialversicherung (296 - 297)

Kredit

Unter „Kredit" (lat. „credere" = vertrauen, glauben) versteht man das Vertrauen in die Fähigkeit und Bereitschaft einer Person oder Unternehmung, Schulden fristgemäß zu begleichen. Kredit ist die Überlassung von Geld oder anderen vertretbaren Sachen zum Verbrauch.

Kredite können Privatleute, Unternehmungen, sonstige Organisationen und auch staatliche Institutionen aufnehmen. Der Kreditgeber stellt die ihm zur Verfügung stehenden Werte vorübergehend dem Kreditnehmer zur Verfügung. Der Kreditgeber hat daher den Nachteil, dass er diese Werte vorübergehend nicht selbst nutzen kann. Daher erwartet er in der Regel vom Kreditnehmer hierfür einen Ausgleich, d.h. die Zahlung von Zinsen. Natürlich erwartet er ebenfalls die Rückgabe des geliehenen Wertes.

Für den Kreditnehmer besteht der Vorteil eines Kredites darin, dass er sich die von ihm benötigten Leistungen oder Güter schon beschaffen kann, ohne über die notwendigen Mittel zur verfügen. Dies ist insbesondere im kaufmännischen Geschäftsverkehr von großer Bedeutung.

Auch wenn der lateinische Ursprung des Wortes „Kredit" suggeriert, es handele sich um ein Geschäft auf der Basis von „Treu und Glauben", prüft der Kreditgeber in jedem Fall die Kreditfähigkeit und Kreditwürdigkeit des Kreditnehmers.

Was bedeutet Kreditfähigkeit?

„Kreditfähigkeit" bedeutet, dass der Kreditnehmer in der Lage sein muss, Kreditverträge rechtswirksam abschließen zu können. Zum Beispiel muss er ein bestimmtes Alter haben, um Verträge abschließen zu können (=Geschäftsfähigkeit).

Das Bürgerliche Gesetzbuch schreibt Regeln über Kreditverträge in den §§ 607 ff. vor.

Was bedeutet Kreditwürdigkeit?

„Kreditwürdigkeit" ist gegeben, wenn vom Kreditnehmer die Erfüllung seiner Verpflichtungen erwartet werden kann. Man unterscheidet hier zwischen personeller und materieller Kreditwürdigkeit. Gesichtspunkte bei der Prüfung auf personelle Kreditwürdigkeit sind z.B. die berufliche Stellung und die persönlichen Verhältnisse. Für die materielle Kreditwürdigkeit achtet der Kreditgeber auf geordnete wirtschaftliche Verhältnisse, auf ein ausreichendes Einkommen und auf Vermögen. In vielen Fällen spielt auch die vorgesehene Verwendung der Kreditmittel eine Rolle bei der materiellen Kreditwürdigkeit.

Zur Feststellung der Kreditwürdigkeit dienen zunächst „Selbstauskünfte", d.h. die eigene Beschreibung des Kreditnehmers über seine wirtschaftliche Situation mit Nachweisen über sein Einkommen und Vermögen. Dazu kommen dann Auskünfte von Dritten, insbesondere von der „Schufa" (= Schutzgemeinschaft für allgemeine Kreditsicherung), die über umfangreiche Informationen über die wirtschaftliche Situation von Personen und Unternehmen verfügt.

Wichtige Kreditformen sind:

Kontokorrentkredit

Ein Kontokorrentkredit ermöglicht dem Kreditnehmer, bei seinen laufenden Geschäften Schulden zu machen, z.B. sein Bankkonto zu überziehen oder Warenlieferungen erst später zu bezahlen.

Diskontkredit

Beim Diskontkredit gibt der Kreditnehmer einen Wechsel als Zahlungsversprechen.

Akzeptkredit

Beim Akzeptkredit unterschreibt der Kreditgeber einen Wechsel, den der Kreditnehmer ausstellt. Er überträgt somit seine eigene Kreditwürdigkeit auf den Kunden, der den Wechsel als Zahlungsmittel verwenden kann.

Avalkredit

Der Avalkredit ist die Übernahme einer Bürgschaft oder einer Garantie durch den Kreditgeber für den Kreditnehmer. Häufig garantieren auf diese Art und Weise Kreditinstitute die Sicherheit der Verbindlichkeiten ihrer Kunden gegenüber Dritten.

Ratenkredit

Der Ratenkredit ist ein Kredit, der in einer Summe bereitgestellt und in festen monatlichen Raten getilgt wird.

Realkredit

Realkredite sind durch Grundstücke bzw. Immobilien abgesicherte, i.d.R. langfristige Kredite an Privatpersonen und Unternehmen.

Kommunalkredit

Kommunalkredite sind Kredite an Gemeinden bzw. Städte zur Durchführung öffentlicher Investitionen. Für die Sicherung des Kommunalkredits haftet die öffentliche Hand mit ihrem Vermögen und ihrer Steuerkraft.

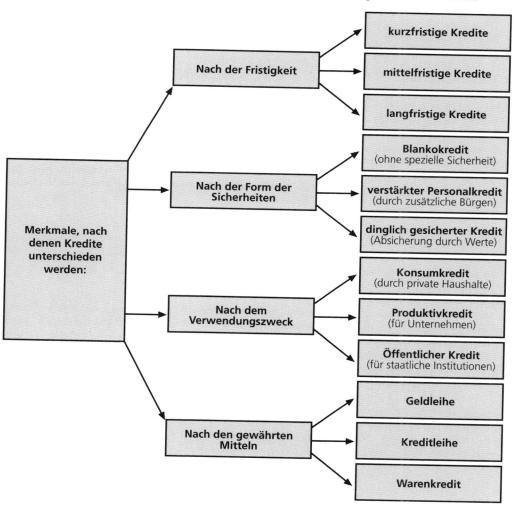

Bitte beachten Sie die Artikel zu den folgenden Stichwörtern:

Bürgschaft (70 - 71)
Grundpfandrecht (148 - 149)
Investitionen (166 - 167)
Unternehmung (334 - 335)

Leasing

Die Finanzierungsform des Leasing (engl. to lease = mieten, vermieten, pachten, verpachten) hat ihren Ursprung in den USA, wo 1952 die erste Leasing-Gesellschaft gegründet wurde. In der Bundesrepublik hat sich der Markt für Leasinggeschäfte seit den 60er Jahren entwickelt.

Leasing ist eine Art mittel- und langfristiger Vermietung von Konsum- und Investitionsgütern an Privatpersonen und Unternehmen.

Die Gesellschafter der Leasing-Institute sind meist Unternehmen der Kreditwirtschaft. Nahezu jede Großbank, die Sparkassenorganisation, die Volks- und Raiffeisenbanken sowie Privat- und Regionalbanken haben eigene Leasing-Töchter. Partner des Leasingvertrages sind die Lieferanten eines Anlagegutes, die Leasinggesellschaft (Leasinggeber) und der Mieter (Leasingnehmer).

Die Gestaltung der Leasing-Verträge ist in der Praxis sehr vielfältig. Nach Dauer und Kündbarkeit lassen sich zwei Formen des Leasing unterscheiden:

1. Financial-Leasing

Financial-Leasing-Verträge werden meist langfristig geschlossen und bestehen aus einer unkündbaren Grundmietzeit (etwa 3-6 Jahre bei beweglichen, bei unbeweglichen Anlagegütern bis zu 30 Jahren), die kürzer als die übliche Nutzungsdauer des Leasinggegenstandes ist. Die vom Leasinggeber festgelegten Miet- bzw. Pachtraten für die Grundmietzeit decken die Anschaffungs-, Herstellungs- und Nebenkosten einschließlich der Finanzierungskosten und des Gewinns. Der Leasingnehmer trägt das Investitionsrisiko. Für den Zeitpunkt der Beendigung der Grundmietzeit bieten die Leasinggeber mehrere Vertragsvarianten an. Der Leasingnehmer kann von vornherein eine eventuelle Verlängerung des Vertrages zu erheblich ermäßigten Mietraten oder einen späteren Kauf des Leasinggegenstandes vereinbaren, kann sich am Verkaufserlös beteiligen lassen oder einen Vertrag abschließen, dass der Gegenstand automatisch sein Eigentum wird.

2. Operating-Leasing

Unter Operating-Leasing fallen alle Verträge, die eine zeitweilige Überlassung regeln. Der Leasingnehmer hat bei diesen Verträgen das Recht, den Vertrag unter Einhaltung einer bestimmten Frist zu kündigen, ohne eine eventuelle Entschädigung zahlen zu müssen. Hier trägt der Leasinggeber das Investitionsrisiko.

Direktes und indirektes Leasing

Man unterscheidet auch zwischen direktem und indirektem Leasing. Das direkte Leasing, auch Hersteller-Leasing genannt, ist gekennzeichnet durch die Vermietung oder Verpachtung durch den Hersteller der Güter. Beim Hersteller-Leasing steht das Interesse des Herstellers am Absatz seiner Produkte im Vordergrund. Dabei kann es sich sowohl um die Mietobjekte selbst handeln, z. B. Kopiergeräte, als auch um die Betriebsstoffe und Hilfsmittel, z. B. Kopiermaterial. Hersteller-Leasing-Verträge werden häufig mit besonderen Dienstleistungen des Herstellers verbunden, z. B. Wartung oder Lieferung von Betriebsstoffen.

Bei indirektem Leasing wird die Vermietung durch Leasing-Gesellschaften betrieben, die mit dem Hersteller nichts zu tun haben. Leasing-Gesellschaften betreiben ausschließlich die Vermietung von mobilen oder immobilen Investitionsgütern bzw. langlebigen Gebrauchsgütern. Diese Wirtschaftsgüter werden nach den Vorstellungen und Bedürfnissen der Mieter angeschafft und von der Leasing-Gesellschaft zu 100% oder nahezu in voller Höhe finanziert.

Nach der Art des Leasing-Gegenstandes kann man von Immobilien-Leasing, Mobilien-Leasing oder Personal-Leasing sprechen.

1. **Das Immobilienleasing,** auch Anlagenleasing genannt, betrifft die Vermietung bzw. Verpachtung z.B. von Verwaltungsgebäuden oder Supermärkten u.a.m.

2. **Das Mobilienleasing**, auch Ausrüstungsleasing genannt, umfasst die Vermietung z. B. von Büromaschinen, Baumaschinen, Nutzfahrzeugen u.a.m.

3. Unter **Personal-Leasing** versteht man die Bereitstellung von Arbeitnehmern für eine vertraglich vereinbarte Zeit. Dieser Begriff hat sich in Deutschland bisher nicht durchgesetzt; man spricht daher meist von „Zeitarbeit".

Unter dem Gesichtspunkt des Umfanges der Dienstleistungen beim Leasing werden das Full-Service-Leasing, das Teil-Service-Leasing und das Net-Leasing unterschieden. Beim Full-Service-Leasing übernimmt der Leasing-Geber die Wartung des Leasing-Gegenstandes sowie eventuell notwendige Reparaturen, Versicherungen und Serviceleistungen, während beim Teil-Service-Leasing die Serviceleistungen vertraglich zwischen Leasing-Geber und Leasing-Nehmer aufgeteilt werden. Beim Net-Leasing hat der Leasing-Nehmer die gesamten Serviceleistungen selbst zu tragen.

Welche Vorteile hat das Leasing

Für den Unternehmer bietet Leasing mehrere Vorteile: Leasing führt zu einer 100%igen Fremdfinanzierung der Investitionen. Es wird kein Eigenkapital des Mieters gebunden und seine Liquidität wird geschont. Die finanzielle Belastung verteilt sich auf mehrere Perioden und kann im Allgemeinen als Betriebsausgabe geltend gemacht werden. Leasing führt zu einer optischen Verbesserung der Bilanz und ermöglicht die Korrektur von Investitionsplänen und Budgets. Leasing als Investitionsfinanzierung ist nur als Ergänzung der herkömmlichen Finanzierungsarten sinnvoll. Erst ein Kostenvergleich zeigt im konkreten Fall, welche Finanzierung günstiger ist.

Leasing-Nutzung 2003

Arten der geleasten Güter		Leasing-Nehmer	
Fahrzeuge	= 55%	Industrie	= 33%
Gebäude	= 19%	Dienstleistungsunternehmen	= 25%
Büromaschinen; EDV	= 12%	Handel	= 28%
Produktionsanlagen	= 7%	Private	= 11%
Sonstiges	= 7%	Verkehrsunternehmen	= 9%
		Sonstige	= 4%
	= 100%		**= 100%**

195

Bitte beachten Sie die Artikel zu den folgenden Stichwörtern:
Bilanz (60 - 61)
Investitionen (166 - 167)
Kredit (192 - 193)
Versicherung (348 - 349)
Zeitarbeit (380 - 381)

Liquidität

Liquidität eines Unternehmens ist die Fähigkeit, die fälligen Verbindlichkeiten (Zahlungsverpflichtungen) fristgerecht bezahlen zu können.

Mangelnde Liquidität, d.h. Illiquidität, ist die häufigste Ursache von Insolvenzen. Selbst wenn eine Firma durchaus gesund ist, kann es leicht zu Zahlungsschwierigkeiten kommen, wenn die Kunden ihre fälligen Rechnungen nicht bezahlen und Lieferanten, Finanzamt, Beschäftigte u.a.m. ihre Forderungen anmahnen. Daher ist für eine Unternehmung die möglichst genaue Planung der finanziellen Situation außerordentlich wichtig. Sie kann mehrere Jahre mit unzureichenden Gewinnen und sogar Verlusten überstehen – Zeiten unzureichender Liquidität führen jedoch schon sehr kurzfristig zur Geschäftsaufgabe.

Was kann eine Unternehmung tun?

Ein Unternehmen ist nur dann liquide, wenn es jederzeit die fälligen Zahlungen zu leisten in der Lage ist. Dies bedeutet, dass für eine Liquiditätsplanung eine laufende Analyse der finanziellen Lage notwendig ist. Die Liquidität eines Wintersportartikel-Herstellers wird bei normalem Verlauf des Geschäfts am Jahresende nach Urlaubsvorbereitung und Weihnachtseinkäufen der Kunden gut sein; sie kann aber im Frühherbst, wenn die Einkäufe erfolgt sind und Lieferantenrechnungen beglichen werden müssen, zum Desaster führen.

Es reicht also nicht aus, zu dem an einem bestimmten Stichtag vorhandenen Zahlungsmittelbestand die auf Grund der kaufmännischen Erfahrung für das kommende Vierteljahr zu erwartenden Einnahmen hinzuzuzählen und die voraussichtlichen Ausgaben bis 31. 12. abzuziehen. Auch wenn sich dabei ein positives Ergebnis zeigt, kann die Unternehmung zwischendurch illiquide werden, wenn die Ausgaben vorwiegend im Oktober anfielen und die Einnahmen vorwiegend im Dezember. Wenn eine fällige Verpflichtung nicht beglichen wird, spricht sich dies oft sehr schnell herum. Bei Kenntnis eines nicht eingehaltenen Zahlungstermins drängen die Gläubiger häufig massiv auf unmittelbare Zahlung, selbst wenn sich sonst ihr Mahnverfahren noch längere Zeit hingezogen hätte. Der Liquiditätsentwicklung wird daher große Aufmerksamkeit gewidmet.

Der Liquiditätsgrad

Zur Quantifizierung der Liquidität wird meist der Liquiditätsgrad verwendet, der das Verhältnis von fälligen Verbindlichkeiten und verfügbaren Zahlungsmitteln angibt.

Für diese Darstellung muss man wissen, dass in der Bilanz einer Unternehmung als Umlaufvermögen u.a. folgende Positionen angeführt werden:

- Kassenbestand
- Bankguthaben
- Forderungen
- Vorräte an Fertigwaren
- u.a.m.

Hat eine Firma genügend liquide (flüssige) Mittel – in Form von Kassen- oder Bankguthaben –, um die kurzfristigen Schulden zu begleichen, so hat sie die volle Liquidität 1. Grades.

$$\text{Liquidität 1. Grades} = \frac{\text{Liquide Mittel}}{\text{kurzfristige Verbindlichkeiten}}$$

Beispiel:

Firma Knorke hat kurzfristige Verbindlichkeiten in Höhe von 900.000 Euro. Ihre Kassenbestände betragen 200.000 Euro; die schnell verfügbaren Bank- und Postscheckguthaben liegen bei 250.000 Euro.

$$\frac{450.000}{900.000} = 0,5.$$

Die Liquidität 1. Grades bei der Firma Knorke beträgt 0,5.

Die Angabe des Liquiditätsgrades ist ohne Bezeichnung (nicht z.B. 0,5 % oder 0,5 Euro). Liquidität von 0,5 bedeutet, dass man nur die Hälfte der kurzfristigen Schulden zu begleichen in der Lage ist.

Eine solche Situation ist jedoch nicht gefährlich, wenn die Firma weitere Vermögenswerte zur Verfügung hat, die schnell zu Geld gemacht und für die Abdeckung der Schulden verwendet werden können, z.B. Forderungen bei Kunden, die eingetrieben werden müssten, oder Wertpapiere, die verkauft werden müssten. Unter Berücksichtigung solcher Werte errechnet man die Liquidität 2. Grades:

$$\text{Liquidität 2. Grades} = \frac{\text{monetäres Umlaufvermögen}}{\text{kurzfristige Verbindlichkeiten}}$$

Selbst, wenn hierbei die Liquidität von 1,0 noch nicht erreicht wird, kann man weitere Vermögenswerte berücksichtigen, die im Notfall einsetzbar sind: Einnahmen aus dem Verkauf von Vorräten. In diesem Fall spricht man dann von der Liquidität 3. Grades:

$$\text{Liquidität 3. Grades} = \frac{\text{monetäres Umlaufvermögen} + \text{Vorräte}}{\text{kurzfristige Verbindlichkeiten}}$$

Die Liquidität 2. und 3. Grades ist ein wichtiger Anhaltspunkt für die Einleitung besonderer Aktionen, z.B. juristischer Schritte zum Eintreiben von ausstehenden Forderungen oder Organisation von Sonderverkäufen, um der drohenden Liquiditätsklemme vorzubeugen.

Diese Liquiditätskennzahlen müssen in der Praxis durch eine Einnahme- Ausgabe-Vorausschau als Finanzplan mit exakten Datumsangaben ergänzt werden. Ebenfalls muss aus den Angaben hervorgehen, welche sonstigen Zahlungsverpflichtungen auf die Unternehmung in dieser Zeit noch zukommen (Lohnzahlungen, Steuerzahlungen u.a.m.). Der Liquiditätsgrad ist daher nur ein erster Anhaltspunkt.

Zur Vermeidung der Illiquidität sind alle Maßnahmen geeignet, durch die Auszahlungen auf spätere Zeitpunkte verlegt (z.B. Stundung) oder ganz vermieden werden (z.B. Verzicht auf eine Investition). Auch Maßnahmen, die zu zusätzlichen Einnahmen (z.B. Kreditaufnahme) oder zum früheren Zahlungseingang führen (z.B. Kundenanzahlungen) können in einer solchen Situation helfen.

Bitte beachten Sie die Artikel zu den folgenden Stichwörtern:

Bilanz (60 - 61)
Insolvenz (164 - 165)
Investitionen (166 - 167)
Kredit (192 - 193)
Unternehmung (334 - 335)

In Zukunft wird auf den deutschen Autobahnen eine Maut auf schwere Lastkraftwagen (LKW) erhoben. Zu den schweren LKW sollen dann Fahrzeuge zählen, deren zulässiges Gesamtgewicht (einschließlich Anhänger) mindestens 12 Tonnen beträgt.

> **„Maut" bedeutet die Erhebung einer Gebühr für die Nutzung einer Straße. Hier geht es um die LKW-Maut auf den Autobahnen in Deutschland. Diese Gebühr wird pro Kilometer berechnet und betrifft jeden LKW-Fahrer, egal ob In- oder Ausländer.**

Mit der Einführung einer Nutzungsgebühr sollen die besonderen Beanspruchungen abgegolten werden, die LKW auf den Straßen hinterlassen. Dies ist aufgrund der schweren Achslast um den Faktor 60.000 mehr der Fall als bei normalen PKW.

Aus diesem Grund verfolgt die Bundesrepublik im Einklang mit der EU-Verkehrspolitik das Ziel, die LKW erhöht an der Finanzierung der Infrastruktur zu beteiligen. Diese Gebühr wird unterschiedlich beurteilt. Kraftfahrtunternehmen beklagen natürlich die stärkere Belastung, Konkurrenten, wie die Eisenbahn, sind ebenso sehr dafür wie der Finanzminister, der zusätzliche Einnahmen sieht. Wir stellen im Folgenden einige Vor- und Nachteile einer solchen Maut gegenüber:

Vorteile der Lkw-Maut für den Staat und die Gesellschaft	Nachteile der Lkw-Maut für das Unternehmen und die Bürger
• Mit der Lkw-Maut erhalten Bahn und Binnenschifffahrt verbesserte Chancen. Der LKW-Verkehr soll vor allem auf die Schiene verlagert werden. Damit würde ein Beitrag zur Ökologie geleistet. • Die Zusatzeinnahmen durch die Maut könnten für den Ausbau weiterer Verkehrswege verwendet werden • Durch die vorgesehene automatische Erhebung der Maut könnte Deutschland einen Wettbewerbsvorsprung im Bereich dieser Technologie erlangen. Dadurch können neue Arbeitsplätze geschaffen und gesichert werden.	• Die Lkw-Maut führt bei Transportunternehmen zu Kostenerhöhungen, die die gesamte Wirtschaft und letztlich den Verbraucher belasten. Das Bundesverkehrsministerium schätzt eine Erhöhung der Betriebskosten bei LKW von 8 - 10 Prozent. • Durch die Verlagerung vom LKW auf andere Transportmittel werden bei den LKW-Transportunternehmen Arbeitsplätze freigesetzt. • Es besteht die Gefahr dass LKW-Fahrer auf die mautfreien Bundes- und Landstraßen ausweichen.

Das automatische Maut-System

Anders als andere Länder, will Deutschland eine ganz neue Technologie für die Berechnung der Maut entwickeln. Damit der Verkehr weiterhin ungehindert fließen kann, wird die neue Lkw-Maut nicht am Kassenhäuschen erhoben. Die Mautgebühren werden elektronisch mit Satellitenunterstützung ermittelt und abgerechnet. Die Mauthöhe ist dabei von der km-Zahl, von der Anzahl der Achsen (Gewicht) sowie von der Emissionsklasse (Menge der ausgestoßenen Schadstoffe) des Fahrzeuges abhängig. Sie soll für ein Fahrzeug zwischen 10 bis 17 Cent pro Kilometer liegen.

Um an diesem automatischen System teilnehmen zu können, muss das Fahrzeug mit einem speziellen Messgerät (On-Board-Unit – OBU) ausgestattet werden. Dieses registriert mittels Satellitenunterstützung jede Autobahnbenutzung. Per GSM-Mobilfunk wird diese Information dann an die Maut-Betriebsgesellschaft übermittelt. Bei Fahrtantritt schaltet sich das Messgerät automatisch ein. Alles andere läuft vollautomatisch. Neben der automatischen Zahlungsweise durch Abbuchung sollen die LKW auch die Möglichkeit haben, die Maut mit herkömmlichen Zahlungsmitteln (z.B. die jeweilige Landeswährung, Kreditkarte, Internet) zu bezahlen. Künftig werden ca. 3.000 Automaten verfügbar sein, die sich in der Nähe von häufig befahrenen Autobahn-Auf- und -Abfahrten befinden.

Die Entwicklung der neuen Technologie stößt jedoch noch auf sehr große Schwierigkeiten, die nicht absehen lassen, wann das neue System endgültig installiert werden kann und wie vorgesehen funktioniert. Eine einjährige Testphase soll Ende 2004 beginnen.

Bundesministerium für Verkehr, Bau- und Wohnungswesen

Künftiges mautpflichtiges Straßennetz (Prognose 2003)

Bundesautobahnen

Länge	ca. 12.000 km
Anschlussstellen	2213
Autobahnkreuze	251

Mautpflichtige LKW
ca. 1,2 Mio. bis 1,4 Mio.,
davon ca. 400.000 bis 500.000 ausländische LKW

Mautpflichtige Fahrleistungen
ca. 22,7 Mrd. Fahrzeugkilometer pro Jahr,
davon ca. 35 Prozent durch ausländische Fahrzeuge erbracht

Quelle: www.bmvbw.de

199

Bitte beachten Sie die Artikel zu den folgenden Stichwörtern:
Ökologie (240 - 241)

Logistik

Die weiter fortschreitende Entwicklung vom Verkäufer- zum Käufermarkt zwingt jedes Unternehmen – will es heute und erst recht in Zukunft wettbewerbsfähig bleiben – zu einer spezifischen Ausrichtung aller betrieblichen Funktionsbereiche auf die Erfordernisse des Absatzmarktes. Das Erfüllen individueller Kundenwünsche, terminge-rechte Lieferung und ein hoher Qualitätsstandard sind genauso entscheidende Wettbewerbsfaktoren wie der Angebotspreis. In diesem Zusammenhang fällt häufig der Begriff „Logistik".

Das Wort „Logistik" stammt von dem französischen Wort loger = einquartieren, unterbringen ab. Hiervon abge-leitet bezeichnet Logistik im militärischen Bereich seit dem frühen 19. Jahrhundert die Theorie und Planung von Bereitstellung und Einsatz der für militärische Zwecke erforderlichen Mittel und Dienstleistungen zur Unterstützung der Streitkräfte. Wie zahlreiche andere militärische Begriffe wurde auch der Logistikbegriff innerhalb der amerika-nischen Managementwissenschaft auf den zivilen Bereich übertragen und von dort Ende der 70er Jahre in die deut-sche Betriebswirtschaftslehre und die betriebliche Praxis übernommen.

Betriebswirtschaftliche Logistik ist die Organisation aller Verbindungen zwischen den Beschaffungs-märkten und Fertigungsstätten sowie zwischen den Fertigungsstätten und Absatzmärkten.

Dabei geht es sowohl um Transport-, Lager- und Umschlagvorgänge von Gütern als auch um den Leistungs- und Informationsfluss in und zwischen den Betrieben. Es handelt sich also um den Prozess der Raum- und Zeitüber-brückung von Gütern, Leistungen und Informationen einschließlich der zugehörigen Steuerungs- und Regelungs-abläufe.

Man war früher sehr auf den eigentlichen technologischen Fertigungsprozess konzentriert und betrachtete meist Transport, Lagerung, Verpackung und Materialhaltung als Nebentätigkeiten, um die man sich betriebswirtschaftlich wenig kümmerte, die in der Regel unkoordiniert verliefen und nachlässig gesteuert waren. Dabei unterschätzte man sehr die Möglichkeiten der Kostensenkung durch eine bessere Koordinierung der einzelnen Unternehmensbereiche. Besonders die wachsende internationale Ausrichtung der Unternehmen im Absatz-, Beschaffungs- und Fertigungsbereich, die ein immer komplexeres Transport- und Lagernetz zur Folge hat, machte eine intensive, auf Integration ausgerichtete Auseinandersetzung mit den Material- und Informationsflüssen zwingend notwendig.

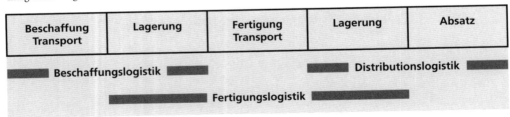

Logistik stellt damit sowohl einen selbständigen betrieblichen Funktionsbereich als auch die Verbindung der ver-schiedenen betriebswirtschaftlichen Funktionsbereiche dar; sie wird zu einer Querschnittsfunktion mit der Aufgabe der optimalen Koordinierung der genannten Unternehmensbereiche mit der Zielsetzung der Kostenminimierung. Durch die Logistik erst kommt es zu einem ganzheitlichen Organisationskonzept, das vom Input aller Produktionsfaktoren bis zum Output der Fertigerzeugnisse reicht.

Das Logistik-Konzept besteht aus folgenden Funktionsbereichen:

1. Beschaffungslogistik

Die Beschaffungslogistik befasst sich mit allen Tätigkeiten im Zusammenhang mit dem Materialfluss vom Beschaffungsmarkt bis zum Eingangslager oder direkt in die Fertigungsstellen sowie mit den Problemen der not-wendigen Abstimmung von Personalbeschaffung und Personaleinsatz.

2. Fertigungslogistik

Die Fertigungslogistik befasst sich mit allen Tätigkeiten im Zusammenhang mit dem Materialfluss von Roh-, Hilfs- und Betriebsstoffen und Diensten vom inner- oder außerbetrieblichen Rohmateriallager zu den Fertigungsstellen, durch die einzelnen Fertigungsstufen bis hin zum Fertigwarenlager sowie die darauf abgestimmten Leistungs- und Informationsflüsse. Logistik soll die Durchlaufzeit innerhalb der Fertigung und Verwaltung reduzieren, die vornehmlich durch Transport, Handling- und Lieferzeiten geprägt ist.

3. Distributionslogistik

Die Distributionslogistik befasst sich mit allen Tätigkeiten im Zusammenhang mit dem Warenfluss vom Hersteller zum Kunden.

Was bedeutet „just-in-time"?

Im Zusammenhang mit Logistik ist häufig von „just in time" die Rede. Hierbei fließt das Material, vom Lieferanten ausgehend, direkt in die Fertigung ohne zwischengelagert zu werden. Durch die Zusicherung, die Ware „just in time" zu liefern, trägt der Lieferant eine große Verantwortung für die reibungslose Beschaffung der benötigten Ware. Mit dem „just in time"-Konzept sinken die Kosten der Lagerhaltung der Unternehmung.

Aufgrund der funktionsübergreifenden Aufgabenbereiche der Logistik und der damit verbundenen großen Planungskomplexität, wird der Einsatz moderner Computertechnologien, insbesondere im Bereich der EDV-gesteuerten Planungs- und Kontrollsysteme, unverzichtbar.

Durch ein gezieltes Logistik-Management lassen sich nicht nur Kostensenkungen von bis zu 30 % erzielen, sondern das Unternehmen kann insgesamt flexibler und vor allem schneller auf veränderte Rahmenbedingungen reagieren. Der sich zunehmend verschärfende Wettbewerb zwingt dazu, diese Potenziale zu nutzen. Logistik ist im Aufwind!

Bitte beachten Sie die Artikel zu den folgenden Stichwörtern:

Betriebliche Funktionen (56 - 57)
Fertigungsplanung (116 - 117)
Management (204 - 205)
Marketing (208 - 209)
Materialwirtschaft (216 -217)
Produktionsfaktoren (262 - 263)

Lohnformen

Ein grundsätzliches Problem bei der Lohnbildung ist die Frage nach dem „gerechten" Lohn. Eine eindeutige Antwort kann es dabei nicht geben, weil die Beantwortung von subjektiven Wertvorstellungen der Menschen abhängt. In der ökonomischen Diskussion stehen insbesondere zwei grundlegende Prinzipien zur Debatte, die

*   Leistungsgerechtigkeit und
*   Bedarfsgerechtigkeit.

Leistungsgerechtigkeit bedeutet, dass gleicher Lohn für gleiche Leistung gezahlt werden soll. Es ist jedoch in der Praxis sehr schwierig, gleiche Leistungen zu definieren und bei unterschiedlichen Leistungen die Lohnunterschiede festzulegen.

Bedarfsgerechtigkeit soll ausdrücken, dass jeder entsprechend seinem Bedarf entlohnt werden sollte. Auch hier ist es schwierig, individuelle Unterschiede festzulegen, so dass Bedarfsgerechtigkeit sich häufig auf Zusatzbedarf durch Kinder oder einfach auf „jedem das Gleiche" reduziert. In der Praxis finden wir häufig Mischformen beider Prinzipien.

Die Festlegung der Löhne kann in Tarifverhandlungen zwischen den Arbeitgeberverbänden und den Gewerkschaften erfolgen (= tarifliche Entlohnung), statt dessen oder darüber hinaus ist aber auch eine Vereinbarung zwischen Arbeitgeber und Arbeitnehmer möglich (= außertarifliche Entlohnung).

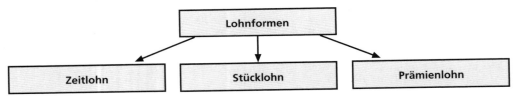

Zeitlohn

Die Zeit der Anwesenheit am Arbeitsplatz wird bezahlt. Bezugsgröße ist beim Arbeiter in der Regel die Stunde (Stundenlohn), beim Angestellten der Monat (Monatslohn). Der Zeitlohn richtet sich nach den Anforderungen des Arbeitsplatzes.

Stücklohn (Akkordlohn)

Diese Lohnform ist eine leistungsabhängige Lohnform. Der Arbeitnehmer erhält für eine definierte Einzelleistung, z.B. Löcher stanzen, oder für ein Stück (z.B. Zahnrad) herstellen, ein bestimmtes Entgelt. Voraussetzung dieser Lohnform ist, dass der Arbeitnehmer das Arbeitstempo in Grenzen selbst bestimmen kann. Der Akkordlohn ist ein reiner Leistungslohn. Er bietet den Anreiz, schneller zu arbeiten. Fehler gehen in der Regel zu Lasten des Arbeitnehmers. Beim Akkordlohn unterscheidet man:

*   **Einzelakkord:** Die Leistung des Einzelnen wird honoriert.
*   **Gruppenakkord:** Die Leistung eines Teams wird zugrunde gelegt.
*   **Stückakkord:** Der einzelne Vorgang oder das einzelne Stück ist Maßstab.
*   **Zeitakkord:** Für das einzelne Stück wird eine Normalzeit festgelegt, die vergütet wird. Unterschreitungen oder Überschreitungen führen zu einem höheren oder niedrigeren Lohn. Mit dem Akkordlohn ist meist ein garantierter Mindestlohn verbunden.

Prämienlohn

Diese Lohnform liegt vor, wenn zu einem Grundlohn, der nicht den Tariflohn unterschreiten darf, eine zusätzliche Prämie gewährt wird, die nach Leistung oder nach sozialen Gesichtspunkten bemessen wird. Sie soll die Arbeitsfreude, das Arbeitsklima und die Arbeitsproduktivität steigern.

Während der Zeitlohn in erster Linie für Qualitätsarbeiten in Betracht kommt und der Akkordlohn für quantitative Leistungssteigerungen herangezogen werden kann, ist der Prämienlohn differenzierter einsetzbar.

<table>
<tr><th colspan="4" align="center">Übersicht Lohnformen</th></tr>
<tr><th>Lohnart</th><th>Merkmale</th><th>Vorteile</th><th>Nachteile</th></tr>
<tr>
<td>**Zeitlohn**</td>
<td>Vergütung der Zeit der Anwesenheit am Arbeitsplatz
Varianten:
• Stundenlohn
• Monatslohn</td>
<td>• Fördert Sorgfalt bei der Arbeit
• Ermöglicht qualitativ hochwertige Arbeit
• Einfache Verrechnung</td>
<td>• Keine Leistungsanreize
• Arbeits- und Leistungskontrollen notwendig</td>
</tr>
<tr>
<td>**Stücklohn (Akkordlohn)**</td>
<td>Das technisch messbare Arbeitsergebnis wird bezahlt.
• Einzel- und Gruppenakkord
• Stück- und Zeitakkord</td>
<td>• Leistungsanreiz
• Erleichterung der Kostenkalkulation
• Keine Arbeitskontrolle notwendig</td>
<td>• Mögliche Überanstrengung
• Gefahr mangelhafter Qualität
• Evtl. soziale Spannungen
• Leistungskontrollen notwendig</td>
</tr>
<tr>
<td>**Prämienlohn**</td>
<td>Grundlohn + Sonderzahlung
Varianten:
• Leistungsprämien
• Sozialprämien</td>
<td>• Vielfältig einsetzbar, da variable Kriterien
• Materielle Vorteile für Arbeitgeber und -nehmer</td>
<td>• Nachteile je nach Grundlohn
• Spezielle Nachteile je nach Prämienkriterium</td>
</tr>
</table>

Diese Lohnformen sind in den letzten Jahren durch Entlohnungsgrundsätze ergänzt worden, die sich auf die erwartete Leistung beziehen, wie der Vertragslohn, der Festlohn mit geplanter Tagesleistung und der Programmlohn. Sie werden unter dem Oberbegriff Pensumlohn zusammengefasst. Bei diesen Lohnformen handelt es sich um Leistungslohnsysteme, bei denen der Lohn (= Grundlohn + Prämie) in der Erwartung gezahlt wird, dass die vorher nach betrieblichen Kriterien festgelegte Leistung innerhalb der vorgesehenen Zeitperiode auch erreicht wird. Wird das vereinbarte Arbeitsergebnis nicht erreicht oder überschritten, hat dies eine Lohnsatzkorrektur nach unten oder oben zur Folge. Diese Auswirkung tritt jedoch erst für die nachfolgende Abrechnungsperiode ein. In dieser zeitlich verzögerten Reaktion liegt der Hauptunterschied zu den klassischen Leistungslohnformen, bei denen sich Leistungsschwankungen bereits auf die laufende bzw. vergangene Periode auswirken.

203

Bitte beachten Sie die Artikel zu den folgenden Stichwörtern:
Gewerkschaften (136 - 137)
Tarifverhandlungen (310 - 311)

Management

Eine einheitliche Definition des Begriffes „Management" existiert nicht. Im deutschsprachigen Raum werden sehr häufig die Begriffe „Unternehmensführung" oder „Unternehmensleitung" verwendet. Der aus dem angloamerikanischen Sprachgebrauch stammende Begriff „Management" ist jedoch umfassender.

Management kann einerseits als die „Leitung von Organisationen" angesehen werden (Management als Funktion). Des Weiteren bedeutet Management, dass Personen eine anordnende Tätigkeit gegenüber ihren Mitarbeitern in der Unternehmensleitung haben (Management als Institution).

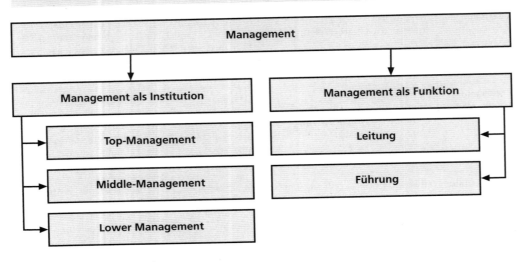

Management als Institution

Management als Institution ist der Personenkreis, der mit der Leitung einer Institution betraut ist, wobei meist eine Unternehmung gemeint ist. Innerhalb dieser Personengruppe wird zwischen

- Top-Management (obere Leitungsebene)
- Middle-Management (mittlere Leitungsebene) und
- Lower-Management (untere Leitungsebene)

unterschieden.

Management als Funktion

Management als Funktion ist die Gesamtheit aller Aufgaben, die der „Manager" als Führungskraft bzw. als Vorgesetzter ausübt. Die Management-Funktion kann von den Vorgesetzten an jeweils ihnen unterstellte Verantwortliche übertragen werden = Delegation von Verantwortung und Weisungsbefugnis.

Die Aufgaben des Managers werden dabei i.d.R. in zwei Schwerpunkten gesehen:

- Leitung =   sach-rationale Aufgaben wie Setzen von Zielen, Planen, Organisieren, Kontrollieren u.a.
- Führung =   sozio-emotionale Aufgaben wie Delegieren, Motivieren u.a.

Man geht heute davon aus, dass die „Human Ressources" in den entwickelten Industrienationen von zentraler Bedeutung für die Existenz der Unternehmen sind. Während man früher die Aufgaben des Managements vorwiegend in der sachlich-rationalen „Leitung" der Unternehmung sah, die etwa Zielfindung, Entscheidung, Planung, Organisation und Kontrolle umfasste, so steht im modernen Management häufig die sozio-emotionale Aufgabe der „Führung" im Fordergrund, die sich auf die kommunikativen Bereiche nicht nur der Motivation und Förderung von Mitarbeitern, die Delegation von Aufgaben und die Einbeziehung der Belegschaft in betriebliche Planungs- und Entscheidungsprozesse richtet, sondern auch auf die mediengerechte Kommunikationspolitik hinsichtlich der Stellung des Unternehmens in der Gesellschaft.

Zusammenfassend kann man sagen:

„Management" ist der Personenkreis, der mit Leitungs- und Führungsaufgaben des Unternehmens betraut ist; Management bezeichnet gleichzeitig die Funktionen eines Vorgesetzten, die sich in Leitungs- und Führungsfunktionen unterscheiden lassen.

Weitgehend unabhängig davon, ob die sachorientierte oder mitarbeiterorientierte Perspektive dominiert, lassen sich einige charakteristische Grundzüge angeben, die den Inhalt und die Bedeutung von Management näher beleuchten. Sie sind für das Managementkonzept von übergreifender Bedeutung und für den Managementprozess typisch:

Management will Menschen umweltbezogen durch
* Systeme und Prozesse,
* Analyse und Problemlösung,
* Entscheidungsfindung und Entscheidungsdurchsetzung,
* Kommunikation und Interaktion

so führen und so motivieren, dass dadurch
* zielbestimmtes,
* planvolles,
* organisiertes,
* kontrolliertes

Handeln im Unternehmen erreicht wird.

Bitte beachten Sie die Artikel zu den folgenden Stichwörtern:
Führungstechniken (124 - 125)
Motivation (230 - 231)

Wie entstanden Markenartikel?

Durch das große Bevölkerungswachstum und die daraus folgende Verstädterung, Technisierung und Industrialisierung kam es im 19. und Anfang des 20. Jahrhunderts dazu, dass ständig und immer schneller neue Produkte auf die Märkte kamen. Dabei ging auch bei dem Wachstum der Märkte die direkte Beziehung zwischen dem Hersteller und dem Konsumenten verloren und es entstand ein anonymer Markt. Die Kennzeichnung der Produkte durch eindeutige Ursprungskennzeichen der Produzenten gab den Käufern einen Herkunftsnachweis.

Woran erkennt man Markenartikel?

Waren sind eindeutig als Markenartikel erkennbar, wenn sie mit einer unverwechselbaren Markierung, z.B. einem Namen, Logo oder mit bestimmten Farben, gekennzeichnet sind.

Marken wurden ursprünglich nach folgenden Anforderungen definiert:
- Die Waren liegen als Endprodukt (Konsumgut) vor,
- Sie weisen eine Markierung als Kennzeichnung der Ware auf,
- Sie werden in gleichbleibender oder verbesserter Qualität zur Verfügung gestellt,
- Die Aufmachung verändert sich nur unwesentlich,
- Sie sind nahezu überall erhältlich,
- Sie bedürfen einer Anerkennung am Markt.

Jede dieser Eigenschaften ist für das Kriterium „Markenware" von Bedeutung, doch sind diese Kriterien in heutiger Zeit nicht unbedingt alle erfüllt, denn neben den Fertigwaren gelten z.B. auch Investitionsgüter (Industriemaschinen), Vorprodukte von Zulieferern und Dienstleistungen als Markenartikel.

Welche Funktionen haben Markenartikel?

Die Ausgestaltung als Marktenartikel bei Waren und Dienstleistungen erfüllt wichtige Funktionen für den Konsumenten.
- Die Konsumenten erwarten von einer Marke eine Orientierungshilfe bei ihrer Auswahl, so dass Markenartikel einen hohen Erkennungswert haben.
- Einer Marke wird auf Grund ihrer Bekanntheit Vertrauen entgegengebracht.
- Eine Marke soll für den Konsumenten den Beweis von Kompetenz und Sicherheit während des Gebrauchs erbringen.
- Darüber hinaus soll die Marke für den Konsumenten eine Image- und Prestigefunktion im sozialen Umfeld erfüllen, er soll sich mit der Marke identifizieren.

Was ist eine Marke wert?

Mit einer Marke kommen viele Seiten in Berührung: das Unternehmen selbst, die Konsumenten, der Handel, die Werbewirtschaft und die Mitarbeiter. Sie alle ziehen einen bestimmten Nutzen daraus. Nehmen wir die Eigentümer einer Marke, also das Unternehmen und dessen Geldgeber. Für sie schafft die erfolgreiche Marke ein Plus beim Unternehmenswert.

Es gibt einige Verfahren, um den Wert eines Unternehmens festzustellen. Eine Möglichkeit besteht darin, die Summe aller körperlich im Unternehmen befindlichen Werte (Buchwerte) zu messen, wie Gebäude und Maschinen. Oder man sieht sich den Wert an der Börse an. Beim Markenartikelhersteller Coca-Cola z.B. liegt der Börsenwert viel höher als der Buchwert. Coca-Cola hat weder ein Patent auf seine Cola-Rezeptur noch einen Wissensvorsprung in der Herstellung von Erfrischungsgetränken. Dennoch ist der Anleger bereit, einen hohen Preis für die Aktie zu zahlen. Die Erklärung liegt in der wachsenden Bedeutung von „nichtkörperlichen" (immateriellen) Werten wie Management, Wissensvorsprung und guten Kontakten zu Lieferanten und Kunden. In erster Linie ist es aber die Bedeutung des Markennamens. Coca-Cola hat es geschafft, den entscheidenden Platz im Kopf der Verbraucher einzunehmen, der sie veranlasst, Coca-Cola ähnlichen Erfrischungsgetränken vorzuziehen. Eine Studie hat gezeigt, dass in einem Blindtest 51% der Verbraucher Pepsi-Cola gegenüber Coca-Cola bevorzugten, während dies nur 23% taten, als beide Marken offen gezeigt wurden. Bei Markenartikelherstellern setzt sich der Börsenwert nur zu einem geringen Teil aus den körperlich vorhandenen Werten (Buchwerten) zusammen und zum überwiegenden Teil aus nichtfassbaren Werten, wie zum Beispiel der Marke.

Zusammensetzung des Unternehmenswertes:

Immaterieller Wert / Buchwert in Prozent, gemessen an der Börsenbewertung (Data-stream, McKinsey-Research). Bei Unternehmen wie Microsoft oder Coca-Cola macht der Buchwert nur knapp 5% des Marktwertes aus. Weitere Markenhersteller wie Adidas oder Nestlé liegen ebenfalls unter 20%, während die Nichtmarkenhersteller im Durchschnitt auf über 30% kommen.

Was ist eine Handelsmarke?

Grundsätzlich zeichnet sich ein Markenartikel durch eine hohe Qualität und einen im Verhältnis zu vergleichbaren Waren hohen Preis aus. Handelsmarken werden im Gegensatz dazu auf Grund ihres günstigen Preis-Leistungs-Verhältnisses gekauft. Nicht der Hersteller steht bei der Kennzeichnung oder Werbung im Vordergrund, sondern das Handelsunternehmen, in dessen Verkaufsräumen es angeboten wird. In den letzten Jahren ist eine Zunahme der Handelsmarken zu erkennen. Der Grund liegt im Streben des Handels, unabhängiger von den Herstellern von Markenartikeln zu werden und mit den eigenen Marken eine bessere Spanne zu erwirtschaften.

Was bewirken Markenartikel?

Marken stehen beispielsweise bei Jugendlichen hoch im Kurs, sie sind ein wichtiger Teil der eigenen Darstellung gegenüber Gleichaltrigen. Bei den Produkten des täglichen Bedarfs achten Jugendliche auf den Preis. Haben Marken jedoch im Umfeld (Schule, Freunde) der Heranwachsenden einen hohen Stellenwert, spielen die Kosten eine untergeordnete Rolle. Mehr als zwei Drittel der Heranwachsenden werden ihre Lieblingsmarken im Erwachsenenalter beibehalten.

Bitte beachten Sie die Artikel zu den folgenden Stichwörtern:
Management (204 - 205)
Marketing (208 - 209)
Markt (210 - 211)
Preispolitik (260 - 261)
Werbung (360 - 361)

In der Zeit nach dem Zweiten Weltkrieg bestand ein großer Nachholbedarf der Bevölkerung in praktisch allen Konsumbereichen. Es entwickelte sich ein typischer Verkäufermarkt, in dem den Anbietern praktisch alles aus der Hand gerissen wurde, was sie produzierten. Nach dem Abflauen der ersten Konsumwelle wandelten sich aber die Verhältnisse zwischen Anbietern und Nachfragern. Bei vielen Gütern bildete sich nun ein Käufermarkt, auf dem der Nachfrager die dominierende Stellung hatte. Die Anbieter mussten sich nun im Wettbewerb bewähren und konnten sich nicht mehr darauf verlassen, dass sie alles verkauften, was sie produzierten. Damit hatte die Geburtsstunde des Marketing geschlagen.

Das inzwischen international eingebürgerte Wort „Marketing" kommt aus den USA und könnte im Deutschen mit „etwas auf den Markt bringen" übersetzt werden.

Es ist aber nicht mit „Verkauf" als letzte Phase des betrieblichen Produktionsprozesses gleichzusetzen, durch den die Mittel für den weiteren Bestand der Unternehmung zurückfließen.

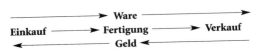

Marketing muss als völlige Umorientierung des unternehmerischen Denkens, als neue Unternehmensphilosophie, angesehen werden. Es geht nicht mehr darum, das zu verkaufen, was die Unternehmung produziert, sondern das zu leisten, was die Kundenwünsche zufrieden stellt. Die Orientierung an den Kundenwünschen ist oberstes Leitbild der Unternehmung; sie stehen im Mittelpunkt aller betrieblichen Entscheidungen. Dies gilt nicht nur für die Vertriebsabteilung, sondern für alle Unternehmensbereiche.

Das Verkaufen fängt bei einer marketingorientierten Unternehmung schon bei der Fertigungsplanung mit dem Einkauf an, denn Art und Qualität der Rohstoffe sind unter Umständen schon ausschlaggebend für die Zufriedenheit des Kunden mit dem Endprodukt.

Man unterscheidet im Marketing oft vier Aktivitätsbereiche, deren Gestaltng in der Unternehmung sicherstellen soll, dass der Markt und unsere Unternehmung möglichst vollkommen harmonieren:

1. die Produktgestaltung
2. die Kommunikationsgestaltung
3. die Kontrahierungsgestaltung
4. die Distributionsgestaltung

Zur **Produktgestaltung** gehören alle Bemühungen, durch Art und Eigenschaften der Produkte, durch Zusammenstellung des Sortiments, durch Garantieleistungen, Produktpflege und Kundendienst den Markt zu erschließen.

Diese Bemühungen um die Produktgestaltung sind wirkungslos, wenn nicht sichergestellt wird, dass die Kunden auch von den Besonderheiten unserer Produkte erfahren.

Dazu benötigen wir die **Kommunikation**. Die Gestaltung von Werbung, Public Relations, von besonderen Verkaufsaktionen und die Schulung kenntnisreichen und entgegenkommenden Verkaufspersonals muss die Verbindung zu den Nachfragern festigen.

Unterstützt wird diese Form der Kommunikationsgestaltung wiederum durch die Gestaltung der **Kontrahierungsbedingungen**. Hierbei geht es um die gesamte Ausgestaltung der vertraglichen Zusammenarbeit. Natürlich spielen die Preise, die von Kunde zu Kunde unterschiedlich sein können, eine wichtige Rolle. Daneben kommt es jedoch auf Lieferungs- und Zahlungsbedingungen, Nebenleistungen und vieles andere mehr an.

Alle diese Einsatzbereiche des Marketing können wirkungslos sein, wenn nicht die Gestaltung der **Distribution** sichert, dass die Ware auch reibungslos zum Kunden gelangt. Unzureichende Verkaufsstellen, langwierige Transporte, nachlässige Vertreter oder schlechte Kontakte zum Einzelhandel, der die Ware an den Endverbraucher weitergeben soll, machen alle anderen Bemühungen zunichte.

Was bedeutet Marketing-Mix?

Wegen der engen Verknüpfung aller Bereiche, ihrer gegenseitigen positiven oder negativen Beeinflussung, spricht man auch vom Marketing-Mix. Alle Maßnahmen müssen so aufeinander abgestimmt sein und harmonieren, dass die bestmögliche Marktstellung erreicht wird. Gute Werbung, die mir die Kunden ins Haus lockt, kann durch unfreundliche Verkäufer, die die Kunden wieder verjagen, umsonst gewesen sein. Marketing erfordert eine Gesamtkonzeption im Unternehmen.

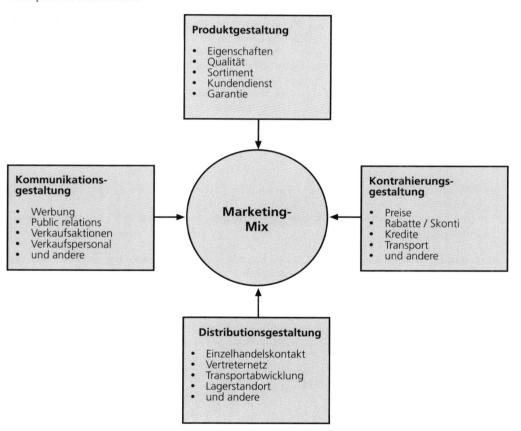

209

Bitte beachten Sie die Artikel zu den folgenden Stichwörtern:
Markt (210 - 211)
Preispolitik (260 - 261)
Public Relation (270 - 271)
Werbung (360 - 361)

Ein „Markt" bildet sich überall dort, wo sich Anbieter und Nachfrager treffen und ihre gegenseitigen Wünsche mitteilen. Der eine möchte eine Ware, der andere Geld, der eine möchte eine Wohnung haben, der andere eine vermieten usw. Der Markt kann also über Telefon entstehen, über Zeitungsinserate geschaffen werden, aber auch im Ladenlokal und am Marktplatz sein. Der Markt muss sich nicht nur auf einen festen Ort beschränken: Man spricht auch von Weltmarkt, Ölmarkt oder Rohstoffmarkt und meint dann unter Umständen die Anbieter und Nachfrager eines ganzen Landes, Kontinentes oder gar der ganzen Erde.

Der Markt ist der Ort, wo Angebot und Nachfrage aufeinander treffen und zu Preisbildung und Tausch (Kauf und Verkauf) führen.

In einer Wirtschaft, in der der ganze Wirtschaftsablauf über den Markt gesteuert wird, bleibt die Produktionsplanung und -entscheidung dem einzelnen Produzenten überlassen; der Staat hat ihm nicht hereinzureden. Er muss aber bei seiner Entscheidung beachten, dass er nur dann verkaufen kann, wenn er den anderen Menschen solche Güter anbietet, die diese benötigen. Er muss also selbst dafür sorgen, dass er bei seiner Arbeit Güter produziert, die am Markt von anderen Menschen auch nachgefragt werden. Je besser er diesen Wünschen entspricht, umso mehr Vorteile hat er davon: Er wird dann selbst gut verdienen und sich die Wünsche erfüllen können, die er selbst hat. Es kommt also nicht darauf an, ob es sich um „gesellschaftlich nützliche" Güter handelt, sondern ob diese von den Nachfragern gewünscht werden. Was manch einer als überflüssig empfindet, ist für den anderen oft sehr wichtig. Der Markt soll sicherstellen, dass sich die individuellen Wünsche erfüllen lassen, nicht nur von der Zentrale für richtig erachtete.

Am Markt treffen also Angebot und Nachfrage aufeinander, wobei das Ergebnis dieses Geschehens die Preisbildung ist. Die Preise signalisieren, ob von bestimmten Gütern

- mehr produziert als nachgefragt werden; dann sinken die Preise und es wird weniger interessant, diese Produktion weiterzubetreiben,
- weniger produziert als nachgefragt werden; dann steigen die Preise und es wird reizvoller, die Produktion auszudehnen.

Man unterscheidet verschiedene Arten von Märkten. Entsprechend den gehandelten Leistungen oder Waren gibt es Märkte für Grund und Boden, Arbeitsmärkte und Kapitalmärkte, Warenmärkte und Wertpapiermärkte und viele andere. Auf dem Boden- oder Immobilienmarkt werden bebaute und unbebaute Grundstücke, gewerbliche Räume (z.B. Büroräume) und Wohnräume gehandelt. Angebot und Nachfrage treffen in diesem Bereich in der Zeitung aufeinander oder wenn Immobilienmakler zwischen Verkäufer und Käufer, Vermieter und Mieter vermitteln. Auf dem Arbeitsmarkt wird die menschliche Arbeitskraft angeboten und nachgefragt (z.B. beim Arbeitsamt oder in Stellenanzeigen bzw. -gesuchen in der Zeitung). Auf dem Kapitalmarkt geht es um Kredite und Kapitalanlagen (z.B. Darlehen, Hypotheken, Gläubigerpapiere).

Bei den Gütermärkten differenziert man zwischen Konsum- und Investitionsgütermarkt. Auf dem Konsumgütermarkt werden die Güter des täglichen Bedarfs den Verbrauchern angeboten (z.B. Nahrungsmittel, Kleidung). Auf dem Investitionsgütermarkt treffen Unternehmer aufeinander und Produktionsmittel (z.B. Maschinen und Anlagen) werden ausgetauscht.

Derjenige Anbieter, der sich Mühe gibt, mit möglichst geringen Kosten zu produzieren, wird bei diesem Prozess am ehesten die Nachfrager auf sich ziehen und viel verkaufen können. Der nicht leistungsfähige Anbieter wird dagegen untergehen. Der Markt soll also die Leistung belohnen.

In der Marktwirklichkeit geschieht es allerdings sehr oft, dass Anbieter oder Nachfrager Absprachen treffen oder sich zusammenschließen und damit den Leistungswettbewerb verfälschen. Am gefährlichsten sind dabei die „Monopole", die den Wettbewerb ganz ausschalten. Der Markt kann dann seine Steuerungsfunktion nicht mehr erfüllen.

Was bedeutet Markttransparenz?

Markttransparenz ist die Überschaubarkeit von Märkten. Sie zeichnet sich vor allem durch die Zugänglichkeit von Informationen aus, die für die Kauf- und Verkaufsentscheidung des einzelnen Marktteilnehmers bedeutsam sind. Nur wenn der Käufer genügend Informationen über das Produkt bzw. die Dienstleistung zur Verfügung hat, kann er das bestmögliche Produkt für sich auswählen. Der Markt ist in diesem Fall transparent. Hat der Käufer beispielsweise keine Informationen über die Preise und Beschaffenheit der anderen Güter, so herrscht keine bzw. nur eine sehr geringe Markttransparenz vor.

Bitte beachten Sie die Artikel zu den folgenden Stichwörtern:

Markt ist nicht gleich Markt – es gibt verschiedene Formen. Da es sehr viele Märkte gibt, können sie auch nach verschiedenen Kriterien unterteilt werden. Gemeinsam ist aber allen, dass auf ihnen Anbieter und Nachfrager in Kontakt zueinander kommen oder kommen können.

Markt kann sachlich und räumlich abgegrenzt werden.
- Die sachliche Abgrenzung richtet sich nach der Art der Tauschobjekte. Hier ergeben sich Märkte wie: Automobilmarkt, Kaffeemarkt, Bildungsmarkt, Arbeitsmarkt, Devisenmarkt, Geldmarkt, Wohnungsmarkt, Antiquitätenmarkt und andere.
- Die räumliche Abgrenzung führt zu Begriffen, wie: Weltmarkt, europäischer Markt, russischer Markt usw.

Auf allen räumlichen und sachlichen Teilmärkten gibt es jeweils eigene Besonderheiten. Die Einteilung nach Marktformen gilt jedoch für alle diese Teilmärkte gleichermaßen. Da Märkte durch Angebot und Nachfrage entstehen, spielt die Zahl oder Bedeutung der Marktteilnehmer bei der Unterscheidung von Marktformen eine entscheidende Rolle. Im Extremfall können z.B. sogar nur ein Anbieter und/oder ein Nachfrager vorhanden sein, so dass ein Markt manchmal nur aus zwei Akteuren besteht.

Das Merkmal für die bekannteste Unterscheidung verschiedener Marktformen ist somit die Anzahl der Marktteilnehmer, d.h. die Anzahl der Anbieter und die Anzahl der Nachfrager, wobei vor allem das Verhältnis der beiden Gruppen zueinander wichtig ist.

Eine Einordnung der Märkte kann nach der Zahl und der damit verbundenen ökonomischen Machtstellung der Marktteilnehmer (Marktform) sowie nach dem Grad der Wettbewerbs (Marktverhalten) erfolgen.

Nach der Anzahl der Marktteilnehmer unterscheidet man in der einfachsten Gliederung „viele Marktteilnehmer" (Polypol), „wenige Marktteilnehmer" (Oligopol) und „einen Marktteilnehmer" (Monopol). Durch die Kombination der Anbieter und der Nachfrager ergeben sich dann bereits neun Marktformen. Jede dieser Marktformen beschreibt einen bestimmten Markttypus mit eigener Bezeichnung und mit eigenen Gesetzmäßigkeiten bei der Preisbildung.

Basisschema der Marktformen

	viele Anbieter	wenige Anbieter	ein Anbieter
viele Nachfrager	**Polypol**	**Angebotsoligopol**	**Angebotsmonopol**
wenige Nachfrager	**Nachfrageoligopol**	**bilaterales Oligopol**	**beschränktes Angebotsmonopol**
ein Nachfrager	**Nachfragemonopol**	**beschränktes Nachfragemonopol**	**bilaterales Monopol**

Monopole

Immer, wenn nur ein Handelnder auf einer Seite vorhanden ist, erscheint im Namen der Marktform der Begriff „Monopol" (mono kommt aus dem Griechischen; bedeutet „ein, einzeln, allein").
- Beim Angebotsmonopol trifft ein Anbieter auf eine Vielzahl von Nachfragern. Ein Monopolist hat keine Konkurrenz am Markt und somit eine sehr starke Stellung. Die Nachfrager sind von ihm stark abhängig; allerdings hängt seine Stärke auch davon ab, wie dringend die Nachfrager das von ihm angebotene Gut benötigen.
- Bei einem beschränkten Monopol steht ein Anbieter eines Gutes wenigen Nachfragern gegenüber. Damit ist seine Position nicht so beherrschend wie bei vielen (kleinen) Nachfragern.
- Beim bilateralen (zweiseitigen) Monopol besteht der Markt aus nur zwei Handelnden – einem auf der Nachfrageseite und einem auf der Angebotsseite. Als typisches Beispiel wird hier der Arbeitsmarkt gesehen, wo sich häufig nur die Gewerkschaft und der Arbeitgeberverband als Parteien gegenüberstehen, um die Tarifverhandlungen für Beschäftigte einer ganzen Branche in einer Region zu führen.
- Beim Nachfragemonopol hat ein Nachfrager eines Gutes die Auswahl unter vielen Anbietern.

Oligopole

Oligopol (oligo) kommt ebenfalls aus dem Griechischen und steht für „wenig" oder „gering". Es weist darauf hin, dass bei dem Oligopol insgesamt relativ wenige Akteure den Markt bilden.

- Bei einem Angebotsoligopol stehen den vielen Nachfragern nur wenige Anbieter gegenüber, die das nachgefragte Gut produzieren.
- Bei der Marktform des bilateralen (zweiseitigen) Oligopols stehen den wenigen Nachfragern eines Gutes auch nur wenige Anbieter gegenüber.
- Das Nachfrageoligopol ist quasi ein umgedrehtes Angebotsoligopol. Hier gibt es wenige Nachfrager nach einem Produkt und viele Anbieter.

Wichtige Kennzeichen eines vollkommenen Marktes sind:

- **Homogenität der Produkte**, d.h., die Produkte verschiedener Anbieter haben gleiche Qualität, so dass für den Nachfrager der günstigere Preis Entscheidungskriterium sein kann.
- Hohe **Markttransparenz**, d.h., der Kunde besitzt möglichst umfangreiche Informationen und stellt nicht erst nach dem Kauf fest, dass es günstigere Gelegenheiten gegeben hätte
- **Freier Markteintritt** und **-austritt**, d.h., wenn ein Unternehmen auf dem Markt anbieten möchte, darf es nicht durch staatliche Hemmnisse oder diskriminierende Unternehmensstrategien daran gehindert werden. Ebenso darf ein leistungsunfähiges Unternehmen nicht durch Subventionen des Staates oder einer Muttergesellschaft im Markt gehalten werden und leistungsfähige Konkurrenten dadurch am Erfolg hindern.
- **Rationales Verhalten** der Marktteilnehmer ist wichtig, damit wirklich auch die Leistungsfähigsten belohnt werden, d.h. Unternehmen mit niedrigen Kosten und Nachfrager mit hohem Nutzen.
- Diese Belohnung der Leistungsfähigsten darf auch nicht dadurch verhindert werden, dass Unternehmen ihre Kosten unbeteiligten Dritten anlasten und dadurch eigentlich kostengünstigeren Unternehmen, die aber durch umweltschonende Produktion mehr belastet sind, die Marktchancen verderben.

Bitte beachten Sie die Artikel zu den folgenden Stichwörtern:

Externe Effekte (110 - 111)
Gewerkschaften (136 - 137)
Kosten (186 - 187)
Markt (210 - 211)
Monopol (228 - 229)
Tarifverhandlungen (310 - 311)
Verbände (338 - 339)
Wettbewerb (366 - 367)

Marktforschung

Alle unternehmerischen Entschlüsse und Maßnahmen beruhen darauf, dass man künftige Geschehnisse vorwegnimmt. Um sich zum Beispiel ein Urteil über die künftigen Absatzmöglichkeiten zu bilden, werden Unternehmer Gespräche mit Kunden und mit Lieferanten führen, Ausstellungen und Messen besuchen, Wirtschaftsberichte in Fachzeitschriften lesen und diese Informationen auswerten.

> **Marktforschung ist die Erkundung von Absatz- und Beschaffungsmärkten auf der Basis wissenschaftlicher Methoden. Die Ergebnisse der Marktforschung dienen als Entscheidungsgrundlage für die Zukunft. Marktforschung ist der erste, wesentliche Schritt für die Erstellung einer optimalen Marketingstrategie.**

Es lassen sich folgende Phasen der Marktforschung unterscheiden:

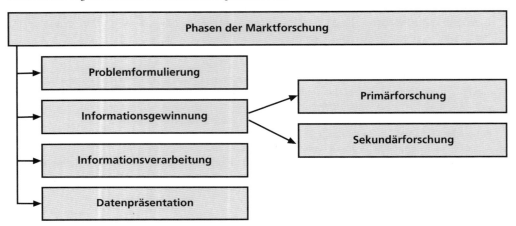

Problemformulierung.

In der Eingangsphase wird ein Fragenkatalog über alle Probleme erstellt, an denen die verschiedenen Managementbereiche der Unternehmung interessiert sind. Hat man diesen Katalog durch Mitarbeit aller Abteilungen fertig, wird man die Fragen zu Gruppen von gleichartigen Sachgebieten unterteilen. So stehen am Ende der Themenerfassung Problembereiche, die Gegenstand einer Marktforschungs-Untersuchung sein sollen.

Informationsgewinnung/Datenerhebung.

Nach der Bestimmung der maßgebenden Themen muss entschieden werden, woher die Informationen zur Beantwortung der speziellen Fragestellungen kommen sollen. Dies kann entweder durch Primärforschung oder durch Sekundärforschung geschehen.

Von **Sekundärforschung** spricht man, wenn bereits vorhandenes Datenmaterial für Zwecke der Marktforschung verwendet wird. Es kann sich aus vorhandenen Statistiken anderer Institutionen, aus Informationen von Geschäftsberichten, Werbeprospekten, Katalogen, Preislisten der Konkurrenz oder aus Fachzeitschriften bzw. Branchenhandbüchern ergeben.

Zur **Primärforschung**, der direkten Datenerhebung geht man über, wenn die Informationen aus dem aufgeführten Sekundärmaterial unbefriedigend erscheinen. Die Primärforschung am Absatzmarkt versucht, das Verhalten, die Meinung und die Kaufgründe (Motive) von Kunden zu erfahren. Die Informationsgewinnung kann hierbei etwa über Interviews, Befragungen oder Experimente erfolgen. Auf den Beschaffungsmärkten geht es i.d.R. um die systematische Erfassung der Angebotsquellen.

Welche der beiden Forschungsmethoden letztlich angewandt wird, hängt von der Qualität der zu erwartenden Ergebnisse, dem mutmaßlichen Zeit- und Kostenaufwand, der personellen Kapazität der Marktforschungsabteilung und natürlich von der konkreten Fragestellung ab. Die Primärforschung ist zwar kostenintensiver, doch liefert sie dafür exakt auf das Entscheidungsproblem zugeschnittene Informationen.

Informationsverarbeitung

Nach der Erhebung des Datenmaterials müssen die gewonnenen Informationen mit Hilfe statistischer Verfahren sinnvoll verarbeitet und danach aus Anschaulichkeitsgründen möglichst tabellarisch oder grafisch dargestellt werden, um dem Management eine bestmögliche Entscheidungsgrundlage zu bieten.

Datenpräsentation

Mit der Datenpräsentation wird die Marktforschungsstudie in der Regel abgeschlossen. Die Marktforscher stellen ihre Ergebnisse vor, um diese dann mit dem Management zu diskutieren. Häufig zeigen sich bereits in der Diskussion Ansatzpunkte für die Umsetzung in zukünftige Marketingentscheidungen.

Die Marktforschung kann ein gutes Hilfsmittel zur bestmöglichen Entscheidungsfindung sein. Die Entscheidungsträger sollten den Ergebnissen aber nicht allzu blind und unkritisch gegenüberstehen, denn gelegentlich führt sie auch zu falschen Ergebnissen, wenn etwa zu kleine Stichproben genommen werden oder der Marktforscher aufgrund von Unkenntnis der statistischen Auswertungsverfahren falsche Rückschlüsse gezogen hat. Solche fehlerhaften Marktforschungsergebnisse bilden dann natürlich eine schlechte Entscheidungsgrundlage und haben nicht selten schwer wiegende Fehlentscheidungen zur Folge.

Dennoch lassen sich durch die Marktforschung unternehmerische Entscheidungsprozesse besser durchleuchten, so dass das Risiko einer Fehlentscheidung zwar nicht immer völlig ausgeschlossen, aber zumindest verkleinert werden kann.

Die Marktforschung wird schwerpunktmäßig im Bereich des Absatzes der Unternehmungen angewandt. Hier findet sie vor allem im Bereich des Konsumgüterabsatzes breite Anwendung; jedoch ist sie auch bei Investitionsgütern im Vormarsch begriffen. Nicht zu unterschätzen ist jedoch auch der Einsatz des oben skizzierten Instrumentariums im Bereich der Beschaffungsmarktforschung. Das Aufspüren von idealen Bezugsquellen für die benötigten Rohstoffe oder Vorprodukte sollte genauso systematisch erfolgen wie auf den Absatzmärkten. Auch auf den Finanz- und Personalmärkten kann die Marktforschung in hohem Maße zur effizienten Unternehmensführung beitragen.

Der Bereich „Materialwirtschaft" in einer Unternehmung trägt die Verantwortung dafür, dass die benötigten Rohstoffe, Hilfsstoffe und Betriebsstoffe (= Werkstoffe) sowie die Maschinen, Anlagen, und Werkzeuge (= Betriebsmittel)

- in der erforderlichen Art und Qualität
- zur richtigen Zeit
- in der benötigten Menge und
- zu den geringstmöglichen Kosten

zur Verfügung stehen.

Die Materialwirtschaft befasst sich also mit der Beschaffung und der Lagerung von Werkstoffen und Betriebsmitteln.

Der Bereich Materialwirtschaft steht in enger Verbindung mit anderen Unternehmensbereichen: Eine kontinuierliche und kostengünstige Produktion und damit natürlich auch der Absatz ist auf eine gut funktionierende Materialwirtschaft angewiesen, so wie wiederum diese auf die ausreichende Sicherung durch die Finanzierung angewiesen ist. Es muss also eine enge Zusammenarbeit zwischen Materialwirtschaft und allen anderen Betriebsabteilungen (Fertigung, Vertrieb, Finanzwirtschaft, Rechnungswesen) angestrebt werden.

Richtet man den Unternehmensbereich „Materialwirtschaft" ein, so macht man häufig zwischen der inneren und der äußeren Organisation dieses Bereichs Unterschiede:

Die innere Organisation der Materialwirtschaft kann nach dem „Objektprinzip" oder nach dem „Funktionsprinzip" eingeteilt werden. Beim Objektprinzip werden alle Aufgaben, die mit der Beschaffung und Lagerung für eine bestimmte Materialsorte zusammenhängen, an einer Stelle (Arbeitsplatz, Mitarbeiter) zusammengefasst. Diese Stelle ist dann z.B. zuständig für alles, was mit dem Einkauf von Metallwaren zusammenhängt; eine andere Stelle kümmert sich um den Holzeinkauf. Beim Funktionsprinzip werden dagegen gleiche Tätigkeiten (z.B. Bestellung aller Materialien, Eingangsprüfung aller Materialeingänge, gesamte Lagerung usw.) in einer Stelle zusammengefasst. Auch eine Kombination aus beiden Prinzipien ist möglich.

Bei der **äußeren Organisation** muss eine Entscheidung für eine zentrale oder dezentrale Gliederung getroffen werden. Bei zentralem Einkauf erfolgt der gesamte Einkauf durch eine Abteilung (Einkaufsabteilung). Bei dezentralem Einkauf kann eine räumliche Trennung nach Filialstandorten (= örtliche Dezentralisation) oder eine sachliche nach Gütergruppen z.B. Inlandsbezug, Auslandsbezug, Warenarten o.a. erfolgen (= sachliche Dezentralisation). Auch hier sind Mischformen möglich, indem z. B. Teigwaren zentral, Frischobst- und -gemüse aber dezentral eingekauft werden.

Um planmäßig wirtschaften zu können, stellt jeder Betrieb einen Beschaffungsplan auf, der im Vergleich mit den Lagerbeständen den Bedarf anzeigt (optimale Lagerhaltung). Dieser muss regelmäßig überprüft und erneuert werden. Die ständige Kenntnis und Überwachung der gegenwärtigen Lagerbestände liefert wichtiges Datenmaterial für die neue Beschaffungsplanung.

Aus welchen Inhalten besteht die Beschaffungsplanung?

- **Warenart**, unter Berücksichtigung von Art, Qualität, Design usw.
- **Warenmenge**, in Abhängigkeit von Produktions- und Absatzplan sowie der Lagerhaltung. Die optimale Beschaffungsmenge wird durch die Summe von Beschaffungs- und Lagerkosten bestimmt.
- **Beschaffungszeitpunkt**, bei dem man zwischen Vorratsbeschaffung (um Produktionsstockungen zu vermeiden), auftragsbezogener Beschaffung (bei speziellen Kundenaufträgen), fertigungssynchroner Beschaffung (just in time) und bestellrhythmischer Beschaffung (bei Serien- und Massenfertigung gleichartiger Erzeugnisse) unterscheiden muss.
- **Warenpreis**, wobei die maximal bezahlbaren Einkaufspreise häufig in Abhängigkeit von den maximal erzielbaren Verkaufspreisen kalkuliert werden.
- **Bezugsquellenermittlung** als Recherche möglicher Lieferanten. Kriterien für die Auswahl sind u.a.: Fertigungs- und Lieferkapazitäten, Preise, Konditionen, Transportbedingungen und Zuverlässigkeit.
- **ABC-Analyse**, um festzustellen, welchen Waren bzw. Rohstoffen bei der Beschaffung besondere Aufmerksamkeit zu widmen ist. Dabei werden die Güter in drei Gruppen (A, B, C) eingeteilt. Die Einteilung erfolgt nach dem Gesamtwert jeder Güterart, die in der vergangenen Zeit verkauft bzw. verbraucht wurde. So können z.B. alle Güter, die einen Anteil von mehr als 20 % am Gesamteinkauf haben, der Gruppe A zugeordnet werden, die mit einem Anteil von 10 - 20 % der Gruppe B und der Rest der Gruppe C. Die besondere Aufmerksamkeit und Mühe bei der Beschaffung (Informationseinholung, Verhandlungsaufwand u.a.) wird dann den Gütern der Gruppe A gewidmet, während bei der Gruppe C eine rein routinemäßige Beschaffung erfolgt. Damit erspart man sich viel Verwaltungsaufwand.

Magisches Dreieck der Materialwirtschaft

niedrige
Beschaffungskosten

ständige
Lieferbereitschaft

niedrige
Kosten der Lagerung

Bitte beachten Sie die Artikel zu den folgenden Stichwörtern:
Externes und internes Rechnungswesen (112 - 113)
Fertigungsplanung (116 - 117)
Logistik (200 - 201)

Unter einer Messe versteht man eine zu einer bestimmten Zeit an einem bestimmten Ort festgelegte Marktveranstaltung, die ein umfassendes Angebot für einen oder mehrere Wirtschaftszweige bietet.

Gegenüber den Märkten, die vorwiegend dem Verkaufszweck dienen, haben die Messen mehr Ausstellungscharakter; gegenüber den Ausstellungen, die sich an die breite Öffentlichkeit richten, sind Messen mehr auf bestimmte Käuferschichten abgestellt. Eine klare Abgrenzung zwischen Markt, Messe und Ausstellung gibt es jedoch nicht.

In der Praxis hat sich eine Vielzahl von Messen entwickelt. Man kann danach bestimmte Messetypen nach folgenden Merkmale unterscheiden, wobei jedoch beachtet werden muss, dass kaum eine dieser Messetypen in Reinform auftritt:

*   nach der Breite des Angebots = Universalmessen, Spezialmessen bzw. Solo- und Monomessen, Branchenmessen und Fachmessen;
*   nach dem Angebotsschwerpunkt = Konsum- und Investitionsgütermessen
*   nach den Funktionen der Messe = Informations- oder Ordermesse (Kaufmesse)
*   nach dem Einzugsbereich der Aussteller und Besucher = regionale, überregionale, nationale und internationale Messen
*   nach der Zugehörigkeit der Aussteller zu Branchen und Wirtschaftsstufen = Industriemessen, Dienstleistungsmessen, Handelsmessen.

Funktion	Zielrichtung
Informationsfunktion • Informationsweitergabe • Informationsbeschaffung • Markttest	Erhöhung der Markttransparenz, Verbesserung des Informationsstandes, über Produkt und Unternehmung Erkundung technischer und wirtschaftlicher Trends Verbesserung der marktangemessenen Produkt- und Leistungsgestaltung
Motivationsfunktion	Verbesserung der Besuchsmotivation, Förderung der Teamarbeit der Mitarbeiter, Vermittlung von Erfolgserlebnissen
Beeinflussungsfunktion	Erhöhung der Besuchsfrequenz, Dokumentation der Präsenz, Interessenweckung, PR- und Imagepflege
Verkaufsfunktion • Verkaufsvorbereitung • Verkaufsdurchführung • Verkaufserhaltung	Kontaktschaffung, Bedarfsermittlung Festigung der Marktposition; Tätigung von Geschäftsabschlüssen Erhöhung der Kundentreue

In den letzten Jahren rückte die Messe mehr und mehr als „Markt für Informationen" in den Vordergrund. Die Möglichkeiten der zweiseitigen Kommunikation, auch „dialogorientierte Kommunikation" genannt, werden zunehmend genutzt. Die Messe bietet Chancen der Informationsweitergabe und Informationsbeschaffung, aber auch der direkten Auseinandersetzung mit Kundenwünschen. In diesem Zusammenhang ist auch die Beeinflussungs- und Motivationsfunktion von Messen nach wie vor von Bedeutung. Demgegenüber spielt die Verkaufsfunktion von Messen im Investitionsgüterbereich eine nur noch untergeordnete Rolle. Allenfalls im Rahmen der Verkaufsvorbereitung und der Absatzsicherung erfüllt die Messe noch eine gewisse Funktion, während sich die Verkaufsdurchführung stark auf das Nachmessegeschäft verlagert hat. Im Konsumgüterbereich steht allerdings die Bestellfunktion mit Geschäftsabschlüssen nach wie vor im Vordergrund.

Die an einer Messe beteiligten Unternehmen haben ein unmittelbares Interesse, Informationen über ihre Messebesucher zu erhalten, denn mittels dieser Informationen lassen sich Rückschlüsse auf den Erfolg der Messe für sie ziehen. Durch Daten über die Besucherstruktur erhält die Unternehmung Antworten auf Fragen wie z. B. „Finden neu vorgestellte Produkte das Besucherinteresse?", „Wurde die anvisierte Zielgruppe mit dem Messeauftritt erreicht?" oder „Stimmt der Messeauftritt glaubwürdig mit dem Unternehmensimage überein?" Mit der Zahl der Aussteller wächst die Gefahr einer Informations- oder Reizüberflutung. Umso wichtiger ist es für die Unternehmen zu wissen, wie sie ihre Zielgruppe erreichen und individuell ansprechen können.

Im Rahmen der Planung von Messen wird das langfristige Messekonzept des Unternehmens festgelegt und werden die Entscheidungen über die Gestaltung der einzelnen Messebeteiligungen getroffen. Auf der Grundlage der Messeziele und -strategien und der Messebewertung sind für einzelne Messen die Konzeption des Messestandes, die Auswahl der Exponate, die Auswahl und der Einsatz des Personals sowie die Auswahl kommunikativer Maßnahmen festzulegen.

Da jedes Unternehmen ein eigenes Messekonzept verfolgt, gibt es keine Einheitslösung. Transparenz bedeutet nicht Einschränkung der Vielfalt, Langweiligkeit oder Einheitsdesign. Ausgehend von den verschiedenen Besuchertypen und den unterschiedlichen Messepräsentationen ist ein Messebesuch ein spannendes Erlebnis.

Der Messeplatz Deutschland wird für überregional-internationale Messen durch eine Reihe von Großstädten repräsentiert, wozu u. a. Frankfurt, München, Hannover, Hamburg, Dortmund, Essen, Berlin, Köln, Düsseldorf und Leipzig gehören, die jeweils spezielle Schwerpunkte in ihrer Messeausrichtung haben

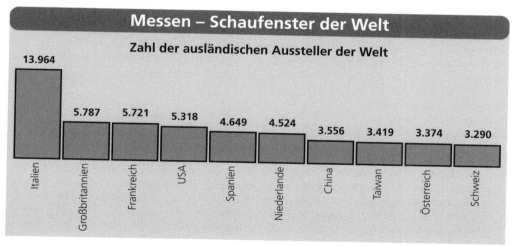

Messen – Schaufenster der Welt

Zahl der ausländischen Aussteller der Welt

13.964 Italien
5.787 Großbritannien
5.721 Frankreich
5.318 USA
4.649 Spanien
4.524 Niederlande
3.556 China
3.419 Taiwan
3.374 Österreich
3.290 Schweiz

Bitte beachten Sie die Artikel zu den folgenden Stichwörtern:
Investitionen (166 - 167)
Markt (210 - 211)
Motivation (230 - 231)
Public Relations (270 - 271)

Mitbestimmung

Mitbestimmung in der Wirtschaft ist eine der ältesten Forderungen der Arbeiterbewegung und eng mit der Entwicklung der Gewerkschaften verbunden.

Sie geht zurück auf das Verlangen der Gesellenvereine des frühen 19. Jahrhunderts, die eine Beteiligung an den Entscheidungen der Fabrikherren und Handwerksmeister einforderten und damit an die Tradition der bis ins Mittelalter zurückgehenden Gesellenmitbestimmung in den Zünften, Gilden und Knappschaften anknüpften. Die sehr intensiven Bemühungen der Arbeitnehmer nach dem Ersten Weltkrieg wurden durch die Zeit des National-sozialismus zwar unterbrochen, führten jedoch nach 1945 schnell zu gesetzlichen Mitbestimmungsregelungen im Rahmen der Sozialen Marktwirtschaft, nämlich zur „Montan-Mitbestimmung" (1951) zum „Betriebsverfassungs-gesetz" (1952 und 1972) und dem Mitbestimmungsgesetz (1976). Diese Regelungen wurden seither weiter ausge-baut. Daneben gibt es eine Reihe von Unternehmen, in denen über Betriebsvereinbarungen die Mitbestimmung pri-vatrechtlich vereinbart ist.

Mitwirkung und Mitbestimmung durch Beteiligung an den betrieblichen Entscheidungsprozessen auf den verschiedensten Ebenen, z. B. am Arbeitsplatz oder auf Unternehmensebene bis zum Aufsichtsrat und Vorstand, ist eines der wichtigsten Anliegen der Arbeitnehmer zur Verbesserung der Arbeits- und Lebensbedingungen.

Bessere Information, Anhörungsrecht, Vorschlagsrecht, Recht auf Beratung und Mitentscheidung in personellen, sozialen Fragen und wirtschaftlichen Angelegenheiten sind inzwischen in verschiedenen Gesetzen geregelt. Unter-schieden wird grundsätzlich zwischen betrieblicher Mitbestimmung und überbetrieblicher Mitbestimmung.

Betriebliche Mitbestimmung

Die wichtigste Grundlage der betrieblichen Mitbestimmung ist das Betriebsverfassungsgesetz von 1972. Die Betriebsverfassung stellt die Grundordnung der Betriebe dar, in der die Rechte und Pflichten der dort Tätigen sowie die kollektive Zusammenarbeit zwischen Belegschaft und Betriebsleitung geregelt wird.

Überbetriebliche Mitbestimmung
Wichtigste Grundlage der überbetrieblichen Mitbestimmung ist das Mitbestimmungsgesetz von 1976, durch das die Mitbestimmung in den Leitungsorganen der Kapitalgesellschaften geregelt ist.

Die gesetzlichen Regelungen:

1. Gesetz über die Mitbestimmung der Arbeitnehmer (Mitbestimmungsgesetz) vom 4. Mai 1976.
   Es gilt für alle Kapitalgesellschaften mit mehr als 2000 Arbeitnehmern, soweit diese Gesellschaften nicht unter die Montan-Mitbestimmung fallen. Die Mitbestimmung vollzieht sich über den Aufsichtsrat des Unternehmens, in dem die gleiche Anzahl von Vertretern der Kapitalgeber und der Arbeitnehmer sitzen. Um bei Kampfab-stimmungen Patt-Situationen zu vermeiden, hat der Aufsichtsratsvorsitzende, der – falls keine Einigung über seine Person erfolgt – von den Vertretern der Kapitalseite gewählt wird, zwei Stimmen. Die Gewerkschaften sehen in dieser Regelung ihre Forderung nach „paritätischer Mitbestimmung" nicht erfüllt.

2. Gesetz über die Mitbestimmung der Arbeitnehmer in den Aufsichtsräten und Vorständen der Unternehmen des Bergbaus und der Eisen und Stahl erzeugenden Industrie (Montan-Mitbestimmung) vom 21. Mai 1951 mit Ergänzungen.

   Es gilt für die „Montan-Unternehmen", soweit diese Kapitalgesellschaften sind und mehr als 1000 Arbeitnehmer beschäftigen. Wie nach dem Mitbestimmungsgesetz vollzieht sich die Mitbestimmung über den Aufsichtsrat, der aus einer gleichen Anzahl von Vertretern der Kapitalgeber und der Arbeitnehmer besteht. Zu dieser paritätischen Zahl von Interessenvertretern kommt ein zusätzliches Aufsichtsratsmitglied, das von beiden Seiten akzeptiert sein muss, als so genannter „neutraler Mann", um hier Patt-Situationen zu vermeiden.

3. Betriebsverfassungsgesetz vom 11. Okt. 1952.

Das Betriebsverfassungsgesetz von 1952 gilt, seit das Mitbestimmungsgesetz in Kraft ist, nur noch für alle Aktiengesellschaften und Kommanditgesellschaften auf Aktien mit weniger als 2000 Arbeitnehmern (ausgenommen Familiengesellschaften mit weniger als 500 Arbeitnehmern) sowie für sonstige Kapitalgesellschaften und Genossenschaften mit mehr als 500 Arbeitnehmern. Nach diesem Gesetz müssen 1/3 der Aufsichtsratsmitglieder aus Vertretern der Arbeitnehmer bestehen.

4. Betriebsverfassungsgesetz vom 15. Jan. 1972.

Es gilt für alle Betriebe mit mindestens fünf ständigen Arbeitnehmern, die das 18. Lebensjahr vollendet haben. Die Mitbestimmung vollzieht sich durch Betriebsräte und Jugendvertretungen. Der Betriebsrat hat echte Mitbestimmungsrechte in sozialen und bestimmten personellen Angelegenheiten (z.B. bei Arbeitszeit-Einteilung, Urlaubsplänen, Überwachungsregelungen, Festlegung von Akkord- und Prämiensätzen, Einstellungen und Versetzungen von Mitarbeitern u.a.m.). Soweit jedoch nur – bei bestimmten personellen und bei wirtschaftlichen Angelegenheiten – Mitwirkungs- oder Anhörungsrechte gegeben sind (z.B. bei Kündigungen, bei Berufsbildungsmaßnahmen, bei der Änderung von Arbeitsverfahren u.a.m.), kann der Betriebsrat Entscheidungen der Unternehmensleitung nicht verhindern.

5. Personalvertretungsgesetz vom 15. März 1974.

Das Betriebsverfassungsgesetz gilt nicht für die Betriebe und Verwaltungen der öffentlichen Hand (Bund, Länder, Gemeinden und andere Körperschaften und Anstalten des öffentlichen Rechts). Um auch bei den Arbeitsbeziehungen im öffentlichen Dienst dem Mitbestimmungsprinzip Geltung zu verschaffen, regelt das Personalvertretungsgesetz in weitgehender Analogie zum Betriebsverfassungsgesetz die Mitbestimmung im Dienst des Bundes und gibt Rahmenvorschriften für die Personalvertretungsgesetze der Länder. Das dem Betriebsrat vergleichbare Gremium ist hier der Personalrat.

Bitte beachten Sie die Artikel zu den folgenden Stichwörtern:
Aktiengesellschaft (12 - 13)
Gewerkschaften (136 - 137)
Genossenschaften (134 - 135)

Mobbing

In den letzten Jahren hat der Mobbing-Begriff eine starke Verbreitung in unserer Alltagssprache erfahren. Er ist zu einem Modewort, zu einem regelrechten Schlagwort in unserer Arbeitswelt geworden. „Ich werde gemobbt!" Wer hat diesen Satz nicht schon gehört oder selbst gebraucht? Viele sprechen über Mobbing und doch herrscht oft wenig Klarheit darüber, was es ist und was die Folgen für die Betroffenen sind.

Der Begriff Mobbing leitet sich aus dem englischen Wort **mob** ab und bedeutet so viel wie „zusammengerotteter Pöbel(haufen)" oder „lärmend über jemanden herfallen, angreifen, attackieren". Mobbing ist ein neuer Begriff für ein altes Übel. Ursprünglich wurde er von dem Verhaltensforscher Konrad Lorenz für aggressives Tierverhalten benutzt. Mittlerweile ist damit Psychoterror am Arbeitsplatz gemeint.

Mobbing am Arbeitsplatz – das ist mehr als schlechtes Betriebsklima, schlimmer als gelegentlich ungerechte Vorgesetzte, belastender als der übliche „Büroklatsch".

Mobbing ist massiver Psychoterror, den kleine Gruppen von Beschäftigten meist gegen Einzelne ausüben. Mobbing verläuft als ständig zunehmender Druck und lässt den Betroffenen in den fortgeschrittenen Stadien kaum eine Chance, sich ohne fremde Hilfe aus diesem Teufelskreis zu befreien.

Wann kann man von Mobbing sprechen?
- Wenn schikanöse Handlungen einer oder mehrerer Personen stattfinden, die gegen eine Einzelperson oder eine Personengruppe gerichtet sind.
- Wenn diese Handlungen über einen längeren Zeitraum hin sich immer wiederholen und das (die) Opfer bewusst schikaniert oder sogar vertrieben werden soll(en).

Mobbing am Arbeitsplatz
Zwischen 1 bis 17 % der berufstätigen Bevölkerung sind von Mobbing betroffen. Es trifft sowohl Frauen als auch Männer. Besonders häufig werden Kolleginnen und Kollegen gemobbt, die noch nicht lange an ihrem derzeitigen Arbeitsplatz tätig sind. Mobbing kann überall vorkommen, in der Werkhalle, im Labor und im Büro. In Angestelltenberufen wird allerdings öfter gemobbt als in andern Berufen. Die Betroffenen sind durchschnittlich 15 Monate dem Psychoterror am Arbeitsplatz ausgesetzt.

Mobbing – wer sind die Beteiligten?
Am Mobbinggeschehen sind alle, die am Arbeitsplatz miteinander in Kontakt stehen, beteiligt. Es findet unter Kollegen und Kolleginnen statt, geht von Vorgesetzten gegen Untergebene – teilweise gemeinsam mit anderen Untergebenen – oder auch von ganzen Abteilungen gegen Vorgesetzte oder einzelne Kollegen und Kolleginnen. Nach Leymann sind Mobber im Einzelnen:
- zu 44 % Kollegen / Kolleginnen
- zu 37 % Vorgesetzte
- zu 10 % Kollegen / Kolleginnen und Vorgesetzte gemeinsam
- zu 9 % Untergebene

Zeitverlauf	Symptome
Phase 1: kurz nach Mobbinghandlungen	Unwohlsein, innere Unruhe, Herzklopfen, Kopf-/Magen-, Magen-/Gallenschmerzen, Schlafstörungen, Antriebslosigkeit, Ohrensausen (Tinnitus)
Phase 2: bis 1 Jahr	Störung des seelischen Gleichgewichts
Phase 3: 1 bis 2 Jahre	Angstzustände, Schuld- und Versagensgefühl
Phase 4: 2 bis 4 Jahre	Körperliche und seelische Beschwerden wie unter 1-3
Phase 5: entweder	Depression, Alkohol-/Tablettenkonsum, Konzentrationsmangel, Selbstmordgefahr
Phase 6: oder	Heilung durch Behandlung

* Leymann, H.: Mobbing-Psychoterror am Arbeitsplatz und wie man sich dagegen wehren kann.
Hamburg: 1993. Aus diesem Werk sind auch die verwendeten Daten entnommen.

Mobbing ist in diesem Zusammenhang ein bedeutender Belastungsfaktor, der zusätzlich, neben den weiteren täglichen Belastungen das berühmte „Fass zum Überlaufen" bringt.

Die Rechnung für die systematischen Feindseligkeiten am Arbeitsplatz zahlen wir alle: die Gemobbten, die Mobber und Mobberinnen, die zuschauenden Kollegen und Kolleginnen und Vorgesetzten, der Arbeitgeber, die Gesellschaft. Der Preis, den die Betroffenen bezahlen müssen, wurde ausführlich dargestellt. Die Mobber und Mobberinnen gehen auch nicht als Gewinner aus den Ereignissen hervor. Sie haben für die Zukunft den Ruf, bei Konflikten „über Leichen zu gehen". Das erzeugt in der Arbeitsgruppe eine Atmosphäre der Angst, wer als Nächstes als Zielscheibe der Schikanen dient. Misstrauen und gegenseitiges Belauern lähmen die Arbeitsfreude und Kreativität aller. Die daraus entstehenden Produktivitätsverluste durch „Dienst nach Vorschrift" bzw. „innere Kündigung", Fehlzeiten der Betroffenen oder Einarbeitung neuer Mitarbeiter und Mitarbeiterinnen (wegen Selbstkündigung oder Arbeitsunfähigkeit der Gemobbten) – um nur einige Punkte zu nennen – zahlt der Arbeitgeber.

Wie helfe ich mir und den anderen? (Bewältigungsstrategien)

Zunächst hat jeder Mensch, ob gemobbt oder nicht gemobbt, die Selbstverantwortung, sich aktiv um die Erhaltung seines seelischen und körperlichen Wohlbefindens zu kümmern. Das kann auch bedeuten, die eigenen Einstellungen zu hinterfragen. Manchmal können diese mobbingfördernd sein.

- Mit der Einstellung, von allen immer „geliebt" zu werden, stehen die Betreffenden vor dem Problem, dass jede ablehnende Handlung einer Katastrophe gleichkommt. Kommt dazu, dass Schwächen nicht gezeigt oder Konflikte nicht offen angesprochen werden dürfen, ziehen sie sich innerlich enttäuscht zurück. Die Gegenseite kann dann das Schweigen beliebig deuten.
- Gemobbte sollten sich nicht ihrer psychischen Verletzungen schämen, die ihnen ihre Arbeitsumgebung zugefügt hat. Jeder Mensch würde mit psychosomatischen und psychischen Symptomen reagieren, wenn ihm lange genug auf der „Seele herumgetrampelt" worden wäre.
- Betriebsratsmitglieder und gewerkschaftliche Vertrauensleute sind in dieser Phase die besten Ansprechpartner, um an weitere Informationen über Hilfsangebote zu gelangen.

In diesem Beitrag soll es um die Mobilität der Arbeitskräfte gehen, also um die Frage, wie es um die Beweglichkeit der arbeitenden Menschen steht: ob und warum sie bereit sind, ihren Wohnort aufzugeben und an anderer Stelle zu arbeiten, und welche Konsequenzen sich aus Mobilität oder Immobilität der Arbeit ergeben.

Man kann zunächst einmal unterstellen, dass der Beschäftigte – wenn alle anderen Bedingungen gleichartig wären – den Arbeitsplatz wählen wird, an dem er den höchsten Lohn erhalten kann. Er verhält sich in diesem Fall vernünftig, d.h. „rational". Die höchsten Löhne werden in der Regel in Branchen und Betrieben mit überdurchschnittlich hoher Arbeitsproduktivität gezahlt, wo also das Produktionsergebnis eines Arbeitnehmers besonders hoch ist. Der Markt sorgt so dafür, dass die Arbeitnehmer, wenn sie mobil sind, dorthin gehen, wo ihre Arbeitskraft den höchsten Nutzen bringt.

Funktion des Marktes:
Die Produktionsfaktoren (in diesem Fall die Arbeitskraft) sollen in ihre produktivste Verwendung gelenkt werden, um die Güter zu produzieren, die besonders dringend nachgefragt werden.

Schauen wir uns das an einem Beispiel an:

Firma Pfiffig erfindet ein Miniradio, das sich durch hohe Klangqualität auszeichnet und sehr billig herzustellen ist. Die Nachfrage ist so groß, dass Firma Pfiffig bestrebt ist, ihre Kapazitäten auszuweiten. Neben Kapital benötigt die Firma auch Arbeitskräfte. Sie ist bereit und in der Lage, überdurchschnittliche Löhne zu zahlen. Sie findet genügend Arbeitskräfte, die aus anderen Berufen, aus anderen Regionen und aus anderen Betrieben der gleichen Branche kommen. Die Steigerung der Produktion bei Pfiffig erlaubt infolge der Massenfertigung eine Kostensenkung. Wenn der Wettbewerb auf dem Radiomarkt funktioniert, ergeben sich Preissenkungen, so dass die Konsumenten im Ergebnis mehr Miniradios und diese zu geringeren Preisen erwerben können.

Dieses Beispiel deckt das Prinzip auf: Nur Unternehmen mit hoher Produktivität können auch hohe Löhne bezahlen. Sie benötigen zur Produktionssteigerung viele Arbeitskräfte und zahlen hohe Löhne, um diese anzulocken. Unternehmen mit geringer Produktivität können dagegen nicht mithalten und verlieren Arbeitskräfte. Auf diese Art und Weise soll sich der Strukturwandel in der Wirtschaft reibungslos vollziehen und zur Aussonderung von unwirtschaftlichen Unternehmen führen.

In der wirtschaftlichen Wirklichkeit sieht es häufig leider ganz anders aus. Der Strukturwandel vollzieht sich keineswegs reibungslos, d.h., es kommt zu Strukturkrisen. Arbeitnehmer verbleiben oft in ihrer Branche oder in ihrem Beruf, auch wenn sie an anderer Stelle besser bezahlt würden. Dies hat auch Auswirkung auf die Beschäftigung. Es gibt Zeiten, in denen es in einer Branche oder Region viele Arbeitslose gibt, während in anderen Branchen oder Regionen Arbeitskräfte dringend gesucht werden. Es gibt Zeiten, in denen die Regierung den Verbleib von Arbeitskräften in unwirtschaftlichen Betrieben oder Branchen stützt und dadurch die Entwicklung in anderen Branchen oder Betrieben blockiert. Kann die Stützung dann aus finanziellen Engpässen nicht mehr aufrechterhalten werden, kommt es zur Massenarbeitslosigkeit in der lange gestützten Branche.

Ursachen und Konsequenzen von Mobilitätshemmnissen
- das Eigenheim, welches der Arbeitnehmer nicht gegen eine Mietwohnung an einem anderen Ort eintauschen möchte.
- die vertraute Umgebung in der Heimat.
- die Freunde, Bekannten und Verwandten, mit denen der Arbeitnehmer in engem Kontakt bleiben möchte.
- der Schulwechsel der Kinder bringt Probleme.
- der hohe Freizeitwert in der bisherigen Umgebung.
- Eine Umschulung für den neuen Arbeitsplatz kostet viel Geld und / oder Mühe.

Der Arbeitnehmer handelt also nicht unbedingt irrational, sondern wägt seine Vor- und Nachteile gegeneinander ab, weil eben die Lebens- und Arbeitsbedingungen nicht überall gleichartig sind. Aus diesen Ursachen ist zu erkennen, dass in die Entscheidung nicht allein das höhere Einkommen einfließt, sondern vielfältige Faktoren eine Rolle spielen.

Eine geringe Mobilität hat sowohl Folgen für die Volkswirtschaft wie für den einzelnen Arbeitnehmer oder Unternehmer. Aus gesamtwirtschaftlicher Sicht erschweren Mobilitätshemmnisse insbesondere das mögliche Wirtschaftswachstum. In diesem Fall finden Wachstumsbranchen (wie in unserem Beispiel Firma Pfiffig) nicht genügend Produktivkräfte. Diese verbleiben in vergleichsweise unproduktiven Branchen/Betrieben. Außerdem erschweren Mobilitätshemmnisse das Ziel eines hohen Beschäftigungsstandes, weil die Beschäftigungsmöglichkeiten in einigen Branchen oder Regionen nicht ausgeschöpft werden.

Aus der Sicht des Einzelnen stärken Mobilitätshemmnisse die Position des Arbeitgebers und können zu einem geringeren Lohnniveau führen. Ist die Mobilität gering, entfällt aus der Sicht der Unternehmung der Zwang zu Lohnerhöhungen, da der Arbeitnehmer nicht so schnell den Betrieb verlässt, wenn er bessere Angebote erhält. Der Betrieb wird dann auch nicht zu höherer Produktivität angeregt.

Maßnahmen zur Erhöhung der Mobilität
Die Maßnahmen zur Erhöhung der Mobilität sind also auch im Interesse der Arbeitnehmer und unterliegen der Aufgabe des Staates. Ansätze der Mobilitätserhöhung sind:
- Die räumliche Mobilität kann durch Umzugserleichterungen (Beihilfen, Steuervergünstigungen), durch Erleichterung des Schulwechsels, durch billige Transportmöglichkeiten (Arbeiterrückfahrkarten, Freifahrten usw.) sowie Bereitstellung gleichwertiger Wohnbedingungen erhöht werden.
- Die berufliche Mobilität kann vor allem durch Umschulungsmaßnahmen erhöht werden.
- Die zwischenbetriebliche Mobilität muss insbesondere beim Abbau von betriebsinternen Mobilitätshemmnissen ansetzen, z.B. bei der Übertragung betrieblicher Altersvorsorge beim Arbeitsplatzwechsel.

Bitte beachten Sie die Artikel zu den folgenden Stichwörtern:
Arbeitslosigkeit (26 - 27)
Einkommen (88 - 89)
Produktionsfaktoren (262 - 263)
Produktivität (264 - 265)
Wettbewerb (366 - 367)

Monetarismus

„Monetarismus" ist eine wirtschaftswissenschaftliche Denkrichtung, die seit den 70er Jahren des vorigen Jahrhunderts eine immer größere Bedeutung gewonnen hat. Die meisten Zentralbanken der Welt, auch die Deutsche Bundesbank und die Europäische Zentralbank, richten die Versorgung der Wirtschaft mit Geld nach dieser Lehre aus.

> **Monetarismus ist eine wirtschaftstheoretische Grundidee, die in der richtigen Steuerung der Geldmenge einer Volkswirtschaft den entscheidenden Faktor für eine störungsfreie Wirtschaftsentwicklung sieht.**

Der wichtigste Vertreter dieser Lehre ist der Nobelpreisträger Milton Friedman (*1912), der an der Universität von Chicago lehrte. Die Monetaristen verdanken ihren Namen dem Glauben, dass die parallele Entwicklung von Geldmenge und Gütermenge die wesentliche Voraussetzung für eine gleichmäßige Wirtschaftsentwicklung ist. Sie brandmarken die ständigen staatlichen Eingriffe in das Wirtschaftsgeschehen als „stop-and-go-Politik", die nicht nur für Schwankungen der Wirtschaftstätigkeit verantwortlich ist, sondern auch das Wirtschaftswachstum beeinträchtigt. Zur Veranschaulichung dieser Meinung kann man sich den staatlichen Konjunkturpolitiker als Autofahrer vorstellen, der abwechselnd „Gas gibt" und jeweils kurz darauf wieder „auf die Bremse tritt". Die Fahrt der Wirtschaft wird dadurch ungleichmäßig, ineffizient und für alle Beteiligten unerfreulich und schaukelt sich so weit auf, dass der Fahrer Gas gibt, obwohl er eigentlich bremsen müsste und umgekehrt. Nach Ansicht der Monetaristen sollten sich daher die Regierungen auf die Sicherung der rechtlichen Rahmenbedingungen für die Wirtschaftstätigkeit beschränken und der Notenbank die geldpolitische Steuerung überlassen. Diese soll dafür sorgen, dass sich die Geldmenge in einer Volkswirtschaft stetig und mit mäßiger Steigerungsrate vermehrt, um die Wachstumschancen zu erhalten. Eine zu geringe Geldmengenausweitung würde das wirtschaftliche Wachstum bremsen, eine zu starke Geldmengenausweitung würde vor allem das Preisniveau negativ beeinflussen und Inflation hervorrufen.

Milton Friedman vergleicht die Inflation mit Alkoholismus, weil bei beiden die anfangs schöne Stimmung sehr bald zu „Katzenjammer" führt, bei dem man dann das Heil in einer neuen, erhöhten Dosis des Rauschmittels sieht. Die Folge ist letztlich der totale Zusammenbruch, wenn man sich nicht auf eine – sehr schmerzhafte – Entziehungskur einlässt.

Welche Ansichten haben die Monetaristen zur Inflation?

In der Inflation sehen die Monetaristen das Krebsübel der Wirtschaft und der gesellschaftlichen Stabilität. Inflation gefährdet nach ihrer Ansicht nicht nur Arbeitsplätze, sondern zerstört auch die soziale Struktur der Gesellschaft. Bei Inflation gibt es immer eine Reihe von Menschen, die ohne Leistung viel gewinnen und andere, die trotz Leistung alles verlieren. Besonders in Deutschland haben die Menschen in diesem Jahrhundert zweimal diese Erfahrung machen müssen. Die soziale Struktur der Gesellschaft wurde durch diese Ereignisse, beide Male als Folge staatlicher Kriegsfinanzierung, völlig zerrüttet und umgekrempelt.

Die Ansichten der Monetaristen zur Inflation liefern auch eine plausible Erklärung für die weltweite Geldentwertung. Die Ursache der Weltinflation wird in einer zu starken Ausdehnung der Geldmenge gesehen. Dies gilt vor allem dann, wenn die Wechselkurse zwischen den Ländern staatlich fixiert werden. Wenn in einer solchen Situation eine Regierung übermäßig viel Geld druckt (z.B. um einen Krieg zu finanzieren), steigen in diesem Land die Preise im Durchschnitt stärker als in anderen Ländern. Die anderen Länder werden – weil sie nun preisgünstiger sind – mehr in dieses inflationäre Land exportieren, so dass bei ihnen selbst die Preise steigen. So schraubt sich durch einzelne uneinsichtige Regierungen das Preisniveau im Zweifel bis zur permanenten, weltweiten Inflation in die Höhe. Das vorrangige Ziel des Monetarismus ist daher die Inflationsbekämpfung.

Inflation ist eine Krankheit, eine gefährliche und manchmal tödliche Krankheit, eine Krankheit, die eine Gesellschaft zerstören kann, wenn sie nicht rechtzeitig gestoppt wird. Es gibt eine Fülle von Beispielen: Die extremen Inflationen in Russland und in Deutschland nach dem Ersten Weltkrieg, wo sich die Preise täglich verdoppelten, schufen die Grundlage für den Kommunismus in dem einen und den Nationalsozialismus im anderen Staat. (...)

Keine Regierung ist bereit die Verantwortung dafür zu übernehmen, dass sie Inflation produziert, nicht einmal dann, wenn die Inflationsrate viel harmloser ist. Regierungsbeamte finden immer irgendeine Entschuldigung – habgierige Geschäftsleute, machthungrige Gewerkschaftler, konsumwütige Konsumenten, arabische Scheichs, schlechtes Wetter oder irgendetwas anderes, was nur im Entferntesten glaubwürdig klingt. Zweifellos sind die Geschäftsleute habgierig. Gewerkschaften sind machthungrig, Konsumenten sind verschwenderisch, die arabischen Scheichs haben die Ölpreise erhöht, und das Wetter ist oft schlecht. Alles das kann für einzelne Produkte hohe Preise bedeuten, aber sie können nicht eine allgemeine Steigerung des Preisniveaus herbeiführen, sie können nicht alle Preise aller Güter steigen lassen. Sie können nicht vorübergehend die Inflationsrate beeinflussen. Sie können auch keine andauernde Inflation produzieren. Und das hat einen ganz einfachen Grund: Keiner der angeklagten „Schuldigen" besitzt eine Notenpresse, mit der jene schönen Papierstücke, die wir in den Taschen und Geldbörsen tragen, hergestellt werden; keiner kann legal einen Buchhalter ermächtigen, Eintragungen in Konten zu machen, die ein Äquivalent dieser Papierstücke sind. (...)

Aus: M. + R. Friedman, Chancen, die ich meine", Berlin/ Frankfurt /Wien 1980, S. 270 f.

Die Gegner des Monetarismus sehen in der Beschränkung der Geldmengenvermehrung häufig die Gefahr, dass die Wirtschaft nicht genug „angekurbelt" wird, und plädieren dafür, die Inflationsbekämpfung nicht als dominantes Ziel der Wirtschaftspolitik anzusehen.

Bitte beachten Sie die Artikel zu den folgenden Stichwörtern:

Voraussetzung für jeden Wettbewerb ist eine gewisse Anzahl von Wettbewerbern. Wie im Sport, wo der einsame Athlet selten eine besondere Leistung erbringt, so auch im Wirtschaftsleben, wo die einzige Unternehmung in einer Region oder Branche kaum jemals wirtschaftlich arbeitet, weil der Leistungsdruck fehlt.

Bei einem **Polypol** sind sehr viele Produzenten auf dem Markt, so dass der einzelne Anbieter mit seinen Angebotsentscheidungen
*   keinen Einfluss auf den Marktpreis hat und
*   der Marktpreis mehr oder weniger für ihn eine vorgegebene Größe ist, an die er sich anpasst, indem er eine größere oder geringere Menge anbietet.

Ein solches Verhalten wird als „Preis-Nehmer-Verhalten" (price taker) oder Verhalten des „Mengenanpassers" bezeichnet. Ein Monopol ist genau das Gegenstück zum Polypol.

> **Ein Monopol ist eine Marktform, bei der nur ein Anbieter (Angebotsmonopol) oder nur ein Nachfrager (Nachfragemonopol) den Markt beherrscht und somit 100% vom Marktanteil besitzt. Es gibt keine Konkurrenz.**

Angebotsmonopol

Ein reines Angebotsmonopol liegt vor, wenn die Nachfrager überhaupt keine Ausweichmöglichkeiten auf andere oder ähnliche Güter anderer Hersteller haben. Das monopolistische Verhalten bedeutet hier, dass ein Unternehmen die Preise oder die Mengen festlegt, ohne dabei Rücksicht auf andere Mitbewerber zu nehmen. Die Nachfrager können auf keine anderen Güter bzw. Hersteller ausweichen; sie können nur mit Kaufverzicht reagieren. Aufgrund seiner hohen Marktmacht kann der Monopolist einen höheren Preis als unter Wettbewerbsbedingungen am Markt durchsetzen. Unter Umständen verkauft er zwar eine geringere Menge, sein Gewinn ist jedoch höher. Dies wird auch als „monopolistische Ausbeutung" bezeichnet. Monopole und Monopolgewinne haben mit marktwirtschaftlichem Leistungswettbewerb nichts zu tun.

Wie können Monopole entstehen?

Monopole können auf zwei Arten entstehen: Einmal gibt es das natürliche Monopol. Dieses ist dadurch gekennzeichnet, dass ein Anbieter exklusiv über einen bestimmten Rohstoff verfügt (z.B. bei einem Mineralwasserbrunnen). Als Zweites gibt es das künstlich geschaffene Monopol. Dieses kann auf juristischen Bestimmungen (Patente, Konzessionen, Urheberrechte) beruhen oder durch staatliche Eingriffe geschaffen werden. Durch Letztere kommen öffentliche oder zumindest vom Staat sanktionierte Betriebe wie die Post, Rundfunk- und Fernsehanstalten, Elektrizitäts- und Wasserwerke u.a.m. in den Genuss von Monopolstellungen. Ein zweiter Typ künstlich geschaffener Monopole sind die Kollektivmonopole, Hierzu zählen vor allem Kartelle, die auf Grund vertraglicher Vereinbarungen den Wettbewerb beschränken oder auch ganz ausschalten.

Preisbildung im Monopol

Die für den Kunden nachteilige Preisbildung beim Monopol wurde 1838 von Cournot zum ersten Mal beschrieben. Er ging davon aus, dass sowohl die Nachfrage als auch die Kosten eines Unternehmens bekannt sind und dass es Ziel des Unternehmens ist, den höchsten Gewinn zu erzielen. Weil sich im Monopolfall die gesamte Nachfrage auf einen Anbieter konzentriert, wird dieser den Preis so festsetzen, dass sein Gewinn so hoch wie möglich ausfällt (Gewinnmaximierung).

Cournot wies nach, dass bei der Marktstrategie eines Monopolisten die Produktionsmenge gegenüber einem Wettbewerbsmarkt geringer und die Preise höher sind. Bei Konkurrenz würden mehr Güter zu niedrigeren Preisen verkauft werden.

Monopole bilden für Konsumenten daher immer einen Nachteil. Sie sind auch volkswirtschaftlich schädlich, weil sie unwirtschaftliches Verhalten fördern. Darüber hinaus führt der fehlende Wettbewerb dazu, dass z.B. Forschung und Entwicklung vernachlässigt oder gar eingestellt werden, so dass die ganze Volkswirtschaft gegenüber anderen Volkswirtschaften in den Rückstand gerät. Um dies alles zu verhindern oder zumindest zu mindern, muss der Staat sich für Wettbewerbspolitik einsetzen.

Staatliche Monopole können u.U. dazu dienen, als Innovation Infrastrukturinvestitionen vorzunehmen, die in der Anfangszeit keine ausreichende Rentabilität aufweisen und daher unterbleiben würden (z.B. Versorgungsnetze für Post, Wasser, Energie, Bildung u.a.). Der Betrieb solcher Institutionen durch den Staat sollte aber sorgfältig überwacht und später privatisiert werden, so dass die geschaffenen Netze konkurrierenden Unternehmen zur Verfügung stehen. Die gemeinsame Nutzung des gleichen Netzes durch mehrere Unternehmen ist in der Vergangenheit oft als nicht realisierbar und einer gleichmäßigen Entwicklung des Wirtschaftsraumes als nicht zuträglich angesehen worden, weshalb man unzählige Monopole mit vielen unwirtschaftlichen Nebenwirkungen schuf. Dies wird in den letzten Jahrzehnten mehr und mehr beseitigt.

[1] Cournot, Antoine Augustin, Untersuchungen über die mathematischen Grundlagen der Theorie des Reichtums, Jena 1924 (Original frz. Paris 1838)

Motivation

Wenn wir wissen, warum wir etwas machen, gelingt es uns leichter. Das ist sowohl beim Lernen als auch bei der Arbeit der Fall. Jeden Tag und bei vielen Gelegenheiten kommen wir mit dem Wort Motivation in Berührung.

Der Begriff der Motivation kommt von Motiv. Doch was versteht man unter Motiven? Ein Motiv ist ein Beweggrund, ein Streben, ein Bedürfnis des menschlichen Handelns, etwas, das als Gefühl oder Wunsch erlebt wird.

Motivation ist ein Grund, warum wir etwas machen. Es gibt verschiedene Motivationsfaktoren, wie körperliche grundlegende Bedürfnisse (Hunger, Müdigkeit), Sicherheitsbedürfnisse, Bedürfnisse nach Liebe und Zuneigung, Bedürfnisse sozialer Natur (Beziehung, Freundschaft), nach Wertschätzung und Anerkennung, nach Selbstverwirklichung (Individualität) und nach Wissen und Verstehen. In der Psychologie und Pädagogik ist die Motivation ein wichtiger Begriff. Zahlreiche Wissenschaftler (Freud, Atkinson und Maslow) haben hierzu Theorien entwickelt, die verschiedene Aspekte der menschlichen Motivation erklären.

Pyramide: Entnommen aus Maslow A. H.: Motivation und Persönlichkeit, Reinbek bei Hamburg: 1981, S. 74.

Selbst-
verwirklichung

Ich-Motivation (Anerken-
nung, Status, Prestige, Achtung)

Soziale Motive
(Kontakt, Liebe, Zugehörigkeit)

Sicherheitsmotive
(Schutz, Vorsorge, Angstfreiheit)

Physiologische Bedürfnisse
(Hunger, Durst, Atmung, Schlafen ...)

Lernmotivation

Der Mensch lernt, erlernt und verlernt. Doch ist alles so sinnvoll, was wir an Informationen aufnehmen? Eigentlich sollte der Mensch aus Überzeugung lernen, für sich selbst; dazu muss er aber wissen, wofür das Gelernte nützt. Für eine erfolgreiche Gestaltung von Lernprozessen, bei der die Verwirklichung von Lernzielen und die Wissensvermittlung im Vordergrund stehen, ist eine Auswahl geeigneter Methoden notwendig.

Der Grund des Lernens ist für den Lernenden der wichtigste Aspekt. Er sollte sich fragen, was das Lernen für ihn selbst bedeutet. Wichtig für die Beantwortung dieser Frage ist zuerst einmal, was das Lernen beeinflusst.

Von welchen Motiven wird das Lernen beeinflusst?

- **Materielles Motiv:** Das Streben nach materiellen Dingen ist eine Voraussetzung, um einen besseren Beruf zu erlangen, bei dem man mehr Geld verdient. Damit möchte der Lerner einen guten Lebensstandard erreichen. Hier ist es wichtig, dass der Lerner erkennt, dass er sich dafür selber motivieren kann.
- **Elternmotiv:** Dieses Motiv findet bei den Lernern statt, die nahestehenden Personen (Eltern, Lehrer, Freunde usw.) einen Gefallen tun wollen.

- **Motiv der Misserfolgsvermeidung:** Der zentrale Faktor des Lernenden ist hierbei mindestens, dem Misserfolg sowie möglichen Bestrafungen durch Eltern und Lehrer aus dem Weg zu gehen.
- **Lernen aus Gewissenszwang:** Ein Schüler hat zu lernen. Jeder möchte einen Beruf erlangen. Diese gesellschaftlichen Erfordernisse stellen für den Lernenden Gewissenszwänge dar.

Der Wille zu lernen ist in jedem Individuum vorhanden. Schüler werden leider überwiegend falsch motiviert, z.B. durch Lohn und Strafe oder Leistungsdruck.

Welchen Einfluss haben Lehrer auf die Lernenden?

Der Lehrer hat sehr großen Einfluss auf den Unterricht und auf das Verhalten des Lernenden.

Nicht empfehlenswert! Schlechte Eigenschaften eines Lehrers = **motivationshemmend**	**Empfehlenswert** Positive Einflüsse eines Lehrers = **motivationsfördernd**
• Den Schüler aufstehen lassen • Mit dem Rücken zu Klasse • Vokabeln abfragen • Note ins Büchlein schreiben • Der Lehrer hält einen Vortrag, der praktisch einen Monolog darstellt • Der Schüler wird kritisiert	• Die Gefühle der Schüler sollen akzeptiert und aufgenommen werden. • Die Schüler sollen beim Antworten gelobt und ermutigt werden. • Der Lehrer akzeptiert die Gedanken der Schüler und bezieht diese in seinen Unterricht mit ein. • Der Lehrer sollte Fragen stellen, um den Schüler in den Unterricht mit einzubeziehen.

Mitarbeitermotivation

Für die Leistungsfähigkeit am Arbeitsplatz ist nicht nur die Qualifikation, sondern auch die Motivation eine wichtige Voraussetzung für die Leistungsfähigkeit einer Unternehmung geworden. Mangelnde oder gar fehlende Motivation sowie eine besonders hohe Motivation der Mitarbeiter beeinflussen die Arbeitsqualität. Es ist also notwendig geworden, ein Maximum an Motivation bei der Belegschaft durch geeignete Führungsinstrumente zu erreichen.

Die Motivation der Mitarbeiter ist primär die Aufgabe des Managements. Das Management muss durch geeignete Führungsmaßnahmen versuchen, die Leistungsbereitschaft (Motivation) beim Personal zu fördern.

231

Bitte beachten Sie die Artikel zu den folgenden Stichwörtern:
Führungstechniken (124 - 125)
Management (204 - 205)

In den Diskussionen über die Globalisierung ist immer wieder von multinationalen Unternehmen (Multis) die Rede. In der Regel ist mit diesem Begriff eine negative Einstellung verbunden, jedoch besteht kaum eine konkrete Vorstellung davon, was eigentlich ein Multi ist. An die Stelle einer Charakterisierung tritt meistens die beispielhafte Nennung einzelner Unternehmen. In einer Studie der Vereinten Nationen werden solche Unternehmen als Multis bezeichnet, die Vermögenswerte wie Fabriken, Gruben, Verkaufsbüros und Ähnliches in mehr als einem Land kontrollieren. Hierzu würde zum Beispiel schon ein Einzelhändler gehören, der gleichzeitig im benachbarten Ausland eine Filiale hat. Bei einer solchen Definition ergäben sich Tausende von Multis.

„Multi" ist eine Unternehmung, welche über Niederlassungen und Produktionsstätten in zwei oder mehr Staaten verfügt, einen erheblichen Teil seiner Umsätze im Ausland tätigt und seine strategische Unternehmensplanung international ausrichtet.

Um die eigentlichen Probleme der Multis zu verdeutlichen, sollte man nur solche Multis auswählen, bei denen gleichzeitig eine gewisse Unternehmensgröße und Vorrangstellung auf ihrem Markt gegeben ist und deren Planung und Investitionstätigkeit sich überwiegend im internationalen Rahmen bewegt.

Die Umsätze eines der großen multinationalen Unternehmen übersteigen das Bruttoinlandsprodukt mancher Staaten. Aufgrund dieser Größe und Wirtschaftskraft können die Multis die Souveränität der Gastländer gefährden und beträchtlichen politischen Einfluss gewinnen.

Multinationale Unternehmen nach Umsatz in Mrd. US-$ (2003)

Wal-Mart (USA)	244,5	Exxon Mobil (USA)	204,5
General Motors (USA)	186,8	RoyalDutch/Shell (NL/GB)	179,4
BP (GB)	178,7	Ford Motor (USA)	162,6
DaimlerChrysler (D/USA)	160,8	General Electric (USA)	130,7
Toyota Motor (Japan)	125,8	Mitsubishi (Japan)	110,3
Total Fina Elf (Frankreich)	110,3		

Sicher besteht ein generelles Problem darin, dass die Interessen der Multis sich einst sehr stark mit den Interessen der Kolonialherren deckten und die heutigen Entwicklungsländer in dieser Zeit ausgebeutet wurden. Daher rührt eine verständliche Feindschaft gegenüber den Multis in diesen Ländern. Nach der Erlangung der Selbständigkeit stehen viele Politiker zudem vor der Tatsache, dass in der Regel die besonders wichtigen und rentablen Branchen nach wie vor von den Multis beherrscht werden und sich den nationalen Regelungen entziehen. Die Politiker in den Entwicklungsländern sind bei ihrer wirtschaftspolitischen Aufgabe häufig überfordert. Andererseits beherrschen gerade diese Politiker mehr und mehr die Diskussion in den internationalen Organisationen und benutzen diese Plattform, um ihre Argumente gegen die Multis herauszustellen. Es stellt sich, selbst wenn man ihren Argumenten folgt, jedoch die Frage, welche Alternative es zu den Multis gibt. Eine Reihe von Politikern fordert, sich von den Industriestaaten mit ihren Multis zu lösen und sich stärker auf die eigenen Kräfte zu besinnen. Sie wollen eine intensivere wirtschaftliche Zusammenarbeit der Entwicklungsländer untereinander anstreben und sich von wirtschaftlichen Abhängigkeiten befreien. Andere Politiker weisen darauf hin, dass dies die eigene Lage beträchtlich verschlechtern würde und gerade für die ärmsten Länder zusätzliche Benachteiligungen mit sich brächte. Sie setzen mehr auf die Möglichkeit, durch Vereinbarungen mit den Multis deren wirtschaftliche Macht zum Vorteil des eigenen Staates zu nutzen.

Pro und contra Multis

Argumente für Multis:

• Durch ihre Kapitalkraft, ihre Organisation, das technische Wissen und die Marktübersicht sind Multis in der Lage, risikoreiche Investitionen, insbesondere in Entwicklungsländern, vorzunehmen.

• Multis haben große Erfahrungen bei der wirtschaftlichen Entwicklung, die für andere Länder nutzbar gemacht werden können.

• Multis schaffen nicht nur viele Arbeitsplätze in Ländern mit hoher Arbeitslosigkeit, sondern bieten auch überdurchschnittlich hohe Löhne und Sozialleistungen (Schulen, Betriebswohnungen, Krankenbetreuung usw.).

• Durch Ausbildung und Anlernung von Arbeitskräften verbessern die Multis den Ausbildungsstand der Bevölkerung.

• Durch Wettbewerb bauen Mutis vorhandene Monopolstellungen einheimischer Unternehmen oder anderer Multis ab (zum Beispiel VW in Brasilien).

• Multis fördern die wirtschaftliche Entwicklung einheimischer Vorlieferanten und Abnehmer. Das sind insbesondere kleine und mittlere Unternehmen (VW arbeitet zum Beispiel in Brasilien mit fast 40.000 Unternehmen zusammen).

• Multis versetzen Entwicklungsländer in die Lage, zu exportieren und bisherige Importe durch eigene Produktion zu ersetzen. Damit verbessert sich die Zahlungsbilanz.

Argumente gegen Multis:

• Multis folgen bei ihren Investitionen nur ihren eigenen Zielen, die im Widerspruch zu den Zielen der Gastländer stehen können.

• Multis können von den nationalen Regierungen nicht hinreichend kontrolliert werden.

• Durch die Lohn- und Sozialpolitik werden privilegierte Schichten geschaffen, die zu zusätzlicher sozialer Ungleichheit führen. Dadurch wird auch die Stellung der Gewerkschaften beeinträchtigt.

• Da die Multis vorwiegend ungelernte Arbeitskräfte beschäftigen, ist die Ausbildungsförderung gering. Vielfach werden sogar die wenigen ausgebildeten Arbeitskräfte aus einheimischen Unternehmen abgezogen, wo sie dann fehlen.

• Multis suchen sich nur besonders günstige Produktionsbereiche und Länder heraus. Dies führt dazu, dass
  - einseitige Wirtschaftsstrukturen geschaffen werden und
  - die ärmsten Entwicklungsländer nicht gefördert, sondern die Unterschiede noch verstärkt werden.

• Durch „interne Verrechnungspreise" (teure Einkäufe von Mutter- und Tochtergesellschaften und billige Verkäufe an Mutter- und Tochtergesellschaften) kann der Gewinn willkürlich manipuliert und die Steuerzahlung minimiert werden.

• Multis benötigen auch sehr viel einheimisches Kapital, sie überweisen Gewinne in die Heimatländer und belasten die Zahlungsbilanz durch steigende Importe.

aus: Krafft/Wilke, Wirtschaft 5 - Internationale Wirtschaftsbeziehungen, Informationen zur pol. Bildung Nr. 183, Bonn 1991

233

Bitte beachten Sie die Artikel zu den folgenden Stichwörtern:
Arbeitslosigkeit (26 - 27)
Entwicklungsländer (94 - 95)
Gewerkschaften (136 - 137)
Gewinn (138 - 139)
Globalisierung (142 - 143)
Inlandsprodukt (160 - 161)
Investitionen (166 - 167)
Monopol (228 - 229)
Steuern (304 - 305)
Wettbewerb (366 - 367)
Zahlungsbilanz (376 - 379)

New Economy ist eines der vielen aus dem Amerikanischen übernommenen Schlagworte des Medienzeitalters, dessen Interpretation vieldeutig sein kann. Es deutet jedoch sicher auf die Wirtschaftsentwicklung im Zusammenhang mit den modernen Informations- und Telekommunikationstechnologien hin. Dieser lang anhaltende Aufschwung im letzten Jahrzehnt des vergangenen Jahrhunderts, – und auch dies könnte der Begriff meinen – hat die regelmäßigen drei- bis fünfjährigen Konjunkturzyklen der letzten 70 Jahre vergessen lassen und den Eindruck von einer neuen Ära volkswirtschaftlicher Entwicklungen vermittelt. Unterstützt wurde das Bild von der sich aufblähenden und wieder zusammenfallenden Börsendynamik, die zeitweise in wenigen Monaten Millionäre kreierte und die „Wirtschaft" als künstliches Gebilde am Bildschirm erleben ließ.

New Economy beschreibt eine Periode des langfristigen Wirtschaftsaufschwungs in den USA seit Beginn der 90er Jahre. Die Entwicklung geht hin zu einer wissensbasierten Wirtschaft mit einer Vielzahl qualitativer Neuerungen, die Struktur und Prozesse der Wirtschaft verändert haben. Dabei sind Unsicherheit und permanenter Wandel die Regel.

Wenn man in dem Geschehen die durch Medien hervorgerufene Übersteigerung eliminiert, bleibt ein durch eine revolutionäre Innovation ausgelöster Aufschwung, der mit früheren Innovationen wie Eisenbahnbau, Elektrifizierung und Motorisierung vergleichbar ist. So ist die „New Economy" im Grunde eine alte Erscheinung, von der schon der berühmte Analytiker der marktwirtschaftlichen Entwicklung, Joseph A. Schumpeter, in seinem Werk „Kapitalismus, Sozialismus und Demokratie" schreibt:

„Diese Revolutionen formen periodisch die bestehende Struktur der Industrie um, indem sie neue Produktionsmethoden einführen: die mechanisierte Fabrik, die elektrifizierte Fabrik, die chemische Synthese und ähnliches; oder neue Güter: Eisenbahnen, Auto, elektrische Geräte, oder neue Organisationsformen: die Fusionsbewegung; oder neue Versorgungsquellen: La-Plata-Wolle, amerikanische Baumwolle, Katanga-Kupfer; neue Handelswege und -märkte für den Absatz und so weiter. Dieser Prozess der industriellen Wandlung sorgt für das Grundcrescendo, das der Wirtschaft den allgemeinen Ton gibt: während diese Dinge eingeführt werden, finden wir lebhafte Ausdehnung und vorherrschenden Wohlstand."

Typisch für eine solche Entwicklung ist, dass die Produktivität, also das Produktionsergebnis je Beschäftigtem, überproportional steigt und als Folge das Wirtschaftswachstum stark zunimmt.

Bemerkenswert „new" an dieser Entwicklung ist allerdings, dass sie sich zunächst – und in diesem Ausmaß fast ausschließlich – in den USA vollzog, während in den beiden anderen großen Wirtschaftsräumen – Europa und Japan – ein sehr viel verhaltenerer Fortschritt zu beobachten ist. Dies ist nicht nur auf die Ausstattung der Arbeitsplätze mit neuer Technologie zurückzuführen, sondern hinzu kommt die Intensität der Nutzung dieser Hardware. So gibt es amerikanische Studien, die davon ausgehen, dass jeder in die IT-Ausrüstung investierte Dollar zehn weitere Dollar für die Anpassung des gesamten Industrie- und Dienstleistungssystems nach sich zieht.

So ist die Frage von Interesse, welche andersartigen Faktoren dem vollen Durchbruch der „New Economy" in Europa, insbesondere in Deutschland, entgegenstehen. Hierfür scheint ausschlaggebend zu sein:
- Der Anteil von IT-Ausrüstungen an den Gesamtinvestitionen, am Kapitaleinsatz und auch am Inlandsprodukt war Mitte der 90er Jahre in den USA fast doppelt so hoch wie in Europa.
- Die Anpassung der Wirtschaftsstrukturen an langfristige Wandlungsfaktoren benötigt in den europäischen Volkswirtschaften eine längere Zeit als in den USA, die weniger von traditionellen Verhaltensweisen, von althergebrachten Sitten und Einstellungen geprägt sind.
- Es gibt gravierende Unterschiede in der sektoralen Wirtschaftsstruktur zwischen Europa und den USA. In traditionellen Wirtschaftssektoren, die in Europa überwiegen, ist der IT-Einfluss deutlich geringer als in IT-dominierten Dienstleistungsbranchen.

Die amerikanische Entwicklung ist zwar faszinierend, doch sollte man daran denken, dass kein Berg in den Himmel wächst. Unzweifelhaft bietet eine solch neue Innovation – ähnlich dem Eisenbahn- oder Ölboom – riesige Chancen, unzweifelhaft aber auch gewaltige Risiken. Diese treten besonders dann auf, wenn der häufig von Medien angeregte, ideenreiche aber häufig völlig substanzlose Unternehmenswert anfängt, in Zweifel gezogen zu werden. Dies wirkt wie „Stiche in einen Luftballon" und bereinigt den von übertriebenem Optimismus getragenen Anstieg der Börsenkurse um die in ihnen enthaltene „heiße Luft". Dass dabei letztlich auch die reale Wirtschaftsentwicklung in gleicher Weise betroffen sein wird, scheint unabwendbar.

Es gibt die Meinung, dass es sich bei der Entwicklung der „New Economy" um einen ähnlichen Prozess handelt, wie vor einigen Jahren bei der Durchsetzung der „Angebotsorientierten Wirtschaftspolitik". Die weltweite – von den USA ausgehende – Umwälzung der Stabilisierungspolitik fand ihre intensivste Ausprägung mit seinerzeit scharfen sozialen Einschnitten unter R. Reagan (Reagonomics) in den USA. Die deutsche Variante der angebotsorientierten Wirtschaftspolitik war dagegen sehr von traditionellen Strukturen beeinflusst und demgegenüber sehr viel weniger ausgeprägt und wirksam.

Auch bei den weiteren Entwicklungen der New Economy wird sich wieder der Konflikt zwischen Bewahrung der traditionellen Rahmenbedingungen und der Akzeptierung eines schnelleren Strukturwandels auftun. New und Old Economy kann man dann vielleicht unterscheiden durch die Förderung oder Hemmung von
· Abbau staatlicher Eingriffe, Entbürokratisierung
· Intensivierung des Wettbewerbs
· Flexibilisierung auf den Arbeitsmärkten
· Kompetenzverschiebung zu den Betroffenen (Subsidiarität),
um nur die wichtigsten Punkte zu nennen.

Wenn dies in der Bundesrepublik (und in Europa) nicht konstruktiv gelöst wird, ist ein weiterer Rückfall unvermeidbar. Die Gewinner des gegenwärtigen Wandels der New Economy werden die Flexibelsten und Innovationsfähigsten sein; dies ist nicht grundlegend anders als in der Old Economy. „Wer zu spät kommt, den bestraft das Leben" – dies gilt auch für die Wirtschaft.

OECD ist die Abkürzung für „Organization for Economic Cooperation und Development". Die deutsche Übersetzung lautet: Organisation für wirtschaftliche Zusammenarbeit und Entwicklung.

Die Organisation für wirtschaftliche Zusammenarbeit und Entwicklung (OECD) ist die Nachfolgerin der „Organization for European Economic Cooperation" (OEEC). Sie wurde 1948 von den europäischen Staaten gegründet, die am „Marshall-Plan" teilnahmen. Der Marshall-Plan war die amerikanische Wirtschafts- und Finanzhilfe zum Wiederaufbau Europas nach dem Zweiten Weltkrieg. Die Teilnehmer der OEEC wollten sicherstellen, dass die amerikanische Hilfe möglichst wirkungsvoll eingesetzt wurde. Dazu gehörte auch, dass man sich um eine Liberalisierung des Handels, eine freie Austauschbarkeit der Währungen (Konvertibilität) und Stabilität der Preise und Wechselkurse bemühte. Die Mitgliedschaft Deutschlands an der OEEC von Beginn an war eine wichtige Basis für den wirtschaftlichen Wiederaufbau.

Als 1960 die OEEC ihren Zweck weitgehend erfüllt hatte, wurde eine Konvention über die OECD unterzeichnet, die am 30.09.1969 in Kraft trat. Das zweite „E" für „Europa" fiel weg, weil sich der Aufgabenbereich auf alle Industrieländer der Welt erweiterte; das dafür eingesetzte „D" (= Development) sollte die neue entwicklungspolitische Aufgabe unterstreichen. Sitz der OECD ist Paris.

Zur Zeit sind 30 marktwirtschaftlich und demokratisch orientierte Industrieländer Mitglied in der OECD. Für die Aufnahme in die Organisation können sich die Länder nicht automatisch qualifizieren; sie werden eingeladen, Mitglied zu werden. Eine solche Einladung gilt allgemein als Anerkennung der Tatsache, dass ein Land den Industrieländerstatus erreicht hat. Der Mitgliedsbeitrag, den jedes Land zu leisten hat, wird anhand der „Pro-Kopf-Wirtschaftsleistung" errechnet.

Im Vordergrund der Tätigkeit der OECD stehen vor allem das Erreichen wirtschafts- und sozialpolitischer Ziele. Dazu zählen im Einzelnen:
- dauerhaftes Wirtschafts- und Beschäftigungswachstum und ein damit einhergehendes wirtschaftliches Wohlergehen der Mitglieds- und Entwicklungsländer;
- gegenseitige Abstimmung der Wirtschaftspolitik, insbesondere der Konjunktur- und der Währungspolitik;
- Planung und Ausweitung der Entwicklungshilfe der Industriestaaten mit dem Ziel, ein angemessenes Wirtschaftswachstum in den Entwicklungsländern zu verwirklichen;
- Förderung des Welthandels;
- Verbesserung des Bildungswesens und des Umweltschutzes;
- Unterstützung von Technologie und Industrie.

Wie setzt sich die OECD zusammen?

Das oberste Beschlussorgan der OECD ist der Rat, in dem alle Mitgliedsstaaten vertreten sind. Getagt wird in der Regel einmal im Jahr auf Ministerebene. Unterstützt wird der Rat von einem Exekutivausschuss, dessen Mitglieder jährlich vom Rat benannt werden. Er bereitet die Sitzungen des Rates vor und koordiniert die Arbeit der Ausschüsse. Das Sekretariat wird von einem Generalsekretär geleitet, der für eine Amtszeit von fünf Jahren vom Rat ernannt wird. Die eigentliche Arbeit erledigen mehr als 200 Fachausschüsse und Arbeitsgruppen. Sie befassen sich z.B. mit wirtschafts- und sozialpolitischen, mit technologischen und rechtlichen Fragen sowie mit Fragen des Umweltschutzes und der Entwicklungshilfe.

Einen nicht zu unterschätzenden Einfluss hat die OECD auf Grund ihrer zahlreichen Studien- und Forschungsprojekte. Ihre Untersuchungen konzentrieren sich in der Regel auf die Wirtschafts- und Konjunkturpolitik. Dazu werden jährlich Länderberichte über die Wirtschaftslage einzelner Staaten angefertigt. Außerdem erarbeitet die OECD Abkommen auf wissenschaftlichem und technologischem Gebiet.

Gleichzeitig bildet die OECD eine Plattform für eine permanente internationale Regierungskonferenz, die einen regen Austausch über aktuelle gemeinsame wirtschafts- und währungspolitische Probleme ermöglicht. Auf Grundlage der Ergebnisse der eigenen Studien ist sie dann in der Lage, ihren Mitgliedern schnell und flexibel Entscheidungshilfen anzubieten. Dabei ist sie stets darauf bedacht, sich um eine Abstimmung zwischen den Mitgliedern in Fragen der Wirtschafts-, Handels-, Finanz- und Währungspolitik zu bemühen.

Kontakte zur OECD

Die OECD gibt eine Vielzahl von Publikationen, z.T. auch in deutscher Sprache, heraus, die äußerst wichtige Informationen über weltwirtschaftliche Daten und Prozesse enthalten. Einen vollkommenen Überblick erhalten Sie über „http://www.oecd.org/".

Mitgliedsstaaten der OECD

Australien (1971)	Griechenland (1961)	Kanada (1961)	Norwegen (1961)	Schweden (1961)
Belgien (1961)	Großbritannien (1961)	Korea (1996)	Österreich (1961)	Schweiz (1961)
Dänemark (1961)	Irland (1961)	Luxemburg (1961)	Polen (1996)	Tschechien (1995)
Deutschland (1961)	Island (1961)	Mexiko (1994)	Portugal (1961)	Türkei (1961)
Finnland (1969)	Italien (1962)	Niederlande (1961)	Slowakei (2000)	Ungarn (1996)
Frankreich (1961)	Japan (1964)	Neuseeland (1961)	Spanien (1961)	USA (1961)

Beitrittsjahr in Klammern

Bitte beachten Sie die Artikel zu den folgenden Stichwörtern:
Konjunktur (180 - 181)
Wachstum (354 - 355)
Wechselkurse (358 - 359)

Öffentliche Güter

Öffentliche Güter sind Dienstleistungen, die der Staat (Bund, Länder und Gemeinden) für die Allgemeinheit produziert und über Steuern, Gebühren und Beiträge (Zwangsabgaben) finanziert.

Der Staat ist auch Eigentümer von Unternehmen in privatwirtschaftlicher Form (AG, GmbH usw.), die ihre Leistungen am Markt anbieten. Die dort produzierten Güter fallen nicht unter die öffentlichen Güter.

Beispiele für öffentliche Güter:

Innere und äußere Sicherheit, Rechtspflege, Verwaltungsleistungen, Bereitstellung von Verkehrswegen, Ausbildung in Schulen und Hochschulen, Berufsberatung.

Was bedeutet Ausschlussprinzip?

Ausgangspunkt für die öffentlichen Güter ist das Ausschlussprinzip. Es ist ein wichtiges Fundament des marktwirtschaftlichen Mechanismus. Es bedeutet, dass in einer Marktwirtschaft die Verteilung von Gütern im Prinzip von der Zahlung eines Marktpreises abhängig ist. Wenn ein Nachfrager diesen Marktpreis nicht zahlt, wird er bei der Verteilung ausgeschlossen. Erfolgt die Verteilung ohne den Einsatz dieses Ausschlussprinzips, dann sprechen wir von öffentlichen Gütern, die vom Staat angeboten werden. Die beiden Varianten eines öffentlichen Gutes sind die sozialen Güter und die meritorischen Güter.

Soziale Güter

Bei sozialen Gütern (Kollektivgüter) liegt es in der Natur der Güter, dass das Ausschlussprinzip nicht angewendet wird, weil es nicht funktionieren kann.

Beispiel:

Eine Verkehrsregelung zur Vermeidung von Unfällen muss – wenn sie funktionsfähig sein soll – alle Verkehrsteilnehmer einbeziehen und kann nicht nur die auswählen, die bereit sind, diese Leistung zu honorieren. Das Ausschlussprinzip versagt. Weitere Beispiele sind die Bundeswehr, die Gerichte, die Polizei und alle Dienstleistungen, die „innere und äußere Sicherheit" produzieren. Wir alle bezahlen mit Steuern und Abgaben die Bereitstellung solcher **„public goods"**. Wenn eine Minderheit sagen würde, dass sie keinen Wert auf Verteidigung und Polizei lege und deshalb auch nicht bereit sei, dafür zu bezahlen, käme sie dennoch in den Schutz durch die staatlichen Institutionen, ob sie es will oder nicht. Da man dies weiß, würde der Einzelne im Vertrauen darauf, dass genügend andere das öffentliche Gut befürworten, seine wahren Wünsche gar nicht aufdecken und im Zweifel sagen, dass ihm der Preis zu hoch sei. Er weiß ja, dass er trotz Zahlungsverweigerung in den Genuss kommt. Er wird zum „Trittbrettfahrer" (**free rider**), der ohne eigene Leistung in den Genuss des Gutes kommt.

Da man davon ausgehen kann, dass u.U. viele Menschen so denken, entstünde der Eindruck, dass dieses Gut nicht den Wünschen der Bevölkerung entspricht und es käme zur Gefahr der Unterversorgung. Nicht nur das marktwirtschaftliche Ausschlussprinzip versagt in diesem Fall, sondern auch das marktwirtschaftliche Informationssystem.

Es gibt keine Alternative zur staatlichen Produktion, allenfalls ist eine gewisse Ergänzung durch private Aktivitäten denkbar, z.B. private Wach- und Sicherheitsdienste. Allerdings steht der Staat vor der Aufgabe, die wahren Bedürfnisse der Bevölkerung einzuschätzen und das Gut im entsprechenden Umfang zu erstellen und durch Zwangsabgaben zu finanzieren. Darüber muss im politischen Entscheidungsprozess befunden werden.

Meritorische Güter

Bei den meritorischen Gütern würde das Ausschlussprinzip zwar funktionieren und ein privatwirtschaftliches Angebot möglich sein, doch wird dies bei bestimmten Gütern politisch nicht gewünscht, weil es gegen gesellschafts-politische Zielsetzungen verstößt. Die staatliche Aktivität wäre also bei meritorischen Gütern nicht erforderlich, aber sie wird als politisch erstrebenswert angesehen. Meritorische Güter umfassen ein breites Spektrum unterschiedlicher Tatbestände.

Beispiel:

Nach unseren heutigen Vorstellungen ist es unzumutbar, wenn nur derjenige in den Genuss einer Schulausbildung kommt, der den entsprechenden Preis dafür bezahlen kann und will. Zwar könnte das Ausschlussprinzip und damit der Marktmechanismus angewendet werden; er soll es indessen nach mehrheitlicher Meinung nicht, weil dies gegen übergeordnete gesellschaftspolitische Vorstellungen (Gerechtigkeit, Chancengleichheit usw.) verstoßen würde. Man fordert – im Gegenteil – sogar eine Schulpflicht, nicht nur ein Recht auf Schule.

Meritorische Güter können also auch privat angeboten werden; nach mehrheitlicher Meinung würden dann aller-dings die Nachfrager das Gut nicht im erwünschten oder notwendigen Umfang nachfragen, weil sie vielleicht den privaten und gesellschaftlichen Nutzen nicht richtig einschätzen und kurzfristig der Einsparung an finanziellen Mitteln den Vorzug geben.

Beispiel:

Eine rein oder überwiegend privatwirtschaftliche Hochschulausbildung ist möglich, in Deutschland aber nach der Mehrheitsmeinung bislang weitgehend unerwünscht (anders in den USA). Viele würden auf ein Studium verzichten, was weder in ihrem eigenen (längerfristigen) noch im gesellschaftlichen Interesse an einem hohen Bildungsstand ist. Auch Argumente der Chancengleichheit und Startgerechtigkeit spielen dabei eine Rolle.

Meritorische Güter sind Beispiele dafür, dass ein ökonomisches Marktversagen nicht zwangsläufig immer auch erstrebenswert ist. Die Gesellschaft muss noch zusätzlich beurteilen, ob die Ergebnisse auch gewollt sind oder nicht. Allerdings bedarf es zur Aufhebung des Marktmechanismus immer einer Mehrheitsentscheidung.

239

Bitte beachten Sie die Artikel zu den folgenden Stichwörtern:
Aktiengesellschaft (12 - 13)
GmbH (144 - 145)
Markt (210 - 211)
Rechtsformen (276 - 277)
Preisbildung (256 - 257)
Steuern (304 - 305)

Ökologie ist die Wissenschaft von den Beziehungen lebender Organismen untereinander sowie mit ihrer belebten und unbelebten natürlichen Umwelt. Das besondere Interesse gilt dabei den Konsequenzen für die Bevölkerungs- und Wirtschaftsentwicklung.

Traditionell werden in der Volkswirtschaftlehre die drei Produktionsfaktoren Arbeit, Kapital und Boden unterschieden. Setzt man anstelle des Bodens den Begriff Umwelt, so befindet man sich in einer schon jahrzehntelangen, jedoch seit Ende der 60er Jahre des vorigen Jahrhunderts immer intensiver geführten Diskussion um Umweltprobleme, um Ökologie. Die Ökologie beschäftigt sich vor allem mit den Wechselbeziehungen der Lebewesen untereinander und mit ihrer Umwelt.

Natur und Umwelt (wie z.B. Wasser, Luft) waren einmal **freie Güter**, für die kein Preis gezahlt werden musste, da sie im Überfluss vorhanden waren. Mittlerweile hat sich die Situation durch die Wirtschafts- und Bevölkerungsentwicklung grundlegend geändert. Durch den Verbrauch nicht erneuerbarer Naturvorkommen (Bodenschätze) und die Überbelastung der Natur werden die Ressourcen immer knapper. Das Gut Umwelt gehört heute zu den **knappen Gütern**.

Ursache für die Umweltbelastung ist u.a. das Bevölkerungswachstum. Im Jahr 1950 betrug die Weltbevölkerung 2 Milliarden, 1980 hatte sie sich auf 4 Milliarden erhöht. Für das Jahr 2030 rechnet man mit einer Bevölkerung von etwa 10 Milliarden. Dieses Bevölkerungswachstum führt zu intensiver Bodennutzung (z.B. Ausdehnung der Anbauflächen zur Nahrungsmittelproduktion), zu steigendem Energieverbrauch (durch steigende Produktion von industriellen Gütern) und zu mehr Konsumabfällen, deren ordnungsgemäße Entsorgung immer schwieriger wird. Mit dem Bevölkerungswachstum eng verbunden ist das Problem der Zunahme von städtischen Ballungszentren. Durch die räumliche Zusammenballung werden die Ressourcen Luft, Wasser und Boden immer stärker beansprucht. Auch das Wirtschaftswachstum trägt zu einer stärkeren Umweltbelastung bei. Dies gilt für alle drei Teilbereiche der Wirtschaft: den primären Sektor (Land- und Forstwirtschaft, Fischerei), den sekundären Sektor (warenproduzierendes Gewerbe) und den tertiären Sektor (Handel, Verkehr und Dienstleistungen). Beispiele im primären Bereich sind der Einsatz von Schädlingsbekämpfungsmitteln und Düngemitteln mit negativen Folgen für die Gewässerqualität, im sekundären Bereich die Industrieabfälle, Abgase und Abwässer sowie Lärm und Schadstoffbelastung durch Industrieanlagen und im tertiären Bereich sind steigender Verkehr und steigender Tourismus ein Problem.

Um einen Zusammenbruch der ökologischen Systeme zu verhindern, muss der Staat durch Verbote und Gebote eingreifen. 1971 hat die Bundesregierung mit der Entwicklung eines Umweltprogramms ein erstes Zeichen gesetzt. Die Umweltpolitik ist zu einer eigenständigen öffentlichen Aufgabe erklärt worden und wird durch folgende Beschreibung definiert:

Umweltpolitik ist die Gesamtheit aller Maßnahmen, die notwendig sind, um dem Menschen eine Umwelt zu sichern, wie er sie für seine Gesundheit und für ein menschenwürdiges Dasein braucht, um Boden, Luft und Wasser, Pflanzen- und Tierwelt vor nachteiligen Wirkungen menschlicher Eingriffe zu schützen und um Schäden oder Nachteile aus menschlichen Eingriffen zu beseitigen.

Diese allgemeinen Ziele lassen sich konkretisieren: Vermeidung von Ressourceneinsatz (z.B. Verpackungseinsparung), Entwicklung umweltfreundlicher Produkte (z.B. bleifreies Benzin), Beseitigung und Verminderung von Abfallprodukten (z.B. durch Mehrwegflaschen), Entwicklung umweltfreundlicher Fertigungstechniken (sanfte Technologien, z.B. Windenergie, Sonnenenergie) und die Wiederverwendung gebrauchter Roh- und Abfallstoffe (Recycling).

Die regierungsoffizielle Forderung, dass die soziale Marktwirtschaft zunehmend auch eine ökologische Ausrichtung erhalten muss, zeigt den ordnungspolitischen Trend zur ökosozialen Marktwirtschaft an.

Das Kyoto-Protokoll

Die internationale Klimapolitik ist an einem Wendepunkt angekommen. Die Annahme des Kyoto-Protokolls ist ein großer Schritt in dem Versuch der Menschheit, die schädlichen Folgen des Klimawandels zu begrenzen. Im Dezember 2000 beschlossen 155 Nationen in der japanischen Stadt Kyoto ein Protokoll mit einer Reihe konkreter Maßnahmen zum Schutz der Ozonschicht und zur Bekämpfung der künstlichen Erwärmung der Erde.

Die Vertragspartner einigten sich, dass die meisten Industrieländer einzeln oder gemeinsam ihre Treibhauseffekte zwischen 5 und 8 Prozent verringern. Diese Ziele müssen im Zeitraum zwischen 2008 und 2012 erreicht werden. Die Verpflichtungen der Industrieländer sollen zu einer Reduktion von bis zu 5,2 Prozent führen.

Die wichtigsten Festlegungen des Protokolls von Kyoto sind:

- Die 38 führenden Industrienationen verpflichten sich auf eine Verringerung von Emissionen (Schadstoffen) von sechs klimaschädlichen Gasen um 5,2 Prozent unter das Niveau von 1990. Das Ziel muss im Zeitraum zwischen 2008 und 2012 erreicht sein.
- Die EU-Staaten müssen ihre Emissionen um 8 Prozent verringern, auf Deutschland entfallen nach einer EU-internen Regelung davon rund ein Fünftel.
- Einführung neuer flexibler Klimaschutzinstrumente, das sind Emissionshandel sowie projektbezogene Investitionen in Industrieländern und Entwicklungsländern, die dazu beitragen, den Ausstoß von Treibhausgasen zu verringern.

Bitte beachten Sie die Artikel zu den folgenden Stichwörtern:

241

Ökosteuer

Die Diskussion um eine ökologische Steuerreform spielt in Deutschland seit einigen Jahren eine wichtige Rolle. Seit April 1999 gibt es in Deutschland die Ökosteuer. Diese ist jedoch noch sehr umstritten. Während ein Teil der Bevölkerung hierin den Versuch des Staates sieht, eine zusätzliche Steuerquelle zu schaffen, sieht der andere Teil in ihr den Schlüssel zur Verbesserung des ökologischen Gleichgewichts.

Die Ökosteuer ist eine ökologisch begründete Energiesteuer. Sie wird auf Benzin, Heizöl, Erdgas und Strom erhoben. Sie verfolgt zwei politische Ziele gleichzeitig: Die Umweltbelastung soll gesenkt und gleichzeitig die Beschäftigung durch Verringerung der Lohnnebenkosten gesteigert werden.

Die Ökosteuer folgt einem ganz einfachen Prinzip: Energie und umweltbelastender Verkehr werden durch diese Steuern teurer. Gleichzeitig werden die Produktionskosten entlastet, denn die Lohnnebenkosten[1] sinken und durch die Verteuerung der Energie werden Anreize zu ihrer sparsamen Nutzung gegeben.

Die Ökosteuer ist jedoch auch ein Eingriff in den Markt. Um diesen Eingriff für die Wirtschaft kalkulierbar zu machen, wurde ein Konzept einer gleichmäßigen Steigerung der Steuern entworfen, so dass sich die Energieverbraucher rechtzeitig an die Entwicklung anpassen können. Sie können sich auf energiesparende Produktionsmethoden umstellen, benzinsparende Fahrzeuge anschaffen, für eine bessere Wärmedämmung in Gebäuden sorgen etc.

Wie hoch sind die Ökosteuern?

Das Ökosteuerkonzept wird in fünf Schritten realisiert: Zum 1. April 1999 wurden die Steuern auf Benzin, Heizöl und Erdgas erhöht und eine Stromsteuer eingeführt. Bis Anfang 2003 wurden die Steuern auf Benzin, Diesel und Strom jährlich weiter gesteigert. Über die Entwicklung gibt die folgende Tabelle Aufschluss:

Ökosteuer-Erhöhungsschritte						
Steuer bis 1998 (Vor Einführung der Ökosteuer)		1. April 99	1. Januar 00	1. Januar 01	1. Januar 02	1. Januar 03
Normal- u. Superbenzin	98 Pf / l	6 Pf / l	6 Pf./ l	6 Pf / l	3 Cent / l	3 Cent / l
Diesel	62 Pf / l	6 Pf / l	6 Pf./	6 Pf / l	3 Cent / l	3 Cent / l
Heizöl	8 Pf / l	4 Pf / l	-	-	-	-
Erdgas	0,36 Pf / kWh	0,32 Pf / kWh	-	-	-	-
Strom	-	2 Pf / kWh	0,5 Pf / kWh	0,5 Pf / kWh	0,26 Cent/kWh	0,26 Cent/kWh
Ökosteuereinnahmen	-	8,5 Mrd. DM	17,2 Mrd. DM	22,4 Mrd. DM	14,3 Mrd. Euro	17,2 Mrd. Euro
Rentenversicherungs-beitrag in %	20,3	19,5	19,3	19,1	19,0	18,8

Quelle: http://www.oeko-steuer.de/

Bei dieser Tabelle muss berücksichtigt werden, dass für die Industrie ermäßigte Steuersätze gelten. Besonders belastete Unternehmen erhalten sogar eine Rückvergütung.

Ist die Ökosteuer gerechtfertigt?

Da jede Art von Energieverbrauch besteuert wird, meinen viele, die Ökosteuer sei unsozial. Jeder Haushalt ist auf eine gewisse Menge Strom und Energie zur Grundversorgung angewiesen und auch die Mobilität gehört zu den Grundbedürfnissen eines jeden Bürgers. Es soll sich jedoch bei der Ökosteuer nicht um eine Bestrafung und um zusätzliche Steuern handeln, sondern um eine Umschichtung: Kosten der Arbeitskraft (Rentenversicherungsbeiträge) werden umgewandelt in eine Belastung bei dem Energieverbrauch.

[1] Mit Lohnnebenkosten sind hier die Beiträge zur Rentenversicherung gemeint, weil die Einnahmen aus der Ökosteuer – zumindest zum Teil – dazu verwendet werden sollen, diese Beiträge, die Arbeitgeber und Arbeitnehmer zahlen müssen, zu senken. Die Einnahmen sollen an die gesetzliche Rentenversicherung weitergeleitet werden, damit der Beitragssatz gesenkt werden kann.

Nachteile der Ökosteuer

Schon jetzt sind Nachteile der Ökosteuer erkennbar. Die Bürger werden nicht – wie ursprünglich von der Regierung geplant – bei den Beiträgen zur Versicherung angemessen entlastet. Außerdem trägt die Ökosteuer dazu bei, dass sich die Wirtschaftslage in Deutschland abschwächt. Obwohl die Steuern in der Europäischen Union angeglichen werden sollten, geschieht dies bei den Energiesteuern nicht. Durch den deutschen Alleingang werden energieintensive Produktionen ins Ausland gelenkt und einzelne Branchen im internationalen Wettbewerb benachteiligt.

Ökosteuer als Klimapolitik

Die Ökosteuer soll vor allem ein Mittel sein, um die bedrohliche Schädigung der Umwelt aufzuhalten. Eine Bedrohung für unsere Zukunft ist der zu hohe Verbrauch von Rohstoffen sowie der Ausstoß klimaschädlicher Treibhausgase. Bei der Verbrennung von Kohle, Erdöl und Erdgas entsteht immer Kohlendioxid (CO_2). Es sammelt sich zusammen mit anderen Klimagasen in der Atmophäre an und führt zu dem befürchteten Treibhauseffekt.

Viele Menschen sehen in der Ökosteuer eines der wirksamsten Mittel zur Reduzierung der Treibhausgase. Sie halten die Ökosteuer für intelligenter als andere politische Maßnahmen, denn wenn alle Energieverbraucher mit einem höheren Energiepreis rechnen, dann wird eher in neue Technologien investiert, die ein ökologisches Gleichgewicht kostengünstiger erreichen lassen.

Gegner der Ökosteuer

Gegner bzw. Skeptiker befürchten sowohl Wettbewerbsnachteile für Deutschland als auch eine Verschlechterung der Umweltqualität. Die Verbesserung der Umwelt ist mit Opportunitätskosten verbunden. Unternehmen müssen Filter, Reinigungsanlagen und teure Technik kaufen. Dies bedeutet einen zusätzlichen Einsatz von Ressourcen. Die Verbraucher müssen evtl. den Konsum von Gütern einschränken, die einen hohen Energieverbrauch haben. Dadurch wird nicht nur der Wohlstand eingeschränkt, sondern auch die Gefahr von Arbeitsplatzverlusten erhöht. Ein wesentliches Argument ist auch, dass Betriebe, die stark von der Ökosteuer belastet sind, ins Ausland abwandern, wo sie die gleiche Produktion mit einem noch viel größeren Kohlendioxyd-Ausstoß als gegenwärtig in Deutschland durchführen. So verschlechtert sich das ökologische Gleichgewicht schon bei der Produktion und hinzu kommt noch eine zusätzliche Umweltbelastung durch den Transport.

Bitte beachten Sie die Artikel zu den folgenden Stichwörtern:
EU (96 - 97)
Mobilität (224 - 225)
Ökologie (240 - 241)
Rentenversicherung (280 - 281)
Steuern (304 - 305)
Umweltzertifikate (318 - 319)
Wettbewerb (366 - 367)

OPEC ist eine Abkürzung und steht für „Organization of Petroleum Exporting Countries" (Organisation der Erdöl exportierenden Länder).

Die OPEC wurde am 14. September 1960 in Bagdad, Irak, gegründet. Sie hat ihren Sitz in Wien, Österreich. Der Grund für die Gründung dieser Organisation war die Absicht, gemeinsam über Produktion, Preise und zukünftige Konzessionen mit den multinationalen Erdölfirmen zu verhandeln. Die OPEC ist ein Kartell und soll die Interessen ihrer Mitgliedsstaaten besser durchsetzen. Innerhalb dieses Kartells wird verabredet, in welcher Menge und zu welchem Preis das Erdöl exportiert werden soll.

Die Aufgabe der OPEC ist es, die Förderpolitik ihrer Mitgliedsstaaten zu koordinieren und die Weltmarktpreise stabil auf einem gewünschten Niveau zu halten. Die OPEC besteht zur Zeit aus 11 Mitgliedstaaten.

Welche Länder sind Mitglied der OPEC?

Wiepcke 2004

Wie wichtig ist die OPEC?

Die Entscheidungen der OPEC haben einen starken Einfluss auf den weltweiten Erdölpreis, denn sie deckt rund 40% des Marktes ab. Selbst große erdölproduzierende Länder wie die USA (ca. 9%), Russland (ca. 8%), Mexiko (ca. 5%) oder Norwegen (ca. 4%) können sich diesem nicht entziehen.

Wie viel Macht die OPEC besitzt, zeigt der so genannte Öl-Schock im Jahre 1973. Nach der Niederlage der arabischen Seite im Oktoberkrieg gegen Israel erklärte die OPEC ein Öl-Embargo (Zurückhalten von Lieferungen) gegenüber Westeuropa und den USA. Dies führte zu einer Verknappung von Öl auf dem Weltmarkt und zu massiven Preissteigerungen von $3 auf $12 pro Barrel (=159 Liter) Rohöl. In der Folge kam es zu Energiekrisen in den betroffenen Ländern und zu großen wirtschaftlichen Schwierigkeiten.

Wie ist die Organisation aufgebaut?

Das höchste Organ der OPEC bildet die **Konferenz der Ölminister**. Sie setzt sich aus den jeweiligen Ölministern der OPEC-Staaten zusammen. Diese treffen sich zweimal im Jahr in Wien, um Richtlinien für Produktionsmengen und angestrebte Preise zu beraten. In den **Rat der Gouverneure** schickt jedes Mitgliedsland einen Abgesandten. Die Gouverneure sind für die Ausführung der Beschlüsse der Ölminister-Konferenz zuständig und werden dabei vom Sekretariat der OPEC unterstützt. Der **OPEC-Fonds für Internationale Entwicklung** leistet finanzielle Unterstützung für Entwicklungsländer.

Wie funktioniert die OPEC?

Die OPEC ist ein seltenes Beispiel für ein langfristig erfolgreiches Kartell. Sie kontrolliert den Weltölpreis durch das Setzen von Quoten für jedes einzelne Mitgliedsland. Diese Quoten werden erhöht, wenn der Weltpreis steigt, und vermindert, wenn er sinkt. Ein großer Anteil am Erfolg des Ölkartells kommt der Führung durch den weltweit größten Erdölproduzenten Saudi-Arabien zu. Saudi-Arabien allein hat einen Weltmarktanteil von rund 13% und war bislang stets bereit, die Überschreitung von Quoten bei einzelnen Kartellmitgliedern durch die Drosselung der eigenen Produktion auszugleichen. Dies stärkt jedoch gleichzeitig Saudi-Arabiens Position. Denn während die meisten Kartellmitglieder an den Grenzen ihrer Produktionskapazitäten angelangt sind, verfügt Saudi-Arabien über Reserven und damit einen wichtigen Hebel in Verhandlungen.

Welche Zukunft hat die OPEC?

Die Preispolitik der OPEC war in der Vergangenheit für die Mitglieder sehr gewinnbringend. Der Ölpreis befindet sich auf einem für Rohstoffe einzigartig hohen Niveau, das sonst nur durch Industriegüter erreicht wird. Trotzdem steckt die OPEC in einem Dilemma. Auf der einen Seite könnten weitere Steigerungen des Ölpreises den Wohlstand der OPEC-Länder zusätzlich erhöhen. Doch auf der anderen Seite wird befürchtet, dass dies starke Anreize für alternative Energielösungen schafft und eine Ausweitung der Erdöl-Förderung bei Nicht-OPEC-Staaten bewirkt.

Ein weiteres Problemfeld liegt in der Endlichkeit der Ölvorkommen. Wissenschaftler schätzen, dass Erdöl zur Mitte des Jahrhunderts knapp werden wird. Mit der Aussicht auf schwindende Ölreserven müssen neue wirtschaftspolitische Konzepte erarbeitet werden. Um in Zukunft nicht mehr in so starkem Maße von der Ölindustrie abhängig zu sein, sollen in den Mitgliedsländern andere Wirtschaftszweige wie z.B. Tourismus und Handel belebt werden.

245

Bitte beachten Sie die Artikel zu den folgenden Stichwörtern:
Entwicklungsländer (94 - 95)
Kartell (176 - 177)

Opportunitätskosten

Klaus ist Student und hat es sehr schwer im Leben. Wenn er zum Training geht, dann hat er keine Zeit zum Lernen. Wenn er für Physik büffelt, dann kann er nicht mikroskopieren. Wenn er schwimmen geht, kann er nicht Fußball spielen. Wenn er sich die Haare kurz schneiden lässt, kann er sie nicht mehr lang tragen. Wenn er sich ein neues Bett kauft, so kann er sich keinen Urlaub mehr leisten. Aus diesen Konflikten geht hervor, dass Klaus wirtschaften muss. Wirtschaften heißt, zwischen Alternativen zu wählen. Will man das eine, muss man oft auf etwas anderes verzichten. Klaus hat hier ein Auswahlproblem, welches sich aus der Knappheit von Gütern ergibt. Dem Vorteil aus der gewählten Verwendung stehen Nachteile gegenüber. Diese Nachteile resultieren aus dem Verzicht auf die anderen Verwendungsmöglichkeiten, die Klaus nicht wahrgenommen hat. Dieser Verzicht wird mit dem Begriff „Opportunitätskosten" ausgedrückt.

> **Opportunitätskosten sind die entgangenen Nutzen (Erträge), die man bei einer anderen Verwendung der Mittel (Güter oder Geld) hätte erzielen können.**

Beispiel:

Wenn ein Staat beschließt, mehr Geld für das Militär auszugeben, so sind die Opportunitätskosten im Nutzen zu sehen, auf den der Staat verzichtet, weil er das Geld nicht anderweitig, z.B. für die Bildung, aufwendet.

Für das „Denken in Opportunitätskosten" gibt es sehr viele Anwendungsbereiche. Sei es (wie bei Klaus) auf den Einsatz der knappen Zeit, oder in einem Betrieb bzw. einer Unternehmung, bei dem Einsatz von Ressourcen wie Arbeitskräfte oder Finanzmittel für Investitionen oder auch bei volkswirtschaftlichen Konflikten, wenn in der Konjunkturpolitik zwischen den Zielen „Preisniveaustabilität" und „hoher Beschäftigungsstand" entschieden werden muss. Immer wenn es „entweder – oder" heißt, immer wenn Zielkonflikte vorliegen, entstehen Opportunitätskosten. Es reicht bei knappen Mitteln nicht aus, eine Maßnahme mit den durch sie entstehenden Vorteilen zu begründen, wie es Politiker gern tun. Rationaler Einsatz knapper Mittel macht zwingend ein ökonomisches Denken in Opportunitätskosten notwendig. Sie stehen im Zentrum rationalen Handelns und machen immer wieder deutlich, dass es kein Leben im Schlaraffenland gibt, in dem sich alle Wünsche gleichzeitig erfüllen lassen. Einige Beispiele sollen dies verdeutlichen:

1. Jeder Unternehmer, der in seiner Firma sein privates Vermögen investiert hat, könnte es stattdessen auch zur Bank bringen, um es dort zu einem festen Zinssatz anzulegen oder sich entsprechende Wertpapiere zu kaufen, für die er ebenfalls regelmäßige Zinserträge erhält. Wenn er auf diese Gelegenheiten bei der Bank nicht nutzt, sondern das Geld in der eigenen Unternehmung lässt, so sollte er prüfen, ob er auch da durch seine Gewinne mindestens gleich hohe Erträge erwirtschaftet wie durch die Anlage bei der Bank.

2. Gleiches gilt auch für den Unternehmer, der in seiner eigenen Firma arbeitet, anstatt als Geschäftsführer in einer vergleichbaren Unternehmung eine Stelle anzunehmen, die z.B. mit 50.000 Euro je Jahr vergütet wird. Er müsste, wenn er rational handelt, prüfen, ob der Gewinn in seiner Firma nicht nur einen vergleichbaren Zins wie bei der Anlage seines Geldes bei der Bank abdeckt, sondern auch noch einen mit dem Geschäftsführer vergleichbaren Unternehmerlohn hergibt. In vielen Fällen bleiben bei der Preiskalkulation solche Opportunitätskosten unberücksichtigt.

3. Eine volkswirtschaftliche Überlegung zu den Opportunitätskosten wäre – über die ethischen Aspekte hinaus – auch die Frage, ob man die volkswirtschaftlichen Ressourcen für die Produktion militärischer Güter oder für die Versorgung der Bevölkerung mit Konsumgütern einsetzt. Die alternativen Produktionsmöglichkeiten, zwischen denen gewählt werden kann, lassen sich bildlich auf einer Kurve der Produktionsmöglichkeiten (Transformationskurve) für eine Volkswirtschaft verdeutlichen, in der (vereinfacht) zwei Güterarten als Alternativen stehen. Gut 1 = Brot (ziviles Gut); Gut 2 = Panzer (militärisches Gut).

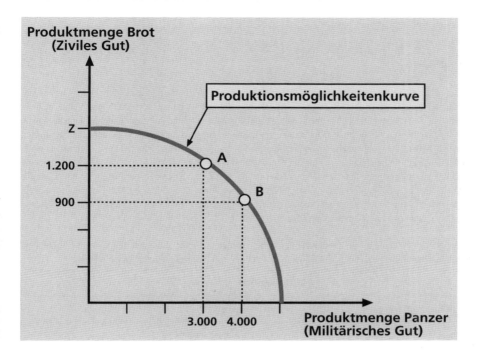

Die gegenwärtigen Produktionsmöglichkeiten werden durch das Ziel A angegeben, d.h., man produziert 1200 Tonnen Brot und 3000 Panzer. Soll eine Aufrüstung auf 4000 Panzer erfolgen (Ziel B), so geht dies nur zur Lasten der zivilen Güter, d.h., es können nur noch 900 Tonnen Brot erzeugt werden. Die Opportunitätskosten bestehen in der Menge ziviler Güter (300 Tonnen Brot), auf die das Land verzichten muss, weil die landwirtschaftliche Bevölkerung in der Rüstungsindustrie benötigt wird. Die tatsächlich entstehenden Kosten der Herstellung von Panzern sind der Verzicht auf 300 Tonnen Nahrungsmittel, die der Bevölkerung nun fehlen.

247

Bitte beachten Sie die Artikel zu den folgenden Stichwörtern:

Outsourcing

„Outsourcing" (engl. **out** = außerhalb; **source** = Ursprung, Quelle).

„Outsourcing" ist die Übertragung von bisher im eigenen Unternehmen erbrachten Leistungen auf fremde Unternehmen

Ein Phänomen unserer Zeit ist die zunehmende Arbeitsteilung in der Wirtschaft. Jedes Unternehmen ist auf die Zulieferung von anderen Unternehmen angewiesen. Durch die Auslagerung von Aktivitäten auf andere Unternehmen wächst die Arbeitsteilung. Hierdurch werden die Arbeitsinhalte und Arbeitsabläufe der Unternehmen spezieller und vielschichtiger. Die Technik wird immer komplizierter und umfangreicher. Es entsteht ein immer größerer Bedarf an Fachkenntnissen und Fähigkeiten, die in einer Unternehmung nur teilweise vorhanden sind. Externe Spezialisten sind dann kostengünstiger als der Aufbau einer eigenen Produktion. Auch setzt sich ein fremdes Unternehmen unter Wettbewerbsdruck in der Regel stärker für die Erfüllung der Dienstleistung ein als ein abhängig Beschäftigter. Die Aufgaben werden schneller, kostengünstiger und qualitativ besser erledigt. Das Unternehmen, welches seine Arbeitsabläufe ausgliedert, kann bei Beschäftigungsschwankungen einfacher reagieren. Durch den Einsatz externer Kapazitäten entstehen keine langfristigen Bindungen wie bei der Einstellung von Mitarbeitern

Unternehmen, die sich Gedanken über Outsourcing machen, müssen sich vor allem mit den Vor- und Nachteilen des Outsourcing auseinandersetzen. Einen Überblick über die Vor- und Nachteile gibt folgende Tabelle:

Outsourcing	
Pro	**Contra**
Personalmanagement • Keine Lohnfortzahlung bei Krankheit oder Urlaub • Leistungsorientierte Bezahlung • Weniger Verwaltungsaufwand • Flexibler Einsatz von Human Capital (kein Kündigungsschutz)	Personalmanagement • Personalprobleme beim Übergang (Entlassungen sind notwendig) • Motivationsprobleme
Wirtschaftlichkeit • Geringere Produkthaftung • Kleineres unternehmerisches Risiko	Wirtschaftlichkeit • Entstehen von Abhängigkeiten • Risiko bei Versorgungssicherheit • Störung zusammengehöriger Prozesse im eigenen Betrieb
Wettbewerbsfähigkeit • Verbesserung durch einen geringeren Kostenaufwand • Kleinere, aber speziellere Leistungspalette • Mehr Flexibilität aufgrund des kleineren Verwaltungsapparates • Geringere Produktions- und Lagerkosten (Just in time)	Wettbewerbsfähigkeit • Abfluss von Know-how bei ausgelagerten Leistungen • Überwindung räumlicher Distanzen ist notwendig • Übervorteilung durch Informationsdefizite

Formen des Outsourcing

Auslagerung	Ausgliederung
Bei der Auslagerung erfolgt die Funktionsübertragung (Arbeitsübertragung) auf ein rechtlich und wirtschaftlich selbständiges externes Unternehmen. Das „outsourcende" Unternehmen hat hier nur noch mittelbaren Einfluss auf das andere Unternehmen.	Hier erfolgt die Funktionsübertragung ebenfalls auf ein rechtlich selbständiges Unternehmen. Dieses Unternehmen ist jedoch kapitalmäßig mit dem Auftraggeber verbunden, wobei es sich oft um ein Tochter-, Gemeinschafts- oder Beteiligungsunternehmen handelt.

Sonderformen des Outsourcing innerhalb einer Unternehmung sind das Costcenter und das Profitcenter. Ein Costcenter ist eine Abteilung des Unternehmens, der die Verantwortung für die Gestaltung der Kosten übertragen wird. Beim Profitcenter ist darüber hinaus auch die Ertragsseite der Abteilung übertragen, so dass eine eigene Verantwortung für die Gewinnerzielung gegeben ist.

Eigen-erstellung	Ausgliederung (Internes Outsourcing)				Auslagerung (Externes Outsourcing)		
	Profit-/Cost-Center	Tochter-unternehmen	Gemein-schafts-unternehmen	Beteiligungs-unternehmen	Langfristige Zusammen-arbeit	Kurz-/Mittel-fristige Zusammenarbeit	Spontane Zusammen-arbeit

◄───►

Zunehmend hierarchische Koordination   **Zunehmend marktliche Koordination**

Das Outsourcing von Unternehmensaktivitäten ist ein Prozess, der aus mehreren Phasen besteht. In jeder Phase wird das Unternehmen mit unterschiedlichen Entscheidungssituationen konfrontiert. Da bei solch einem Prozess keine allgemeingültigen Handlungsempfehlungen möglich sind, sind Analyseschemata und Beurteilungsrahmen, welche zur Entscheidungsunterstützung dienen, sehr hilfreich. Entscheidet sich ein Unternehmen für Outsourcing, so folgt eine Kette von Tätigkeiten und damit verbundenen Entscheidungen. Für das Unternehmen ist dabei ein systematisch-methodisches Vorgehen sehr wichtig. Es empfiehlt sich, den Outsourcing-Prozess in mehrere überschaubare Phasen aufzuteilen.

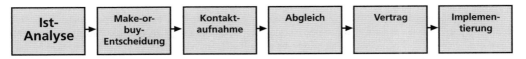

Die Analyse soll die Trennbarkeit einzelner Unternehmensbereiche und die Anforderungen zentraler und dezentraler Versorgung aufzeigen. In dem **make-or-buy**-Vergleich wird geklärt, welche Dienstleistung ausgelagert werden kann, ohne die eigene Know-how-Basis oder Versorgungssicherheit zu gefährden, und ein Kostenvergleich der verschiedenen Ourtsourcing-Formen durchgeführt. Sprechen diese Überlegungen für mehr dezentrale Versorgung, dann wird ein Kontakt zu verschiedenen potenziellen Anbietern erfolgen. In der Phase der Entscheidung stellt man die erhaltenen Angebote den eigenen Erwartungen gegenüber. Bei positivem Ergebnis wird in Verhandlungen die zukünftige Zusammenarbeit in einem Vertrag fixiert. Der Prozess mündet in die Phase der Realisierung, die von einem ständigen Controlling begleitet wird.

Bitte beachten Sie die Artikel zu den folgenden Stichwörtern:

Arbeitsteilung (30 - 31)
Controlling (76 - 77)
Motivation (230 - 231)
Personalmanagement (250 - 251)
Unternehmung (334 - 335)
Wettbewerb (366 - 367)

Personalmanagement

Mit Personalmanagement, Personalwesen oder Personalwirtschaft wird der Aufgabenbereich des Managements bezeichnet, der sich mit den Problemen des Einsatzes des arbeitenden Menschen im Betrieb und seines Beitrages zur betrieblichen Leistungserstellung beschäftigt.

Dazu gehören auch Personalplanung, Personalbeschaffung, Personaleinsatz, Personalqualifizierung bzw. Personalentwicklung u.a.m. Insgesamt umfasst das Personalmanagement alle mitarbeiterbezogenen Entscheidungen zur Verwirklichung der strategischen Unternehmensziele.

Das Personalmanagement hat im Betrieb die Aufgabe, das organisatorische System des Unternehmens zu gestalten (dazu zählen die Arbeitsorganisation, die Lohngestaltung, die Personalentwicklung und die Personalverwaltung) und das Verhalten der Unternehmensmitglieder im Interesse des Unternehmens zu steuern.

Personalmanagement als wissenschaftliches Fach an Hochschulen untersucht die Bedingungen, Probleme und Konsequenzen, die sich im betrieblichen Prozess zwischen Mensch und Arbeit ergeben. Diese Forschung sollte interdisziplinär erfolgen, denn auch Erkenntnisse aus der Psychologie, der Rechtswissenschaft, der Soziologie u.a. Wissenschaften spielen neben der Betriebswirtschaftslehre eine wichtige Rolle im Personalbereich.

Um die Aufgaben des Personalmanagements erfüllen zu können, sind vielfältige Kenntnisse sowohl aus der betrieblichen Personalpraxis als auch aus unterschiedlichen Wissenschaftsgebieten notwendig. Zu den Grundlagen gehören das Arbeitsrecht, die Verfahrenstechniken und die Verhaltenswissenschaften.

Zu dem Bereich Arbeitsrecht zählen u.a. die Mitbestimmung und Betriebsverfassung, das Tarifrecht, das Arbeitsvertragsrecht, die Arbeitszeitordnung und das Kündigungsschutzgesetz.

Bei den Verfahrenstechniken sind u. a. die Arbeitsbewertung, die Personalplanung, die Personalbeschaffung, die Personalauswahl, die Personalentwicklung oder die Arbeitsgestaltung zu beachten.

Die Verhaltenswissenschaft dient insbesondere für die Lösung von Problemen der Mitarbeiter-Motivation, die in modernen Großunternehmen eine zunehmend dominierende Rolle spielt.

Zur Verwirklichung der Aufgaben des Personalmanagements stehen eine ganze Reihe von erprobten Instrumenten zur Verfügung, die miteinander verbunden sind. Dies ist erforderlich, da ein gut ausgebautes Personalmanagement aus einem Netzwerk von Wirkungsbeziehungen besteht. Die Beziehungen reichen vom Finanzmanagement bis z.B. in den Aufgabenbereich der Organisation einer Unternehmung. Um die strategischen Unternehmensziele verwirklichen zu können, müssen die Human Ressources in genügender Anzahl, zur richtigen Zeit am richtigen Ort zur Verfügung stehen und die auf die relevanten Aufgaben ausgerichteten Qualifikationen besitzen. Neben der Personalplanung und der Personalbeschaffung sind hier insbesondere die Personalauswahl und die Personalentwicklung gefordert. Bei der Gestaltung der internen Bedingungen des Unternehmens kann das Personalmanagement die Instrumente der Entlohnung, der Erfolgsbeteiligung, der Gestaltung der Führungstechniken oder der Aus- und Weiterbildung einsetzen. Auch die Personalfreisetzung und die Pensionärsbetreuung gehören zum Personalmanagement.

Beispielhaft sei hier die Gliederung des Personalmanagements einer großen Unternehmung angeführt:

Personalmanagement		
Personalressort	**Sozialressort**	**Bildungsressort**
Personalbeschaffung	Soziale Maßnahmen	Ausbildung
Personalverwaltung	Soziale Hilfen	Personalentwicklung
Personaleinsatz	Sozialeinrichtungen	Mitarbeiterinformation

Unter den Bedingungen des immer schnelleren technologischen Wandels in der Wirtschaft nimmt die Bedeutung der einzelnen Aufgabenfelder des Personalmanagements nicht nur ständig zu, sondern erhält auch eine andere Qualität. Diese ergibt sich aus den neuen Rahmenbedingungen für die Aufgabe, Kompetenz und Verantwortung im Funktionsfeld des arbeitenden Menschen. Sie erfordern eine Qualifikationssicherung durch ständiges lebenslanges Lernen, die den Ansprüchen neu entstehender Organisationsansätze entsprechen.

Für das Personalmanagement ergibt sich ein neues Aufgaben- und Führungsverständnis, da z. B. die Mitarbeiter mehr unmittelbare Verantwortung für die Steuerung und Sicherung der Produktivität und die Qualität der Arbeit übernehmen. Die Schwerpunkte des Personalmanagements verlagern sich von den mehr funktional-organisatorischen Leitungsaufgaben institutioneller Personalarbeit zu Aufgaben der Motivation und Verhaltensbeeinflussung im Sinne einer kooperativen Handlungs- und Führungskompetenz, die für die Entfaltung der individuellen Personalarbeit, die Personalentwicklung und die Organisationsentwicklung im Sinn der Unternehmenskultur von großer Bedeutung ist. Kooperatives Führungsverhalten mit Förderung der kooperativen Selbstqualifikation treten zunehmend in den Vordergrund der Anforderungen.

Bitte beachten Sie die Artikel zu den folgenden Stichwörtern:
Führungstechniken (124 - 125)
Lohnformen (202 - 203)
Management (204 - 205)
Mitbestimmung (220 - 221)
Motivation (230 - 231)
Personalplanung (252 - 253)
Produktivität (264 - 265)
Unternehmung (334 - 335)

Die Produktivität des Faktors Arbeit ist nicht allein abhängig von der Leistungsfähigkeit und dem Leistungswillen der Beschäftigten, sondern auch von den Arbeitsbedingungen, dem Kapitaleinsatz sowie der Organisation der Unternehmung und der Volkswirtschaft.

Da die Erfolgsaussichten einer Unternehmung jedoch wesentlich von der Leistungsfähigkeit und -willigkeit der Arbeitskräfte beeinflusst werden, sollte die Erhaltung und Verbesserung dieser beiden Faktoren im gemeinsamen Interesse von Arbeitgebern und Arbeitnehmern liegen. Dies ist nicht immer der Fall, weil

- das Interesse des Arbeitgebers am Arbeitnehmer durchaus kurzfristiger Art sein kann. Dadurch würde die Erhaltung und Verbesserung der Leistungsfähigkeit, z.B. durch Gestaltung entsprechender Arbeitsbedingungen oder durch Fortbildungsmaßnahmen, zu kurz kommen.
- das Interesse des Arbeitnehmers am Betrieb oft kurzfristiger Art ist und es dann am Leistungswillen mangelt.

> **Personalplanung ist die unternehmerische Planung über den gegenwärtigen und zukünftigen Personalbedarf sowie die sich daraus ergebenden personellen Maßnahmen einschließlich solche der Berufsbildung.**

Leistungsfähigkeit und Leistungswille werden durch zahlreiche Faktoren beeinflusst, wobei zu beachten ist, dass der Produktionsfaktor Arbeit nicht allein aus ökonomischer Sicht betrachtet werden kann, sondern psychologische, physiologische, soziologische und andere Aspekte eine notwendige Ergänzung bieten müssen. Die moderne Managementlehre versucht, Beiträge verschiedener Wissenschaften im Hinblick auf die optimale Gestaltung des Einsatzes der körperlichen, geistigen und seelischen Kräfte der Menschen zu integrieren.

Man geht heute davon aus, dass die „Human Ressources" in den entwickelten Industrienationen von zentraler Bedeutung für die Existenz der Unternehmen sind. Während man früher die Aufgaben des Management vorwiegend in der sachlich-rationalen „Leitung" der Unternehmung sah, die etwa Zielfindung, Entscheidung, Planung, Organisation und Kontrolle umfasste, so steht im modernen Management häufig sozio-emotionale Führungstechniken im Vordergrund, die sich auf die kommunikativen Bereiche der Motivation und Förderung von Mitarbeitern, Delegation von Aufgaben und Einbeziehung der Belegschaft in betriebliche Planungs- und Entscheidungsprozesse richtet.

Die für die wirtschaftliche Unternehmensführung notwendige Leistungsfähigkeit und -bereitschaft der Mitarbeiter basiert auf verschiedenartigsten Faktoren, die vom Unternehmer optimal zu gestalten sind, z.B.
- Entlohnungssystem
- Entwicklung von Fähigkeiten der Mitarbeiter
- physische Arbeitsbedingungen
- soziale Beziehungen
- Möglichkeiten der Beeinflussung von Arbeitsprozessen durch den Menschen
- Mitbeteiligungs- und Selbstkontrollmöglichkeiten.

Mit der Wirkungsweise solcher und anderer Faktoren setzen sich Motivationstheorien auseinander, die aus der Psychologie und Pädagogik in die Managementlehre übernommen wurden.

Die Planung der Personalbereitstellung besteht in der
- Planung des Personalbedarfs
- Planung des Personaleinsatzes.

Die Planung des Bedarfs an Personal, dem in vielen Fällen wichtigsten Produktionsfaktor, muss unter verschiedenen Aspekten geschehen:
Quantitative Personalbedarfsplanung geht von dem gegenwärtigen Personalbestand aus, berücksichtigt bereits fest vereinbarte Zugänge und zu erwartende Abgänge (Erfahrungswert), so dass sich der zu erwartende Personalbestand ergibt. Hierzu muss nun der zu erwartende Ersatzbedarf (zur Erreichung des bisherigen Status) und der notwendige Neubedarf (zur Erweiterung) gerechnet werden.

Für die Planung kann man Trendberechnungen, d.h. Fortschreibungen aus der Vergangenheit oder kennzahlorientierte Methoden, verwenden. Die verschiedenartigen Kennzahlen (z.B. Produktivität, Umsatz je Beschäftigter, Kapitalintensität u.a.) gestatten eine genauere Berechnung und bieten die Möglichkeit der gegenseitigen Kontrolle. Qualitative Personalbedarfsplanung muss darauf abzielen, jede Stelle mit dem geeignetsten Mitarbeiter zu besetzen. Sowohl Unter- als auch Überforderungen müssen vermieden werden. Planungsgrundlagen in diesem Bereich sind

- Stellenbeschreibungen
- Stellenbesetzungspläne
- Arbeitsbewertung
- Mitarbeiterbeurteilung.

Zeitliche Personalbedarfsplanung ist auf den kurzfristigen Personalbedarf (bis zu 1 Jahr) oder den mittelfristigen (1 - 3 Jahre) bzw. langfristigen (bis max. 5 Jahre) ausgerichtet. Nur die kurzfristige Planung kann die verschiedenen Einflussfaktoren (Krankenstände, Fluktuation, Ausbildung und Umschulung usw.) relativ genau erfassen. Dennoch sind die mittel- und langfristige Planung im Hinblick auf Produktivitätsänderung, Investitionspläne, Arbeitszeitverkürzungen usw. unbedingt notwendig. Man muss allerdings bei den Ergebnissen größere Bandbreiten akzeptieren.

Bei der Planung des Personaleinsatzes geht es um die Frage, wie der einzelne Beschäftigte eingesetzt werden soll. Generelles Ziel ist die Erhöhung der Arbeitsproduktivität, die sehr stark von Schaffung optimaler Arbeitsbedingungen abhängt.

Arbeitsstudien liefern die Grundlage für eine rationellere Gestaltung der Arbeitsplätze, Ermittlung von Leistungsvorgaben Arbeitsbewertung zur leistungsgerechten Entlohnung.

Bei der Personaleinsatzplanung ist ein starker Bezug zur Fertigungsplanung gegeben, der sich insbesondere bei der Gestaltung von Arbeitsplätzen unter Berücksichtigung wirtschaftlicher Fertigungsverfahren zeigt. Mit neueren Formen der arbeitsteiligen Organisation wird versucht, die Arbeitsvorgänge so zu gestalten, dass sie den Fähigkeiten und Bedürfnissen des Beschäftigten weitgehend anpassbar sind. Dieses Job-Design soll eine optimale Verbindung von Humanisierung am Arbeitsplatz und Wirtschaftlichkeit der Produktion herstellen.

Pflegeversicherung

Die Pflegeversicherung wurde 1994 als fünfte Säule der gesetzlichen Sozialversicherungen verabschiedet und 1995 gestartet. Bis dahin waren Pflegebedürftige, welche die Kosten für ein Pflegeheim nicht aufbringen konnten, allein auf die häusliche Pflege durch Angehörige oder auf die Sozialhilfe durch die Gemeinde, in der sie lebten, angewiesen, die im Notfall für die Kosten der Pflege von finanziell Bedürftigen aufkommen musste.

Aufgabe der Pflegeversicherung ist es, bei Pflegebedürftigen durch Sachleistungen und / oder Geldleistungen eine ausreichende häusliche oder stationäre Pflege zu sichern.

Der versicherte Personenkreis

Die Versicherungspflicht richtet sich nach dem Grundsatz „Die Pflegeversicherung ist an die Krankenversicherung gebunden". Alle in einer gesetzlichen Krankenkasse Pflichtversicherten müssen grundsätzlich auch der gesetzlichen (sozialen) Pflegeversicherung beitreten. Freiwillig Versicherte können wählen, ob sie sich in der Sozialen Pflegeversicherung oder bei einem privaten Versicherungsunternehmen versichern. Dieses muss jedoch in allen Leistungen der sozialen Pflegeversicherung gleichwertig sein. Wer in einer privaten Krankenversicherung gegen Krankheit versichert ist, hat die Pflicht, auch eine private Pflegeversicherung abzuschließen. Die Pflicht zu einer Pflegeversicherung ist also immer gegeben, wenn man eine Krankenversicherung abgeschlossen hat.

Wie und welche Beiträge sind zu entrichten?

Die Beiträge, die bei der sozialen Pflegeversicherung 1,7 % des Bruttolohnes von Arbeitnehmern betragen, werden im Regelfall grundsätzlich von den Versicherten und von den Arbeitgebern je zur Hälfte getragen.

Für Rentner gilt der gleiche Prozentsatz wie für Erwerbstätige. Die Hälfte des Beitrages wird von der Rente abgezogen, die zweite Hälfte trägt die Rentenversicherung.

Kinder und Ehegatten sind, wenn sie selbst ein nur geringes Einkommen haben, ohne eigenen Beitrag mitversichert.

Bei Sozialhilfeempfängern wird, wenn ihre Krankenversicherung vom Sozialamt beglichen wird, auch die Pflegeversicherung vom Sozialamt übernommen.

Bei allen Arbeitslosen, die Arbeitslosengeld, Arbeitslosenhilfe oder andere finanzielle Hilfen von der Bundesagentur für Arbeit erhalten, werden auch die Beiträge zur Pflegeversicherung von der Bundesagentur für Arbeit gezahlt.

In der privaten Pflegeversicherung richtet sich die Beitragshöhe nicht nach dem Einkommen, sondern nach dem Alter beim Eintritt in die Versicherung.

Wann benötigt man die Leistungen der Pflegeversicherung?

Bei jeder Art von Krankheit kommt die Krankenversicherung für die Kosten der ärztlichen Behandlung und den evtl. notwendigen Krankenhausaufenthalt auf. Wer jedoch, ohne krank zu sein, bei den ganz normalen Tätigkeiten des täglichen Lebens dauerhaft (d.h. voraussichtlich für mindestens sechs Monate) in erheblichem Maße auf Hilfe angewiesen ist, gilt als pflegebedürftig. Inwieweit dies gegeben ist, wird von Gutachtern individuell festgestellt, indem geprüft wird, inwieweit man bei

- der täglichen Körperpflege,
- der Ernährung,
- der Mobilität und Kommunikation und
- den hauswirtschaftlichen Tätigkeiten

auf Hilfe angewiesen ist.

Die Hilfeleistung kann darin bestehen, dem Pflegebedürftigen bei sich zu Hause stundenweise oder ganztags behilflich zu sein, die Aufgaben ganz oder teilweise zu übernehmen oder ihn dabei zu beaufsichtigen und anzuleiten = häusliche Pflege. Diese Pflege kann durch die eigene Familie oder durch soziale Dienstleister erfolgen. Die Pflegeversicherung gewährt hierfür finanzielle und materielle Unterstützung.

Die Pflege kann jedoch auch in Pflegeheimen erfolgen, für deren Kosten die Pflegeversicherung – je nach Umfang der notwendigen Hilfeleistungen im Heim – unterschiedlich hohe Zuschüsse gewährt.

Die pflegebedürftigen Menschen werden daher nach dem Umfang des Hilfebedarfs in drei Pflegestufen eingeteilt.

Pflegestufe I

Pflegebedürftige der Pflegestufe I sind erheblich pflegebedürftig: Sie benötigen mindestens einmal am Tag Hilfe bei der Körperpflege, der Ernährung oder der Mobilität für wenigstens zwei Verrichtungen aus einem oder mehreren dieser Bereiche. Zusätzlich benötigen sie mehrfach in der Woche Hilfe bei der Versorgung von Wohnung und Haushalt. Wenn diese Hilfeleistungen im täglichen Durchschnitt mindestens 90 Minuten Zeitaufwand erfordern, ist die Einstufung in die Pflegestufe I gegeben.

Pflegestufe II

Hierunter fallen „Schwerpflegebedürftige", die mindestens dreimal am Tag zu verschiedenen Zeiten Hilfen bei Körperpflege, Ernährung oder Mobilität und zusätzlich mehrfach in der Woche Hilfe bei der Versorgung von Wohnung und Haushalt benötigen. Hierbei muss ein Zeitaufwand von mindestens 3 Stunden im täglichen Durchschnitt gegeben sein.

Pflegestufe III

In diese Stufe fallen alle „Schwerstpflegebedürftige", die ganztags Hilfe für die Körperpflege, Ernährung und Mobilität sowie mehrfach in der Woche Hilfe in Wohnung und Haushalt benötigen. Der Zeitaufwand muss sich bei dieser Einstufung auf mindestens 5 Stunden täglich belaufen

Im Jahr 2002 erhielten ca. 1,9 Mio. Menschen finanzielle Leistungen von der Pflegeversicherung:

Pflegestufe	Zahl der Pflegebedürftigen	Maximale Leistungen (in Euro) für		
		Angehörige	ambulante Pflege	Pflegeheime
I	ca. 960.000	205.-	384.-	1.023.-
II	ca. 690.000	410.-	921.-	1.279.-
III	ca. 250.000	665.-	1.432.-	1.432.-

Quelle; Bundesministerium für Familie. Senioren, Frauen und Jugend

Anteil der Pflegebedürftigen in Altersgruppen

Alter	Pflegebedürftig
bis 60 Jahre alt	ca. 0,7 % aller Menschen dieser Gruppe
60 bis 80 Jahre alt	ca. 5 % aller Menschen dieser Gruppe
über 80 Jahre alt	ca. 20 % aller Menschen dieser Gruppe

Bitte beachten Sie die Artikel zu den folgenden Stichwörtern:
Einkommen (88 - 89)
Krankenversicherung (190 - 191)
Mobilität (224 - 225)
Rentenversicherung (280 - 281)
Sozialhilfe (294 - 295)
Sozialversicherung (296 - 297)
Versicherung (348 - 349)

Preis ist der in Geld ausgedrückte Tauschwert eines Gutes. Er bildet sich aus der Auseinandersetzung von Angebot und Nachfrage am Markt oder er wird staatlich festgesetzt (= Preisbildung).

Wenn man die Frage stellt, wer eigentlich die Preise „macht", liegt für viele Menschen die Antwort auf der Hand: Die Unternehmer machen die Preise; wir sehen es ja täglich an den Preisschildern der Geschäfte, an den Inseraten in Tageszeitungen oder den Werbezetteln in den Briefkästen. Trotzdem wäre diese Antwort unrichtig. Was wir dort sehen, sind Preisangebote aufgrund bisheriger Erfahrungen, die von den Käufern angenommen werden können oder nicht. Oft genug werden diese Preisangebote geändert, weil die Waren unverkauft bleiben. Es gibt dann Sonderangebote, Schlussverkäufe oder reduzierte Preise. Dies gilt besonders für Waren, die nicht ständig gleichbleibend gehandelt werden, sondern deren Absatz z.B. durch Modeeinflüsse oder das Klima schwankt. Außerdem sieht der einfache Bürger nur die Preisangebote für „Private". Im Bereich des Handels zwischen Unternehmen spielt das Aushandeln der Preise und die Gewährung vielfältiger Rabatte in den Beziehungen zwischen Käufer und Verkäufer eine wesentlich größere Rolle.

Wovon hängt denn dann die Höhe der Preise ab? Sehr viele Faktoren wirken bei der Preisbildung mit: Dazu gehören ganz entscheidend die Kosten der Produktion, aber auch die Marktverhältnisse, die wiederum von vielen Umständen beeinflusst werden. Hier spielt das Einkommen der Bevölkerung ebenso herein wie die Dringlichkeit des Bedarfs, die Preise für andere Produkte, auf die die Menschen unter Umständen ausweichen können, die Marktmacht von Anbietern und von Nachfragern, die konjunkturelle Situation, die Belastung durch Steuern und anderes mehr.

Das Grundprinzip der Preisbildung kann man an einem vereinfachten Beispiel darstellen. Man ist dann eher in der Lage, auch für komplizierte Fälle Erklärungen zu finden.

Für die Anbieter sind zunächst die Produktionskosten der ausschlaggebende Einflussfaktor. Beim Verkauf der Ware sollen diese Kosten, die einen angemessenen Lohn für die Arbeit des Unternehmers und einen Zins für den Einsatz seines Kapitals enthalten müssen, mindestens abgedeckt werden. Durch unterschiedliche Produktionsbedingungen kommt es zu unterschiedlichen Preisvorstellungen der Anbieter:

Anbieter A will 10 Stück zu mindestens Euro 4,- verkaufen
Anbieter B will 8 Stück zu mindestens Euro 5,- verkaufen
Anbieter C will 12 Stück zu mindestens Euro 6,- verkaufen

Für die Nachfrager ist entscheidend, welchen Nutzen sie von der Ware haben (dies beeinflusst ihre Zahlungswilligkeit) und über welche Geldmittel sie verfügen (davon ist ihre Zahlungsfähigkeit abhängig)

Nachfrager A will 8 Stück zu höchstens Euro 6,- kaufen
Nachfrager B will 10 Stück zu höchstens Euro 5,- kaufen
Nachfrager C will 12 Stück zu höchstens Euro 4,- kaufen

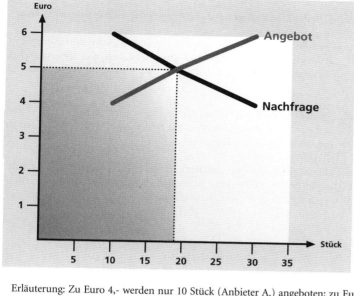

Erläuterung: Zu Euro 4,- werden nur 10 Stück (Anbieter A.) angeboten; zu Euro 5,- werden insgesamt 18 Stück angeboten (Anbieter B und Anbieter A, der mindestens Euro 4.- haben will, also auch zu Euro 5,- verkaufen würde); zu Euro 6,- werden 30 Stück angeboten.

Nachgefragt werden zu Euro 6,- nur 8 Stück, zu Euro 5,- jedoch schon 18 Stück und zu Euro 4,- gar 30 Stück.

Nur zum Preis von Euro 5,- werden sich in unserem Beispiel die Menge der angebotenen und der nachgefragten Waren decken, d.h., 18 Stück können gekauft und verkauft werden. Bei einem höheren Preis würde zwar mehr angeboten, aber es sind zu wenige Nachfrager vorhanden. Zu einem niedrigeren Preis als Euro 5,- würde mehr nachgefragt, aber es sind nur wenige Anbieter in der Lage, zu diesem Preis auf Dauer zu verkaufen, weil ihre Kosten höher sind und sie Verluste machen.

Den Preis, zu dem sich Nachfrage und Angebot in Übereinstimmung befinden, nennen wir Gleichgewichtspreis. Nachfrager, die zu diesem Preis nicht willig oder nicht fähig zum Kauf sind, erhalten keine Ware; Anbieter, deren Kosten höher als der Gleichgewichtspreis sind, machen Verluste und müssen auf längere Sicht ihre Produktion einstellen oder sich um Kostensenkungen bemühen.

In der Realität wird dieses Grundprinzip der Preisbildung am Markt in vielen Fällen durchbrochen, indem z.B. der Staat Preise festsetzt oder eine Unternehmung eine marktbeherrschende Stellung missbräuchlich ausnutzt. Das Marktgeschehen wird dadurch verzerrt – die Preisbildung erfolgt nicht den Regeln der Marktwirtschaft entsprechend. Meist führt dies dann zu unangenehmen Konsequenzen, wie z.B. unzureichende Versorgung der Bevölkerung oder nicht verkäufliche Produktionsüberschüsse.

Bitte beachten Sie die Artikel zu den folgenden Stichwörtern:

Das Preisniveau ist eine Bezeichnung für den Durchschnitt aller wichtigen Preise in einer Volkswirtschaft.

Die Entwicklung der Preise spielt in einer Volkswirtschaft eine wichtige Rolle. In diesem Zusammenhang begegnet man oft den Begriffen „Inflationsrate", „Preisindex" oder „Lebenshaltungskostenindex". Auch eines der wesentlichen wirtschaftspolitischen Ziele, die „Preisniveaustabilität" oder „Geldwertstabilität", wird ständig in Presse, Funk und Fernsehen zitiert.

Seit Einführung des Euro und Gründung der Europäischen Zentralbank wird an Stelle des Zieles „Preisniveaustabilität" der Begriff „Preisstabilität" verwendet. Gemeint ist mit beiden Begriffen das Gleiche, nur ist „Preisstabilität" eine vereinfachte, aber dadurch ungenaue Bezeichnung.

Preisniveaustabilität bedeutet, dass die Einzelpreise durchaus – im Rahmen ihrer Funktion – nach oben oder unten schwanken können; entscheidend ist, dass sich positive und negative Entwicklungen ausgleichen und das ursprüngliche „Niveau" erhalten bleibt, d.h. die Kaufkraft der Verbraucher nicht durch inflationäre oder deflationäre Entwicklungen verfälscht wird.

Beispiel:
> 1 Brot steigt im Preis von 2 Euro auf 3 Euro.
> 10 Eier fallen im Preis von 3 Euro auf 2 Euro.

Unterstellt man, dass 1 Brot im Verbrauchsplan eines Haushalts die gleiche Bedeutung hat wie 10 Eier (z.B. wenn er jeden Monat etwa 10 Brote und 100 Eier kauft), dann haben sich seine Ausgaben nicht verändert; er kann für sein Geld die gleiche Gütermenge kaufen wie zuvor.

Die Ermittlung des Preisniveaus, das man nirgendwo in der wirtschaftlichen Wirklichkeit direkt sehen kann, stellt sich etwas kompliziert dar. Man kann alle Preisbewegungen in der Bundesrepublik Deutschland verfolgen und kommt dennoch zu keinem Ergebnis, denn: Welche Veränderungen hat das „Niveau", wenn z.B. ein Ei um 0,02 Euro = 10% im Preis sinkt und der Autopreis um 1500 Euro = 5% steigt?

Es hängt aber auch davon ab, für welchen Aussagezweck der Preisindex verwendet werden soll. Wenn man sich als Verbraucher für die Preisentwicklung interessiert, dann wird die Preisentwicklung für Eisenerz, für Düngemittel, für Straßen- und Brückenbau usw. ohne direkte Bedeutung sein.

Für den Verbraucher sind also nur die Preise der Güter, die von ihm direkt bezogen werden, von Wichtigkeit. Nun gibt es aber nicht den „Verbraucher", sondern eine Vielzahl von unterschiedlichen Verbrauchern mit unterschiedlichen Konsumgewohnheiten. Ein statistisches Amt ermittelt also allgemeine Preisniveaus für verschiedenste Zwecke und Verwender, auch für verschiedene Arten privater Haushalte, z.B.
- für den 4-Personen-Arbeitnehmerhaushalt mit mittlerem Einkommen,
- für die Lebenshaltung eines Kindes zwischen 1 und 18 Jahren u.v.a.m.

Am umfassendsten – aber auch am wenigsten auf die individuelle Lage zugeschnitten – ist der „Preisindex für die Lebenshaltung aller privaten Haushalte". Dieser Index ist erstmals für das Jahr 1962 berechnet worden. Er unterstellte einen durchschnittlichen Haushalt in der Bundesrepublik, der aus 2,7 Personen bestand und monatliche Verbrauchsausgaben in Höhe von 740 DM zugrunde legte. 1985 hatten sich der Durchschnittshaushalt auf 2,3 Personen verringert und die monatlichen Verbrauchsausgaben auf DM 3105 DM erhöht. Die Berechnungsgrundlage wird etwa alle 5-8 Jahre erneuert, um die Änderungen der Verbrauchsgewohnheiten zu berücksichtigen. Im Euro-Währungsgebiet gibt es neben den nationalen Preisindices auch einen gemeinsamen EU-Index, den „harmonisierten Verbraucherpreisindex".

Wie berechnet man den Preisindex?

Das statistische Amt ermittelt zunächst für ein ausgewähltes (Basis-) Jahr die durchschnittlichen Verbrauchsausgaben einer Vielzahl von Haushalten, die sich an Aufschreibungen beteiligen. Aus den Aufschreibungen werden Gütergruppen gebildet (z.B. Nahrungsmittel, Gesundheit und Körperpflege, Bildung und Unterhaltung) und der Anteil der Verbrauchsausgaben für diese Gütergruppen festgestellt.

Gütergruppen	Verbraucherausgaben
Wohnung, Energie	30,3%
Verkehr	13,9%
Freizeit, Unterhaltung, Kultur	11,1%
Nahrung und alkoholfreie Getränke	10,3%
Möbel, Haushaltsgegenstände	6,9%
Bekleidung, Schuhe	5,5%
Beherbergung, Gaststätten	4,7%
Alkoholische Getränke, Tabakwaren	3,7%
Gesundheit und Körperpflege	3,5%
Nachrichtenübermittlung	2,5%
Bildung	0,7%
Sonstiges	6,9%

Statistisches Bundesamt Deutschland, Stand 2002

Der Warenkorb (die Preisrepräsentanten)

Nun wählt das statistische Amt eine Vielzahl von Waren und Dienstleistungen aus, die für die jeweilige Gruppe repräsentativ sein sollen. Dies ergibt den „Warenkorb", in dem sich in der Bundesrepublik zwischen 700 – 800 Gütern als „Preisrepräsentanten" befinden. Für diese Preisrepräsentanten werden im Basisjahr die Preise durch Befragungen ermittelt, und zwar in verschiedenen Regionen, bei verschiedenen Händlertypen (Kaufhaus, Supermarkt usw.) u.a.m. So erhält man den Wert des Warenkorbes im Basisjahr. Diese Befragung nach den Preisen der Preisrepräsentanten wird nun jedes folgende Jahr wiederholt. So kann man den Wert des Warenkorbes in den unterschiedlichen Jahren verfolgen und die Preisentwicklung feststellen. Lag der Wert im Jahr 2003 z.B. bei 2000 Euro und ist er 2004 bei 2200 Euro, so wäre das Preisniveau (bzw. die Inflation) um 10 % gestiegen.

259

Die Aussagefähigkeit des Preisindex für die Lebenshaltung hat allerdings Grenzen:

- Der Warenkorb veraltet, weil sich Art und Qualität der Güter ständig ändern. Daher sind in Abständen von 5 – 8 Jahren Neuberechnungen notwendig.
- Die Preiserhöhungen, die auf Qualitätsverbesserungen der Güter zurückzuführen sind, lassen sich nur schwer oder gar nicht erfassen.

Dennoch ist der Preisindex ein brauchbares Instrument zur Messung der Kaufkraft der privaten Haushalte, wenn man seine Konstruktion kennt und die Schwächen berücksichtigt.

Bitte beachten Sie die Artikel zu den folgenden Stichwörtern:
Einkommen (88 - 89)
Euro (100 - 101)
Europäische Zentralbank (104 - 105)
Inflation (158 - 159)
Preisbildung (256 - 257)

Unter Preispolitik werden alle Maßnahmen und Entscheidungen verstanden, durch die der Markt über die Gestaltung der Preise im Interesse der Unternehmensziele beeinflusst werden soll.

Neben der Werbung und der Produktqualität gehört der Preis sicher zu den wichtigsten Instrumenten, um das Marktgeschehen zu beeinflussen. Die Praxis zeigt allerdings, dass die Preispolitik sehr zurückhaltend eingesetzt wird. Preiskämpfe sind eher die Ausnahme als die Regel. Das bedeutet aber nicht, dass Preispolitik von untergeordneter Bedeutung ist; eher ist das Gegenteil der Fall: Sie ist außerordentlich leicht zu handhaben und daher in vielen Fällen ein „gefährliches" Instrument, weil die Wettbewerber sehr viel rascher auf preispolitische Maßnahmen reagieren als bei anderen marktpolitischen Aktionen.

Wichtig für die Gestaltung der Preispolitik sind zunächst die Unternehmensziele, denn preispolitische Aktionen müssen sich aus ihnen, d.h. aus der Marketingkonzeption der Unternehmung, ableiten. Dementsprechend müssen sich preispolitische Maßnahmen danach ausrichten, welche Unternehmensziele verfolgt werden. Folgende Ziele können im Vordergrund stehen:
- Das Eindringen in neue Märkte könnte „Verärgerung" des Marktführers hervorrufen.
- Erhaltung eines guten Rufes.
- Schaffung eines guten Eindrucks durch die Erzeugung hochwertiger Produkte.
- Zur Verbesserung der Liquidität kann auch ein nicht kostendeckender Preis in Kauf genommen werden.
- Anwendung aggressiver Strategien zur Erhöhung des Marktanteiles.
- Suche nach dem optimalen Preis zur langfristigen Gewinnsicherung.

In der Praxis sind viele Gesichtspunkte für die Art und Weise der Preispolitik ausschlaggebend. Die wichtigsten sind:

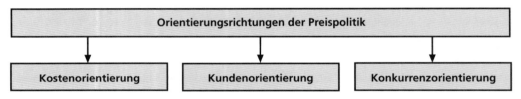

Orientierungsrichtungen der Preispolitik		
Kostenorientierung	Kundenorientierung	Konkurrenzorientierung

1. Kostenorientierung

Sie bedeutet, dass durch die Preispolitik die Abdeckung der entstandenen betrieblichen Kosten sichergestellt werden soll. Die Selbstkosten bilden praktisch die untere „Auffanglinie". Diese Art von Preispolitik lässt sich meist nur bei einer starken Marktstellung und in Marktnischen durchhalten. Sie weist entscheidende Nachteile auf, weil die Wettbewerbssituation und die Kostenentwicklung nicht beachtet werden. Die Höhe der Selbstkosten eines Produkts ist – weil es fast immer fixe Kosten gibt, die sich bei steigender oder sinkender Produktion und bei Veränderung des Absatzes nicht verändern – gar nicht zu ermitteln.

Beispiel:

Das Ladenlokal kostet mit einer Mitarbeiterin pro Monat 5.000 Euro Betriebskosten. Wir verkaufen pro Monat 10.000 Tafeln Schokolade, die wir für 0,50 Euro/Stück einkaufen = 5000 Euro Bezugskosten. Unsere Kalkulation ergibt für Bezugs- und Betriebskosten = 10.000 Euro, d.h. 1 Euro je Tafel. Verstärkt sich die Konkurrenz und geht unser Absatz auf 8.000 Tafeln Schokolade zurück, dann wären die Kosten 9.000 Euro, weil sich zwar die Bezugskosten verringern, die Betriebskosten aber unverändert bleiben. Dies ergäbe Selbstkosten von 1,13 Euro je Tafel. Diese Erhöhung, die sich im Preis niederschlagen würde, hat zur Folge, dass wir im Wettbewerb noch weiter zurückfallen und u.U. bei dem Absatz von 5.000 Tafeln und Gesamtkosten von 7.500 Euro nur mit einem Preis von 1,50 Euro noch unsere Kosten decken könnten.

Man kann sich also aus dem Markt selbst herauskalkulieren. Umgekehrt ist es möglich, dass der Markt durchaus höhere Preise zulässt und diese Preise für eine Regulierung der starken Nachfrage sorgen. Das starre Festhalten an der Kostenkalkulation verhindert dann die Marktanpassung.

2. Kundenorientierung

Hierbei stehen die Nachfrageverhältnisse im Mittelpunkt der Preispolitik. Marktforschung muss dazu beitragen, die Situation zu analysieren:

- Welche Handelsspannen fordert der Großhandel bzw. der Einzelhandel, um mein Produkt in das Sortiment aufzunehmen?
- Welchen Preis ist der Käufer bereit zu zahlen?
- Mit welchen Reaktionen der Wettbewerber ist zu rechnen?
- Welche Preislage ist für mein Angebot am günstigsten, um dem Wettbewerb möglichst aus dem Wege zu gehen? Dabei spielen die Produktqualität und das Image meiner Marke eine wichtige Rolle

Natürlich lässt man auch bei dieser Strategie die Kosten nicht aus dem Blick, denn letztlich müssen diese gedeckt werden. Entscheidend ist jedoch nicht, ob jedes Produkt seine vollen Kosten deckt und ob dies zu jeder Zeit so ist. Am obigen Beispiel orientiert: Die Bezugskosten müssen gedeckt sein, aber der Anteil an den Kosten des Ladenlokals kann dem einen Nachfrager in höherem Maße angelastet werden als dem anderen und er kann auch zu schlechten Zeiten einmal unzureichend und zu anderen dafür umso höher sein. Meine Preisuntergrenze ist der Einkaufspreis (variable Kosten), nach oben hin nutze ich die Marktlage aus, so gut es geht. Dies allerdings professionell geplant, damit auch langfristig die Kosten des Ladenlokals gedeckt sind (fixe Kosten).

3. Konkurrenzorientierung

Bei ihr gehen wir von einem Leitpreis aus, der entweder vom Marktführer vorgegeben ist oder ein üblicher Preis der Branche ist. Dabei muss man sich darüber im Klaren sein,
- dass der Preis u.U. unabhängig von den Kosten festgelegt ist;
- dass u.U. keine Beziehung zur Nachfragesituation gegeben ist;
- dass auf eine aktive Preispolitik verzichtet wird und u.U. potenzielle Marktchancen nicht wahrgenommen werden.

Eine derartige Preispolitik kann man oft sehr anschaulich an Wochenmärkten beobachten, wenn die einzelnen Anbieter zu Marktbeginn ihre „Erkundungsspaziergänge" machen, um die Angebote der Konkurrenz zu testen. Andererseits erlebt man hier auch zu Ende des Markttages die nachfrageorientierte Strategie, wenn durch Sonderangebote Schleuderpreise zustande kommen, meist, nachdem die fixen Kosten ohnehin schon abgedeckt sind und es nur darum geht, entweder wenig oder gar nichts mehr für die Ware zu erhalten.

Bitte beachten Sie die Artikel zu den folgenden Stichwörtern:
Gewinn (138 - 139)
Großhandel (146 - 147)
Kosten (186 - 187)
Liquidität (196 - 197)
Markenartikel (206 - 207)
Marketing (208 - 209)
Markt (210 - 211)
Marktforschung (214 - 215)
Unternehmung (334 - 335)
Werbung (360 - 361)
Wettbewerb (366 - 367)

Produktionsfaktoren

Aufgabe eines Betriebes ist die Kombination der Produktionsfaktoren zum Zweck der Gütererzeugung.

Produktionsfaktoren sind alle die Ressourcen, die im Produktionsprozess in die Produktion eingehen. Man kann sie nach verschiedenen Kriterien einteilen. Die gebräuchlichsten Gliederungen sind die nach Arbeit, Boden und Kapital (volkswirtschaftlich) bzw. dispositive Arbeit, ausführende Arbeit, Betriebsmittel und Werkstoffe (betriebswirtschaftlich).

Aus betrieblicher Sicht werden also Boden und Kapital als Betriebsmittel zusammengefasst und der Faktor Arbeit nach betrieblichen Funktionen unterteilt. Werkstoffe (einschließlich Dienstleistungen) sind Güter, die ein Betrieb jeweils von einem anderen Betrieb bezieht, so dass es volkswirtschaftlich gesehen zu einer Vermischung von Produktionsfaktor und Produktionsergebnis käme, wenn man sie als gesamtwirtschaftliche Größe für alle Betriebe zusammenzählen würde; es ergäbe sich dann der Wert Null, denn das Betriebsergebnis des einen ist der Werkstoff des anderen Betriebes.

Die Produktionsfaktoren stellen den INPUT des Betriebes dar, der im Rahmen des Produktionsprozesses durch Kombination der verschiedenen Bestandteile zum OUTPUT, dem Produktionsergebnis, umgeformt wird.

Betrachtet man nicht nur die einzelnen Betriebe, sondern eine ganze Volkswirtschaft mit ihren Verflechtungen, dann stellt man fest, dass der Wert der gesamten Produktionsleistung nur dem Input der drei Produktionsfaktoren zuzurechnen ist, denn die Werkstoffe (einschl. Dienstleistungen) sind ja nur die von einer Unternehmung als Output zu anderen Unternehmungen als Input gelieferten Güter, die ursprünglich durch Arbeit, Boden und Kapital entstanden sind und deren Wert sich durch weiteren Einsatz dieser drei Faktoren in weiteren Betrieben ständig erhöht, die aber nicht selbst höhere Werte schaffen.

Die Produktionsfaktoren Arbeit, Boden und Kapital werden letztlich den Unternehmungen durch die Haushalte zur Verfügung gestellt, denn jedes Eigentum an einer Unternehmung ist wieder auf einen Haushalt zurückzuführen. Geht man davon aus, dass die öffentlichen Haushalte auch nur durch Leistungen der privaten Haushalte gespeist werden, so ist der gesamte Produktionswert einer Volkswirtschaft Ergebnis der den Menschen, d.h. den privaten Haushalten gehörenden Produktionsfaktoren, die diese den Unternehmen zur Verfügung stellen.

Beispiel:
Eine Volkswirtschaft hat folgende Ressourcen, die den zwei Unternehmungen „A-Fabrik" und „B-Fabrik" zur Verfügung gestellt werden.

Gesamtmenge	davon erhält:	
	A-Fabrik	B-Fabrik
3 Mengeneinheiten Arbeit	1	2
2 Mengeneinheiten Boden	1	1
4 Mengeneinheiten Kapital	3	1
		+ 5
Summe	5	9

Angenommen, die A-Fabrik erstellt nun mit Hilfe ihrer 5 Mengeneinheiten Produktionsfaktoren (INPUT) 5 Mengeneinheiten Werkstoffe (OUTPUT), die an die B-Fabrik geliefert werden.

Die B-Fabrik setzt dann 5 Mengeneinheiten Werkstoffe und 4 Mengeneinheiten Produktionsfaktoren ein, aus denen sich 9 Mengeneinheiten Fertigprodukte (betriebswirtschaftlicher Output) ergeben.

Die Leistungen beider Fabriken belaufen sich also auf 5 + 9 = 14 Mengeneinheiten. Eine genauere Betrachtung zeigt aber, dass die Leistung der A-Fabrik doppelt gezählt wird, denn sie taucht als Werkstoff-Input bei der B-Fabrik nochmals auf und trägt zum Produktionsergebnis der B-Fabrik bei. Die eigentliche Produktionsleistung beträgt nur 9 Einheiten Fertigprodukte (volkswirtschaftlicher Output).

Ein anschauliches Beispiel in der realen Wirtschaft bestünde darin, dass das mit Arbeit, Boden und Kapital erzeugte Korn eines Landwirtes (Output) in den Produktionsprozess einer Mühle als Werkstoff eingeht und nunmehr im Wert des Outputs der Mühle (Mehl) nochmals gezählt wird. Dieses geht wiederum als Werkstoff beim Bäcker in den Produktionsprozess ein und erscheint im Wert des Outputs „Brot" ein drittes Mal.

Will man dagegen die Leistung eines einzelnen Betriebes messen, dann geht es darum, ob z.B. der Müller mit dem Einsatz seiner Arbeitskraft, seinen Betriebsmitteln (Mühlengebäude, Mahlwerk, Motor, Energie u.a.) und Werkstoffen (Kornsorten) Fertigprodukte herstellt, die mindestens den Wert des Inputs aufwiegen. Die gleiche Überlegung haben für sich der Landwirt und auch der Bäcker anzustellen.

Es ist also bei der Analyse sinnvoll, zwischen betrieblicher und volkswirtschaftlicher Sicht der Produktionsfaktoren zu unterscheiden, um die Quellen der echten Leistung zu ermitteln. In das Produktionsergebnis (Leistung) eines Betriebes geht natürlich der Wert der Werkstoffe mit ein und bestimmt die Höhe des Ertrages. Das Produktionsergebnis in Volkswirtschaft, das Inlandsprodukt, ergibt sich aber ausschließlich durch Arbeit, Boden und Kapital.

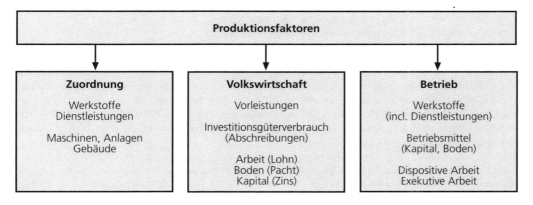

Bitte beachten Sie die Artikel zu den folgenden Stichwörtern:

Eigentum / Besitz (86 - 87)
Inlandsprodukt (160 - 161)
Unternehmung (334 - 335)
Wirtschaftskreislauf (372 - 373)

Produktivität

Eine wichtige Kennziffer zur Beurteilung der wirtschaftlichen Situation eines Betriebes, einzelner Betriebsteile oder der Gesamtwirtschaft ist die Produktivität. Dabei wird das Ergebnis der Produktion in das Verhältnis zu den eingesetzten Produktionsfaktoren gestellt.

$$\text{Produktivität} = \frac{\text{Produktionsergebnis (output)}}{\text{Produktionsfaktoren (input)}}$$

Beispiel:

Zwei gleiche Kräne können zusammen pro Tag 8000 Säcke aus einem Schiff entladen. Die Produktivität eines Kranes ist damit = 4000 Säcke/Tag

In einer Automobilfabrik laufen täglich 10 000 PKW vom Band. Es sind 1 000 Arbeiter beschäftigt. Die Produktivität eines Arbeiters ist = 10 PKW/Tag.

Die Angabe der Produktivität vermittelt nur dann Erkenntnisse, wenn man eine Vergleichszahl zur Verfügung hat. Dies kann etwa unter Bezug auf das erste Beispiel sein:

- die Produktivität eines anderen Typs von Kran
- die Produktivität der Kräne zu einem anderen Zeitpunkt
- die Produktivität der Kräne einer anderen Unternehmung.

Typisch für die Darstellung der Produktivität ist, dass man nach Möglichkeit versucht, bei den Werten im Zähler und Nenner reale Größen zu verwenden (z.B. Stück, Liter, Kilogramm, Meter) und nicht monetäre Werte (Euro, $, £ usw.). Häufig ist dies jedoch nicht möglich, insbesondere wenn es darum geht, unterschiedliche Produktionsergebnisse (Äpfel, Tomaten Kraut u. a.) oder unterschiedliche Produktionsfaktoren (Arbeiter und Maschinen bzw. ungelernte Beschäftigte und Facharbeiter u. a.) zusammenzufassen. In diesen Fällen hilft man sich dann mit monetären Werten (z.B. 5 kg Äpfel x 2 Euro + 10 kg Tomaten x 2,5 Euro + 20 kg Kraut x 1 Euro = 55 Euro Produktionsergebnis).

Man unterscheidet verschiedene Arten der Produktivität, je nachdem welcher Produktionsfaktor als Bezugsgröße verwendet wird. So kann man z.B. die Arbeitsproduktivität, die Kapitalproduktivität, die Produktivität des Bodens, die Produktivität einer Maschine, eines Fließbandes u.v.a.m. unterscheiden.

Arbeitsproduktivität

Der am häufigsten verwendete Produktivitätsbegriff ist die Arbeitsproduktivität. Hier wird das Produktionsergebnis in Bezug auf den Produktionsfaktor Arbeit errechnet, z.B.

$$\text{Arbeitsproduktivität} = \frac{\text{Produktionsmenge}}{\text{Zahl der Beschäftigten}}$$

$$\text{Arbeitsproduktivität} = \frac{\text{Produktionsmenge}}{\text{Zahl der Arbeitsstunden}}$$

$$\text{Arbeitsproduktivität} = \frac{\text{Produktionsmenge}}{\text{gezahlte Löhne}}$$

Diese Arbeitsproduktivität spielt nicht nur als Kennziffer für die Betriebe eine Rolle, sondern auch bei Tarifverhandlungen oder bei Analysen des volkswirtschaftlichen Wachstums.

$$\text{Volkswirtschaftliche Arbeitsproduktivität} = \frac{\textbf{Bruttoinlandsprodukt (BIP)}}{\textbf{Zahl der Erwerbstätigen}}$$

Als Beispiel hier die Zahlen der volkswirtschaftlichen Arbeitsproduktivität für die Bundesrepublik Deutschland von 1960 bis heute. Zur besseren Vergleichbarkeit rechnet man dabei das Produktionsergebnis (Bruttoinlandsprodukt) zu Preisen eines einheitlichen Jahres, um den Einfluss von Preisveränderungen der Güter auszuschalten:

$$\text{Arbeitsproduktivität} = \frac{\textbf{Bruttoinlandsprodukt (zu Preisen des Jahres 1991)}}{\textbf{Zahl der Erwerbstätigen}}$$

Jahr	BIP (in Mrd. EUR)	Erwerbstätige (in Mio.)	Produktivität (BIP/Erwerbstätige in EUR)
1960	511	26,2	19.504
1970	789	26,7	29.551
1980	1.032	27,1	38.081
1990	1.288	28,5	45.193
2000	2.033	38,6	52.668

Angaben bis 1990 beziehen sich nur auf Westdeutschland – Quelle: Statistisches Bundesamt Deutschland

Die Arbeitsproduktivität gibt keinen Aufschluss darüber, wodurch die Veränderung der Werte zustande kommt. Ob die Beschäftigten intensiver arbeiten, ob ihnen mehr und bessere Maschinen zur Verfügung stehen, ob die verwendeten Materialien sich besser verarbeiten lassen oder die Arbeitsbedingungen besonders anregend für eine Mehrproduktion sind, wird aus der Angabe der Arbeitsproduktivität nicht deutlich.

265

Bitte beachten Sie die Artikel zu den folgenden Stichwörtern:
Betriebswirtschaftliche Kennzahlen (58 - 59)
Tarifverhandlungen (310 - 311)

Produktlebenszyklus

Verfolgt man den Weg der Produkte von ihrer Erfindung als Gut zur Bedürfnisbefriedigung für die Menschen bis zur Beendigung dieser Rolle, so kann man erkennen, dass jedes Produkt am Markt eine Reihe von Phasen durchläuft, die für den Anbieter (Unternehmer) sehr unterschiedliche Bedeutung haben und unterschiedliche Aufgaben mit sich bringen. Auch wenn die Lebensdauer von Produkten, d.h. die Zeit, die sie auf den Märkten nachgefragt werden, unterschiedlich lang ist, so ist doch der Lebenszyklus weitgehend identisch, so dass die mit Marketingaufgaben betrauten Manager hieraus Regeln für die Unternehmenspolitik ableiten können.

Der Produktlebenszyklus beschreibt die verschiedenen Phasen, die ein Produkt am Markt durchläuft, von seiner ersten Einführung bis zum Ausscheiden.

Analysieren wir doch einmal die Marktbedeutung von Steinkohle. Wir können feststellen, dass sie zunächst eine nur unbedeutende Rolle zum Heizen und Schmieden spielte. Erst ab dem 16. Jahrhundert begann man, überörtlich Kohle für Glasherstellung und Schmiede zu handeln, und mit der Erfindung der Dampfmaschine wuchs der Bedarf ins Unermessliche, so dass allein in Deutschland annähernd 150 Mio. Tonnen jährlich verbraucht wurden. In der Nachkriegszeit hielten jedoch das Heizöl und -gas Einzug und die Bedeutung der Kohle ging nach knapp 150 Jahren rapide zurück. Noch ist sie als wichtiges Gut für die Menschen nicht verschwunden, aber der Zenit ist eindeutig überstiegen.

Vergleicht man damit z.B. die Lebenskurve der Hula-Hoop-Reifen, so ist deren Geschichte so kurz wie hier der Text: Einzelne Nutzer am Anfang – eine kurze Werbephase – ein fantastischer Boom – und das totale Ende der Welle. Nach weniger als 10 Jahren kannte kaum ein Jugendlicher dieses einstige Lieblingsspielzeug.

Selbstverständlich hat jedes Produkt seine Besonderheiten. Das allgemeine Schema kann daher nur einen generellen Sachverhalt beschreiben.

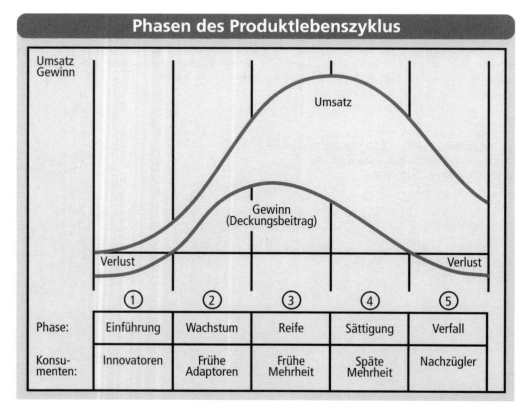

Phase:	① Einführung	② Wachstum	③ Reife	④ Sättigung	⑤ Verfall
Konsumenten:	Innovatoren	Frühe Adaptoren	Frühe Mehrheit	Späte Mehrheit	Nachzügler

Einführung:

In der Einführungsphase eines Gutes sind die Umsätze noch gering. Gewinne werden noch nicht erwirtschaftet. Es entstehen Verluste, weil Entwicklungskosten entstanden sind und weil die Markteinführungskosten recht hoch sind. In dieser Phase sind Werbung und Verkaufsförderung die wichtigsten Instrumente, um einen Durchbruch zu erzielen. Der Unternehmer hat oftmals eine monopolähnliche Stellung.

Wachstum:

Die Wachstumsphase beginnt mit dem Erreichen der Gewinnschwelle (Break-even-Point). Es werden hohe Umsatzzuwächse erzielt. Weitere Unternehmer treten zunehmend als Nachahmer auf und konkurrieren mit dem Pionierunternehmen. Es kommt zu vielfältigen Produktvariationen und oft auch zur Erschließung neuer Einsatzbereiche.

Reife:

In der Reifephase steigt der Umsatz zunächst noch weiter an und erreicht am Ende sein Maximum. Zwar werden wegen des hohen Umsatzes noch Gewinne erzielt, die Gewinne je Stück nehmen jedoch bereits ab. Durch die wachsende Zahl auch von nachahmenden Anbietern wird der Wettbewerb sehr intensiv.

Sättigung:

Die Sättigungsphase beginnt damit, dass die Umsätze sinken. Auch die Gewinne nehmen ständig ab. Viele Pionierunternehmen verlassen in dieser Phase bereits den Markt, um neue Produkte, deren Einführungsphase gerade begonnen hat, zu fördern.

Verfall:

Die Lebenszeit eines Produktes endet mit dem Verfall. Das Produkt ist technisch überholt oder wirtschaftlich veraltet. In allen Unternehmen findet nach und nach die Produkteliminierung statt.

Dieses Modell eines Lebenszyklus kann selbstverständlich keine Allgemeingültigkeit besitzen. Produkte können jederzeit, also etwa auch schon in der Einführungsphase, wegen mangelndem Gewinn/ Rentabilität aus dem Markt ausscheiden. Andere Produkte erleben unter ganz anderen Vorzeichen einen „zweiten Frühling".

Beispiele:

Wegfall der Motorräder als Fortbewegungsmittel und Aufschwung als Freizeitgerät. Auftauchen der Kinderroller als Kickboard.

Die einzelnen Phasen lassen sich nicht eindeutig voneinander abgrenzen. Es handelt sich also keineswegs um eine strenge Gesetzmäßigkeit, sondern eher um eine beschreibende Verallgemeinerung. Gleichwohl kann ein Lebenszyklus zur durchschnittlichen Erklärung der Reaktionsstruktur der Abnehmer dienen.

267

Bitte beachten Sie die Artikel zu den folgenden Stichwörtern:
Break-even-Point (68 - 69)
Gewinn (138 - 139)
Innovationen (162 - 163)
Marketing (208 - 209)
Markt (210 - 211)
Monopol (228 - 229)
Verkaufsförderung (342 - 343)
Werbung (360 - 361)
Wettbewerb (366 - 367)

Produktmanagement

Die Bedeutung des Produktmanagements, bekannter unter dem Begriff Brand-Management, hat in den vergangenen Jahren stetig zugenommen. Ausschlaggebend hierfür ist, dass auf Grund von neuen Marketingkonzeptionen und der Globalisierung in den westlichen Industriestaaten ein sinkendes Markenbewusstsein mit gleichzeitig abnehmender Markentreue festzustellen ist. Markenartikel stellen jedoch ein wertvolles Gut für die Unternehmung dar und müssen sorgfältig gepflegt und geschützt werden. Dieser Aufgabe nimmt sich das Produktmanagement an. Besonders Unternehmen, die viele Produkte oder Marken (Brands) herstellen, organisieren das Marketing zur Pflege ihrer Marken oft nach Produktgruppen oder Marken.

Produktmanagement ist die Pflege einer bestimmten Marke mittels Marketingmaßnahmen zur Festigung bzw. Erweiterung des Kundenstammes.

Wie entstand das Produktmanagement?

Eingeführt wurde das Brand-Management-System zum ersten Mal 1927 bei Procter & Gamble. Weil die so betreuten Produkte sehr erfolgreich waren, folgten viele Unternehmen im Laufe der Zeit diesem Beispiel. Üblicherweise übernimmt in der klassischen Produkt-Management-Organisation ein Produkt- oder Brand-Manager die Rolle des „Geschäftsführers" für ein Produkt oder einen Markenartikel. Er betreut das Produkt von der Entstehung bis zur Vermarktung und ist Initiator sämtlicher absatzwirtschaftlich relevanten Entscheidungen.

Welche Aufgaben hat der Produktmanager?

Direkte Kompetenzen stehen dem Produktmanager oft nicht bzw. nur eingeschränkt zu, insbesondere nicht gegenüber anderen Funktionsbereichen wie Fertigung, Beschaffung, Absatz etc. Trotzdem wird ihm in der Regel eine „Wachhund-Funktion" für den Produkterfolg, wenn nicht sogar die Umsatzverantwortung übertragen, da er hierauf über die Marketing-Instrumente Einfluss nehmen kann. Dies führt gelegentlich zur Überforderung des Produktmanagements und zur Vernachlässigung langfristiger Marketingbelange, zumal die Produktmanagerstellen häufig mit Nachwuchskräften besetzt sind. Darüber hinaus erfordern viele Absatzmärkte zunehmend eine Kunden(gruppen) spezifische Bearbeitung, so dass das Produktmanagement durch ein Kundengruppen-Management zu ergänzen ist.

Welche Aufgaben gehören zum Produktmanagement?

- Entwicklung langfristiger Wachstums- und Wettbewerbsstrategien für Produkte;

- Erstellung jährlicher Marketingpläne und jährlicher Umsatz- und Ertragsprognosen;

- Zusammenarbeit mit Kommunikationsagenturen zur Entwicklung von Programmen z.B. für die Werbung, Verkaufsförderung und das Direkt-Marketing;

- kontinuierliche Sammlung von Informationen über Produkterfolge, Einstellungen von Kunden und Händlern sowie über neue Probleme, Risiken und Chancen des Marktes;

- Initiierung von Produktverbesserungen, um sich Veränderungen von Kundenbedürfnissen anzupassen.

Zur Erfüllung dieser Aufgaben ist eine enge Zusammenarbeit mit verschiedenen betriebsinternen und -externen Stellen bzw. Organisationen notwendig (z.B. Beschaffung, Fertigung, Absatz, Public Relations, Werbeagenturen, Marktforschung etc.)

Vielfach untersteht der Produkt-Manager einem Produktgruppenmanager, der für eine ganze Produktgruppe zuständig ist. Der Produktgruppen-Manager berichtet dem Marketing-Direktor und dieser dann der Geschäftsleitung.

Der Vorteil des Brand-Marketing liegt eindeutig auf der Konzentration auf einer Marke. Der Manager, der sich nur mit seiner Marke beschäftigt, kann recht schnell auf Marktveränderungen reagieren. In vielen Unternehmen ist das Produkt-Management ein Sprungbrett für Nachwuchskräfte.

Aus einer Stellenanzeige FAZ, 10.4.99

Wir haben die Position des Produktmanagers Squash/Badminton zu besetzen. Er wird für das gesamte Marketingmix der Produktgruppen Squash und Badminton in unserem Unternehmen verantwortlich sein und direkt an den Marketingleiter berichten.

Im Einzelnen handelt es sich um folgende Aufgaben:
• Mitarbeit bei der Erstellung der Marketingpläne • Durchführung und Analyse von Markt- und Wettbewerbsbeobachtungen • Mitarbeit bei der Festlegung der internationalen Produktpolitik • Mitgestaltung der Preis- und Konditionspolitik sowie sonstiger Maßnahmen zur Erreichung des Profitplanes • Ausarbeitung von Werbe-, Verkaufsförderungs- und Promotionkonzeptionen, teils mit der Agentur bzw. der Muttergesellschaft im Rahmen internationaler Aktivitäten • Durchführung von Produktschulungen • Mitarbeit bei Messen, Außendiensttagungen und anderen Projekten.

Die Position

Produktmanager
Squash/Badminton

erfordert einen kreativen und teamorientierten Mitarbeiter mit einem betriebswirtschaftlichen Studium mit Schwerpunkt Marketing. Er sollte bereits erste Erfahrungen im Produktmanagement von Markenartikeln gesammelt haben und die Fähigkeit besitzen, analytisch und strategisch zu denken. Neben organisatorischem Geschick sollte er aktiv die Sportarten Squash und Badminton betreiben und das Interesse haben, sich mit der speziellen Marktsituation schnell und intensiv vertraut zu machen. Aufgrund des ständigen Kontaktes mit der englischen Muttergesellschaft sind gute Englischkenntnisse unbedingt erforderlich.
Interessierte Bewerber senden bitte ihre aussagefähigen Bewerbungsunterlagen unter Angabe des frühestmöglichen Eintrittstermins an: **DUNLOP SPORT GmbH • Abt. Marketing.**

Der Begriff „Public Relations" stammt ursprünglich aus den USA. In Deutschland wurde der Begriff erstmals 1938 von Carl Hundhausen eingeführt. Jedoch begann erst nach dem Zweiten Weltkrieg die eigentliche Entwicklung der Public Relations in der Bundesrepublik. Das in den fünfziger Jahren einsetzende „Wirtschaftswunder" machte Public Relations für die Unternehmung notwendig und interessant. Public Relations (PR) wird meist mit „Öffentlichkeitsarbeit" übersetzt.

> **Bei Public Relations geht es darum, Verbindungen (Relations) von Unternehmen und Öffentlichkeit (Public) herzustellen.**

Öffentlichkeitsarbeit ist inzwischen als wirksames Marketinginstrument anerkannt und etabliert. Es wird immer wichtiger, sich nach außen wie nach innen mit Produkten und Profil, Image und Idealen darzustellen, statt einfach nur Waren und Dienstleistungen zu vermarkten. Wie die Werbung, so ist auch die Öffentlichkeitsarbeit ein Teil der Kommunikationspolitik von Unternehmen, welche wiederum ein Teil des Marketings ist. Im Gegensatz zur Werbung ist Öffentlichkeitsarbeit aber kein einseitiger Vorgang, sondern gewissermaßen ein Prozess, an dem die Öffentlichkeit selbst beteiligt wird. Bei allen PR-Aktionen muss daher eine absolute öffentliche Glaubwürdigkeit gegeben sein. Außerdem geht es nicht darum, Produkte und Dienstleistungen anzupreisen und zu verkaufen (Werbung), sondern Informationen über ein Unternehmen als Teil der Gesellschaft zu vermitteln.

Ziel der Öffentlichkeitsarbeit ist es, das Vertrauen und Verständnis für das zu schaffen, was das Unternehmen tut. Die Voraussetzung dafür beginnt schon im eigenen Betrieb bei Mitarbeitern und Angehörigen und setzt sich fort über die Kunden, die Lieferanten und die Geldgeber. Ist diese Voraussetzung erfüllt, kann man auch die Medien in diesen Prozess der Vertrauensgewinnung und -herstellung einbinden. Dort, wo das Vertrauen bereits intern gestört ist oder sich sogar über weite Teile der Bevölkerung fortsetzt, nützen auch die größten Anstrengungen im Rahmen einer Öffentlichkeitsarbeit wenig. Ein gestörtes Vertrauensverhältnis kann nur über Jahre hinweg mit den entsprechenden Änderungen im Betrieb oder bei den Produktionsformen wieder hergestellt und damit das Image intern und extern verbessert werden. Die Chemieindustrie ist dafür ein gutes Beispiel. Nach einem Chemieunfall ist es für ein Unternehmen sehr schwierig, wieder zu einem guten Image zu gelangen.

Was bedeuten interne und externe Öffentlichkeitsarbeit?

Öffentlichkeitsarbeit kann als interne und externe Öffentlichkeitsarbeit ausgestaltet sein. Bei der internen Öffentlichkeitsarbeit werden die Mitarbeiter eines Unternehmens z.B. mittels Hauszeitschriften, Betriebsfeiern, Mitarbeiterbefragungen und anderen Kommunikationsformen angesprochen. Sie sollen sich mit dem Unternehmen identifizieren können, Vertrauen in den eigenen Betrieb haben und somit motiviert werden.

Die externe Öffentlichkeitsarbeit spricht das breite Publikum an. Die Pressearbeit ist dafür eines der klassischen Mittel. Der Kontakt mit den Medien, den Vermittlern zwischen Unternehmen und Öffentlichkeit, ist sehr wichtig. Durch Pressegespräche, Pressekonferenzen, Pressemappen werden Informationen nach außen gegeben. Ebenso gehören der „Tag der offenen Tür", Betriebsbesichtigungen, Firmenveranstaltungen und Firmenjubiläen zu den Möglichkeiten der externen Öffentlichkeitsarbeit.

Sponsoring

Eine zukunftsträchtige Form ist das Sponsoring. Unternehmen werden meist als unsoziale, gewinnbesessene Organisationen gesehen, die keine sozialen und kulturellen Aufgaben wahrnehmen. Um diesem Bild entgegenzutreten, engagieren sich die Unternehmen häufig im sozialen und kulturellen Bereich. Sie fördern Sportler und Künstler, schreiben Wettbewerbe aus usw. Die Schaffung einer imagebildenden Atmosphäre für Unternehmen im Dialog mit der Öffentlichkeit wird ergänzt durch den Informations- und Wissenstransfer an ein breites Publikum. Die Sponsoring-Formen haben sich in den letzten Jahren differenziert entwickelt. Nicht nur Sport- und Kultursponsoring, sondern auch Sozio- und Ökosponsoring werden von den Unternehmen betrieben. Meist gilt für das Sponsoring das Motto: „Tue Gutes und rede darüber!"

Formen der Public Relations

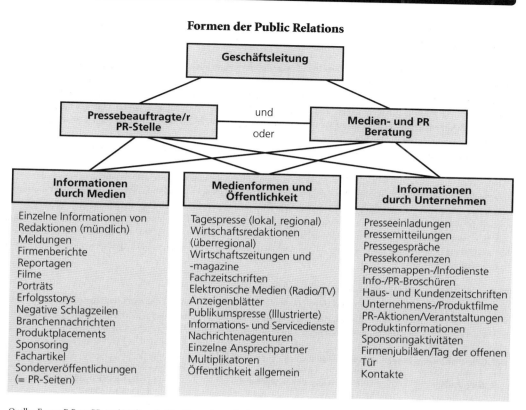

Quelle: Franco P. Rota: PR- und Medienarbeit im Unternehmen. Beck-Wirtschaftsberater, München 1990, S. 119.

Bitte beachten Sie die Artikel zu den folgenden Stichwörtern:
Marketing (208 - 209)
Unternehmung (334 - 335)
Werbung (360 - 361)

Rating

Der Begriff „Rating" kommt von dem angloamerikanischen Wort **„rate"** und heißt so viel wie Maßstab oder Verhältnis. Wofür soll Rating nun ein Maßstab sein, was soll es messen?

> **In einem Ratingprozess werden alle erfolgsrelevanten Merkmale eines Unternehmens mit Hilfe von statistischen Verfahren untersucht. Das heißt, mit dem Rating soll eine Art Bonitätsaussage über ein Unternehmen getroffen werden. Diese Bonitätsaussage soll verdeutlichen, ob es sich um ein gesundes und wirtschaftlich stabiles Unternehmen handelt oder ob die Gefahr besteht, dass dieses Unternehmen zahlungsunfähig wird. Das Ergebnis der Ratinguntersuchung wird mit der Vergabe einer Note bekannt gegeben, der so genannten Ratingklasse.**
> **In Analogie zu dem Unternehmensrating gibt es auch ein Bonitätsrating für Volkswirtschaften.**

Beim Rating werden unterschiedlichste Merkmale eines Unternehmens ausgewertet. Es sind Merkmale, die beispielsweise im finanzwirtschaftlichen Bereich des Unternehmens liegen, es können die Produkte des Unternehmens sein oder sogar der Unternehmer selbst. Das Ergebnis der Ratinguntersuchung ergibt die Ratingklasse des Unternehmens. Die Ratingklasse drückt die Ausfallwahrscheinlichkeit eines Unternehmens vom Markt in Prozent aus. Ist einem Unternehmen die Ratingklasse „zwei" zugeordnet, so bedeutet dies: Von 100 Unternehmen, die diese Ratingbewertung erhalten haben, werden in den nächsten zwölf Monaten voraussichtlich zwei Unternehmen zahlungsunfähig.

Von wem werden Ratings vorgenommen?

Seit vielen Jahren werden Ratings von so genannten Ratingagenturen vorgenommen. Diese Agenturen bewerten vor allem die Unternehmen, welche sich durch die Ausgabe von Aktien oder Wertpapieren an den Kapitalmärkten finanziert haben. Zu den bekanntesten Ratingagenturen gehören „Standard & Poor's" sowie „Moody's".

Bei diesen Ratingagenturen sind folgende Rating-Stufen üblich:

Rating-Stufe	Bedeutung der Bewertung	Beispiele lt. Moody's (Stand 2003)
Triple-A-Rating (AAA)	= bonitätsmäßig „erstklassige" Schuldner	Deutschland, Finnland
Double-A-Rating (AA)	= bonitätsmäßig „zweitklassige" Schuldner	Deutsche Bank
Single-A-Rating (A)	= bonitätsmäßig „drittklassige" Schuldner mit noch zufrieden stellender Bonität	Volkswagen, Ford, Bank Austria
Analog abgestuftes B – Rating	In diesen Stufen werden bonitätsmäßig zweifelhafte Schuldner eingestuft.	Deutsche Telekom, General Motors, Türkei
Analog abgestuftes C-Rating	In diesen Stufen besteht ein hohes Risiko der Zahlungsunfähigkeit. Hier herrscht Zahlungsverzug bzw. Zahlungsausfall vor.	Argentinien, Venezuela

Ratings von Ratingagenturen werden nur erstellt, wenn ein Unternehmer eine Agentur beauftragt. Das beauftragte Rating kostet in der Regel Geld. Die Kosten belaufen sich (je nach Agentur) zwischen 10.000 und 50.000 Euro pro Jahr.

Die von Ratingagenturen erstellten Ratings werden veröffentlicht. Diese Veröffentlichung hilft den Unternehmen beim Auftritt auf dem Kapitalmarkt sowie bei potenziellen Lieferanten, Kunden und Bewerbern. Da die Ratings von Agenturen der Öffentlichkeit zur Verfügung stehen, handelt es hier um externe Ratings.

Spätestens ab 2003 müssen auch Kreditinstitute (wie Banken und Sparkassen) ihre Kreditkunden mittels des Ratingverfahrens einschätzen. Dieses Verfahren soll bei der Kreditvergabe helfen, die Bonität der eigenen Kunden zu ermitteln. Es ist ein Maßstab, die Fähigkeit des Kreditnehmers zu überprüfen, ob er seine Zins- und Tilgungszahlung pünktlich erfüllen kann.

Im Vergleich zu den Ratingagenturen dient das Rating der Kreditinstitute nur für interne Zwecke. Das Ergebnis wird weder veröffentlicht noch zertifiziert. Es handelt sich hier um interne Ratings.

Welche Rating-Kriterien gibt es?

Im Ratingverfahren werden unterschiedliche Kriterien eines Unternehmens statistisch ausgewertet. Die einzelnen Kriterien und unterschiedlichen Gewichtungen ergeben in ihrer Summe die Rating-Note. Die Ratingkriterien werden oft in quantitative und qualitative Faktoren unterteilt.

Die Ratingvorbereitung

Die Vorbereitung eines Unternehmens auf das Rating ist ein sehr komplexer Prozess. Er umfasst das Unternehmen als Ganzes. Folgende Bereiche einer Unternehmung sind besonders betroffen:

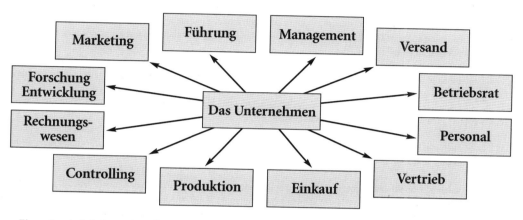

Eine reine Aufarbeitung der Bilanzdaten reicht heute nicht mehr aus. Um erfolgreiche Verhandlungen z.B. um Fremdkapital zu führen, müssen alle Bereiche einer Unternehmung untersucht und bewertet werden. Es ist zu beachten, dass die Vorbereitung eines Unternehmens auf ein Rating mehrere Monate dauern kann.

Rationalisierung

Rationalisierung ist ein Begriff der betriebswirtschaftlichen Theorie und Praxis, dessen Inhalt nicht eindeutig definiert ist. Man kann darunter, von **„ratio"** = „Vernunft" abgeleitet, alle Maßnahmen verstehen, durch die das Verhältnis von Aufwand und Ertrag (Wirtschaftlichkeit) verbessert wird. Dies kann in allen Lebensbereichen der Fall sein, nicht nur bei der betrieblichen Produktion.

Der Zweck der Rationalisierung liegt darin, die dem Menschen zur Verfügung stehenden Mittel (Ressourcen) wie menschliche Arbeitskraft, Rohstoffe, vorhandenes Kapital usw. bestmöglich einzusetzen, um die Grundlagen unseres Lebens zu verbessern.

Der technische Fortschritt stellt eine wesentliche Möglichkeit der Rationalisierung dar. Jedoch liegt dieser nicht nur in einer Verbesserung der technischen Hilfsmittel (Maschinen usw.), sondern auch z. B. in Neuorganisation oder in neuen Materialien. Ob der technische Fortschritt tatsächlich in jedem Einzelfall zu „Verbesserungen der Lebensbedingungen" führt, ist nicht immer eindeutig zu bestimmen. Es kann sein, dass

- Rationalisierung zu mehr Gütern führt, aber die Arbeitsbedingungen verschlechtert (Monotonie, einseitige physische Belastungen usw.)
- Rationalisierung zwar zu mehr Freizeit führt, diese von den Betroffenen aber gar nicht gewünscht wird
- Rationalisierung einer Gruppe von Menschen Vorteile bringt (höherer Lohn, niedrigere Preise), einer anderen Gruppe aber Nachteile (Arbeitsbedingungen, Arbeitslosigkeit)
- Rationalisierung zwar die materiellen Lebensbedingungen verbessert, aber psychische Lebensbedingungen verschlechtert (Umwelt, Verlust von Emotionalität usw.).

So ist es nicht verwunderlich, dass der Rationalisierungsprozess in der Wirtschaft von Anbeginn auf Widerstände stieß und zahlreiche Konflikte hervorrief.

Eine Folge der Rationalisierung ist die Senkung der Produktionskosten je Produktionseinheit (Stückkosten), d.h. Verbesserung des Produktionsergebnisses (Output) bei gleichem Aufwand (Input) oder die Verringerung des Input bei gleichem Output. Diese Kostensenkung kann auf zweierlei Arten für die Menschen wirksam werden:
- Sie führt zu Senkungen der Güterpreise, d.h., sie wird an die Verbraucher der Güter weitergegeben.
- Sie ermöglicht (bei konstanten Güterpreisen) die Erhöhung der Einkommen der an dieser Produktion Beteiligten (Unternehmer = Gewinn, Arbeitnehmer = Lohn).

Erhöhter Kapitalbedarf stellt eine weitere Folge der Rationalisierung dar. Viele Rationalisierungsmaßnahmen sind mit dem Mehreinsatz von Kapital, d.h. zumeist mit dem Ersatz menschlicher Arbeitskraft durch Maschinen, verbunden. Kapitalbildung ist eine notwendige Voraussetzung für den Rationalisierungs- und Wachstumsprozess. Dies bedeutet, dass von den produzierten Gütern ein Teil nicht für Konsumzwecke verwendet werden darf, sondern zur Verbesserung der Produktion verwendet werden muss (Investitionen). Im Anfangsstadium der wirtschaftlichen Entwicklung – und heute noch bei vielen Entwicklungsländern – ist diese Ersparnisbildung zur Förderung von Investitionen wegen des ohnehin niedrigen Lebensstandards besonders schwierig zu erreichen, denn die Kapitalbildung einer Volkswirtschaft bedeutet Konsumverzicht für die Menschen.

Ziel der Rationalisierung ist, wie eingangs dargestellt, die Verbesserung der Lebensgrundlagen. Dazu gehört nicht nur ein Mehr an Gütern, sondern auch ein Mehr an Freizeit. Kapital ersetzt die menschliche Arbeitskraft und schafft Freizeit. Allerdings sind die komplizierten wirtschaftlichen Prozesse nicht so gut steuerbar, dass sich die Einsparung von Arbeitszeit gleichmäßig bei allen Menschen niederschlägt. Es kommt in Einzelbereichen zu Arbeitslosigkeit. Würde man die Rationalisierung aus diesem Grund verhindern, wären die Möglichkeiten von Arbeitszeitverkürzungen und Verbesserungen des Lebensstandards ausgeschlossen. Es kommt also darauf an, die Vorteile der Rationalisierung zu nutzen, und die Betroffenen im Strukturwandel zu unterstützen.

Die nachfolgende Abbildung gibt einen zusammenfassenden Überblick über die Grundlagen und Folgen der Rationalisierung auf verschiedenen Märkten.

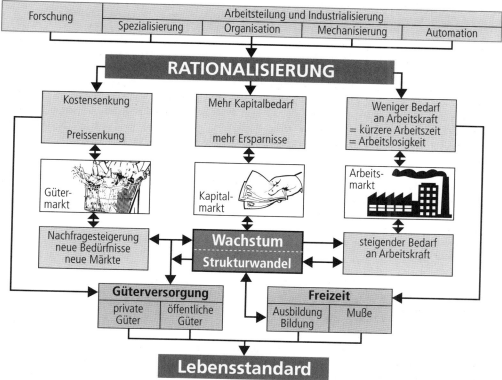

Dietmar Krafft 1995

Bitte beachten Sie die Artikel zu den folgenden Stichwörtern:
Arbeitslosigkeit (26 - 27)
Einkommen (88 - 89)
Gewinn (138 - 139)
Investitionen (166 - 167)
Produktivität (264 - 265)
Wachstum (354 - 355)

Wem sind nicht beim Lesen von Wirtschaftszeitungen schon die vielen Abkürzungen aufgefallen, hinter denen sich unterschiedliche Rechtsformen von Unternehmen verbergen: AG, GmbH, OHG und KG und viele andere! Ca. 30 verschiedenartige Rechtsformen kann man unterscheiden, von denen die meisten jedoch nur für sehr wenige Unternehmen in der Bundesrepublik Bedeutung haben. Wir werden hier nur die wichtigsten darstellen.

Die Rechtsform ist ein rechtlicher Rahmen für verschiedene Formen von Zusammenschlüssen (Organisationsformen) interessierter Personen mit unterschiedlichen Rechtsmerkmalen.

Zunächst sollte man zwischen Betrieben des öffentlichen Rechts und Betrieben des Privatrechts unterscheiden. Öffentlich-rechtliche Betriebe finden wir bei Bund, Ländern und Gemeinden als Rundfunk- und Fernsehanstalten, Sparkassen und Banken, Universitäten, Elektrizitäts- und Wasserwerke, Verkehrsbetriebe, Entsorgungsbetriebe, Schlachthöfe, Büchereien und vieles andere mehr. Bund, Länder und Gemeinden sind jedoch auch häufig Eigentümer von privatrechtlichen Unternehmen, die meist als Aktiengesellschaften geführt werden, wie z.B. die Bahn.

Im privaten Recht dominieren 5 Rechtsformen, die in der nachfolgenden Tabelle genauer beschrieben sind. Sie unterscheiden sich vor allem durch die Fragen der
- Haftung und Übernahme des Risikos
- Befugnis der Geschäftsleitung
- Finanzierung
- Besteuerung.

Bei den Einzelunternehmen und den Personengesellschaften ist immer ein persönlicher Bezug zu dem oder den Inhabern gegeben. Sie sind i.d.R. für die Leitung zuständig und haften auch meist mit ihrem gesamten Vermögen für Schulden der Unternehmung. Die Gewinne dieser Firmen werden als Einkommen der einzelnen Eigentümer versteuert.

Bei den Kapitalgesellschaften ist dagegen die Beziehung zu den Eigentümern eigentlich eine Nebensache. Wichtig ist nur der eingezahlte Kapitalanteil, nicht die Person, die sich dahinter verbirgt. Sehr oft sind die Eigentümer gar nicht bekannt. Die Leitung der Unternehmung liegt in den Händen von – angestellten – Geschäftsführern, bei Aktiengesellschaften auch Vorstand genannt. Die Eigentümer haften für Schulden der Firma nur mit ihrer Kapitaleinlage. Die Gewinnsteuern werden bei der Unternehmung, nicht bei den Eigentümern erhoben. Die Einkommensteuer hat daher auch den Namen „Körperschaftsteuer".

Daneben sollte man die in nachfolgender Tabelle nicht angeführten Genossenschaften nicht vergessen, die in verschiedenen Wirtschaftsbereichen (Bank- und Versicherungswesen, Fischerei) und Regionen (ländliche Gebiete) eine große Rolle spielen. Bei ihnen sind die Kunden meist gleichzeitig Eigentümer mit ganz geringen Kapitalanteilen. Durch die Vielzahl der Genossen kommen jedoch hohe Summen zusammen.

Rechtsformen von Unternehmen

| Merkmale | Einzelunter-nehmung | Personalgesellschaften | | Kapitalgesellschaften | |
		OHG	KG	GMBH	AG
gesetzliche Grundlage	§§ 1-104 HGB	§§ 105-160 HGB	§§ 161-177 HGB	GmbHGes.	AktG
Eigentümer Miteigentümer	Inhaber	Gesellschafter	Komplementär Kommanditist	Gesellschafter	Aktionär
Leitungs-befugnis	Inhaber	Gesellschafter (vertraglich geregelt)	Komplementäre	normale Sach-verhalte: Geschäftsführer besondere Sach-verhalte: Gesellschafter	Vorstand Aufsichtsrat
Risikoüber-nahme	mit Privat- und Geschäftsver-mögen	mit Privat- und Geschäftsver-mögen	Komplementäre Privat- und Geschäftsver-mögen Kommanditisten nur mit Einlage	nur mit Einlage	nur mit Einlage
Gründungs-kapital	kein vorgeschriebenes Gründungskapital			25.000 Euro	50.000 Euro
Besteuerung	Gewinn unterliegt der Einkommen-steuer. Je nach Höhe der Einkünfte und den persönlichen Verhältnissen bis über 44 % (inkl. Solidaritätszu-schlag).			Der einbehaltene Gewinn unterliegt der Körperschaftsteuer von ca. 28 % (inkl. Solidaritätszuschlag). Der ausgeschüttete Gewinn unter-liegt der Besteuerung nach dem Halbeinkünfteverfahren.	

Dietmar Krafft 2004

Bitte beachten Sie die Artikel zu den folgenden Stichwörtern:
Aktiengesellschaft (12 - 13)
Einkommen (88 - 89)
Einkommensteuer (90 - 91)
Genossenschaften (134 - 135)
Gewinn (138 - 139)
GmbH (144 - 145)
Körperschaftsteuer (182 - 183)
Steuern (304 - 305)

Rentenfonds (Obligationenfonds)

Rentenfonds sind nicht, wie der Name vielleicht sagt, Gesellschaften, die unseren Lebensabend finanzieren sollen. Der Begriff „Rente" ist vielmehr ein Ausdruck für ein regelmäßiges Einkommen aus Vermögen. Dieses Ziel verfolgen Rentenfonds, indem sie das Geld ihrer Mitglieder in festverzinslichen Wertpapieren (z.B. Bundesanleihen oder Pfandbriefen) investieren.

Bei Rentenfonds ist der Anleger weitaus weniger vom Wohlergehen eines Unternehmens abhängig als bei Aktienfonds, denn der Sparer stellt dem Unternehmen sein Geld nur leihweise zur Verfügung und ist nicht am Gewinn, aber auch nicht am Verlust beteiligt.

Was ist eine Anleihe?

Wenn der Staat, die Landesregierung, Banken und Sparkassen, aber auch Industrieunternehmen große Mengen an Kapital benötigen, wenden sie sich i.d.R. nicht an eine Bank, sondern an die Bevölkerung, der sie Wertpapiere verkaufen, d.h. bei den einzelnen Bürgern gegen eine Schuldurkunde Geld leihen. Die geliehene Summe, z.B. 1.000 Euro, steht dann auf einer speziellen Wertpapierurkunde, der „Anleihe-Urkunde". In dieser verspricht der Schuldner, die in der Urkunde vermerkte Summe an einem bestimmten Tag in der Zukunft zurückzuerstatten und während der Laufzeit des Kredites regelmäßig einen festen Zins an den Besitzer der Urkunde zu zahlen. Diese Urkunden heißen Schuldverschreibungen. Gängiger ist aber die Bezeichnung „Anleihe". Anleihen heißen auch oft „festverzinsliche Wertpapiere", „Renten" oder „Rentenpapiere". Das Wort „Rente" kommt aus dem Französischen und bedeutet so viel wie „regelmäßiges Einkommen". Da Anleihen regelmäßig Zinsen einbringen, heißen die entsprechenden Fonds, die in Anleihen investieren, „Rentenfonds".

Chancen und Risiken

Untersuchungen zeigen, dass Sparer mit Anleihen der Bundesrepublik Deutschland seit 1948 eine Durchschnittsrendite von fast 7% pro Jahr erzielen konnten. Dies ist eine recht ansehnliche Rendite, wenn man bedenkt, dass die Risiken dieser Papiere im Vergleich zu Aktien recht gering ausfallen.

Doch Achtung: Wer Rentenpapiere kauft und sie nicht bis zur Fälligkeit halten will, geht – ähnlich wie die Käufer von Aktien – ein Kursrisiko ein, d.h., der Wert der Urkunde kann schwanken. Hauptsächlich kommen die Kursschwankungen dadurch zustande, dass sich die Zinsen auf den Geld- und Kapitalmärkten verändern. Mit jeder Anleihe wird ja dem Inhaber ein fester Zins garantiert. Steigen nun in der Wirtschaft die Zinsen, so hat der Inhaber von Anleihen den Nachteil, dass seine garantierten Zinsen auf dem niedrigeren Niveau bleiben. Er wird also versuchen, die Anleihe zu verkaufen, um höhere Zinsen für sein Geld zu erhalten. Dies führt dazu, dass – wenn dies viele Inhaber von Anleihen tun – der Kurs der Anleihe sinkt, d.h., man bekommt für seine Anleihe beim Verkauf nicht den vollen Wert. Im Allgemeinen gilt also folgende Regel: Steigt das Zinsniveau, dann sinken die Kurse für Anleihen, und sinkt das Zinsniveau, so steigen die Kurse. Natürlich kann man immer die Anleihe so lange behalten, bis der Rückzahlungstermin kommt. Zu diesem Termin erhält man in jedem Fall den vollen Wert ausgezahlt.

Laufzeit beachten! Wer in Rentenpapiere investieren möchte und mit künftig steigenden Zinsen rechnet, der sollte sein Geld überwiegend in Anleihen mit kurzen Restlaufzeiten investieren. Diese Papiere reagieren längst nicht so empfindlich auf Zinsveränderungen wie Renten mit langen Laufzeiten. Glaubt jemand hingegen, dass die Zinsen sinken, so würde er sinnvollerweise auf lang laufende Papiere setzen. Entstehende Kursgewinne sind dann vergleichsweise hoch, wenn man z.B. eine Anleihe mit 7% oder 8 % Zins hat und das allgemeine Zinsniveau bei 3% oder 4 % liegt.

Aufgrund der Kursschwankungen und weil niemand wirklich weiß, wie lange er Anleihen halten kann, sollten auch Anleihesparer nicht nur ein einzelnes Papier kaufen, sondern ihren Bestand möglichst weit fächern. Eine sehr gute Möglichkeit dazu bieten Rentenfonds, die unterschiedliche Anleihen kaufen, so dass man mit einer Beteiligung an dem Fonds eine breite Anlagestreuung hat.

Das Besondere an Rentenfonds

Rentenfonds gehören ebenso wie die Aktienfonds zu den beliebtesten Fondskategorien. Über 120 Milliarden Euro hatten deutsche Anleger Ende 1998 in solchen Fonds investiert. Die Auswahl an Rentenfonds ist entsprechend groß und Anleger sollten bei der Auswahl schon genau hinschauen. Das Risiko eines Rentenfonds wird maßgeblich durch zwei Faktoren bestimmt: erstens die Laufzeit der gehaltenen Anleihen und zweitens die Güte der Papiere.

Wer beim Sparen mit Rentenfonds besondere Risiken ausschließen möchte, sollte nur solche Fonds in Betracht ziehen, die Anleihen mit erstklassiger „Bonität" kaufen, etwa staatliche Anleihen von „sicheren" Ländern, Schuldverschreibungen von solventen Großbanken, Pfandbriefe guter Hypothekenbanken u.a.m.

Wer sein Geld in Rentenfonds investiert, erwartet in erster Linie Zinseinnahmen, die umso höher ausfallen, je länger die Laufzeit der Papiere ist. Die Hoffnung auf Kursgewinne steht hier, im Gegensatz zu Aktienfonds, erst an zweiter Stelle. Kursgewinne können bei Rentenfonds erzielt werden, wenn das Zinsniveau sinkt und deshalb die Kurse der Anleihen, die der Fonds enthält, steigen. Dieses kann dem Anleger steuerliche Vorteile bringen, denn das Fondsmanagement muss auch bei kurzfristigen Kursgewinnen keine Spekulationssteuer zahlen. Deshalb erhöht sich bei ihrer Realisierung der nicht der Zinsbesteuerung unterliegende Teil des Vermögens.

Hält man die Fondsanteile länger als ein Jahr, wird keine Spekulationssteuer fällig. Deshalb kann der Anleger die vom Management erzielten Kursgewinne als Zusatzeinnahmen zu den Zinsen betrachten. Es kann aber auch der umgekehrte Fall eintreten. Wenn die Zinsen steigen, können die Kurse der Papiere im Fonds fallen. Dies schlägt sich in den sinkenden Rücknahmepreisen der Fondsanteile nieder.

[1] Bonität drückt die Verlässlichkeit des Schuldners aus, d.h. die Sicherheit für den Geldgeber, dass er sein Geld auch zurückerhält.

Bitte beachten Sie die Artikel zu den folgenden Stichwörtern:
Aktienfonds (16 - 17)
Einkommen (88 - 89)
Immobilienfonds (154 - 155)
Kredit (192 - 193)
Wertpapiere (362 - 363)

Rentenversicherung

In der Bundesrepublik Deutschland hat die Vorsorge für das Alter eine sehr große Bedeutung. Ziel ist es, nicht nur den Lebensunterhalt im Alter zu sichern, sondern auch im Ruhestand den bisherigen Lebensstandard erhalten zu können. Den Grundstein zur Erreichung dieses Ziels legt die gesetzliche Rentenversicherung mit ihren Leistungen als ein Baustein der Sozialversicherung. Sie ist für jeden Auszubildenden, Arbeiter oder Angestellten ohne Rücksicht auf die Einkommenshöhe eine Pflichtversicherung und beginnt bei der Aufnahme der ersten Tätigkeit. Damit soll erreicht werden, dass möglichst kein Mensch im Alter von der öffentlichen Sozialhilfe abhängig wird.

> **Aufgabe der Rentenversicherung ist es, den Lebensunterhalt der Versicherten und ihrer Familien nach dem Ausscheiden aus dem Erwerbsleben zu sichern.**

Versicherungspflicht und Beitragszahlung

Man unterteilt die versicherten Personen in die Pflichtversicherten und in die freiwillig Versicherten. Pflichtversichert sind in der Rentenversicherung alle Arbeiter und Angestellten sowie Auszubildenden und Wehr- und Zivildienstleistenden, und zwar unabhängig von der Höhe des Arbeitsentgeltes. Daneben kann als freiwillig Versicherter jeder der gesetzlichen Rentenversicherung beitreten, wer das 16. Lebensjahr vollendet hat und in der Bundesrepublik Deutschland wohnt. Dabei kommt es nicht auf die Staatsangehörigkeit an.

Von der Versicherungspflicht befreit sind i.d.R. Selbständige, Beamte und Personen die bereits Rentner sind. Selbständige Handwerker sind zunächst versicherungspflichtig, können sich jedoch nach 18 Jahren von der Pflicht befreien lassen.

Leistungen der Rentenversicherung

Die gesetzliche Rentenversicherung schützt den Versicherten und seine Familie, wenn die Erwerbsfähigkeit gefährdet oder gemindert ist und wenn sie durch Alter oder Tod endet. Der Beginn der Altersrente ist einheitlich auf 65 Jahre festgelegt. Gegenwärtig gibt es jedoch noch eine Reihe von Ausnahmen. Die Rente wird im Todesfall auf einem niedrigeren Niveau an die Hinterbliebenen von Versicherten gezahlt (Ehepartner ca. 60 %, Kinder 10 - 20 %). Sie gewährt bei Erwerbsunfähigkeit des Versicherten auch Leistungen zur Rehabilitation (z.B. Kuren, Fortbildung, Umschulung, Lernmittel, Arbeitskleidung etc.).

Die Regelaltersrente erhält, wer das 65. Lebensjahr vollendet und für mindestens 60 Kalendermonate Beitrag gezahlt hat. Für bestimmte Mitglieder, insbesondere Frauen, ist der Rentenbezug auch schon nach dem 60. Lebensjahr möglich; allerdings erfolgt bei diesem vorzeitigen Rentenbezug eine gewisse Minderung der Rente.

Wie berechnet sich die Rente?

Für die Berechnung und Festsetzung der Rente spielt zunächst einmal eine Rolle, wie viele Jahre und in welcher Höhe ein Versicherter im Laufe seines Lebens Beiträge gezahlt hat. Dabei werden u.U. bestimmte Zeiten, in denen der Versicherte ohne Arbeitslohn war (schulische Ausbildung, Krankheit, Arbeitslosigkeit, Kindererziehung, häusliche Pflege von Pflegebedürftigen) zusätzlich berücksichtigt. Hierfür werden dem einzelnen Versicherten bestimmte Punktzahlen (Entgeltpunkte) gutgeschrieben.

Diese Rentenhöhe ist jedoch damit nicht fixiert, sondern sie soll für den Rentner mit der allgemeinen Lohn- und Gehaltsentwicklung in der Bundesrepublik Schritt halten und in einem angemessenen Verhältnis zum allgemeinen Einkommensniveau stehen. Nach diesem „Prinzip der dynamischen Rente" werden also die Renten normalerweise jährlich zum 1. Juli mit einem Faktor angepasst, der sich aus den jährlichen Beitragszahlungen eines Durchschnittsverdieners ergibt.

Finanzierung der Rentenversicherung

Die Leistungen und die Finanzierung der Rentenversicherung legen den „Generationenvertrag" und ein „Umlageverfahren" zugrunde, nach dem die heute arbeitende Bevölkerung durch ihre Beiträge die Renten der nicht mehr arbeitenden Bevölkerung finanziert. Die Höhe der Beiträge muss also regelmäßig dem finanziellen Bedarf der Rentenversicherung angepasst werden. Gegenwärtig liegen die Beiträge bei ca. 20 % des jeweiligen Bruttoarbeitslohnes. Dabei gibt es allerdings eine – ebenfalls ständig angepasste – Höchstgrenze des Lohnes, von der ab der Beitrag nicht mehr steigt.

Rentenreform

Das für die Rentenversicherung gewählte Verfahren, bei dem ja nicht die Beiträge der Versicherten angespart werden, bis sie als Rente zur Auszahlung kommen, sondern man aus den laufenden Zahlungen die laufenden Leistungen finanzieren muss, bringt für die Rentenversicherung in der Gegenwart große Schwierigkeiten mit sich.

Die Menschen haben eine steigende Lebenserwartung, so dass die Zahl der Leistungsempfänger enorm steigt; gleichzeitig gibt es in der Bundesrepublik sinkende Geburtenraten, die zu weniger Beschäftigten, d.h. weniger Beitragszahlern, führen. Hinzu kommen niedrigere Lebensarbeitszeiten (längere Ausbildung, kürzere Arbeitszeiten) und eine schon lang andauernde Massenarbeitslosigkeit.

Die Rente muss weiterhin für den einzelnen Bürger finanzierbar sein. Eine Steigerung der Rentenbeiträge erhöht die Lohnzusatzkosten, bringt damit die Gefahr mit sich, dass die Konkurrenzfähigkeit der deutschen Unternehmen leidet und als Konsequenz u.U. die Arbeitslosigkeit noch weiter ansteigt. Damit würde die Zahl der Beitragszahler geringer und die Notwendigkeit von Beitragserhöhungen bei den Beschäftigten würde steigen. Eine Spirale ohne Ende!

Daher stellt man Überlegungen zur Lösungen des Problems an. Auch der deutsche Bundestag ist schon mehrfach tätig geworden, um Systemkorrekturen zu verabschieden. Wesentlicher Bestandteil ist die Förderung der privaten Altersvorsorge, der in Zukunft neben der gesetzlichen Rentenversicherung entscheidende Bedeutung zukommt. Staatliche Zulagen und steuerliche Förderung der privaten Vorsorge sollen dies sicherstellen. Hinzu kommt die in der Bundesrepublik weit verbreitete Zusatzsicherung durch Betriebsrenten.

Die Zukunft der „drei Standbeine der Altervorsorge" würde also so aussehen, dass die gesetzliche Rente geringere Steigerungsraten hat und die beiden anderen Standbeine verstärkt werden. Damit die Altersversorgung auf gleichem Niveau erhalten bleibt, muss insbesondere die private Vorsorge ergänzt werden. Als Anreiz hierzu gibt es eine Förderung für alle Personen, die Pflichtmitglied in der gesetzlichen Rentenversicherung sind. Sie erhalten eine staatliche Zulage zur privaten Vorsorge, wenn sie ab dem Jahr 2002 = 1 %, ab 2004 = 2%, ab 2006 = 3% und ab 2008 = 4% ihres Einkommens für die zusätzliche Eigenvorsorge aufwenden.

Bitte beachten Sie die Artikel zu den folgenden Stichwörtern:
Arbeitslosigkeit (26 - 27)
Einkommen (88 - 89)
Sozialhilfe (294 - 295)
Sozialversicherung (296 - 297)

Rücklagen

In einer Bilanz wird von einer Unternehmung angegeben, welche Vermögenswerte sie besitzt (Aktiva) und welchen Personen dieses Vermögen eigentlich gehört (Passiva). Die Passiva zeigen also, wer der Unternehmung Geld gegeben hat, um die Vermögenswerte zu beschaffen. Bei diesen Geldgebern unterscheidet man Fremde, die der Unternehmung Geld nur geliehen haben (Fremdkapital), und solche, die ihr privates Geld in dieser Firma dauerhaft angelegt haben und dadurch Eigentümer geworden sind (Eigenkapital).
Rücklagen gehören zum Eigenkapital.

> **Rücklagen sind das auf der Passivseite der Bilanz – neben dem „gezeichneten Kapital" – ausgewiesene Eigenkapital.**

Den Rücklagen steht kein eigener, gesonderter Gegenposten auf der Aktivseite der Bilanz gegenüber. Sie sind – wie das ganze Kapital – der Gegenwert für die Gesamtheit der verschiedenen Vermögenswerte auf der Aktivseite. Die einzelnen Posten auf der Passivseite geben nur an, aus welchen Quellen diese Vermögenswerte insgesamt geschaffen wurden.

Rücklagen entstehen in erster Linie durch die Zurückbehaltung des Jahresüberschusses in der Unternehmung (Gewinnrücklage). Dieser Prozess wird auch als „Thesaurierung" bezeichnet.
Rücklagen können aber auch bei der Einzahlung von zusätzlichem Eigenkapital anfallen (Kapitalrücklage).

Diese beiden Arten von Rücklagen, die als „offene Rücklagen" in der Bilanz erscheinen, werden häufig durch „stille Rücklagen" ergänzt, die nicht unmittelbar aus der Bilanz ersichtlich sind. Die als Rücklagen zurückbehaltenen Beträge können als Finanzierungsmittel für zusätzliche Investitionen und alle anderen betrieblichen Zwecke Verwendung finden. Sie können auch zur Rückzahlung von Fremdkapital und damit der Verbesserung des Verhältnisses von Eigenkapital zu Fremdkapital dienen.

Offene Rücklagen

Bei offenen Rücklagen unterscheiden wir Gewinn- und Kapitalrücklagen.

Die **Gewinnrücklage** ergibt sich aus dem Jahresüberschuss einer Unternehmung, über dessen Verteilung durch das Steuerrecht und in der Hauptversammlung entschieden wird. Ein Teil des Überschusses fließt als Steuern an das Finanzamt, ein zweiter Teil geht an die Aktionäre und ein dritter Teil bleibt in der Unternehmung. Dieser dritte Teil sind die Rücklagen. Sie sind also versteuerter Gewinn, der in Kapitalgesellschaften als gesonderte Position neben dem „gezeichneten Kapital" angeführt wird, während er in anderen Unternehmungen einfach dem bisherigen Eigenkapital zugeschlagen wird.

Die **Kapitalrücklage** entsteht, wenn eine Kapitalgesellschaft ihr Kapital erhöht.

Beispiel: Die ABC-Aktiengesellschaft hat bei der Gründung 1 Mio. Aktien zu je 10 Euro (Nennwert) ausgegeben. Ihr gezeichnetes Kapital beträgt also 10 Mio. Euro. Durch gute Geschäfte in den letzten Jahren und hohe Gewinnrücklagen liegt der Aktienkurs gegenwärtig bei 20 Euro. Wenn nun zusätzlich 1 Mio. Aktien zu je 10 Euro Nennwert ausgegeben werden, um das Geschäft auszubauen, unterscheiden sich diese Aktien in keiner Weise von den ursprünglichen Aktien, die inzwischen 20 Euro (Kurswert) kosten. Also wird man auch die neuen Aktien für 20 Euro auf die Börse bringen, wodurch auf der Aktivseite der Bilanz 20 Mio. Euro in die Kasse eingehen, auf der Passivseite aber nur 10 Mio. Euro gezeichnetes Kapital erscheinen (1 Mio. Aktien im Nennwert von 10 Euro). Dies wird korrigiert, indem nun in der Bilanz zusätzlich 10 Mio. Euro Kapitalrücklage aufgenommen werden.

Im Folgenden soll ein Überblick über die offenen Rücklagen gegeben werden:

Rücklagen für eigene Anteile treten dann in Erscheinung, wenn eine Firma eigene Aktien kauft, um z.B. diese als Belohnung an die Mitarbeiter zu verteilen. Sie hat dann für eine gewisse Zeit auf der Aktivseite der Bilanz ihre eigenen Aktien als Vermögenswert. Da diese zum Kurswert gekauft werden müssen (z.B. 20 Euro), die gleichen Aktien aber im „gezeichneten Kapital" zum Nennwert registriert sind (z.B. 10 Euro), muss man dies bei den Rücklagen deutlich machen und diese Differenz zwischen dem Nennwert und dem Wert der Aktien auf der Aktivseite nun als „Rücklagen für eigene Anteile" auf der Passivseite kennzeichnen.

Den Aktiengesellschaften ist durch Gesetz vorgeschrieben, jeweils 5 % des Jahresüberschusses als Gewinnrücklagen in der Firma zu halten, bis 10 % des Wertes des gezeichneten Kapitals erreicht sind (= gesetzliche RL). Die Vorschrift soll zur Erhöhung des Eigenkapitals dienen. Diese gesetzliche Vorschrift kann durch Regelungen im Gesellschaftsvertrag / Satzung noch verschärft werden (= satzungsmäßige Rücklagen). Darüber hinaus kann jede Hauptversammlung zusätzliche Rücklagen, z.B. für größere Investitionsvorhaben, beschließen (= andere Rücklagen)

Stille Rücklagen

Stille Rücklagen sind in der Bilanz nicht zu erkennen. Sie kommen z.B. dadurch zustande, dass Vermögenswerte in der Bilanz niedriger ausgewiesen sind, als ihr wahrer Wert ist (z.B. Grundstücke, deren Wert sich seit der Firmengründung um ein Vielfaches erhöht haben kann). Damit erscheint auch das Eigenkapital niedriger, als es wirklich ist.

In der Bilanz dürfen Rücklagen nicht mit Rückstellungen verwechselt werden, bei denen es sich um Fremdkapital handelt, das allerdings in der Unternehmung entstanden, jedoch (noch) nicht versteuert ist.

283

Rückstellungen

Eine große Bedeutung hat im Geschäftsleben und im Rechnungswesen die Zeiteinteilung. Nicht nur, dass der Kaufmann selbst die Zäsur eines Monatsendes oder Jahresendes als Termin wählt, um den Erfolg der Vorperiode einmal festzustellen; auch gesetzlich bestehen ja, wie wir wissen, vielfältige Verpflichtungen, zu bestimmten Terminen Steuererklärungen abzugeben, Voranmeldungen zu machen und den Jahresabschluss mit einer Vielzahl von Auflagen zu erstellen.

Das Alltagsgeschäft nimmt jedoch keine Rücksicht auf solche Termine, so dass Waren eingehen, die erst in der nächsten Periode bezahlt werden, Rohstoffe verbraucht werden, die aus der Vorperiode stammen, schwebende Verfahren vorliegen, die den erzielten Erfolg eines Jahres ungewiss erscheinen lassen usw. Die Buchhaltung einer Unternehmung ist mit Forderungen und Verbindlichkeiten, aktiven und passiven Rechnungsabgrenzungen und mit Rückstellungen auf solche Periodenabgrenzungen eingestellt.

Rückstellungen sind ungewisse Verbindlichkeiten einer Unternehmung, bei denen weder die genaue Höhe noch der Zeitpunkt der Zahlungsverpflichtung feststehen und es auch offen ist, ob die Verpflichtung überhaupt erfüllt werden muss.

Typische Fälle für Rückstellungen sind z.B. evtl. notwendige Garantieleistungen oder schwebende Prozesse, die Belastungen für die Unternehmung bringen können. Man kann die voraussichtlichen Aufwendungen hierfür nur mit einem Schätzwert ansetzen und als Aufwand verbuchen, ohne dass aber bereits eine Ausgabe entstanden ist. In der Bilanz erscheint dann diese Position – wie alle Schuldpositionen – auf der Passivseite. Muss die Zahlung in einem späteren Jahr erfolgen, dann vermindert sich das Guthaben auf der Aktivseite (Bargeld, Bankguthaben o.a.) und die Position Rückstellungen auf der Passivseite verschwindet. Entfällt die Zahlungsverpflichtung, weil der angenommene Schadensfall nicht eintritt (Gerichtsprozess wird gewonnen bzw. Garantieleistung braucht nicht erbracht zu werden, so wird die zurückgestellte Summe als „Ertrag" verbucht, nachträglich versteuert, und verschwindet so wieder aus der Bilanz. Man hat dann den Vorteil einer zeitweiligen Liquiditätsverbesserung und einer Zinsersparnis wegen späterer Steuerzahlung.

Eine besondere Bedeutung wegen ihrer langen Dauer und der Höhe der Beträge haben Rückstellungen für Pensionsleistungen (betriebliche Zusatzrenten). Hier kann die Unternehmung aufgrund eines entsprechenden Vertrages für jeden Mitarbeiter schon bei seinem Eintritt anfangen, Rückstellungen für den Zeitpunkt der Pensionierung zu bilden, die als Aufwand den Jahresüberschuss der Firma verringern, d.h. zu Steuereinsparungen führen. Das Geld bleibt jedoch der Firma für beliebige Zwecke über Jahrzehnte erhalten, bis die Pensionierung erfolgt. Da zu diesem Zeitpunkt aber die Pensionen aus den laufenden neuen Rückstellungen für Pensionsleistungen der neu eingestellten Mitarbeiter gezahlt werden können, hat eine Firma mit hohen Pensionsrückstellungen eine dauerhafte Liquiditätsreserve. In den Jahresabschlüssen der großen deutschen Aktiengesellschaften kann man sehen, dass die Rückstellungen meist höher sind als das ausgewiesene Eigenkapital.

Die nachfolgende Zusammenstellung zeigt an einem konstruierten Beispiel, welche Vor- und Nachteile die Bildung von Rückstellungen hat, indem für eine Firma die Konsequenzen im Jahresabschluss dargestellt werden, wenn dieser ohne Bildung von Rückstellungen oder mit Bildung von Rückstellungen gemacht wird.

Beispiel: Wir gehen davon aus, dass ein Jahresüberschuss vor Steuern in Höhe von 800.000 Euro vorliegt. Wir machen hiervor eine Rückstellung (RS) in Höhe von 400.000 Euro, dann verbleiben nur noch 400.000 Euro als zu versteuernder Jahresüberschuss. Unterstellt man eine Körperschaftsteuer von 25 %, so zahlt die Firma ohne RS 200.000 Euro Steuern, mit RS aber nur 100.000 Euro. Es verbleiben also entweder 600.000 Euro oder 300.000 Euro, die an die Aktionäre ausgeschüttet werden können oder in der Firma als Rücklagen verbleiben. Geht man von einer Aufteilung aus, bei der je die Hälfte ausgeschüttet und nicht ausgeschüttet wird, dann bleiben der Firma ohne RS 300.000 Euro, mit RS 150.000 Euro als Rücklage. Die Aktionäre erhalten unter Berücksichtigung der von ihnen zu zahlenden Einkommensteuer nach dem Halbeinkünfteverfahren in dem einen Fall 230.000 Euro, im anderen Fall nur 125.000 Euro ausgezahlt (das Beispiel kann hier nur Schätzwerte angeben; tatsächlich sind die Werte von den faktischen Steuersätzen und der Steuerprogression abhängig).

Der deutlich werdende Nachteil für die Aktionäre wird noch verstärkt dadurch, dass der Zuwachs an Eigenkapital der Aktionäre aufgrund der Rücklagen ohne RS bei 230.000 Euro ausmacht, während er mit RS nur bei 150.000 Euro liegt. Aus der Sicht des Vorstandes (und häufig auch des Aufsichtsrates) der AG werden diese Nachteile aber mehr als ausgeglichen durch die Tatsache, dass der Liquiditätszuwachs der Gesellschaft bei dem Abschluss ohne RS nur 300.000 Euro ausmacht, während der Jahresabschluss mit RS zur einem Liquiditätszuwachs von 550.000 Euro führt und die Aktionsmöglichkeiten der Aktiengesellschaft drastisch erhöht. Hier zeigt sich die Ursache für das Bemühen um hohe Rückstellungen im Rahmen der Bilanzpolitik.

Zahlenbeispiel zur Wirkung von (Pensions-) Rückstellungen
(in einer Kapitalgesellschaft)

Jahresabschluss ohne Rückstellung		Jahresabschluss mit Rückstellung	
		Vorläufiger Jahresüberschuss	800.000
		./. Rückstellung	400.000
Jahresüberschuss vor Steuern	800.000		400.000
./. Steuer 25 %	200.000		100.000
Jahresüberschuss nach Steuern	600.000		300.000
Verteilung 50:50			

	Rücklage	Dividende		Rücklage	Dividende
	300.000	300.000		150.000	150.000
./. Einkommensteuer		70.000			25.000
Nettoeinkommen des Aktionärs		230.000			125.000
Eigenkapitalzuwachs		300.000			150.000
Liquiditätszuwachs		300.000			550.000

Krafft 2004 (Rechenbeispiel ohne Wiedergabe aktueller rechtlicher Grundlagen)

Bitte beachten Sie die Artikel zu den folgenden Stichwörtern:
Aktiengesellschaft (12 - 13)
Bilanz (60 - 61)
Einkommensteuer (90 - 91)
Finanzbuchhaltung (120 - 121)
Jahresabschluss (172 - 173)
Körperschaftsteuer (182 - 183)
Liquidität (196 - 197)
Steuern (304 - 305)
Unternehmung (334 - 335)

Schlüsselqualifikationen

Der Begriff „Schlüsselqualifikationen" ist zur Zeit in aller Munde. Insbesondere die Wirtschaft fordert diese Art der Qualifikation von ihren Mitarbeitern.

Selbständig, flexibel, entscheidungsfähig, verantwortungsbewusst, kooperativ, kreativ, lernbereit, teamorientiert, so oder so ähnlich wird das Anforderungsprofil an das Personal von Bayer bis Roland Berger beschrieben.

Schule und Ausbildung sollen diese Fähigkeiten den Mitarbeitern von morgen vermitteln, doch eigentlich weiß keiner so genau, was sich hinter diesem Begriff verbirgt. Es gibt keine einheitliche Definition von Schlüsselqualifikationen, und das macht es allen Beteiligten besonders schwer.

In die Diskussion gebracht wurde der Begriff in den Jahren 1973 und 1974 von Dieter Mertens, der durch seine praktische Erfahrung in der Arbeitsverwaltung zu dem Schluss kam, dass es aufgrund der Unwissenheit hinsichtlich der künftigen Entwicklung auf dem Arbeitsmarkt nicht möglich war vorherzusagen, welche Jobs, welche Qualifikationen in Zukunft gebraucht werden.

Was sind Schlüsselqualifikationen, genauer betrachtet?
Unter Schlüsselqualifikationen werden allgemein solche Fähigkeiten, Kenntnisse und Fertigkeiten verstanden, die sich nicht auf eine einzelne Arbeitsfunktion beziehen. Sie sind bei technischem Wandel als dauerhaft verwendbarer Grundstock für die berufliche Existenz anzusehen, weil sie die Voraussetzung für Anpassungsfähigkeit an die sich rasch verändernden Anforderungen der neuen Technologien und modernen Unternehmensorganisation sind. Sie bilden das Rüstzeug für neues, integriertes Lernen von Handlung und Erfahrung, von Sachkompetenz, Gestaltungskompetenz und Sozialkompetenz.

Standen bei Mertens' Konzept vermittelbare geistige Fähigkeiten im Vordergrund, die besonders in das allgemeinbildende Schulsystem Eingang finden sollten, so geht es heute vor allem um die Vermittlung von „sozialen" und „personalen" Qualifikationen in der beruflichen Bildung. Mit Hilfe dieser Qualifikationen hofft man, die künftigen Entwicklungen in der Berufs- und Arbeitswelt meistern zu können.

Die aktuelle Diskussion um die Schlüsselqualifikationen nimmt also auf das Konzept von Mertens kaum noch inhaltlichen Bezug. Überlebt hat nur der Begriff.

In der Literatur gibt es zahlreiche Gliederungen, Gruppierungen und Systematisierungen zum Begriff Schlüssel-qualifikationen. Im Schaubild wird ein aktuelles Konzept aufgezeigt, das das heutige Verständnis von Schlüsselquali-fikationen verdeutlicht:

Materiale Schlüsselqualifikationen (Fachkompetenz)	Formale Schlüsselqualifikationen (Methodenkompetenz)	Personale Schlüsselqualifikationen (Sozialkompetenz)	
Berufsübergreifende Kenntnisse und Fertigkeiten wie Kultur-techniken und Fremdsprachen

Kenntnisse und Fertigkeiten neuer Techniken, wie Daten-verarbeitung, Textverarbeitung, Internet

Kenntnisse von Verfahrens- und Arbeitsabläufen | logisches und analytisches Denken und Handeln

Organisationsfähigkeit

Konzentrationsfähigkeit

Denken in komplexen Zusammenhängen

Urteilsfähigkeit

Kreativität

Problemlösungsfähigkeit

Kommunikative Fähigkeiten wie Ausdrucksvermögen, Argumentationsfähigkeit

Entscheidungsfähigkeit

Gestaltungsfähigkeit | Individualverhalten:
Sachlichkeit
Zuverlässigkeit
Fleiß
Zielstrebigkeit
Leistungsbereitschaft
Eigeninitiative
Ausdauer
Motivation | Sozialverhalten:
Teamfähigkeit
Kooperations-bereitschaft
Einfühlungsvermögen
Hilfsbereitschaft
Fairness
Toleranz |

Da fast alle Unternehmen bei der Einstellung neuer Kräfte auf Schlüsselqualifikationen achten, stellt sich die Frage, wie man bei einem Kandidaten feststellen kann, ob er über die gewünschten Qualifikationen verfügt.
Ein allgemein anerkanntes Messverfahren für Schlüsselqualifikationen gibt es nicht.

Das Konzept der Schlüsselqualifikationen wird vor allem im Bereich der beruflichen Bildung von vielen mit Nachdruck vertreten. Sie erwecken den Eindruck, als ob diese Qualifikationen „wie ein Schlüssel" die Tür zur beruf-lichen Zukunft öffnen. Dies ist jedoch eine sehr einseitige Sicht. Beruflicher Erfolg kann nicht allein aus dem Besitz von Schlüsselqualifikationen resultieren. Erfolgreiches berufliches Handeln ist nur dann möglich, wenn sich Schlüsselqualifikationen mit Fachwissen verbinden.

Bitte beachten Sie die Artikel zu den folgenden Stichwörtern:
Berufliche Bildung (54 - 55)
Motivation (230 - 231)
Unternehmensorganisation (328 - 329)

Shareholder-Value-Konzept

Das von dem Amerikaner Alfred Rappaport Ende der 70er Jahre entwickelte Konzept einer Bewertung des Unternehmens aus der Sicht der Anteilseigner („Shareholder-Value-Konzept") stellt die Steigerung des Unternehmenswertes in den Vordergrund des unternehmerischen Interesses. Diese Steigerung des Unternehmenswertes resultiert letztlich aus verschiedenen Faktoren einer erfolgreichen Unternehmensstrategie wie Streben nach einem hohen Umsatz, permanente Sicherung der Zahlungsbereitschaft, die Erhaltung des Kapitals, der Vorrang des Unternehmenswachstums, Verstärkung der Marktmacht und vor allem Gewinnstreben.

Der Shareholder-Value-Ansatz ist eine weltweit anerkannte Strategie der Unternehmensführung, der die Wertsteigerung zur vordringlichsten Aufgabe des Managements erklärt.

Warum hat das Shareholder-Value-Konzept so stark an Bedeutung gewonnen?

- Im Zuge der Schaffung des europäischen Binnenmarktes erfolgte eine Liberalisierung des Kapitalmarktes, der nun den Kapitaleignern größere Anlagechancen eröffnet und den Wettbewerb um Kapital verschärft.
- Im Zuge der Globalisierung besteht eine steigende Notwendigkeit, Unternehmen, die ihre Strategie auf weltwirtschaftliches Wachstum und auf Diversifikation (Ausdehnung in verschiedenartige Produktionsbereiche) ausrichten, zu bewerten.

Das Shareholder-Value-Konzept kann als Instrument der strategischen Planung angesehen werden. Ziel ist, den Wert des Aktionärsvermögens zu steigern. Manager sollen den Marktwert des Eigenkapitals steigern, d.h., dass Investitionen mindestens die Kapitalkosten zu decken haben und Unternehmensmittel in die besten Verwendungsmöglichkeiten gelenkt werden müssen. Im Kern geht es bei diesem Konzept also darum, dauerhaft eine angemessene Rendite für die Anteilseigner zu erwirtschaften. Diese Rendite setzt sich aus zwei Komponenten zusammen:

- zum einen aus den regelmäßigen Dividendenzahlungen und
- zum anderen aus den sehr wechselhaften Veränderungen des Kurswertes der Aktie.

Der Kapitalgeber wird einem Unternehmen nur dann sein Geld zur Verfügung stellen, wenn er dadurch eine mindestens ebenso hohe Rendite erhält, als wenn er sein Kapital einem anderen Unternehmen mit vergleichbarem Risiko überlässt, oder es anderweitig anlegt.

Es gehört zu den zentralen Erkenntnissen des Shareholder-Value-Konzepts, dass Strategien und Projekte, die den Gewinn erhöhen oder das Unternehmen wachsen lassen, nicht ohne weiteres auch den Unternehmenswert erhöhen. Wird z.B. das Wachstum durch niedrige Preise mit niedrigen Gewinnen erkämpft, steigt zwar der Umsatz, aber die Aktionäre haben wenig davon.

Die Verwendung des Shareholder-Value-Konzeptes stellt dagegen sicher (bzw. sollte es zumindest tun), dass die Führungskräfte eines Unternehmens nur Strategien oder Investitionsprojekte durchführen, die eine Zunahme des Unternehmenswertes erwarten lassen. Dies schützt die Aktionäre vor einem Management, das aufgrund anderer Motive, wie z. B. dem Streben nach Macht, nach Größe oder nach Sicherheit, im eigenen Interesse handelt und damit die Aktionäre schädigt, wenn dadurch der Unternehmenswert verringert wird.

Kritik am Shareholder-Value-Konzept

Das Shareholder-Value-Konzept ist nicht ganz unumstritten, und in Deutschland wird es nur zögerlich von den Unternehmensleitungen akzeptiert. An dem Konzept wird Kritik geübt, weil es – nach Meinung der Gegner – die traditionellen Ziele eines Unternehmens in den Hintergrund stelle. Bei einer genaueren Betrachtungsweise stellt sich jedoch heraus, dass die Erfüllung der üblichen Ziele eine notwendige Bedingung für die Erhöhung des Aktionärsvermögen ist. Beispielsweise wird ein Unternehmen, das keine Maßnahmen zur Sicherung seines Marktanteils ergreift, von seinen Konkurrenten überholt werden. Es wird aus dem Markt ausscheiden und kann folglich auch keine positive Wertschöpfung für die Aktionäre erbringen.

Von anderer Seite wird oft kritisiert, dass das Konzept nur einseitig auf die Interessen der Aktionäre ausgerichtet sei. Die Ansprüche anderer sozialer Gruppen, wie die der Mitarbeiter, Kunden oder Lieferanten, würden vernachlässigt. Dem kann entgegengehalten werden, dass die Ansprüche der Aktionäre immer Ansprüche sind, die erst dann befriedigt werden, wenn die vertraglich vereinbarten Ansprüche der Mitarbeiter, Lieferanten usw. befriedigt sind. Das heißt, es werden zuerst die Rechte Dritter befriedigt, bevor die Aktionäre ihren Anspruch auf Gewinnbeteiligung geltend machen können. Folglich wird ein Unternehmen, das sich zum Ziel setzt, das Einkommen der Aktionäre zu maximieren, immer in der Lage sein, auch bestmöglich die Interessen Dritter zu wahren.

Die Anwendung des Shareholder-Value-Konzepts ist im Endeffekt also weitaus weniger kritischer zu sehen, und seine Eignung als oberstes Unternehmensziel ist sehr viel akzeptabler, als zuweilen angenommen wird.

So haben auch einige deutsche Unternehmen in ihren jüngsten Geschäftsberichten und Presseerklärungen den Shareholder Value zum vorrangigen Unternehmensziel erklärt: „Kaum ein Vorstandsvorsitzender, der in Hauptversammlungen, bei Pressekonferenzen oder Analystengesprächen auf der Höhe der Zeit erscheinen will, kann auf das Wort ‚Shareholder Value‘ verzichten." Demnach kann man hier nahezu von einer Modewelle sprechen.

Bitte beachten Sie die Artikel zu den folgenden Stichwörtern:
Einkommen (88 - 89)
Gewinn (138 - 139)
Gewinnmaximierung (140 - 141)
Globalisierung (142 - 143)
Investitionen (166 - 167)
Management (204 - 205)
Markt (210 - 211)
Wachstum (354 - 355)

Soziale Marktwirtschaft

In der Regel bezeichnet soziale Marktwirtschaft ein Wirtschaftssystem, in dem Ergebnisse marktwirtschaftlicher Prozesse durch Staatseingriffe korrigiert werden.

Hinter dieser Aussage steckt die Annahme, dass die Marktergebnisse zwar leistungsgerecht sind, dass sie aber nicht sozial gerecht sind. Die soziale Gerechtigkeit verlangt jedoch, allen Gesellschaftsmitgliedern (egal ob sie leistungsfähig oder nicht leistungsfähig sind) eine sichere Existenzgrundlage zu bieten. Deshalb sind die Kennzeichen der sozialen Marktwirtschaft u.a. die Umverteilung von Einkommen und Vermögen durch eine staatliche Politik.

Die vier Grundprinzipien, aus denen sich die Marktwirtschaft entwickelt hat:

Die Wurzeln der marktwirtschaftlichen Ordnung liegen fast 300 Jahre zurück. Man kann hier die Quellen für die vier Grundprinzipien finden, aus denen sich letztlich das System der Marktwirtschaft entwickelte:

1. Das Prinzip des Individualismus und Skeptizismus, das auf J. Locke, D. Hume und I. Kant zurückgeht und die Autonomie des Menschen gegenüber Autoritäten und der Natur herausstellt. Es ist die gemeinsame Grundlage von Demokratie und liberaler Wirtschaftsordnung.
2. Das Harmonieprinzip, die „**harmonia praestabilata**", von der G.W. Leibniz sagt, dass sie als natürliche, gottgewollte Ordnung im menschlichen Leben existiert. Es ist von A. Smith als Grundlage des Marktes übernommen worden.
3. Das Prinzip des Utilitarismus eines J. Bentham, der in dem Streben des Einzelnen nach Erfolg und Glück (Leistungsprinzip) die Grundlage für den größten Erfolg einer Gemeinschaft sah.
4. Das Selektionsprinzip, das in den biologischen Analysen eines C. Darwin zwar erst später publiziert wurde, jedoch als Auslese im Wettbewerb durchaus auch vorher bekannt war.

Aus diesen Quellen entwickelten die klassischen Nationalökonomen, mit Adam Smith (1723 - 1790) und seinem wichtigsten Werk „An inquiry into the nature and causes of the wealth of nations" (1776), die Grundkonzeption der Marktwirtschaft. Als die beiden wichtigsten Merkmale dieser kapitalistischen Wirtschaftsordnung kann man das individuelle, private Eigentum (auch an Produktionsmitteln) und den Leistungswettbewerb ansehen. Angebot und Nachfrage bestimmen den Preis, die Art und die Menge der produzierten Güter. Das setzt allerdings voraus, dass eine Vielzahl von Produzenten vorhanden ist, die sich im Konkurrenzkampf gegenüberstehen.

Mit der sozialen Marktwirtschaft wird versucht, den negativen Begleiterscheinungen eines solchen Wirtschaftssystems entgegenzuwirken und Ungerechtigkeiten der Marktwirtschaft zu vermeiden. Die meisten Merkmale der freien Marktwirtschaft werden zwar übernommen; doch erfolgt eine – nicht allgemeingültig festgelegte – Veränderung, Ergänzung, Abwandlung mit drei Zielsetzungen.

Welche Ziele verfolgt die Soziale Marktwirtschaft?

1. Wettbewerbspolitische Ziele:
Da der Wettbewerb die Tendenz hat, „sich selbst zu vernichten" (wenn ständig Wettbewerber im Leistungskampf ausscheiden und keine neuen nachkommen), muss der Staat für eine Aufrechterhaltung des Wettbewerbs und eine Sicherung der Stellung der – systembedingt schwächeren – Verbraucher sorgen.

2. Stabilitätspolitische Ziele:
Da das Wirtschaftssystem bei der marktwirtschaftlichen Selbststeuerung längere Phasen von höherer Arbeitslosigkeit mit sich bringen kann, muss der Staat vorsorglich eingreifen, um den Wirtschaftsablauf zu verstetigen.

3. Sozialpolitische Ziele:
Da das Wirtschaftssystem leistungsbetont ist und sein muss, wenn es funktionieren soll, kann es zu nicht hinnehmbaren Härten für Leistungsschwache kommen, die durch den Staat korrigiert werden müssen. Dazu trägt insbesondere das System der stufenweise ansteigenden Besteuerung bei, bei dem die besonders Leistungsfähigen die Hauptlast tragen, während die wenig oder nicht Leistungsfähigen nicht zu den staatlichen Leistungen beitragen müssen, sondern Transferzahlungen erhalten.

Der Begriff „soziale Marktwirtschaft" wurde wohl erstmals 1946 gebraucht. Vertreten wurde er in einer zunächst kontroversen Diskussion von A. Müller-Armack, dem geistigen Vater der Erneuerung des Wirtschaftssystems in der Bundesrepublik Deutschland nach dem 2. Weltkrieg. Ludwig Erhard, Wirtschaftsminister und später auch Bundeskanzler, füllte diesen Begriff mit praktischen und politischen Inhalten. Dabei sollte man aber nicht vergessen, dass schon in der Zeit der Zentralverwaltungswirtschaft in den 1930er Jahren in Deutschland eine Gruppe von Wissenschaftlern der „Freiburger Schule", unter ihnen Franz Böhm und Walter Eucken, die Idee einer Wirtschaftsordnung entwarfen, die zwar freiheitlich angelegt, aber staatlich ausgestaltet und sozial verpflichtend sein sollte.

Die Initiatoren sahen in der sozialen Marktwirtschaft einen dritten Weg zwischen unkontrolliertem Liberalismus und totalitärem Zentralismus.

Die soziale Marktwirtschaft kann als eine Ordnung definiert werden, deren Ziel es ist, auf der Basis der Wettbewerbswirtschaft die freie Initiative mit einem gerade durch die marktwirtschaftliche Leistung gesicherten sozialen Fortschritt zu verbinden. Auf der Grundlage einer marktwirtschaftlichen Ordnung kann ein vielgestaltiges und vollständiges System sozialen Schutzes errichtet werden. (Müller-Armack)

Als die wichtigsten Wesensmerkmale einer sozialen Marktwirtschaft kann man also ansehen:

- **persönliche Freiheit**
- **soziale Sicherheit**
- **wirtschaftliches Wachstum**

Die soziale Marktwirtschaft kann nur als Prozess und nicht als abgeschlossenes Regelungssystem angesehen werden. Sie soll in der sich ständig wandelnden Gesellschaft immer wieder optimale Lösungen im Spannungsfeld von individueller Freiheit und sozialer Bindung finden, d.h. die im Grundgesetz der Bundesrepublik Deutschland verankerten sozioökonomischen Freiheitsrechte und die ebenfalls dort verankerte sozialstaatliche Verpflichtung gleichzeitig sichern.

Bitte beachten Sie die Artikel zu den folgenden Stichwörtern:

Eigentum / Besitz (86 - 87)
Einkommen (88 - 89)
Markt (210 - 211)
Soziales Netz (292 - 293)
Stabilisierungspolitik (300 - 301)
Verbraucherpolitik (340 - 341)
Wettbewerb (366 - 367)

Soziales Netz

Das soziale Netz ist das durch den Sozialstaat geschaffene Instrumentarium der gesetzgeberischen Maßnahmen, insbesondere in den Bereichen Sozialversicherung, Sozialhilfe und Vermögensbildung der Arbeitnehmer.

Das soziale Netz in Deutschland hat viele Knoten. Zu den größten Knoten, aus denen sich das Netz zusammensetzt, gehören die Rentenversicherung und die Krankenversicherung. Hinzu kommen viele kleinere soziale Leistungen, welche für die Betroffenen aber häufig genauso wichtig sind, wie beispielsweise das Wohngeld, Erziehungsgeld, Ausbildungsförderung oder Sozialhilfe.

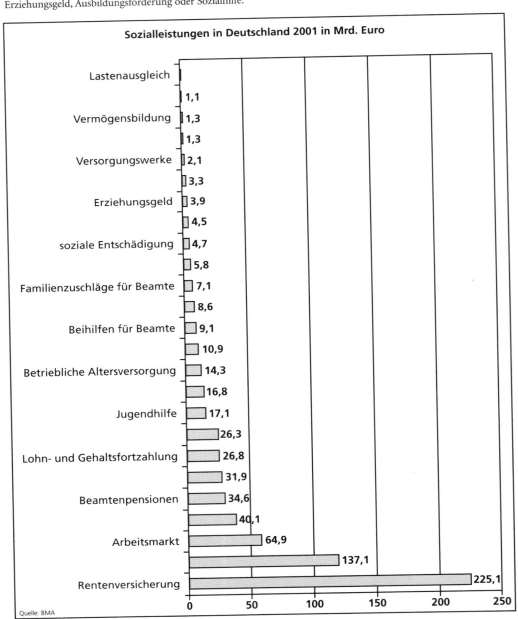

Sozialleistungen in Deutschland 2001 in Mrd. Euro

Lastenausgleich	
	1,1
Vermögensbildung	1,3
	1,3
Versorgungswerke	2,1
	3,3
Erziehungsgeld	3,9
	4,5
soziale Entschädigung	4,7
	5,8
Familienzuschläge für Beamte	7,1
	8,6
Beihilfen für Beamte	9,1
	10,9
Betriebliche Altersversorgung	14,3
	16,8
Jugendhilfe	17,1
	26,3
Lohn- und Gehaltsfortzahlung	26,8
	31,9
Beamtenpensionen	34,6
	40,1
Arbeitsmarkt	64,9
	137,1
Rentenversicherung	225,1

Quelle: BMA

Die Gewährung sozialer Leistungen kann nach folgenden Grundsätzen ausgestaltet sein:

Das Versicherungsprinzip

Das Versicherungsprinzip besagt, dass man in einer Versicherungsgemeinschaft Beiträge zahlt und dadurch den Anspruch erwirbt, beim Eintritt schwieriger Lebensverhältnisse (z. B. Krankheit, Unfall, Alter) Leistungen zu empfangen.

Das Versorgungsprinzip

Bei dem Versorgungsprinzip wird den zu sichernden Personen ebenfalls ein Anspruch auf Leistungen eingeräumt, aber nicht auf Grund finanzieller Gegenleistungen, sondern in der Regel wegen besonderer sonstiger Vorleistungen oder Opfer (z. B. Kriegsopfer). Die Finanzierung erfolgt aus dem öffentlichen Haushalt.

Das Fürsorgeprinzip

Durch das Fürsorgeprinzip hat jeder, unabhängig von irgendwelchen Vorleistungen oder Opfern, insoweit einen Anspruch auf Hilfe, als er aufgrund seiner individuellen Situation als bedürftig gilt.

Der größte finanzielle Posten des sozialen Netzes ist die gesetzliche Rentenversicherung. Sie gewährt im Fall der Berufsunfähigkeit, der Erwerbsunfähigkeit, des Alters und des Todes (an die Hinterbliebenen) laufende Geldleistungen. In den meisten modernen Staaten wurde diese Versicherung während der letzten 70 Jahre für die Angehörigen bestimmter Berufszweige oder Volksschichten geschaffen, soweit nicht die allgemeine Staatsversorgung eintritt.

Die gesetzliche Krankenversicherung ist der älteste Zweig der deutschen Sozialversicherung. Die Krankenversicherung soll es dem Versicherten und seinen Familienangehörigen bei Krankheit ermöglichen, ausreichende Hilfe bei Ärzten, Zahnärzten, Krankenhäusern zu erhalten sowie Arzneien, Heil- und Hilfsmittel in Anspruch zu nehmen.

Das soziale Netz in Deutschland bietet jedoch noch weitaus mehr soziale Leistungen. Wesentlich kleinere Leistungen als die Sozialversicherungen, die dennoch wichtig für viele Menschen sind, sind beispielsweise die Pflegeversicherung, das Erziehungsgeld oder das Wohngeld. Im Jahr 2001 betrugen alle Sozialleistungen zusammengerechnet 699 Milliarden Euro, dies macht ein Drittel der gesamten Wirtschaftsleistung aus.

Bitte beachten Sie die Artikel zu den folgenden Stichwörtern:
Krankenversicherung (190 - 191)
Pflegeversicherung (254 - 255)
Rentenversicherung (280 - 281)
Sozialhilfe (294 - 295)
Sozialversicherung (296 - 297)
Vermögensbildung (346 - 347)

Sozialhilfe

Wer in der Bundesrepublik Deutschland in Not gerät, soll dennoch ein menschenwürdiges Leben führen können. Dazu gibt es die Sozialhilfe. Sie ist kein Almosen für die betroffenen Menschen, sondern eine im Sozialstaat gesetzlich verankerte Unterstützung für Situationen, die ein Bürger nicht allein bewältigen kann. Gleichzeitig soll die Sozialhilfe aber auch dazu beitragen, dass der Empfänger später wieder unabhängig von ihr leben kann.

Sozialhilfe tritt ein, wenn ein Mensch – ob selbst verantwortlich oder nicht – in Not gerät. Sie soll jedem Menschen ein menschenwürdiges Dasein gewährleisten.

Wichtig: Die Sozialhilfe muss grundsätzlich nicht zurückgezahlt werden – auch nicht bei späterem Wohlstand. Dies gilt allerdings nicht, wenn die Sozialhilfe von vornherein nur als Darlehen ausgezahlt wird bzw. die Gewährung der Sozialhilfe schuldhaft oder grob fahrlässig herbeigeführt wurde.

Voraussetzungen für Sozialhilfeleistungen:

Wer in Not ist oder in Not zu geraten droht, hat einen Anspruch auf Sozialhilfe. Voraussetzung ist, man kann diese Notlage nicht aus eigenen Kräften und Mitteln oder durch die Hilfe anderer Menschen überwinden. Dabei spielt es grundsätzlich keine Rolle, ob die Notlage selbst verursacht wurde oder nicht. Wer allerdings eigenes Vermögen hat, muss zunächst dieses einsetzen, wobei es gewisse „Schonbeträge" gibt. Auch gilt für nahe Verwandte, für Ehepartner, Eltern und Kinder eine Unterhaltspflicht gegenüber dem / der Hilfsbedürftigen.

Die Leistungen der Sozialhilfe

Wenn jemand in Not gerät und nun entschieden werden muss, welche Hilfe im Einzelfall erforderlich ist, werden die persönlichen und wirtschaftlichen Verhältnisse berücksichtigt. Dazu zählt beispielsweise auch die familiäre Situation. Sozialhilfe kann als persönliche Hilfe, als Geldleistung oder als Sachleistung erfolgen. Es gibt:
· Hilfe zum Lebensunterhalt
· Hilfe in besonderen Lebenslagen (z.B. bei Behinderung, Krankheit).

Hilfe zum Lebensunterhalt umfasst:	Hilfe in besonderen Lebenslagen umfasst:
· Ernährung · Unterkunft · Kleidung · Körperpflege · Hausrat · Heizung · Persönliche Bedürfnisse des täglichen Lebens	· Hilfe bei Krankheit, vorbeugende und sonstige Hilfe · Eingliederungshilfe für behinderte Menschen · Hilfe zur Pflege zu Hause oder in einem Heim · Hilfe, damit der Haushalt weiter geführt wird · Hilfe, damit besondere soziale Schwierigkeiten überwunden werden können · Zusätzliche Hilfen für ältere Menschen · u.a.m.

Wie hoch die Zahlung für eine hilfebedürftige Familie ist, richtet sich nach der Zahl der Familienmitglieder. Dabei wird das jeweilige Alter berücksichtigt. Eigene Einkünfte von Familienmitgliedern mindern die Hilfszahlungen. Gegenwärtig (Jahr 2002) erhält der Haushaltsvorstand als Regelsatz knapp 300 Euro und der Ehepartner 80 Prozent davon. Die Kinder erhalten je nach Alter zwischen 50 und 90 Prozent des Regelsatzes, der für den Haushaltsvorstand gilt.

Beispiel: Eine Familie mit zwei Kindern von 10 und 15 Jahren erhält – wenn kein eigenes Einkommen gegeben ist – ca. 950 Euro. Zusätzlich gibt es Miet- und Heizkostenzuschüsse und einmalige Zahlungen z.B. für größere Anschaffungen, wie Möbel, Kleidung, Gardinen, Babyausstattung, Umzugskosten oder auch Feiern wie Kommunion, Einschulung u.a.

Welche Auflagen muss der Sozialhilfeempfänger erfüllen?

Wer Sozialhilfe erhält, ist verpflichtet, selbst dazu beizutragen, dass er die gegenwärtige Notlage überwindet. Dazu gehört auch, dass er eine zumutbare Arbeit annimmt, wenn ihm diese angeboten wird. Zumutbar bedeutet, dass er von seiner körperlichen und geistigen Fähigkeit her in der Lage ist, diese Arbeit durchzuführen. Lehnt er die Arbeit ab, so kann die Sozialhilfe gekürzt werden, es sei denn, man muss sich um ein Kind unter drei Jahren oder ein behindertes bzw. krankes Kind kümmern oder einen Angehörigen pflegen.

Damit ein Anreiz besteht, eine Arbeit anzunehmen, kann eine „Hilfe zur Arbeit" in Form eines Zuschusses für den Arbeitgeber oder den Sozialhilfeempfänger gezahlt werden. Er kann z.B. für 6 Monate den Regelsatz der Sozialhilfe neben dem Lohn erhalten und so eine wesentliche Verbesserung seines Lebensstandards erreichen.

Wohngeld

Zu den sozialen Leistungen gehört auch, dass Menschen, die Wohnraum nicht bezahlen können, Wohngeld als staatlichen Zuschuss erhalten. Die Höhe ist abhängig von
- dem Familieneinkommen aller Haushaltsmitglieder,
- der zu zahlenden Miete, wobei aber die Höhe den örtlichen Verhältnissen entsprechen muss,
- der Zahl der Haushaltsmitglieder.

Wohngeld können Mieter und Eigentümer von Wohnungen oder Eigenheimen erhalten, wenn ihre Miete bzw. die Belastung des eigenen Hauses die wirtschaftliche Leistungsfähigkeit des Haushalts überfordert. Dies gilt sowohl für Deutsche als auch für Ausländer, die in Deutschland leben.

Wer bezieht in Deutschland Sozialhilfe?

Die hauptsächlichen Bezieher von Sozialhilfe sind Frauen, Kinder und Ausländer. Insgesamt geht es dabei um ca. 3 Mio. Personen in ca. 1,5 Mio. Haushalten. Der Ausländeranteil liegt etwas über 20 %. Von den Sozialhilfehaushalten sind über 40 % Haushalte von Alleinstehenden und ca. 20 % alleinerziehende Frauen.

Bitte beachten Sie die Artikel zu den folgenden Stichwörtern:
Einkommen (88 - 89)
Soziale Marktwirtschft (290 - 291)
Soziales Netz (292 - 293)

Die Entstehung der Sozialversicherung

Als sich in der zweiten Hälfte des 19. Jahrhunderts in Deutschland die Industrie stark ausbreitete, nahm die Zahl der Menschen zu, die nicht mehr mit ihrer Arbeit in der Landwirtschaft ihren Lebensunterhalt verdienten, sondern sich in den Städten Arbeit in den Industriebetrieben suchten. Die Löhne waren sehr niedrig und die Arbeiter kamen in dieser Zeit des Frühkapitalismus in immer größere materielle Not. Elend und Rechtlosigkeit der Arbeiter wurden zum wichtigen Problem der Gesellschaft. Durch das Überangebot an Arbeitskräften hatten die Unternehmer eine Machtposition, die es ihnen erlaubte, die Löhne zu bestimmen und die Arbeiter zu zwingen, unter den schlechtesten Bedingungen zu arbeiten. Selbst Kinder waren gezwungen zu arbeiten, damit die Familie eine Überlebenschance hatte. Tägliche Arbeitszeiten bis zu 16 oder gar 18 Stunden waren die Regel. Unfallgefahren am Arbeitsplatz und menschenunwürdige Wohnverhältnisse trugen dazu bei, dass die Lebenserwartung von Arbeitern bei ungefähr 40 Jahren lag.

Die unübersehbare Verelendung schuf die „soziale Frage" als dominierendes Problem von Politik und Gesellschaft. Zur Lösung dieser sozialen Frage gab es zwei miteinander konkurrierende Konzepte: den Liberalismus und den Sozialismus.

Der Liberalismus

Der Liberalismus war eng mit dem Aufstieg des Bürgertums verknüpft. Er propagierte Freiheit und Selbstverantwortung des Einzelnen. Der Staat hatte in diesem Fall vor allem die Aufgabe, die Entwicklung der Unternehmungen durch rechtliche Rahmenbedingungen zu gewährleisten und den Wettbewerb der Unternehmen durch die Verhinderung von wettbewerbsschädigenden Kartellen und Monopolen zu sichern. Er sollte zwar auch die öffentliche Armut beseitigen, doch profitierte von dieser Politik zumeist nur der aufstrebende Gewerbetreibende im Mittelstand.

Der Sozialismus

Die Begründung des Sozialismus-Konzepts beruhte vor allem auf den Ideen von Karl Marx (1818-1883) und Friedrich Engels (1820-1895). Es konnte in Deutschland vor dem 1. Weltkrieg jedoch keinen großen Einfluss gewinnen. Hätte man danach gehandelt, hätte die bestehende Gesellschaftsordnung radikal beseitigt werden müssen.

Der Begründer der deutschen Sozialversicherung und des damit verbundenen Systems war einer der bekanntesten Politiker Deutschlands: Otto Fürst von Bismarck. Zur weiteren Entwicklung des liberalen Wirtschaftssystems und der Entschärfung der sozialen Frage entschloss sich das Deutsche Reich zu zwei Maßnahmen:

1. Verbot aller Organisationen der Arbeiterbewegung mit der Ausnahme der Reichsfraktion der SPD (Sozialdemokratische Partei Deutschland).
2. Einführung eines staatlichen garantierten sozialen Sicherungssystems für Arbeiter.

Diese Bismarck'sche Sozialgesetzgebung, angekündigt in der „Kaiserlichen Botschaft" vom 17.11.1881, vollzog sich in 3 Schritten, denen erst im folgenden Jahrhundert dann noch zwei Ergänzungen folgten:
Es wurden
1. am 15. Juni 1883 das „Gesetz betreffend die Krankenversicherung" der Arbeiter
2. am 06. Juli 1884 das „Unfallversicherungsgesetz"
3. am 22. Juli 1889 das „Gesetz betreffend die Invaliditäts- und Alterssicherung"
4. am 1. Oktober 1927 das „Gesetz für Arbeitsvermittlung und Arbeitslosenversicherung und
5. am 26. Mai 1994 das Gesetz über die „soziale Pflegeversicherung"
in Kraft gesetzt.

Damit sollten die entscheidenden Risiken der Arbeitswelt, die zur Arbeitsunfähigkeit von Arbeitern führen können, abgesichert und ihnen auch nach dem Ausscheiden wegen Alters die Existenzsicherung gewährleistet werden. Als Grundlage der Regelungen beschloss man das Versicherungsprinzip; d.h., es müssen Beiträge zur Sozialversicherung gezahlt werden, die dann für die Leistungen aufkommt. Festgelegt wurde, dass Arbeitnehmer und Arbeitgeber jeweils die Hälfte der Beiträge übernehmen. Nur bei der Unfallversicherung tragen die Arbeitgeber die Beiträge allein. Dieses Prinzip ist bis heute – mit geringen Abweichungen – erhalten geblieben.

Die Sozialversicherung ist eine öffentlich-rechtliche Pflichtversicherung, die unter staatlicher Aufsicht steht.

Aufgabe der Sozialversicherung ist die gemeinschaftliche Vorsorge gegen Lebensrisiken (z.B. Krankheit, Unfall, Tod des Ernährers) und Beschäftigungsrisiken (z.B. Arbeitslosigkeit, Arbeitsunfälle)

Die Sozialversicherung umfasst die Zweige:

- Rentenversicherung
- Arbeitslosenversicherung
- Krankenversicherung
- Pflegeversicherung
- Unfallversicherung

Die Rechtsgrundlage für die deutsche Sozialversicherung ist das „Sozialgesetzbuch"

Die Sozialversicherung ist eine Pflichtversicherung, weil bei Erfüllung gesetzlich festgelegter Voraussetzungen (z.B. Höhe des Einkommens, Art der Beschäftigung) ein Zwang zur Mitgliedschaft besteht. Daraus ergibt sich die Pflicht für den Einzelnen, mit seinen Beiträgen die gemeinschaftliche Vorsorge zu finanzieren, aber auch das Recht, die Leistungen der Gemeinschaftsvorsorge in Anspruch zu nehmen.

Neben der Sozialversicherung gibt es viele Versicherungsformen, die für alle Bevölkerungsgruppen als Privatversicherungen zur Verfügung stehen. Versicherungen werden zum Schutz vor anderen Risiken (Diebstahl, Beschädigung von Sachen oder Verletzung anderer Menschen u.a.m.) abgeschlossen.

Man kann auch die Leistungen der Sozialversicherung, durch private Versicherungen ergänzen.

Die Sozialversicherung steht zwar im Mittelpunkt des Systems der sozialen Sicherung in der Bundesrepublik Deutschland; dieses System ist jedoch sehr viel umfangreicher. Ein Überblick über das soziale System in Deutschland wird in dem Artikel „soziales Netz" gegeben.

Sparen

Als „Sparen" kann man ganz generell den sorgfältigen Einsatz der verfügbaren Mittel ansehen; dies gilt für den Umgang mit Salz bei der Nahrungsmittelzubereitung wie für die Einteilung der Kräfte bei einer körperlich anstrengenden Arbeit.

Der Begriff „Sparen" wird überwiegend im Zusammenhang mit Geld verwendet, wo es darum geht, nicht das gesamte Einkommen wieder auszugeben, sondern einen Teil zurückzulegen.

Wie hoch dieser Anteil ist, hängt ab von der Sparfähigkeit und Sparwilligkeit.

Die Sparfähigkeit

Die Sparfähigkeit ist eine Frage des verfügbaren Einkommens. Es entscheidet darüber, in welchem Umfang der Sparer überhaupt in der Lage ist, einen Teil seines Geldes zurückzulegen. Die „Sparquote" gibt an, wie hoch dieser Anteil ist, der sich in der Bundesrepublik Deutschland etwa zwischen 10 und 16 % bewegt. In den USA liegt die Sparquote dagegen erheblich niedriger, während sie in Japan lange Jahre sehr viel höher war. In der Tendenz steigt die Sparquote eines privaten Haushalts bei steigenden Einkommen.

Die Sparwilligkeit

Die Sparwilligkeit ist dagegen die innere Bereitschaft zum gegenwärtigen Konsumverzicht, die durch verschiedene Motive beeinflusst wird. Hierzu zählen z.B. die Schaffung von Rücklagen für Notfälle (Krankheit, Arbeitslosigkeit), Zwecksparen für größere Anschaffungen (Auto, Eigenheim, Wohnungseinrichtung, Urlaub), die ertragbringende Vermögensbildung und die Zukunftssicherung und Altersvorsorge (Ausbildung, Geschäftsgründung).

Sparen erfüllt nicht nur für den einzelnen Menschen die Vorsorge- und Sicherheitsfunktion; auch für die Volkswirtschaft ist das Sparen der Wirtschaftsbürger von großer Bedeutung, weil nur so volkswirtschaftliches Vermögen gebildet werden kann, das Voraussetzung für wirtschaftliches Wachstum ist. Die moderne Produktion erfordert neben natürlichen Ressourcen und menschlicher Arbeit mehr und mehr produzierte Produktionsmittel, das Kapital. Die Entstehung von Kapital setzt voraus, dass die Menschen nicht alles, was sie in einem Jahr produzieren, gleichzeitig wieder konsumieren. Sparen bedeutet also für die Menschen einen Verzicht auf Konsum. Nur wenn die Unternehmungen auch Güter produzieren, die von den Haushalten nicht in Anspruch genommen worden sind, bildet sich Produktivvermögen. In je größerem Ausmaß dies möglich ist, desto besser sind die Bedingungen für eine höhere Produktion von Güter in den kommenden Jahren.

Beim Sparen in Form von Geld wird der gerade geschilderte Zusammenhang nur unzureichend deutlich. Man muss sich jedoch vorstellen, dass dieses Geld ja ein Entgelt für geleistete Arbeit, d.h. für die Herstellung von Waren und Dienstleistungen ist. Der Lohn für diese Arbeit gewährt gleichzeitig einen Anspruch auf – von mir oder anderen Menschen - produzierte Güter. Ich habe praktisch in Form des Geldes einen Gutschein für Güter. Löse ich diesen Gutschein nicht ein, so kann – solange ich auf Konsum verzichte – irgendein anderer Mensch diese Güter in Anspruch nehmen. Dies sind insbesondere die Unternehmer, die Produktivkapital in den Unternehmen investieren. Als Investition wird die Anschaffung von Anlagen und Maschinen und der Aufbau von Warenlagern bezeichnet. Unternehmen können also nur in dem Umfang investieren, in dem die Bürger Konsumverzicht leisten, es sei denn, das Ausland stellt uns mehr Güter zur Verfügung als wir dem Ausland (= Importüberschuss).

Durch das Sparen wird Vermögen gebildet. Die Ersparnisse privater Haushalte können durchaus auch zu Hause im Sparstrumpf aufbewahrt werden. Auch dann stehen die nicht konsumierten Waren für Investitionszwecke zur Verfügung. In der Regel versucht der Sparer aber, aus der Ersparnis, aus dem Konsumverzicht, Nutzen in Form von Zinsen zu ziehen.

So kann er sein Geld z.B. Geld in folgende Formen anlegen

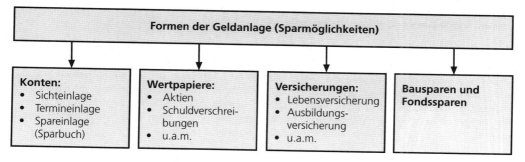

Bei den Anlagen des Geldvermögens steht das Kontensparen mit Abstand an erster Stelle. Kontensparen ermöglicht bereits mit kleinen Beträgen die Ansammlung von Geldvermögen.

Sparen, aber insbesondere das Investieren, ist häufig abhängig von der Höhe der Zinsen. Zinssteigerungen lassen die Aufnahme von Krediten zurückgehen und damit die Investitionen stagnieren; sie können gleichzeitig aber das Sparen anregen. Eine höhere Ersparnis, die gleichbedeutend mit höherem Konsumverzicht ist, kann in der Zeit einer Hochkonjunktur mit Inflationstendenz zu einem wünschenswerten Rückgang der Nachfrage führen. In einer depressiven Konjunkturlage mit Arbeitslosigkeit könnte der Nachfrageausfall durch Ersparnisse der Bevölkerung dagegen die Lage verschlechtern.

In Ländern mit einer hohen Inflation besteht die Gefahr einer zu geringen Sparwilligkeit der Bevölkerung, weil die Ersparnisse bei der fortdauernden Geldentwertung zusammenschrumpfen. In der Regel sind es Staaten, die von machthungrigen Herrschern in Kriege geführt werden, deren Finanzierung durch unkontrollierte Geldvermehrung Inflation hervorruft und die Ersparnisse der Bevölkerung dabei vernichtet.

Bitte beachten Sie die Artikel zu den folgenden Stichwörtern:
Anlageformen (20 - 21)
Arbeitslosigkeit (26 - 27)
Einkommen (88 - 89)
Geld (130 - 131)
Inflation (158 - 159)
Investitionen (166 - 167)
Konjunktur (180 - 181)
Kredit (192 - 193)
Vermögensbildung (346 - 347)
Versicherung (348 - 349)
Wachstum (354 - 355)
Wertpapiere (362 - 363)

Stabilisierungspolitik

Stabilisierungspolitik ist das Bemühen, das wirtschaftliche Wachstum zu verstetigen, d.h. die (konjunkturellen) Schwankungen des Wachstums abzumildern

Im Gegensatz und als Erweiterung der traditionellen Konjunkturpolitik, die das Phänomen „Konjunktur" völlig losgelöst von dem wirtschaftlichen Wachstum nur als einen Wechsel von guten und schlechten Wirtschaftsphasen (analog zu den berühmten 7 mageren und 7 fetten Jahren in der Bibel) ansah, stellt die Stabilisierungspolitik eindeutig einen Zusammenhang mit dem wirtschaftlichen Wachstum her. Konjunktur ist dann ein regelmäßiger Wechsel von stärkeren und schwächeren Wachstumsphasen. In einer grafischen Darstellung sieht dies so aus, dass sich das Bruttoinlandsprodukt im Zeitablauf in Auf- und Abschwüngen um einen Trend bewegt, der das durchschnittliche wirtschaftliche Wachstum ausdrückt und daher permanent ansteigt.

Inlandsprodukt

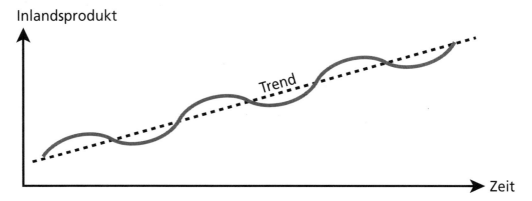

Die Reduzierung der Schwankungen der wirtschaftlichen Entwicklung um den Trend ist das Anliegen der traditionellen „Konjunkturpolitik", die aber nun, um den Zusammenhang zum Wachstum zu verdeutlichen, „Stabilisierungspolitik" genannt wird und inhaltlich zum Ausdruck bringen soll, dass es im engeren Sinn um die Stabilisierung des Wachstumsprozesses geht. Dabei kommt das sog. „magische Viereck", die Gesamtschau der 4 wirtschaftspolitischen Hauptziele, ins Spiel, deren Verstetigung das Anliegen der Stabilisierungspolitik im weiteren Sinn ist.

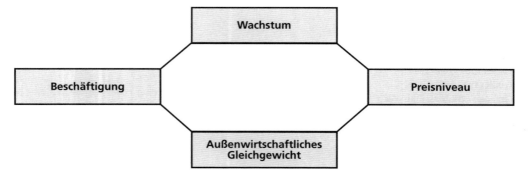

Eine vernünftige Wirtschaftspolitik muss die Ursachen der Schwankungen und nicht nur Anzeichen bekämpfen. Bei der Analyse der Ursachen gibt es jedoch sehr unterschiedliche Meinungen, die man aber auf zwei Hauptströmungen zurückführen kann:
- der nachfrageorientierte Entwurf
- der angebotsorientierte Entwurf.

Die nachfrageorientierte Wirtschaftspolitik

Die nachfrageorientierte Wirtschaftspolitik unterstellt, dass die Hauptursache der Schwankungen in der Veränderung der Nachfrage – vor allem der Investitionsgüternachfrage der Unternehmungen – liegt. Hauptvertreter dieser Ansicht ist J. M. Keynes, der systemimmanente, regelmäßige Veränderungen der Nachfrage in marktwirtschaftlichen Systemen herausfand, die der Markt von sich aus nicht zu glätten in der Lage ist. Die Selbstheilungskräfte des Marktes sind so schwach, dass erst nach dem Durchstehen einer umfassenden Investitionsschwäche in Verbindung mit hoher Arbeitslosigkeit (Einstellung der Unternehmer: „ ... schlechter kann es nicht mehr werden!") ein Aufschwung einsetzt, der dann letztlich aber wiederum in einer Übersteigerung mit rasanten Preis- und Lohnerhöhungen mündet (Einstellung der Unternehmer: „ ... dies kann nicht mehr gut gehen!") und den Kern des neuerlichen Abschwungs schon in sich trägt. So sieht Keynes den einzigen Ausweg in staatlichen Eingriffen in den Marktmechanismus, um im Abschwung rechtzeitig die zusätzliche Nachfrage zu mobilisieren und im Aufschwung rechtzeitig Nachfrage zu drosseln. Er empfiehlt also eine antizyklische Fiskalpolitik.

Die angebotsorientierte Wirtschaftspolitik

Die angebotsorientierte Wirtschaftspolitik sieht dagegen gerade in den staatlichen Eingriffen die Ursache der misslichen Schwankungen, weil nach ihrer Ansicht die antizyklische „Stop-and-go-Politik" geradezu diese Schwankungen herbeiführt. Der Staat wäre gar nicht in der Lage, zyklengemäß zu handeln, weil Eingriffe in den Wirtschaftsprozess nicht sofort wirksam sind, sondern erst nach – unterschiedlich langen – Zeitphasen ihre belebende oder drosselnde Wirkung entfalten. Damit kommt es zu der bedauerlichen Verstärkung der an sich harmlosen marktwirtschaftlichen Anpassungsschwankungen.

Der von den Vertretern dieser Auffassung bewusst als Gegensatz zur nachfrageorientierten Politik gewählte Ausdruck „Angebotsorientierung" soll deutlich machen, dass der Staat die Wirkungen seiner Politik auf die „Anbieter", die „Unternehmen", falsch eingeschätzt hat. Als Heilmittel wird empfohlen, sich um die Verbesserung der wirtschaftlichen Situation der Unternehmen zu kümmern, d.h. diese von staatlich beeinflussten Kosten (Zinsen, Steuern, Löhnen) und Auflagen des Staates zu entlasten, damit eine ungestörte Investitionstätigkeit erfolgen kann. Die „Konstanz der Wirtschaftspolitik" und „Verstetigung des Wirtschaftsprozesses" wird gefordert. Dabei soll der Staat – nach der Devise des Wirtschaftsliberalismus – zwar Rahmenbedingungen setzen, sich aber aus dem laufenden Wirtschaftsgeschehen heraushalten. Eine wesentliche Untermauerung dieser Ansicht wird durch den Monetarismus gegeben, der die alleinige Verantwortung für eine stabilitätsorientierte Wirtschaftspolitik der Zentralbank zuweist, deren oberstes Ziel in einer Verstetigung der Geldversorgung der Wirtschaft liegen muss. Mit der Realisierung des Zieles Stabilität des Preisniveaus würden auf längere Sicht auch alle anderen Ziele des magischen Vierecks positiv beeinflusst.

Als Standort wird der Platz verstanden, an dem eine Unternehmung ihr Anlagevermögen (Gebäude, Maschinen, Anlagen usw.) hat. Ist es auf mehrere Plätze verteilt, so hat die Unternehmung mehrere Standorte.

Dabei ist unterstellt, dass dieser Standort nicht nur ein fester Platz zur Unterbringung der Räumlichkeiten ist, sondern dass er gleichzeitig den zentralen Ort der Kommunikation der Unternehmung mit seiner Umwelt darstellt. Der Standort ist ein wichtiger Einflussfaktor für viele betriebliche Entscheidungen (Personalbeschaffung, Materialbeschaffung, Absatz- und Beschaffungsmarkt, Kontakt zur Öffentlichkeit, zu staatl. Stellen u. a.).

Die Standortwahl ist i.d.R. die langfristigste Entscheidung, die ein Unternehmer zu treffen hat, und die nur mit relativ hohem Aufwand wieder zu korrigieren ist. Obwohl eine **„cost-benefit**-Analyse" (Kosten-Nutzen-Analyse) wegen vieler Unwägbarkeiten zum Zeitpunkt der Gründung oder der Geschäftserweiterung sehr schwierig ist, sollte man versuchen, bei Standortentscheidungen die vielfältigen Einflussfaktoren mengenmäßig zu erfassen und zumindest zu gewichten.

Welche Bestimmungsgründe der Standortwahl sollten beachtet werden?

Die Bestimmungsgründe für die Wahl eines Standortes können je nach Unternehmenstyp und Situation durchaus verschieden sein!
- Verfügbarkeit von Rohstoffen
- Verfügbarkeit von Arbeitskräftepotenzial
- Verfügbarkeit von Fremddiensten
- Infrastrukturausstattung (Verkehrsanbindung, Ver- und Entsorgung, Parkmöglichkeit, Freizeitanlagen, Kommunikationseinrichtungen wie Post, Telefon u. a.),
- Verfügbarkeit von Boden als Standort, Bodenpreise, Baukosten
- Verfügbarkeit von Energiequellen, evtl. Wasser als Brauchwasser
- Steuerliche Belastung, kommunale Gebühren,
- Öffentliche Auflagen,
- Absatzchancen
- Transportkosten
- Personalkosten
- Klimatische Gegebenheiten

Die Frage der Standortwahl hat bei der zunehmenden Globalisierung der Wirtschaft in den letzten Jahren eine zunehmende Bedeutung erlangt. Unterschiede in Belastungen durch öffentliche Abgaben, durch Lohnhöhe und Lohnnebenkosten, aber auch durch gesetzliche Regelungen hinsichtlich Umweltauflagen und Infrastrukturplanungen haben bei multinationalen Unternehmen zu Standortverlagerungen geführt, die traditionelle Industrienationen in zunehmende Schwierigkeiten bringen und innovativen Ländern, die aus dem Entwicklungsstadium herausgewachsen sind, hohe Zuwachsraten des Wachstums. Im Zuge dieser Entwicklung hat in der Bundesrepublik Deutschland eine lebhafte Diskussion um die Zukunft des „Wirtschaftsstandorts Deutschlands" eingesetzt, in deren Verlauf die Veränderungen der Qualität der Standortfaktoren und die heutigen Vor- und Nachteile einer Standortwahl in der Bundesrepublik Deutschland sehr genau analysiert werden. Besonderes Gewicht wird der veränderten Wettbewerbssituation durch die Schaffung der Europäischen Wirtschafts- und Währungsunion, durch die neue Konkurrenz der mit niedrigen Kostenfaktoren rechnenden Wirtschaft der ehemals sozialistischen Staaten und durch die innovative Kraft der ostasiatischen Newcomer zugemessen.

Die Sicherung der Überlebenschancen einer Unternehmung setzt bei internationalem Wettbewerb voraus, dass potenziell jedes Land als Standort in Betracht kommt und alle denkbaren Standorte in den Auswahlprozess einbezogen werden müssen. Dabei ist der formale Weg einer optimalen Standortentscheidung, unabhängig von der Art des Unternehmens, wie folgt:

1. Festlegung der unbedingt notwendigen Mindestanforderungen an den Standort (z.B. Wasseranschluss, Energieversorgung, Transportwege)
2. Feststellung der möglichen Standorte, die diesen Mindestanforderungen genügen
3. Gegenüberstellung der jeweiligen Vor- und Nachteile aller möglichen Standorte, der standortabhängigen Kosten und Erträge. Nicht mengenmäßige Größen müssen zumindest angeführt, evtl. gewichtet werden. Es ist dabei darauf zu achten, ob die Faktoren stark gegenwartsbezogen sind und die Zukunftsperspektiven sich u.U. anders darstellen.
4. Auswahl des Standortes, der den höchsten Unterschied zwischen Ertrag und Aufwand aufweist, wobei allerdings die nicht mengenmäßigen Vor- und Nachteile nicht vernachlässigt werden dürfen. Insofern ist die Standortentscheidung i.d.R. kein reines Rechenbeispiel, sondern unternehmerische abwägende Entscheidung.

Die Standortwahl von Unternehmen ist für die Raumordnung und regionale Wirtschaftspolitik von entscheidender Bedeutung. Aus der Kenntnis des Standortentscheidungsprozesses lassen sich Strategien und Mittel zur Beeinflussung und Lenkung der Standortwahl ableiten. Folgende Instrumente sind angesichts der Globalisierung der Wirtschaft und dem seit den 70er Jahren insgesamt stark reduzierten Ansiedlungspotenzial besonders wichtig geworden:

· das kommunale Standortmarketing (Werbung für einen gewerblichen Standort unter Anwendung der Erkenntnisse und Methoden des Marketings, mit dem Ziel, den Standort für Unternehmen attraktiv darzustellen, um diese zur Ansiedlung zu bewegen).
· die Pflege des lokalen Wirtschaftsklimas und der engen Kooperation zwischen örtlicher Wirtschaft und Verwaltung sowie z.B. schnelle, unbürokratische Genehmigungsverfahren usw.
· regionale und kommunale Wirtschaftsförderung, die sich auf die Verbesserung infrastruktureller Ausstattung und auf finanzielle Fördermittel konzentriert und Unternehmen bei ihrer Standortwahl berät.

Bitte beachten Sie die Artikel zu den folgenden Stichwörtern:
EU-Osterweiterung (88 - 89)
EWWU (102 - 103)
Globalisierung (142 - 143)
Marketing (208 - 209)
Multis (232 - 233)
Steuern (304 - 305)
Unternehmung (334 - 335)
Wettbewerb (366 - 367)

Steuern

Wie entstand die Steuer?

Jedem Gemeinwesen, welches gemeinschaftliche Bedürfnisse erfüllt, müssen finanzielle Mittel zur Verfügung stehen. Aus dieser Einsicht heraus erbrachten die Mitglieder der Gesellschaft zunächst freiwillige Naturalleistungen für Gemeinschaftsaufgaben. Der Name „Steuern" folgte dabei dem althochdeutschen „stiura", was die Bedeutung von „Stütze", „Unterstützung", „Beihilfe" hatte. Im Begriff der „Aussteuer" ist der ursprüngliche Wortsinn noch erhalten geblieben. Mehr und mehr entwickelte sich die Steuer jedoch zu einer verbindlichen, letztlich auch rechtlichen Verpflichtung in Form einer finanziellen Leistung:

> **Steuern sind Geldleistungen, die nicht eine Gegenleistung für eine besondere Leistung darstellen und von einem öffentlich-rechtlichen Gemeinwesen zur Erzielung von Einnahmen allen auferlegt werden.**

Zu den Steuern werden i.d.R. auch Zölle und Abschöpfungen (bei grenzüberschreitenden Aktivitäten) gezählt. Die Steuern unterscheiden sich von anderen Geldleistungen an den Staat durch die fehlende spezielle Gegenleistung, die z.B. für die Entrichtung von Gebühren und Beiträgen typisch ist.

Der Ausbau des Besteuerungssystems ist in der Vergangenheit häufig in Verbindung mit kriegerischen Auseinandersetzungen erfolgt, in deren Verlauf neue und/oder höhere Steuern erhoben wurden, die sich jedoch dann – neben Gebühren und Beiträgen – meist zu Dauerbelastungen entwickelten und die Staatsquote (Anteil der Staatsausgaben am Bruttoinlandsprodukt) laufend erhöhten.

Obwohl in der Nachkriegszeit in der Bundesrepublik Deutschland fast 30 Steuerarten abgeschafft wurden (z.B. Salz- oder Spielkartensteuer), gibt es nach wie vor 40 - 50 Steuerarten, die zu staatlichen Einnahmen von fast 460 Mrd. Euro (Stand 2003) führen.

Welche Steuerarten gibt es?

Die Vielzahl der Steuern in Deutschland lässt sich nach verschiedenen Gesichtspunkten einteilen:

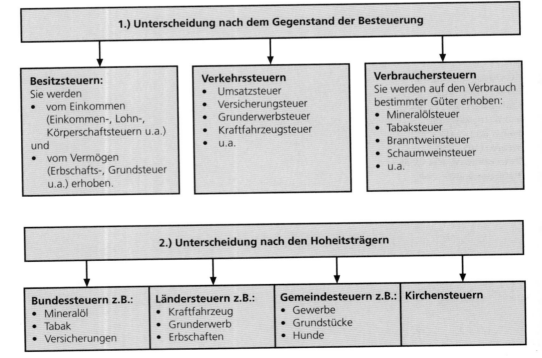

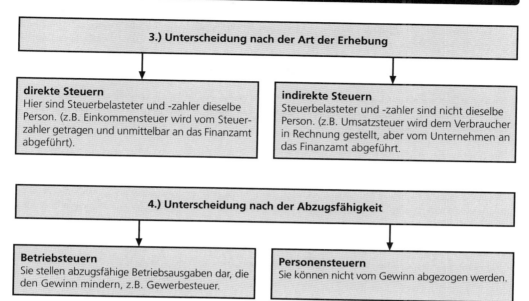

3.) Unterscheidung nach der Art der Erhebung

direkte Steuern
Hier sind Steuerbelasteter und -zahler dieselbe Person. (z.B. Einkommensteuer wird vom Steuerzahler getragen und unmittelbar an das Finanzamt abgeführt).

indirekte Steuern
Steuerbelasteter und -zahler sind nicht dieselbe Person. (z.B. Umsatzsteuer wird dem Verbraucher in Rechnung gestellt, aber vom Unternehmen an das Finanzamt abgeführt).

4.) Unterscheidung nach der Abzugsfähigkeit

Betriebsteuern
Sie stellen abzugsfähige Betriebsausgaben dar, die den Gewinn mindern, z.B. Gewerbesteuer.

Personensteuern
Sie können nicht vom Gewinn abgezogen werden.

Die Einkommensteuer und die Umsatzsteuer mit je 30 – 40 % der gesamten Steuereinnahmen sind die wichtigsten Einnahmequellen der öffentlichen Hände in der Bundesrepublik Deutschland.

Seit den 50er Jahren vollzieht sich die Entwicklung des Steuersystems in der Bundesrepublik nicht unbeeinflusst durch die Europäische Gemeinschaft. So wurde zur Vereinheitlichung schon 1968 die aus dem Jahre 1918 stammende kumulative Umsatzsteuer in eine Mehrwertsteuer umgewandelt. Vielfältige Veränderungen sind im Zuge der Schaffung des europäischen Binnenmarktes schon vorgenommen worden und stehen noch bevor.

Die Einkommensteuer

Die Einkommensteuer wird vom Einkommen aller natürlichen Personen erhoben. Besteuerungsgrundlager sind alle Einkünfte aus Land- und Forstwirtschaft, aus Gewerbebetrieb, aus selbständiger Arbeit, aus nichtselbständiger Arbeit, aus Kapitalvermögen, aus Vermietung und Verpachtung und alle sonstigen in § 22 Einkommensteuergesetz genannten Einkünfte (z.B. aus Spekulationsgeschäften).

Die Einkommensteuer berücksichtigt bei der Belastung der Steuerpflichtigen die finanzielle Leistungsfähigkeit; einerseits steigt der Steuersatz bei wachsendem Einkommen, andererseits werden die individuellen Verhältnisse des Steuerpflichtigen beachtet (ledig – verheiratet, Kinderzahl, Freibeträge für besondere Lebenssituationen, Berücksichtigung von Sonderausgaben für Vorsorge oder außergewöhnliche Belastungen durch Krankheit u.a.).

Bitte beachten Sie die Artikel zu den folgenden Stichwörtern:

Einkommen (88 - 89)
Einkommensteuer (90 - 91)
Inlandsprodukt (160 - 161)
Körperschaftsteuer (182 - 183)

Sind alle Möglichkeiten der Tarifverhandlungen zwischen Arbeitgebern und Gewerkschaften ausgeschöpft, bleibt der Arbeitskampf als letztes rechtlich zulässiges Mittel, um Forderungen durchzusetzen. Im Arbeitskampf setzen die Arbeitnehmer und Arbeitgeber wirtschaftlichen Druck ein, um ihr Ziel zu erreichen. Die wichtigsten Kampfmaßnahmen sind der Streik und die Aussperrung.

Ein Streik liegt vor, wenn eine größere Anzahl von Arbeitnehmern die Arbeit ganz oder teilweise niederlegt. Sie haben das Ziel, günstigere Arbeitsbedingungen im Rahmen eines Tarifvertrages durchzusetzen und danach die Arbeit wieder aufzunehmen.

Von einer Aussperrung ist die Rede, wenn der Arbeitgeber eine größere Anzahl von Arbeitnehmern planmäßig von Arbeit und Lohn aussperrt.

Der Arbeitskampf ist in der Bundesrepublik nach Beschlüssen des Bundesarbeitsgerichts, durch die wichtige Grundlagen der Arbeitskampfordnung geschaffen wurden, als ein Bestandteil der Tarifautonomie und des Tarifrechts anerkannt. Er soll ein sachgerechtes Zustandekommen von tarifrechtlichen Regelungen gewährleisten und ist als eine „ultima ratio" (letzter Ausweg) zum Ausgleich sonst nicht lösbarer tariflicher Interessenkonflikte zu verstehen. Wesentliches Prinzip für den Arbeitskampf ist das Gebot der „Verhältnismäßigkeit". Arbeitskämpfe dürfen nur insoweit eingeleitet werden, als sie zum Erreichen rechtmäßiger Kampfziele und des nachfolgenden Arbeitsfriedens geeignet und sachlich erforderlich sind.

Rechtliche Grundlagen

Das Grundgesetz (GG) garantiert verfassungsrechtlich den Streik als ein Arbeitskampfmittel (Artikel 9 III GG). Nicht jeder Streik ist jedoch rechtmäßig. Nach den durch Rechtslehre und Rechtssprechung entwickelten Grundsätzen wird ein Streik nach herrschender Meinung nur unter folgenden Voraussetzungen als rechtmäßiger Streik anerkannt:

1. Der Streik muss von einer Gewerkschaft geführt werden. Deshalb ist der nicht von einer Gewerkschaft begonnene oder übernommene Streik einer spontan gebildeten Arbeitnehmergruppe, der „wilde Streik", rechtswidrig.
2. Der Arbeitskampf darf nur letztes Mittel sein und nicht gegen ein gesetzliches oder tarifliches Kampfverbot (z.B. Friedenspflicht der laufenden Tarifverträge) verstoßen. Vor der Ausschöpfung aller Verhandlungsmöglichkeiten sind aber kurze Warnstreiks zur Unterstützung von Tarifvertragsverhandlungen zulässig, wenn sie von der Gewerkschaft getragen werden.
3. Der Streik muss sich gegen einen Tarifpartner (Arbeitgeber oder Arbeitgeberverband) richten. Ein Streik mit dem Ziel, politische Organe (z.B. den Bundestag) zu bestimmten Maßnahmen zu zwingen (politischer Streik), und ein Streik zur Unterstützung des Arbeitskampfes anderer Arbeitnehmer in einem anderen Tarifbereich (Sympathiestreik) sind unzulässig.
4. Mit dem Streik muss die kollektive Regelung von Arbeitsbedingungen erstrebt werden, z.B. die tarifliche Regelung von Löhnen und Urlaub. Daher sind Demonstrationsstreiks während der Arbeitszeit, mit denen auf soziale Missstände hingewiesen werden soll, unzulässig.
5. Der Streik darf nicht gegen das Prinzip der fairen Kampfführung verstoßen, zu dem insbesondere das Unterbleiben von Gewaltandrohungen und -anwendungen gehört. Aus dem Prinzip der fairen Kampfführung folgt auch die Pflicht der den Streik durchführenden Gewerkschaft, einen Notdienst (Erhaltungsarbeiten, Notstandsarbeiten) einzurichten, wenn dieser erforderlich ist, um einen unverhältnismäßig hohen Schaden von dem Arbeitgeber abzuwenden oder um die öffentliche Sicherheit zu gewährleisten.

Die häufig vertretene Ansicht, die Aussperrung sei als Streik-Gegenmittel der Arbeitgeber rechtswidrig, hat sich nicht durchgesetzt. Nach überwiegender Auffassung, die vom Bundesarbeitsgericht bestätigt wurde, wird der Grundsatz vom notwendigen Gleichgewicht der Kampfpartner (Kampfparität) nur eingehalten, wenn der Arbeitgeberseite ebenfalls ein Kampfmittel zusteht. Die Aussperrung kann grundsätzlich auch gegen arbeitswillige Arbeitnehmer gerichtet werden, gleichgültig, ob sie einer Gewerkschaft angehören oder nicht.

Wie verläuft ein geregelter Streik?

Stufe	Inhalt
1.	Beschluss der Gewerkschaft zur Einleitung des Streiks
2.	Beschluss der Gewerkschaft zur Durchführung einer Abstimmung der Gewerkschaftsmitglieder
3.	Aufforderung der Gewerkschaftsmitglieder zur Abstimmung.
4.	Abstimmung
5.	Genehmigung des Streikbeschlusses durch das zuständige Gewerkschaftsorgan
6.	Herausgabe des Streikbefehls an die Gewerkschaftsmitglieder
7.	Tatsächliche Arbeitsniederlegung

Die Wirkungen des Streiks und der Aussperrung auf die einzelnen Arbeitsverhältnisse sind nicht ganz identisch. Durch Streiks werden die Arbeitsverhältnisse nur unterbrochen. Die Arbeitnehmer dürfen nicht fristlos entlassen werden. Aussperrungen haben im allgemeinen die gleiche Wirkung, jedoch kann in den Grenzen des Gebots der Verhältnismäßigkeit auch eine vertragslösende Aussperrung zulässig sein. Beim Streik und auch bei der Aussperrung entfällt die Lohnzahlung.

Welche Nachteile hat ein Streik für den Staat?

Der Arbeitskampf verursacht wirtschaftliche Schäden für alle Seiten, die Arbeitnehmer, die Gewerkschaften und die Arbeitgeber. Die Gewerkschaften zahlen ihren Mitgliedern Streikgelder. Die Unternehmer erleiden Umsatz- und Gewinneinbußen. Für den Staat und die Sozialversicherung bedeutet der Streik Steuereinbußen und Verlust von Beiträgen.

Wenn im Vergleich zu anderen Ländern der Arbeitskampf in der Bundesrepublik eine weitaus geringere Rolle spielt, so wird das auf die erreichte soziale Sicherung der Arbeitnehmer im Rahmen der sozialen Marktwirtschaft zurückgeführt.

Bitte beachten Sie die Artikel zu den folgenden Stichwörtern:
Aussperrung (46 - 47) .
Gewerkschaften (136 - 137)
Soziale Marktwirtschaft (290 - 291)
Sozialversicherung (296 - 297)
Tarifverhandlungen (310 - 311)

Subventionen

Subventionen sind Vergünstigungen oder Zuschüsse, die der Staat im Rahmen der Wirtschafts- und Sozialpolitik an Unternehmen gewährt. Der Empfänger hat keinen Rechtsanspruch auf diese Leistung und ist nicht zu einer Gegenleistung verpflichtet. Bei Subventionen sollte es sich um zeitlich befristete Geldleistungen, Begünstigungen, Bürgschaften oder verbilligte Überlassungen von Produktionsfaktoren für Unternehmen handeln.

Diese Definition soll an einem Beispiel aus dem privaten Bereich verdeutlicht werden:

Ein Student erhält von seinen Eltern monatlich einen Geldbetrag (Subvention), um seine Ausbildung zu finanzieren. So kann er sich voll auf das Studium konzentrieren, ohne sich dafür Geld verdienen zu müssen. Diese Subvention ist eine Transferleistung, die durchaus sinnvoll ist. Sinnvoll ist diese Transferleistung aber nur bis zu einem bestimmten Zeitraum. Im Falle des Studenten bis zum Ende der Regelstudienzeit (9 Semester). Wenn der Student die Finanzierung (Risiko) selber tragen müsste, wäre er bestrebt, das Studium so schnell wie möglich abzuschließen. Durch die zeitliche Begrenzung wird er ebenfalls einen Abschluss in der gegebenen Zeit anstreben. Wäre die finanzielle Hilfe jedoch zeitlich unbegrenzt, dann würde diese ab dem 10. Semester nur dazu dienen, den Lebensstandard des Studenten aufrechtzuerhalten. Sein mangelnder Fleiß würde belohnt werden. Aus der guten Absicht der Eltern würde sich ein falscher Anreiz entwickeln, so dass die Förderung zu einem Stillstand in der Entwicklung führte oder diesen zumindest förderte.

Auf die Wirtschaft bezogen sind Subventionen Eingriffe des Staates in den Markt, um ein Ergebnis herbeizuführen, welches bei Wettbewerb nicht hervorgebracht werden kann. Bei Subventionen handelt es sich um Zuschüsse, Darlehen und Steuervergünstigungen des Staates zugunsten privater Unternehmen.

Folgende Subventionen kann der Staat an die Unternehmen gewähren:

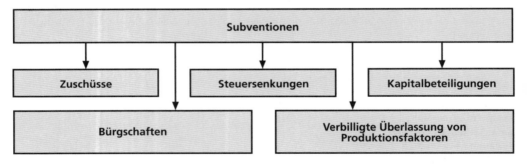

Werden solche Maßnahmen bei privaten Haushalten vorgenommen, so spricht man statt von Subventionen von Transferzahlungen (z.B. Arbeitslosengeld, Wohngeld, Ausbildungshilfen u.a.m.).

Pro und Kontra

Der größte Anteil der Subventionen soll in Deutschland die Entwicklung der Wirtschaft, die Ausbildung sowie die Innovation von Arbeitsplätzen fördern. Allerdings hat sich herausgestellt, dass mit Hilfe von Subventionen eher veraltete Strukturen erhalten wurden. Das führt dazu, dass Reformen in Deutschland verhindert werden. Durch Subventionen werden Altindustrien wie Kohle und Stahl am Leben erhalten, da diese ohne staatliche Hilfe nicht am Markt überleben könnten weil sie nicht wettbewerbsfähig sind. Das Argument der Erhaltung von Arbeitsplätzen ist dabei nicht stichhaltig, weil die Subvention höhere Kosten erfordert als die Entlohnung aller Beschäftigten im Bergbau. Sie könnten in anderen Branchen mit Lohnzuschüssen arbeiten, was zu erheblichen Einsparungen führte und die Umstrukturierung der Wirtschaft förderte. Bei diesen Argumenten muss allerdings berücksichtigt werden, dass der soziale Frieden in den Regionen erhalten bleiben sollte. Das Versäumnis eines schrittweisen Abbaus der Subventionen ist eine Erblast, die – nicht anders als in der Landwirtschaft – von jeder Regierung daher immer wieder auf die lange Bank geschoben wird.

Subventionen können ihre positive Wirkung dann entfalten, wenn es darum geht, einer von unvorhersehbaren Schwierigkeiten überfallenen Unternehmung oder Branche, die aber im Kern gesund und volkswirtschaftlich nützlich ist, die Anpassung an die neuen Verhältnisse zu ermöglichen. Dies bedeutet aber immer: Die Subvention ist eine vorübergehende Maßnahme, eine Anpassungssubvention.

Die eventuelle Akzeptanz von Anpassungssubventionen gilt aber in keinem Fall für Erhaltungssubventionen, mit denen überholte Strukturen konserviert werden. Ökonomisch sind solche Subventionen eindeutig nachteilig. Das subventionierte Unternehmen produziert mit einem höheren Faktoreinsatz. Dadurch werden knappe Ressourcen verschwendet. Subventionierte Unternehmen haben einen Wettbewerbsvorteil gegenüber anderen Marktteilnehmern. Durch den gestiegenen Faktoreinsatz können sie ihre Produkte billiger auf dem Markt verkaufen und verdrängen somit effiziente Unternehmen, die nicht subventioniert werden. Die Steuerungsmechanismen von Markt und Preisbildung werden beeinträchtigt.

Durch hohe Subventionen steigt die Staatsverschuldung. Subventionen werden aus Steuergeldern finanziert. Diese Steuergelder könnten auch für andere Zwecke eingesetzt werden.

Subventionsbericht
Alle zwei Jahre wird von der Bundesregierung ein Subventionsbericht vorgelegt. Dieser weist die Höhe der Subventionen und deren Entwicklung aus. Er ist nach Aufgabenbereichen, Subventionsarten und Subventionsgebern gegliedert. Der Subventionsbericht dient als Instrument der Subventionskontrolle.

Bildung von Interessengruppen (Lobbyisten)
In einem demokratischen Staat, wie in der Bundesrepublik Deutschland entscheiden Volksvertreter über die Politik. Schon immer haben sich daher Interessengruppen gebildet, um bei den Politikern für die eigenen Ziele zu werben. Diese Interessengruppen (genannt Lobbyisten) wollen die Politiker über mögliche Auswirkungen von politischen Entscheidungen auf ihre Gruppe informieren. Interessenvertreter (Lobbyisten) können Gewerkschaften, Kirchen, Unternehmensverbände, Verbraucherschützer u.a. sein.

Da die Politiker durch die Gewährung von Subventionen Macht haben, finanzielle Umverteilungen vorzunehmen, ist die Arbeit der Lobbyisten seit jeher sehr wichtig. Für ein bedrohtes Unternehmen kann es unter Umständen sehr nützlich sein, durch intensive Lobby-Arbeit, eine Subvention zu bewirken, um Massenentlassungen zu verhindern. Bemühungen zur Verbesserung der eigenen Wettbewerbsfähigkeit werden dabei jedoch vernachlässigt.

309

Bitte beachten Sie die Artikel zu den folgenden Stichwörtern:
Bürgschaft (70 - 71)
Innovation (162 - 163)
Kosten (186 - 187)
Markt (210 - 211)
Preisbildung (256 - 257)
Produktionsfaktoren (262 - 263)
Verbände (338 - 339)
Verbraucherpolitik (340 - 341)
Wettbewerb (366 - 367)

Tarifverhandlungen

In den Tarifverhandlungen handeln die Tarifvertragsparteien, d.h. Gewerkschaften und Arbeitgeber, Arbeitsentgelte und Arbeitsbedingungen in freier Vereinbarung und alleiniger Verantwortung aus. Dies ist durch die Verfassung der Bundesrepublik Deutschland (Art. 9 des Grundgesetzes) gewährleistet.

Tarifautonomie ist der Ausdruck wirtschaftlicher Handlungsfreiheit. Grundlage der Tarifautonomie ist die Koalitionsfreiheit. Sie ist in der Verfassung beschrieben als das Recht, „zur Wahrung und Förderung der Arbeits- und Wirtschaftsbedingungen Vereinigungen zu bilden". Solche Vereinigungen sind die Tarifvertragsparteien. Nach dem Tarifvertragsgesetz sind dies für die Arbeitnehmer die Gewerkschaften und für die Arbeitgeber einzelne Arbeitgeber oder Vereinigungen von Arbeitgebern. Nach Auffassung des Bundesverfassungsgerichts müssen die Tarifvertragsparteien, um tariffähig sein zu können, frei gebildete, unabhängige, überbetriebliche Vereinigungen sein.

Nach der Rechtsprechung müssen tarifvertragsfähige Gewerkschaften u.a. folgende Bedingungen erfüllen:
- Bereitschaft zum Arbeitskampf
- Fähigkeit zur Ausübung von Druck auf die Arbeitgeber
- dauerhafte, überbetriebliche Organisation
- Unabhängigkeit (sowohl von der Arbeitgeberseite wie vom Staat, gesellschaftlichen Gruppen oder Kirchen)

Tarifverhandlungen werden nicht von den Spitzenverbänden der Arbeitnehmer und Arbeitgeber auf höchster Ebene geführt; vielmehr stehen sich hier die branchenmäßig organisierten und regional gegliederten Einzelgewerkschaften im DGB (Deutscher Gewerkschaftsbund) oder Fachverbände wie z.B. der DBSH (Deutscher Berufsverband für Sozialarbeit) und die ebenfalls fachlich und regional gegliederten Arbeitgeberverbände gegenüber.

Welche Rolle spielen Tarifverträge?
Zweck dieser Regelung ist es, dass sich regionale und / oder branchenmäßige Unterschiede, beispielsweise in der Produktivität oder in der Absatzmarktlage, auch in den Tarifverträgen niederschlagen können. Tarifverträge können sogar zwischen Gewerkschaften und einem einzelnen Arbeitgeber abgeschlossen werden. Dann spricht man von einem Firmentarifvertrag oder Haustarifvertrag.

Tarifverträge sollen i.d.R. drei Funktionen erfüllen:
1. die Ordnungsfunktion, d.h., sie normieren Arbeitsverträge und verhindern Unterbietung durch Gruppen von Arbeitnehmern oder Ausbeutung durch einzelne Arbeitgeber
2. die Schutzfunktion, d.h., der einzelne Arbeitnehmer wird vor Willkürmaßnahmen der Arbeitgeberseite abgesichert
3. die Friedensfunktion, d.h., für die vereinbarte Laufzeit besteht für beide Seiten Sicherheit, dass die vertraglich geregelten Bedingungen eingehalten werden.

Kernstück eines Tarifvertrages sind die Vereinbarungen über Löhne, Gehälter und Ausbildungsvergütungen. Darüber hinaus enthält dieser meist noch Bestimmungen über:
- Urlaub und Urlaubsgeld,
- Prämien, Gewinnbeteiligungen,
- Zulagen und Zuschläge für Erschwernis, Gefahren, Schmutz, Mehrarbeit, Nachtarbeit, Schichtarbeit, Sonn- und Feiertagsarbeit
- Arbeitszeit,
- Eingruppierungen in Lohn- und Gehaltsklassen,
- Lohnformen,
- 13. und 14. Monatseinkommen,
- vermögenswirksame Leistungen,
- Kurz- und Mehrarbeit,
- Rationalisierungsschutz,
- Bildungsurlaub u.a.m.

Man unterscheidet in der Regel zwischen dem Lohn- und Gehaltstarifvertrag, in dem die Vergütungen geregelt sind (z.B. Löhne und Gehälter, Zulagen, Ausbildungsbeihilfen) sowie dem Mantel- und Rahmentarifvertrag, der die übrigen Vereinbarungen über die Arbeitsbedingungen enthält (Arbeitszeitregelung, Urlaubsregelung, Kündigungsfristen, Akkord- und Prämienregelungen u.a.m.). Beide Verträge können unterschiedliche Laufzeiten (Lohn- und Gehaltstarifvertrag in der Regel kürzer als der Manteltarifvertrag) und verschiedene räumliche Geltungsbereiche haben.

Für die Tarifverhandlungen, die mit Ablauf oder Kündigung des bestehenden Tarifvertrages durch eine der beiden Parteien beginnen, werden von den Tarifparteien Tarifkommissionen gebildet, die den neuen Tarifvertrag aushandeln. Werden sich die Vertragspartner nicht einig, so ist eine Schlichtung vorgesehen. Sie hat die wichtige Funktion, bei verhärteten Interessenpositionen der Tarifpartner einen kompromissfähigen Vorschlag zu finden. Hierfür ist ein neutraler Schlichter zu bestellen.

Die Tarifvereinbarungen gelten rechtlich nur für die Mitglieder der Gewerkschaft. In der Praxis wird der Tarifvertrag jedoch durch die Arbeitgeber meist für alle zum Geltungsbereich gehörenden Arbeitnehmer angewendet. Die ausgehandelten Bedingungen stellen Mindestnormen dar, die zugunsten der Arbeitnehmer veränderbar sind. Unter Beteiligung der Sozialpartner kann der Bundesminister für Arbeit und Sozialordnung oder entsprechende Länderminister bestehende Tarifverträge für allgemeinverbindlich erklären, wenn dies im öffentlichen Interesse geboten erscheint.

Sind alle Möglichkeiten der Verhandlung zwischen den Tarifparteien ausgeschöpft, bleibt der Arbeitskampf als letztes rechtlich zulässiges Mittel, die tarifpolitischen Forderungen durchzusetzen. Die wichtigsten Kampfmaßnahmen sind der Streik und die Aussperrung. Ein Streik liegt vor, wenn eine größere Anzahl von Arbeitnehmern die Arbeit ganz oder teilweise planmäßig niederlegt. Eine Aussperrung ist gegeben, wenn der Arbeitgeber eine größere Anzahl von Arbeitnehmern planmäßig von Arbeit und Lohn absperrt. Das Recht auf Arbeitskampf ist Ausfluss der verfassungsrechtlich garantierten Tarifautonomie.

Bitte beachten Sie die Artikel zu den folgenden Stichwörtern:
Aussperrung (46 - 47)
Gewerkschaften (136 - 137)
Produktivität (264 - 265)
Rationalisierung (274 - 275)
Streik (306 - 307)
Verbände (338 - 339)

Bei einem Wirtschaftsprozess handelt es sich formal darum, dass Wirtschaftssubjekte (Unternehmungen, Haushalte, öffentliche Institutionen) etwas produzieren (herstellen, umformen), wozu sie Leistungen von Produktionsfaktoren (= Arbeit, Boden, Kapital) von anderen Wirtschaftssubjekten benötigen und die produzierten Güter an andere Wirtschaftssubjekte zur weiteren Produktion oder zum Verbrauch weitergeben.

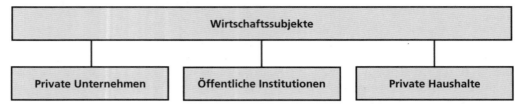

Der Wirtschaftsprozess besteht also aus dem ständigen Austausch von Dingen, die wir Wirtschaftsobjekte nennen (Güter, Leistungen, Geld, Forderungen und Verbindlichkeiten).

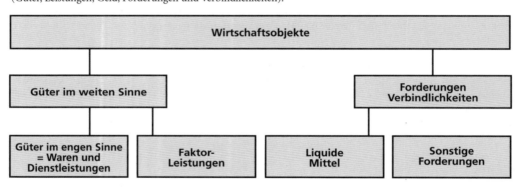

Wenn ein Wirtschaftsobjekt von einem Wirtschaftssubjekt zu einem anderen weiter-gegeben wird, dann handelt es sich um eine ökonomische Transaktion. Dies können z.B. ein Tausch (2) oder Geschenk (4, 5), ein Kauf (1) oder Verkauf (1), eine Aufnahme von Kredit (3) oder eine Anlage von Geld (3), eine Arbeitsleistung oder Bereitstellung von Boden, eine Vermietung eines Gegenstandes u.a.m. sein.

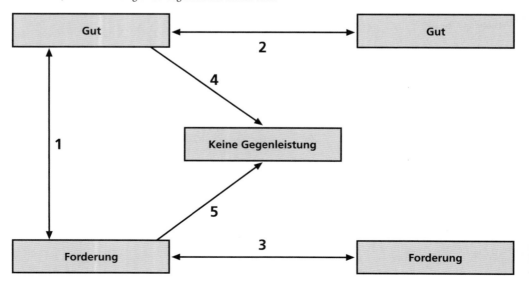

Im Zuge der Globalisierung und des internationalen Wettbewerbs ist deutlich geworden ist, dass die Kosten solcher Transaktionen stärkere Berücksichtigung bei Unternehmensentscheidungen finden müssen.

Transaktionskosten sind also die mit der Abwicklung einer Transaktion (= ökonomische Aktivität) auf Märkten oder in Unternehmen entstehenden Kosten.

Welche Arten von Transaktionskosten gibt es?

- Kosten der Suche von Geschäftspartnern durch Marktforschung, Informationssuche, Verhandlungen u.a.m.
- Kosten des Vertragsabschlusses durch Verhandlungen, rechtliche Prüfungen Bestätigungen (z.B. Notar) u.a.m.
- Kosten der Abwicklung durch Kontrolle der Leistungen, z.B. Qualitätsprüfung, Absicherung des Zahlungsverkehrs u.a.m.
- bei langfristigen vertraglichen Bindungen Kosten der Anpassung der Konditionen an veränderte Verhältnisse
- bei Mängeln Kosten durch Reklamationen, außergerichtliche oder gerichtliche Klärung u.a.m.

Wenn sich die Transaktionen zwischen zwei rechtlich selbstständigen Unternehmen abspielen, dann sprechen wir von externen Transaktionskosten. Sie können u.U. sehr hoch sein. Bei Rationalisierungsbestrebungen wird eine im Wettbewerb stehende Unternehmung daher prüfen, ob nicht durch Unternehmenszusammenschluss mit den Vertragspartnern aller Arten von Transaktionen (Transport, Marketing, Energieversorgung, Finanzierung u.a.m.) die externen Transaktionskosten in interne Transaktionskosten umzuwandeln sind. Wenn diese dann niedriger ausfallen als die externen Transaktionskosten, wird man den Zusammenschluss vollziehen. Dies ist besonders dann gegeben, wenn man gleichartige Transaktionen sehr häufig durchführt, so dass man dabei selbst eine professionelle Unternehmensorganisation entwickeln kann. Die Frage von Konzentration (Umwandlung von externen Transaktionen in innerbetriebliche Beziehungen) oder von Outsourcing (Verlagerung von innerbetrieblichen Beziehungen in externe Transaktionen) ist also in hohem Maße von den jeweiligen Transaktionskosten abhängig.

Bitte beachten Sie die Artikel zu den folgenden Stichwörtern:

Geld (130 - 131)
Globalisierung (142 - 143)
Kosten (186 - 187)
Kredit (192 - 193)
Marketing (208 - 209)
Markt (210 - 211)
Marktforschung (214 - 215)
Outsourcing (248 - 249)
Produktionsfaktoren (262 - 263)
Unternehmensorganisation (328 - 329)
Unternehmung (334 - 335)
Wettbewerb (366 - 367)

Die Umsatzsteuer ist neben der Einkommensteuer die Hauptquelle der staatlichen Einnahmen. Sie muss von Unternehmen bei jedem Umsatz eines Gutes (= Ware oder Dienstleistung) auf den Preis aufgeschlagen werden, den die Unternehmung normalerweise nehmen würde. Der aufgeschlagene Betrag muss dann von der Unternehmung an das Finanzamt abgeführt werden. Dies bedeutet, dass die Unternehmung zwar die Zahlung der Steuer vornimmt, der Käufer eines Gutes jedoch diese Steuer trägt, weil sie im Kaufpreis zusätzlich enthalten ist.

Die Umsatzsteuer ist eine auf alle entgeltlichen Lieferungen und sonstige Leistungen, die ein Unternehmer im Rahmen einer selbständigen beruflichen Tätigkeit ausführt, erhobene Steuer.

Bis Ende 1967 galt in Deutschland die sog. Allphasen-Umsatzsteuer. Jede Unternehmung schlug beim Verkauf ihres Gutes die Umsatzsteuer auf den jeweiligen Verkaufspreis auf. Dies bedeutete, dass z.B. bei einem Blechgefäß, welches von der Erzgewinnung über die Eisenhütte, das Stahlwerk, das Walzwerk, die Blechverarbeitung, den Großhändler und den Einzelhändler bis zum Haushalt gelangte, sieben Mal die Umsatzsteuer aufgeschlagen wurde. Erfolgte Erzgewinnung, Verhüttung und Blecherzeugung in einer Firma, die vielleicht sogar die Weiterverarbeitung und den Handel auch noch an sich zog, dann konnte u.U. die Besteuerung auf einen einzigen Umsatz – von diesem Großkonzern zum Privathaushalt – vermindert werden.

Diese Form der Steuer führte zwangsläufig zu einer Verstärkung der Unternehmenszusammenschlüsse in der Wirtschaft, da viele Firmen versuchten, durch Fusion die Umsätze zu reduzieren. Der Gesetzgeber entschloss sich daher, ab 1. 1. 1968 das System der Besteuerung zu ändern und die Umsatzsteuer als Allphasen-Nettoumsatzsteuer mit Vorsteuerabzug (**Mehrwertsteuer**) umzugestalten. Diese Besteuerungsform hat nicht mehr den beschriebenen Nachteil. Ein Beispiel soll dies veranschaulichen:

Beispiel: Für den Bau eines Schuppens benötigte Herr Krafft Balken und Bretter, die er bei der Holzhandlung Hölscher einkaufte. Die Rechnung lautete über 800 Euro + 10% Mehrwertsteuer (= 80 Euro). Herr Krafft bezahlte also den Rechnungsbetrag von 880 Euro. Die Firma Hölscher müsste also den Betrag von 80 Euro an das Finanzamt abführen.

Hölscher hat jedoch das Holz selbst von dem Sägewerk Ante bezogen und hierfür 660 Euro bezahlt. Die Rechnung lautete über 600 Euro Holz + 10% Mehrwertsteuer (= Euro 60). Die auf der Rechnung ausgewiesene Steuer musste das Sägewerk an das Finanzamt abführen.

Diese 60 Euro auf der Rechnung der Firma Ante sind für die Firma Hölscher die sog. „Vorsteuer". Hölscher kann davon ausgehen, dass diese 60 Euro, die das Sägewerk von ihm bekommt, bereits an das Finanzamt bezahlt sind. Er kann also seine eigene Zahlungsverpflichtung an das Finanzamt um diesen Betrag kürzen und braucht nur 80 Euro minus 60 Euro = 20 Euro zu überweisen.

Hiermit wird auch der Begriff „Mehrwert" deutlich. Hölscher hat in diesem Geschäft die Differenz zwischen Einkaufspreis (600 Euro) und Verkaufspreis (800 Euro) aufgeschlagen. Der Geldwert des Holzes stieg um 200 Euro und hierfür zahlt Hölscher seine 10% Mehrwertsteuer.

Gehen wir noch einen Schritt zurück und unterstellen, dass das Sägewerk Ante das Holz von dem Grafen Waldo zu einem Preis von 250 Euro kaufte und dies mit 10% Mehrwertsteuer (= 25 Euro) einen Rechnungsbetrag von 275 Euro ausmachte, die Ante an Waldo überwies. Damit kann Ante gegenüber dem Finanzamt geltend machen, dass er bereits Vorsteuern von 25 Euro bezahlt hat und selbst nur noch 60 Euro minus 25 Euro = 35 Euro an das Finanzamt abführen muss. Diese 35 Euro entsprechen wieder 10% des Mehrwertes den Ante durch das Sägen des Holzes schuf. Es stieg im Wert von 250 Euro auf 600 Euro, d.h., der Wert erhöhte sich um 350 Euro.

Analysiert man den ganzen Vorgang nachträglich, so sieht er wie folgt aus:

	Verkaufs-rechnung	Warenwert	Umsatzsteuer	Vorsteuer	Zahlung an das Finanzamt
Graf Waldo	275	250	25	–	25
Sägewerk	660	600	60	25	35
Holzhandel	880	800	80	60	20
Summe		1650	165	85	80

Die Unternehmen haben mit ihren Zahlungen an das Finanzamt praktisch nur Vorauszahlungen geleistet, die sie sich jeweils von ihren Kunden wieder zurückgeholt haben. Diese Vorauszahlungen entsprachen in jedem Fall der Wertsteigerung durch die einzelne Unternehmung. Für den Endwert von 800 Euro muss der Endverbraucher die volle Umsatzsteuerlast (= 80 Euro) tragen, die Unternehmen bleiben unbelastet.

Das System setzt voraus, dass die Unternehmung aber bei jedem Einkauf darauf achten muss, dass die Mehrwertsteuer durch den Lieferanten auch gesondert ausgewiesen ist. Steht in der Rechnung des Sägewerks an Hölscher nur „Rechnungsbetrag = 880 Euro", dann kann die Firma Hölscher keine Vorsteuer beim Finanzamt geltend machen.

Die gegenwärtige Regelung in der Bundesrepublik sieht eine Mehrwertsteuer von 16% (Normalsatz) und 7% (ermäßigter Satz für einige Güter, z.B. Nahrungsmittel, Bücher, Zeitschriften u.a.m.) vor. Bei Rechnungen bis 100 Euro reicht es aus, wenn bei der Rechnungssumme nur der Prozentsatz der Mehrwertsteuer angeführt wird. Bei Rechnungen über 100 Euro muss außer dem Prozentsatz auch der genaue Nettobetrag und die Höhe der Mehrwertsteuer extra angeführt sein, wenn man die Vorsteuer geltend machen will.

Verkaufspreis	= Euro 400
+ 16% MWSt	= Euro 64
Rechnungsbetrag	= Euro 464

Bitte beachten Sie die Artikel zu den folgenden Stichwörtern:
Einkommensteuer (90 - 91)
Fusion (126 - 127)
Steuern (304 - 305)
Unternehmenszusammenschlüsse (332 - 333)
Unternehmung (334 - 335)

Der Direktor der UN-Umweltschutzorganisation, Klaus Töpfer, hat vor einem dramatischen Anstieg von Umweltkatastrophen gewarnt, die von Menschen ausgelöst werden. Die Ursachen sind vor allem im Bevölkerungswachstum und in der damit einhergehenden Verstädterung zu sehen, aber auch im Wirtschaftswachstum und im technisch-wirtschaftlichen Wandel zu Ungunsten der Umwelt. Gerade in einer Zeit, wo der Treibhauseffekt, das Ozonloch, die Ressourcenverknappung, das Abfallproblem, die Luftverschmutzung durch Industrie und Verkehr etc. immer stärker werden, ist die Berücksichtigung der ökologischen Situation in den Unternehmenszielen zur Verpflichtung geworden. Deshalb haben viele Unternehmen neben Investitionen zur Verbesserung der Ökologie auch Umweltabteilungen eingerichtet, die für das Umweltmanagement zuständig sind.

Der Aufbau eines Umweltmanagement-Systems ist eine freiwillige Entscheidung des Unternehmens, das den Umweltschutz in seine Unternehmensziele einbinden möchte. Es folgt dabei dem zunehmenden Umweltbewusstsein und Umweltverhalten der Kunden.

Welche Vorteile hat ein Unternehmen durch Umweltmanagement?

- Verbesserungen der Unternehmensorganisation,
- erkennbare Umweltentlastungen,
- Kosteneinsparung durch Abfallverringerung und -vermeidung, Abwasser-aufbereitung, Energie- und Material-einsparung,
- Marktvorteile durch Imageverbesserung,
- Verringerung des Haftungsrisikos durch Umweltschäden.

Weltweit sind derzeit zwei standardisierte Umweltmanagementsysteme verbreitet:

1. das Umweltmanagementsystem gemäß EG-Öko-Audit Verordnung und
2. die ISO-14001 Umweltmanagement-Norm

In beiden Systemen wird erwartet, dass die Unternehmen zusammenfassende Zahlenangaben über umweltrelevante Auswirkungen und Tatbestände erfassen.

> **Umweltmanagement soll sicherstellen, dass bei der Planung, Steuerung und Kontrolle aller Unternehmensaktivitäten die Ziele zur Verminderung der Umweltbelastungen im Rahmen der langfristigen Sicherung des Unternehmens Beachtung finden.**

Unternehmen stehen meist vor der Schwierigkeit, dass ihr umweltfreundliches Verhalten in der Öffentlichkeit angezweifelt wird. Daher müssen sie in diesem Bereich besondere Anstrengungen unternehmen, ihre Glaubwürdigkeit zu belegen (Public Relations). Oft können Kunden z.B. die Umweltverträglichkeit eines Produktes nicht unmittelbar nachvollziehen, da die Wirkungen außerhalb der Wahrnehmung und Erfahrung des Verbrauchers liegen. Dem Umweltmanagement kommt daher in der Unternehmenskommunikation eine besondere Bedeutung zu. Diese wichtige Rolle der Kommunikation soll im Folgenden am Fall „Brent Spar" (Shell) beispielhaft deutlich werden. Es zeigt vor allem, dass ein Unternehmen gute Chancen durch ein mangelhaftes Umweltmanagement verpassen kann und sich daher die Unternehmen die ökologischen Ziele nicht nur zu Eigen machen, sondern sie auch nach außen hin demonstrativ und professionell vertreten müssen.

Beispiel: der Fall „Brent Spar"

Im Jahre 1992 beschloss die Royal Dutch/Shell, ihre Ölplattform „Brent Spar" stillzulegen. Angesichts der Einführung eines Pipeline-Systems wurde der Betrieb dieser Plattform unwirtschaftlich. Shell U.K. analysierte drei Jahre lang, welche Entsorgungsart für Brent Spar gewählt werden sollte. Mehrere Entsorgungsarten (z.B. Demontage an Land, Tiefwasserentsorgung) wurden genau geprüft. Das Gutachten eines unabhängigen Ingenieurbüros zeigte, dass die sinnvollste Maßnahme – auch im Hinblick auf die ökologischen Folgen – die Entsorgung der Brent Spar an einem genehmigten Tiefwasser-Standort war.

Daraufhin unterrichtete Shell 1994 die amtlichen britischen Behörden sowie die betreffenden Fischereiverbände und beantragte eine Erlaubnis zur Entsorgung. Nachdem keinerlei Einwände erhoben wurden, genehmigten die britischen Behörden Mitte Februar 1995 die Tiefwasserentsorgung im Atlantik, 150 Meilen vor der Westküste Schottlands in einer Wassertiefe von über 2.300 Metern. Zur Erfüllung internationaler Abkommen unterrichtete die britische Regierung die an der Nordsee anliegenden Länder (auch Deutschland) von diesem Vorhaben. Auch von ihnen erfolgte kein Widerspruch.

Dieses Vorhaben wurde jedoch von anderer Seite nicht akzeptiert. Am 30. April 1995 besetzten Greenpeace-Aktivisten im Beisein von Journalisten die Brent Spar und forderten einen Verzicht auf Versenkung der Anlage. Sie unterstellten einen hochgiftigen Inhalt von bis zu 5000 t Giftmüll. Diesem Aufruf folgten Demonstrationen vor Shell-Tankstellen. Die Bürger weigerten sich, bei diesem Unternehmen zu tanken. Besonders in Deutschland verschärften sich die Aktionen; es kam sogar zu einer Bombendrohung in der Shell-Zentrale Hamburg.

Daraufhin intervenierte der deutsche Bundeskanzler bei seinem britischen Amtskollegen und viele Institutionen und Personen unterstützten den Shell-Boykott. Am 20. Juni 1995 teilte dann der Shell-Konzern mit, dass er auf eine Versenkung verzichten und bei den britischen Behörden die Entsorgung an Land beantragen wird.
Im September 1995 erklärte Greenpeace, dass sich statt der vermutenden 5.000 t Giftmüll nur rund 100 t Ölrückstände auf der Brent Spar befanden. Die Zerlegung der Brent Spar an Land wurde 1999 beendet.

Eine Umfrage der Fachhochschule Stuttgart Ende 1995 ergab, dass

- 67% der Befragten der Ansicht sind, dass Shell aus reiner Profitgier die Brent Spar versenken wollte,
- 60% der Befragten sich der Macht der Öl-Multis hilflos ausgeliefert fühlen und 48% für ihre Entmachtung sind,
- über die Hälfte ihr Vertrauen in Shell verloren haben und
- knapp die Hälfte aller Befragten davon überzeugt sind, dass sich die Shell auch nach der Affäre gegenüber Gesellschaft und Umwelt uneinsichtig und arrogant verhält.

Die Entsorgung der Brent Spar durch Versenkung war jedoch zu jeder Zeit in Übereinstimmung mit nationalen und internationalen Vorgehensweisen und Standards, also völlig legal. Das mangelhafte Gespür der Manager für die gesellschaftliche Akzeptanz ihres Handels, insbesondere außerhalb von Großbritannien, fügte dem Unternehmen einen tiefgreifenden Schaden im Ansehen zu, der mit einem funktionierenden Umweltmanagement vermeidbar gewesen wäre.

Bitte beachten Sie die Artikel zu den folgenden Stichwörtern:
Investitionen (166 - 167)
Multis (232 - 233)
Ökologie (240 - 241)
Public Relation (270 - 271)
Unternehmensorganisation (328 - 329)
Wachstum (354 - 355)

Umweltzertifikate

Ein Versuch, die Emissionen (= Freisetzung von Schadstoffen) in der Industrie zu reduzieren, soll in Zukunft innerhalb der Europäischen Union auch durch Umweltzertifikate verwirklicht werden.

Ein Umweltzertifikat ist eine Genehmigung für eine nach Menge und Art genau festgelegte akzeptable Belastung der Umwelt.

Der Staat betrachtet sich als Eigentümer der Umweltgüter, wie z.B. Luft, Wasser und Bodenschätze. Er legt für diese Güter eine Höchstgrenze fest, bis zu der die Emittenten (= umweltverschmutzende Unternehmungen oder Haushalte) die Güter in Anspruch nehmen dürfen. Der Saat schafft mit Umweltzertifikaten so genannte „Verschmutzungsrechte", die Unternehmen entweder kostenlos oder kostenpflichtig erhalten können.

Durch den Erwerb der Umweltzertifikate bekommen die Emittenten das Recht, die Umwelt zu belasten. Jeder einzelne Emittent kann dann nur so viele Schadstoffe freisetzen, wie er Zertifikate besitzt. Die Erstausgabe dieser Umweltzertifikate kann in Form einer Versteigerung oder einer freien Vergabe erfolgen. Durch die Vergabe von Zertifikaten werden den Emittenten Eigentumsrechte an den Gütern zugewiesen.

Anschließend soll sich für diese Zertifikate ein Markt bilden, d.h., die Verschmutzungsrechte können zwischen den verschiedenen Emittenten gehandelt werden. Der sich bildende Marktpreis dient wie die Ökosteuer als individueller Anreiz, weniger Umweltschäden zu verursachen.

Nimmt ein Unternehmen die Verschmutzungsrechte nicht in vollem Umfang wahr, so kann es diese an ein anderes Unternehmen verkaufen. Treten im weiteren Zeitverlauf neue Emittenten der Schadstoffe in der Region auf, so garantiert die Zertifikatlösung, dass die ökologischen Standards eingehalten werden, weil die begrenzte Höhe der insgesamt ausgegebenen Zertifikate eine höhere Belastung der Umwelt verhindert.

Vorteile von Umweltzertifikaten

Durch die Begrenzung der ausgegebenen Zertifikate ist eine nachhaltige und maximale Belastung der Umwelt sichergestellt. Ein weiterer Vorteil von Umweltzertifikaten besteht darin, dass es möglich wird, die Standards der Zertifikate nach und nach zu verschärfen. Das bedeutet, dass der Staat bei steigendem technologischem Fortschritt oder höheren Anforderungen an die Umwelt die Zertifikate abwerten kann. Damit kann der Staat die Umweltverschmutzung besser steuern.

Verfahren der Vergabe von Umweltzertifikaten

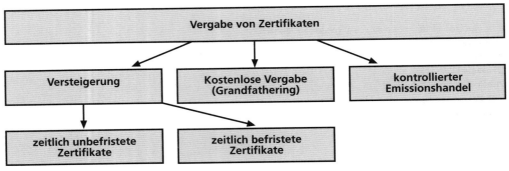

Die Versteigerung

Eine staatliche Einrichtung versteigert die Zertifikate. Der Emittent, der den höchsten Preis für das Zertifikat bietet, erhält es. Auf diese Weise ergibt sich ein Marktpreis für Umweltzertifikate. Umweltverschmutzung kostet damit Geld, d.h., die Unternehmen werden gezwungen, mit dem Gut Umwelt sparsam umzugehen. Jede Firma muss nun den Preis der Zertifikate mit den Kosten der Vermeidung von Umweltverschmutzung vergleichen. Firmen, die Umweltverschmutzung leicht vermeiden können, werden eher auf den Ausstoß von Schadstoffen verzichten, da die Vermeidung billiger ist als der Kauf von Zertifikaten. Firmen, bei denen Umweltschutzmaßnahmen sehr kostenintensiv sind, kaufen dagegen eher die Umweltzertifikate.

Das Gesamtniveau der Umweltverschmutzung kann dadurch gesteuert werden, so dass z.B. die Schadstoffmenge, die durch ein Zertifikat verbrieft ist, von Periode zu Periode gesenkt wird. Nach Ablauf eine Periode hat der Inhaber also nur noch eine ursprüngliche Schadstofffreigabe von z.B. 90% der auf dem Zertifikat ausgewiesenen Jahresmenge. Falls Firmen die Zertifikate, die sie zur Zeit nicht benötigen, am Markt verkaufen oder für einen späteren Zeitpunkt aufheben, und der Staat dies nicht für richtig hält, kann er auch zeitlich befristete Zertifikate ausgeben. Erfolgt dies, so kann die Umweltverschmutzung dadurch gesenkt werden, dass nur für einen bestimmten Anteil verfallener Zertifikate neue versteigert werden.

Kostenlose Vergabe (Grandfathering)

Die eben beschriebene Versteigerung kann für Unternehmen u.U. große finanzielle Belastungen mit sich bringen. Um Unternehmen nicht die Existenzgrundlage zu entziehen, besteht die Grundidee des „Grandfathering" darin, jedem Verursacher das Recht der bisherigen Inanspruchnahme von Umweltgütern durch kostenlose Zertifikate zu garantieren. Soweit er die Rechte nicht mehr in Anspruch nimmt, können sie dann auf der Zertifikatbörse gehandelt werden. Diese Variante hat gegenüber der Versteigerung einen größeren Nachteil: Die schon gegebene Umweltbelastung wird nicht verringert und die Umweltqualität nicht verbessert. Es wird lediglich eine zunehmende Belastung von Schadstoffen vermieden. Obwohl die Verursacher ihre Zertifikate zunächst kostenlos erhalten, übt der Zertifikatmarkt einen Zwang zum ökonomischen Umgang mit Umweltressourcen aus.

Kontrollierter Emissionshandel

Der Grundgedanke der Politik des kontrollierten Emissionshandels besteht darin, dass Firmen, die mehr Schadstoffe vermeiden, als der Staat vorgegeben hat, eine Zertifikatsgutschrift erhalten. Diese Gutschriften können dazu verwendet werden, an anderer Stelle hinter den behördlichen Anforderungen zurückzubleiben. Die Übertragbarkeit der Gutschrift ist der Übertragbarkeit von Umweltzertifikaten sehr ähnlich.

Der Umweltrat der Europäischen Union hat Anfang Dezember 2002 die Einführung eines EU-weiten Emissionshandelsystems beschlossen. Ab dem Jahr 2005 kann der Klimaschutz in der EU wirtschaftlich umgesetzt werden. Somit kann sich die Idee des Emissionshandels in der Praxis bewähren. Sicher werden auf Grund der dann gemachten Erfahrung in Zukunft neue, verbesserte Regelungen zum Schutz des ökologischen Gleichgewichts gefunden werden.

Bitte beachten Sie die Artikel zu den folgenden Stichwörtern:
Eigentum / Besitz (86 - 87)
EU (96 - 97)
Kosten (186 - 187)
Markt (210 - 211)
Ökologie (240 - 241)
Ökosteuer (242 - 243)

Die Entstehung der UNCTAD (= United Nations Conference on Trade and Development = Konferenz der Vereinten Nationen für Handel und Entwicklung) ist im Wesentlichen auf die Unzufriedenheit der Entwicklungsländer mit den Ergebnissen der GATT-Verhandlungen (heute WTO) zurückzuführen, die für eine Beseitigung von Handelshemmnissen innerhalb des Welthandels sorgen sollten. Mit der Unterstützung der Länder des Ostblocks, die dem GATT mehr aus ideologischen als aus ökonomischen Gründen nicht beigetreten waren, forderten die Entwicklungsländer eine Institution innerhalb der UN, die für wirtschaftliche Themen verantwortlich ist und sich für die Anliegen der Entwicklungsländer einsetzt. Eine 1961 entsprechend formulierte Proklamation der Entwicklungsländer vor den Vereinten Nationen konnte am 30. 12. 1964 umgesetzt werden: Die UNCTAD war entstanden.

Die Organisation der UNCTAD

Mitglieder können alle Länder sein, die den Vereinten Nationen, ihren Sonderorganisationen oder der Internationalen Atomenergiebehörde angehören. 2003 zählte die UNCTAD 191 Mitgliedsstaaten. Charakteristisches Merkmal der UNCTAD war die Organisation der Mitgliedsstaaten in regionalen Gruppen:

Gruppe A = afro-asiatische Staaten,
Gruppe B = westliche Industrieländer,
Gruppe C = lateinamerikanische Länder,
Gruppe D = sozialistische Länder.

Die Volksrepublik China hatte sich keiner dieser Gruppen angegliedert. 77 Entwicklungsländer der Gruppen A und C waren schon vor 1964 in der sog. „Gruppe 77" organisiert, die inzwischen auf 133 Staaten angewachsen ist. Sie vertritt die Interessen der ärmsten Entwicklungsländer und bildet in Fragen des internationalen Handels die schärfste Opposition zur Gruppe B.

Als zentrale Aufgaben hat sich die UNCTAD gesetzt:

*   Förderung des internationalen Handels zur Unterstützung der wirtschaftlichen Entwicklung
*   Ausarbeitung von Grundsätzen für den internationalen Handel und für die wirtschaftliche Entwicklung
*   Koordinierung der Arbeit der verschiedenen Organisationen der UN auf den Gebieten des internationalen Handels und der wirtschaftlichen Entwicklung
*   zentrale Anlaufstelle für Fragen der Handels- und Entwicklungspolitik aller Staaten und regionaler Wirtschaftsblöcke.

Als Gremium unterhält die UNCTAD die Vollversammlung, den Handels- und Entwicklungsrat, Ausschüsse und ein Sekretariat mit dem angegliederten WTO/UNCTAD International Trade Center (Internationales Handelszentrum zur Verbesserung der Zusammenarbeit zwischen WTO und UNCTAD).

Die Vollversammlung ist das Gremium mit Beschlussfassungskompetenz, wobei es insbesondere um Resolutionen geht. Die Konferenzen der Vollversammlung finden etwa alle vier Jahre statt. Zwischen den Konferenzen übernimmt der Handels- und Entwicklungsrat der UNCTAD (Trade and Development Board), der etwa halbjährlich tagt, die Aufgaben der UNCTAD.

Bislang fanden 10 große Konferenzen statt, die – gemessen an den extremen Forderungen der Gruppe 77 – allerdings wenig Erfolge aufwiesen. Die Konferenzen und ihre wichtigsten Resolutions-Ergebnisse waren:

UNCTAD I, Genf 1964:
- Gründung eines GATT-Forums für Fragen der Entwicklungsländer
- Festlegung einer Entwicklungshilfe-Zielgröße für die westlichen Industrieländer von 0,7 % des Bruttosozialprodukts

UNCTAD II, Neu-Delhi 1968
- Beginn der Arbeiten an einem Präferenz-System (Bevorzugungen im intern. Handel) für die Entwicklungsländer

UNCTAD III, Santiago 1972
- Verbesserung der Vertretung der Entwicklungsländer im Internationalen Währungsfonds (IWF)

UNCTAD IV, Nairobi 1976
- Diskussion der Konsequenzen der Steigerung der Rohölpreise (Energiekrise)
- Beschlussfassung über ein „integriertes Rohstoffprogramm", mit dem für 18 Waren eine Stabilisierung der Weltmärkte erreicht werden sollte (u.a. Bananen, Kaffee, Baumwolle, Zucker, Kautschuk)

UNCTAD V, Manila 1979
- Diskussion der Beziehungen zwischen Industrie- und Entwicklungsländern unter Einbeziehung der sozialistischen Staaten

UNCTAD VI, Belgrad 1983
- Forderung nach einer „neuen Weltwirtschaftsordnung"
- Vereinbarung zur Minderung des Protektionismus

UNCTAD VII, Genf 1987
- Diskussion der Probleme der ärmsten Entwicklungsländer (LDC = Least Developed Countries)
- Betonung des privatwirtschaftlichen Sektors bei der Entwicklung

UNCTAD VIII, Cartagena 1992
- Auflösung der Gruppengliederung der UNCTAD durch das Ende des Ost-West-Konflikts

UNCTAD IX, Midrand 1996
- Risiken der Globalisierung für Entwicklungsländer werden herausgestellt
- Bedeutung öffentlicher Entwicklungshilfe unterstrichen

UNCTAD X; Bangkok 2000
- Betonung der gegenseitigen Abhängigkeit von Umwelt, Sozialem und Entwicklung
- Forderung nach Vorzugsbedingungen für Entwicklungsländer in der WTO

Die Versuche der Entwicklungsländer, die UNCTAD zu einer zentralen Kontrollinstanz für IWF, Weltbank und WTO auszubauen, sind bislang gescheitert und angesichts der weltpolitischen Entwicklung auch nicht sehr aussichtsreich. Der zurückgegangene Einfluss der ehemaligen D-Gruppe und die steigende marktwirtschaftliche Orientierung von Entwicklungsländern haben die Bedeutung der UNCTAD geschmälert. Dagegen ist eine Aufwertung der WTO festzustellen.

Bitte beachten Sie die Artikel zu den folgenden Stichwörtern:
Entwicklungsländer (94 - 95)
Globalisierung (142 - 143)
Internationaler Währungsfond (170 - 171)
WTO (374 - 375)

Unfallversicherung

Die Unfallversicherung ist ein Teil der Sozialversicherung. Das Unfallversicherungsgesetz stammt schon aus dem Jahr 1884 und schuf die zweite gesetzliche Pflichtversicherung nach der Krankenversicherung. Im Mittelpunkt des Gesetzes lag die Einführung des Versicherungszwanges. Im Betrieb verunglückte Arbeiter oder deren Hinterbliebene können seit diesem Zeitpunkt eine Rente von den Berufsgenossenschaften erhalten.

Bei der Unfallversicherung unterliegen alle gegen ein Entgelt beschäftigten Arbeitnehmer dem Versicherungszwang, ohne Rücksicht auf die Höhe ihres Einkommens, sowie auch Auszubildende und Arbeitslose.

Welche Aufgaben hat die Unfallversicherung?

Die Aufgaben der Unfallversicherung liegen in drei Bereichen:
- Prävention (Unfallverhütung): d.h., es soll versucht werden, Berufskrankheiten, Arbeitsunfälle und arbeitsbedingte Gesundheitsprobleme zu verhindern.
- Rehabilitation: Die Wiederherstellung der Gesundheit und Leistungsfähigkeit soll erreicht werden.
- Entschädigung: Gewährleistung von Geldleistungen für Versicherte bei bleibenden Schäden oder für Hinterbliebene bei Todesfällen.

Als Grundsatz gilt: Lieber Prävention als Rehabilitation oder Entschädigung.

Pflichtversicherte und Versicherungsberechtigte

Die Unfallversicherung unterscheidet zwischen Pflichtversicherten und freiwillig Versicherten.

Die Unfallpflichtversicherung ist eine Zwangsversicherung, sie ist unkündbar. Jeder auf Grund eines Arbeits-, Dienst-, oder Ausbildungsverhältnisses Beschäftigte ist ohne Rücksicht auf Alter, Geschlecht und Höhe seines Einkommens kraft Gesetzes gegen die Folgen von Arbeitsunfällen und Berufskrankheiten versichert. Versicherungsfrei sind nur Personen, die anderweitig gegen Arbeitsunfälle oder Berufkrankheiten geschützt sind (z.B. Beamte, Richter, Berufssoldaten u.a.).

Im Gegensatz zur Pflichtversicherung kann ein freiwilliges Versicherungsverhältnis auf eigenen Wunsch eingegangen werden. Die freiwillige Versicherung muss schriftlich beantragt werden. Freiwillig beitreten können:
- Unternehmer und mitarbeitende Ehegatten, die nicht unter das Pflichtversicherungsgesetz fallen.
- Selbständige Personen, die in Kapital- oder Handelsgesellschaften wie Unternehmer tätig sind.
Wenn deren Beiträge nicht innerhalb von 60 Tagen nach Fälligkeit beglichen werden, erlischt die Versicherung.

Versicherte Risiken sind:

Arbeitsunfälle

Als Arbeitsunfall werden Unfälle anerkannt, die während der beruflichen Tätigkeit eintreten. Für die Folgen des Unfalls wird der Versicherte von der Unfallversicherung entschädigt. Ist der Unfall durch eigenes Verschulden eingetreten, so spielt das grundsätzlich keine Rolle; nur bei einem absichtlich herbeigeführten Arbeitsunfall können die Ansprüche entfallen.

Wegeunfälle

Die Unfallversicherung schützt den Versicherten nicht nur am Arbeitsplatz, sondern auch auf dem Weg zwischen Wohnung und Arbeitsstätte. Sollte auf diesem Weg ein Unfall geschehen, so können die Leistungen der Unfallversicherung in Anspruch genommen werden. Ein eigenes Verschulden des Unfalls kann den Anspruch im Normalfall nicht beeinträchtigen. Dies kann jedoch durch gesetzliche Regelungen verändert werden (z.B. unzulässiger Alkoholgenuss oder Handynutzung im Straßenverkehr) Wichtig ist, dass der Versicherungsschutz nur auf dem direkten Weg zwischen Wohnung und Arbeitsstätte besteht.

Berufskrankheiten

Bestimmte berufliche Tätigkeiten bringen Berufskrankheiten mit sich. Aus diesem Grund hat die Bundesregierung eine Liste von anerkannten Berufskrankheiten aufgestellt. Wer an einer dieser Krankheiten durch seine beruflichen Tätigkeiten erkrankt, wird durch die Unfallversicherung entschädigt.

Finanzierung, Träger und Leistungen der Unfallversicherung

Die Unfallversicherung wird ausschließlich durch Beiträge der Arbeitgeber finanziert. Die Höhe der Beiträge ist von der Höhe der jährlichen Lohnzahlungen und dem Grad der Unfallgefahren abhängig.

Träger der Unfallversicherung sind die gewerblichen und landwirtschaftlichen Berufsgenossenschaften und die Eigenunfallversicherungsträger von Bund, Bundesagentur für Arbeit, Länder, Gemeinden und Gemeindeverbänden. Damit es nach Möglichkeit nicht zu Schäden für den Versicherten kommt, sorgen sich die Berufsgenossenschaften ganz intensiv um die Unfallverhütung in den Betrieben. Diese wird von den Berufsgenossenschaften in enger Zusammenarbeit mit den Betrieben wahrgenommen. In diesem Rahmen werden durch technische Aufsichtsbeamte der Berufsgenossenschaft die Betriebe kontrolliert. Die Kontrolle besteht aus einer Überwachung, ob die Bestimmungen und Vorgaben zur Unfallverhütung und zum Arbeitsschutz eingehalten werden. Jeder Betrieb, der mehr als 20 Arbeitnehmer beschäftigt, muss mindestens einen eigenen Sicherheitsbeauftragten stellen, der von den Berufsgenossenschaften auch geschult wird. Werden diese Voraussetzungen beachtet, kann eine größtmögliche Arbeitsplatzsicherheit gewährleistet werden.

Kommt es dennoch zu einem Arbeitsunfall, so übernehmen die Berufsgenossenschaften die medizinische und berufliche Rehabilitation des Verletzten.

Folgende Leistungen übernehmen die Berufsgenossenschaften:
- Heilbehandlung ohne Begrenzung der Dauer
- Verletztengeld von 80 % des Bruttolohnes für max. 18 Monate
- Leistungen zur Rehabilitation nach Unfällen oder Krankheiten
- Übergangsgeld während eventuell notwendiger Umschulungen
- Berufshilfe, zur Sicherung des alten oder eines neuen Arbeitsplatzes
- Pflegegeld bei notwendiger häuslicher oder externer Pflege
- Sterbegeld für die Kosten im Todesfall
- Hinterbliebenenrente für den Ehepartner im Todesfall
- Waisenrente für die Kinder im Todesfall

Bitte beachten Sie die Artikel zu den folgenden Stichwörtern:
Einkommen (88 - 89)
Krankenversicherung (190 - 191)
Soziales Netz (292 - 293)
Sozialversicherung (296 - 297)

Unternehmensbewertung

Besonders in wirtschaftlich turbulenten Zeiten kommt es häufig vor, dass ganze Unternehmungen verkauft bzw. gekauft werden, eine Fusion mit anderen Unternehmen stattfindet oder man sich an anderen Unternehmen beteiligt. In allen solchen Fällen muss man eine Vorstellung davon haben, was die beteiligten Unternehmen eigentlich für einen Wert haben, um einen „Preis" in den Verhandlungen festzulegen.

> **„Unternehmensbewertung" ist die Bestimmung des Marktwertes einer Unternehmung. Bei dieser Bewertung müssen alle Erfolgspotenziale der Unternehmung berücksichtigt werden. Daraus ergibt sich ein „potenzieller Preis", der als Verhandlungsbasis dienen kann.**

Eine Unternehmensbewertung erfüllt verschiedene Aufgaben: Einerseits dient sie als Wertermittlung, wenn das Unternehmen den Eigentümer wechselt, also verkauft wird. Andererseits dient sie auch als betriebsinternes Steuerungsinstrument, um vorhandene Schwierigkeiten genauer zu erkennen und Änderungen vorzunehmen. Diese Aufgaben werden in der folgenden Tabelle ausführlicher dargestellt:

Anlässe für Unternehmensbewertungen	
Mit Eigentumswechsel	**Ohne Eigentumswechsel**
• Kauf oder Verkauf von Unternehmen oder Beteiligungen • Beteiligungstausch • Erbschaft • Gesellschafterwechsel • Fusion • Enteignung • Insolvenz	• Überschuldungsprüfung • Kreditwürdigkeitsprüfung • Sanierung • Berechnungsgrundlage für Steuern auf den Unternehmenswert

Der wichtigste Anlass für eine Unternehmensbewertung ist sicher der Eigentumswechsel. Vor jedem Unternehmenskauf, Unternehmenszusammenschluss oder vor Kooperationsvorhaben muss sich der Interessent einen möglichst umfassenden Überblick über die Situation des Verhandlungspartners verschaffen. Diese sorgfältige Untersuchung wird auch als „Due Diligence" bezeichnet.

Due Diligence

Ins Deutsche übersetzt bedeutet **due diligence** „im Geschäftsverkehr erforderliche Sorgfalt". Due Diligence bildet eine wichtige Grundlange für eine anschließende Unternehmensbewertung. Es ist die genaue Prüfung und Beurteilung eines Kaufgegenstandes durch den Käufer.

Ziel der Due Diligence ist die Sammlung von entscheidungsrelevanten Informationen über ein zum Verkauf stehendes Unternehmen sowie die Bestimmung der Risiken, die damit verbunden sind. Dadurch findet sowohl eine Analyse der Stärken und Schwächen eines Unternehmens statt als auch eine Kaufpreisermittlung.

Der Due-Diligence-Prozess soll im folgenden Schaubild verdeutlicht werden:

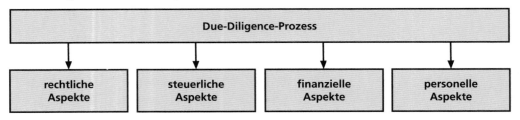

Bei der rechtlichen Due Diligence werden alle für den Kauf maßgeblichen rechtlichen Aspekte analysiert. Dabei kann u.a. auch herausgefunden werden, ob die Einzahlung der gezeichneten Bareinlagen erfolgt ist, ob es verschleierte Sachanlagen gibt, ob Risiken aus früheren Umstrukturierungen zu befürchten sind etc. Es werden daneben wertvolle Verträge wie z.B. Miet-, Vertriebs-, und Lieferverträge als auch belastende Verträge wie z.B. Pensionszusagen gegenübergestellt.

Die steuerliche Due Diligence ist einer Betriebsprüfung sehr ähnlich. Ziel ist es, Steuernachzahlungen nach Kauf des Unternehmens zu vermeiden. Aufgedeckte Steuerbelastungen senken den Kaufpreis des Unternehmens.

Die finanzielle Due Diligence befasst sich mit der Analyse von Informationen zur wirtschaftlichen und finanziellen Situation des Unternehmens. Als Basis dienen meist die Daten des externen Rechnungswesens, d.h. Bilanzen, Gewinn-und-Verlust-Rechnungen, Anhänge und Lageberichte der letzten 3-5 Jahre. Auch die Laufzeiten und Konditionen von Kredit-, Lieferverträgen u.ä. werden dabei überprüft.

Zur personellen Due Diligence gehört in erster Linie die Bewertung der Führungskräfte und die Struktur des Personalbestandes (Alter, Qualifikation, Spezialisierungsgrad).

Das Ergebnis der Due-Diligence-Prüfung ist maßgeblich für die Ermittlung zukünftiger Ertragsaussichten eines Unternehmens. Due Diligence allein ist jedoch für eine Unternehmensbewertung nicht ausreichend. Im Rahmen der finanziellen Due Diligence werden bestimmte Verfahren angewendet, um den Unternehmenswert mathematisch genau zu berechnen.

Die folgende Grafik zeigt wichtige Methoden der mathematischen Unternehmensbewertung auf:

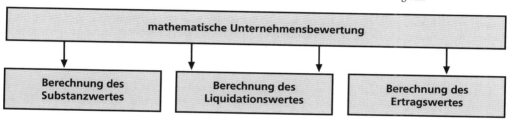

Die Bewertung der Substanz eines Unternehmens ist die älteste und einfachste Methode der Unternehmensbewertung. Als Substanz kann man die Vermögensgegenstände eines Unternehmens, bewertet zu Wiederbeschaffungswerten, ansehen. Hierbei müssen stille Reserven und Lasten berücksichtigt werden, die im Rahmen des Due-Diligence-Verfahrens aufgedeckt wurden.

Der Liquidationswert hilft bei der Entscheidung, ob es insgesamt vorteilhaft ist, das Unternehmen fortzuführen oder zu liquidieren. Der Liquidationswert stellt eine besondere Form des Substanzwertes dar. Er errechnet sich aus der Summe der Verkaufserlöse, die im Fall der Unternehmensauflösung für die einzelnen Vermögensgegenstände nach Abzug der Schulden voraussichtlich zu erzielen sind.

Mit dem Ertragswert versucht man die potenzielle Ertragskraft des Unternehmens zu ermitteln, indem man die zukünftig zu erwartenden Gewinne prognostiziert.

Bitte beachten Sie die Artikel zu den folgenden Stichwörtern:
Bilanz (60 - 61)
Fusion (126 - 127)
Gewinn (138 - 139)
Insolvenz (164 - 165)
Kaufvertrag (178 - 179)
Kredit (192 - 193)
Steuern (304 - 305)
Unternehmenszusammenschlüsse (332 - 333)
Unternehmung (334 - 335)

Unternehmenskultur

Kultur bezeichnet in der Anthropologie die besonderen, historisch gewachsenen und zu einer vielschichtigen Einheit geformten Merkmale einer Volksgruppe. Diese Merkmale sind vor allem bestimmte Wert- und Denkmuster sowie Symbole. Gleiches gilt für eine Unternehmung, wenn sie eigene, unverwechselbare Vorstellungs- und Orientierungsmuster schafft, die das Verhalten der Mitglieder und der betrieblichen Funktionen prägen.

> **Im Begriff der Unternehmenskultur kommt zum Ausdruck, dass Unternehmen eigenständige Normen und Werte entwickeln können, durch welche sie sich voneinander, aber auch von der Kultur der Gesamtgesellschaft abheben.**

Die Betriebswirtschaftslehre hat lange Zeit diesen kulturellen Aspekt vernachlässigt. Zumeist hat man die Unternehmen als Teil der Gesellschaftskultur gesehen, welche in diese eingeflochten sind. Heute dagegen wird dem Unternehmen eine kulturelle Eigenständigkeit unterstellt. Man spricht auch von **„corporate culture"** oder „corporate identity" eines Unternehmens.

Die Frage nach der **„corporate identity"** eines Unternehmens ist gleichbedeutend mit der Frage nach seinem Wesen und seinem Selbstverständnis. In diesem Zusammenhang stellen sich Fragen wie: Worin bestehen die Aufgaben des Unternehmens, welche Unternehmensziele hat es und welche Führungstechniken werden angewandt? Damit wird deutlich, dass alle Aktivitäten, die mit der Erarbeitung und Verwirklichung eines Corporate-identity-Konzeptes zusammenhängen, von der Unternehmenskultur geprägt sind. Das Corporate-identity-Konzept eines Unternehmens verdeutlicht die Unternehmenskultur. Eine Aufgabe des Konzeptes besteht demnach darin, für die Unternehmenskultur grundsätzliche Aussagen zu definieren und sowohl den Mitarbeitern als auch der Öffentlichkeit zugänglich zu machen.

Die Bildung einer Unternehmenskultur beginnt mit dem Tag seiner Gründung. Der oder die Gründer bringen ihre kulturellen Vorstellungen, verbunden mit einer unternehmerischen Vision, in das Unternehmen ein. Die Kultur ist somit ein unmittelbares Produkt des bei der Gründung vorherrschenden Zeitgeistes und einer Persönlichkeit, die als Leitbild für das Verhalten der Mitarbeiter dient. Doch das Charisma eines Gründers hält nicht über mehrere Generationen vor. Auch Legenden und Symbole verlieren einmal ihre zündende Kraft. Folglich entsteht das Problem, das Charisma des Gründers und die Kultur festzuschreiben, eine personenunabhängige Unternehmenskultur zu schaffen. Ausgangspunkt dafür sind Regeln, die die Unternehmenskultur definieren und fortschreiben. Gefragt sind Führungskräfte, die die bestehende Kultur dem Zeitgeist anpassen. Dazu bedarf es verantwortungsbewusster, starker Persönlichkeiten mit ausgeprägten Führungseigenschaften.

326

Die Unternehmenskultur wird weiterentwickelt aus der gemeinsamen Bewältigung von Problemen auf der Basis von Wertesystemen. Sie kommt in gemeinsamen Überzeugungen über die Umwelt und das Menschenbild zum Ausdruck, nach denen sich dann das Management, die Unternehmensorganisation und -kommunikation ausrichten. Der Orientierung dienen Leitsätze, Verhaltensrichtlinien und Verbote, die von den Mitarbeitern im Wesentlichen unterstützt werden.

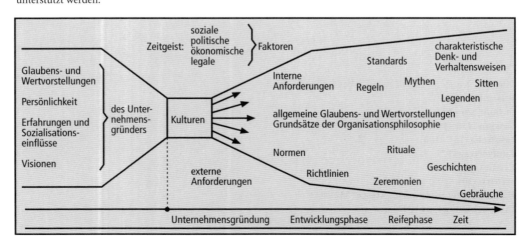

Die Pflege der Unternehmenskultur besteht darin, diese Annahmen, Deutungsmuster und Wertvorstellungen lebendig zu halten, auszubauen und an neue Mitarbeiter weiterzugeben. Dies geschieht in hohem Umfang in Form von Symbolen und Zeichen. Sie bieten Vermittlungsmuster an und stellen den sichtbaren Teil der Unternehmenskultur dar. Verständlich wird dies allerdings nur im Zusammenhang mit den zugrunde liegenden Wertvorstellungen. Als Überbringer von Wertvorstellungen dienen z. B. Geschichten und Legenden über das Unternehmen oder bekannte Firmenleiter. In diesen Legenden stecken oft Hinweise auf traditionelle Handlungsmuster des Unternehmens.

Das Management muss beim Aufbau und bei der Veränderung der Unternehmenskultur verschiedene Vor- und Nachteile bedenken. Unternehmenskultur umfasst dabei drei ursprüngliche Funktionen: Koordination, Integration und Motivation.

Koordinationsbedarf entsteht vor allem durch Spezialisierung und Arbeitsteilung. Neben formalen Organisationsstrukturen (z. B. Koordination durch Pläne und Anweisungen) kann auch die Unternehmenskultur Koordinationsdienste leisten. Die Übereinstimmung und die Identifikation mit einheitlichen Grundprinzipien einer Unternehmung verringern den Bedarf an formalen Regelungen.

Die Integrationsfunktion bezieht sich auf das Verhältnis von Einzelnen oder Gruppen zum Gesamtunternehmen. Die in einzelnen Abteilungen zusammengeschlossenen Mitarbeiter entwickeln teilweise eigenständige, von denen der Gesamtorganisation abweichende Wertsysteme. Diese abteilungseigenen Wertvorstellungen können auf Dauer die Unternehmung schädigen. Bildet ein Unternehmen jedoch eine starke Unternehmenskultur aus, kann sie einzelne Interessen von Personen und Gruppen in den Hintergrund drücken.

Eine stark ausgeprägte Unternehmenskultur fördert in der Regel die Motivation. Sie erfüllt Bedürfnisse der Mitarbeiter und vermittelt Sinnzusammenhänge, die durch zunehmende Arbeitsteilung für die Mitarbeiter vielfach nicht mehr erkennbar sind. Eine lebendige Unternehmenskultur ist ein wirksames Mittel, das das traditionelle Führungsinstrumentarium unterstützt und ergänzt.

Bitte beachten Sie die Artikel zu den folgenden Stichwörtern:
Arbeitsteilung (30 - 31)
Betriebliche Funktion (56 - 57)
Corporate Identity (78 - 79)
Führungstechniken (124 - 125)
Management (204 - 205)
Motivation (230 - 231)
Public Relations (270 - 271)
Unternehmensorganisation (328 - 329)
Unternehmung (334 - 335)

Unternehmensorganisation

Zur Erfüllung ihrer Aufgaben benötigen die Unternehmen eine **Organisation**. Worum handelt es sich dabei?

Die Wortbedeutung „Organisation" leitet sich vom griechischen **„organon"** ab, das auf **„ergon"** im Sinne des Wortes „das Werk" zurückgeht. „Organon" kann sowohl Werkzeug als auch Körperteil, Teil des lebendigen Ganzen bedeuten und wurde als **„organum"** ins Lateinische übernommen. Aus diesem Wortstamm entstanden Neulateinisch **„organisatio"**, im Französischen das Verb **„organiser"** und das Substantiv **„organisation"**, denen seit dem 18. Jahrhundert die deutschen Begriffe „organisieren" und „Organisation" entsprechen.

Die ursprüngliche Version charakterisiert, was die Praxis in der Wirtschaft und Verwaltung unter „organisieren" oder „Organisation" versteht. Eine Unternehmung organisieren bedeutet zunächst einmal ganz allgemein:

Personen (in diesem Sinne Organe) und Sachen (Werkzeuge) werden sinnvoll einander zugeordnet, um sie in den Dienst des Unternehmensziels zu stellen, so dass ein lebendiges Ganzes, im ökologischen Sinn ein Organismus, entsteht.

Dementsprechend ist Organisation:

ein System von Regelungen, die dem reibungslosen Zusammenwirken von Personen und Sachen dienlich sind.

Der formelle Charakter ist dabei so augenfällig, dass man häufig dann, wenn es sich nicht um Unternehmungen handelt, einfach von „Organisationen" spricht. Dies entspricht auch dem angelsächsischen Verständnis. Das Wort „Organisation" begegnet einem täglich, bekannt unter dem großen „O" in UNO, OPEC, OECD u.a. Der Begriff bezieht sich also auf die Organisation als solche und hat auch Eingang in die deutsche Interpretation des Begriffes Organisation gefunden, indem man das Unternehmen, Verbände usw. ebenfalls als Organisation bezeichnet - also ist im Deutschen ein Unternehmen ebenfalls eine Organisation.

Grundsätzlich kann man „Organisation" als die Institution ansehen und „organisieren" hat den Sinn von „tätig werden" in einer Organisation. Weiterhin ist das Ergebnis dieser Tätigkeit, nämlich das entstandene System von Regelungen, ebenfalls als „Organisation" zu bezeichnen.

Dies bedeutet:

1. Das Unternehmen ist eine Organisation.

Dieser institutionale Organisationsbegriff bezeichnet das entstandene System oder soziale Gebilde als Organisation.

2. Das Unternehmen hat eine Organisation.

Es bedeutet, dass in dem Unternehmen ein System von Regelungen existiert, die der bestmöglichen Erfüllung des Unternehmenszieles dienen sollen. Die Organisation wird nach ganz bestimmten Plänen und Zielen gestaltet.

3. Das Unternehmen hat eine Abteilung „Organisation".

Damit wird ausgedrückt, dass eine bestimmte Abteilung auf die funktionsmäßig festgelegte Tätigkeit des Organisierens spezialisiert ist. In dieser Abteilung sind „Organisatoren" tätig, die meistens mit speziellen Aufgaben betraut sind, z.B. Vertriebsorganisator, EDV-Spezialist, Systemanalytiker.

Versucht man, nach dieser Differenzierung der Erscheinungsformen von Organisation zu einer Definition zu gelangen, lassen sich folgende Merkmale oder Elemente der Organisation hervorheben.

Entscheidende **Elemente der Organisation** sind zunächst einmal Menschen und Sachen. Sie sind nicht isoliert zu sehen, sondern unter dem Aspekt, dass sie letztlich eine Einheit bzw. eine Ganzheit bilden sollen. Diese Elemente sind durch ein System von Regelungen, die man als Gestaltungsmaßnahmen auffassen kann, so miteinander zu verknüpfen, dass sie ein Ordnungsmuster bilden, d.h. eine Struktur ergeben.

Betrachtet man die Hauptelemente einer bestehenden Organisation, so muss man außer diesen substanziellen Elementen Mensch und Sachmittel auch die funktionalen Elemente im Sinne der Unternehmensphilosophie bzw. Interesse des Unternehmers bei kleineren Unternehmen betrachten:

- Ziele, z.B. Erreichung eines bestimmten Umsatzzieles
- Aufgaben, die sich aus den Zielen einer Organisation als weiteres Element ableiten
- Arbeitsplätze, die zur Durchführung der Aufgaben nötig sind.

Aus dieser Sicht ist Organisation ein System von Beziehungen zwischen Zielen, Aufgaben, Arbeitsplätzen, Sachmitteln und Menschen, das durch bestimmte Grundsätze geleitet wird.

Was sind Organisationsgrundsätze?

Organisationsgrundsätze sind Handlungsanweisungen, die auf praktischen Erfahrungen beruhen und aus organisatorischen Gesetzen abgeleitet sind. Das zentrale Organisationsgesetz, welches die Anwendung der Organisationsprinzipien steuert, heißt:
Die Unternehmensorganisation soll in jedem Augenblick der Aufgabe entsprechen, die das Unternehmen zu erfüllen hat.

Daraus lassen sich eine Reihe von Organisationsanweisungen ableiten, von denen hier nur einige beispielhaft genannt werden sollen:

- Grundsatz der Zweckmäßigkeit (organisieren darf nie Selbstzweck sein, sondern ist lediglich Mittel zum Zweck).
- Grundsatz der Zuordnung (die richtige Person am richtigen Platz).
- Grundsatz der optimalen Durchlaufzeit.
- Grundsatz der Informiertheit.
- Grundsatz der Kontrolle.
- Grundsatz der Wirtschaftlichkeit.

Bitte beachten Sie die Artikel zu den folgenden Stichwörtern:
OECD (236 - 237)
Ökologie (240 - 241)
OPEC (244 - 245)
Unternehmensziele (330 - 331)
Unternehmung (334 - 335)
Verbände (338 - 339)

Unternehmensziele dienen als Grundlage der Analyse und Erklärung unternehmerischer Verhaltensweisen. Sie sind die der unternehmerischen Betätigung zugrunde liegenden Zielsetzungen.

Von unbewusst verfolgten Zielen abgesehen, ist die Zielformulierung Gegenstand besonderer Entscheidungsprozesse. Ihr Ergebnis sind Kompromisse, durch welche die persönlichen Ziele der an einer Unternehmung Interessierten und der in ihr Tätigen einander angenähert werden. Die Kompetenz für Zielentscheidungen und dafür, diese dann als Richtlinien für betriebliches Handeln festzulegen, liegt bei einer oder mehreren so genannten Kerngruppen, sofern es sich nicht um einen Einzelunternehmer handelt. Diese Kerngruppen gehören dem obersten Leitungsorgan an, wie etwa dem Management bzw. Vorstand oder Geschäftsführung.

Für Unternehmen in einem marktwirtschaftlichen System unterstellt man in der Regel, dass ihre oberste Zielsetzung die „Gewinnmaximierung" ist. Dieses Gewinnmaximierungsprinzip spielt sowohl in der Wirtschaftstheorie als auch in der politischen Diskussion eine große Rolle. Eine einfache Begründung der Verfechter dieses Prinzips sieht folgendermaßen aus:

In der Marktwirtschaft stehen die Wettbewerber in einem ständigen Kampf, in dem die Nichtleistungsfähigen ausscheiden müssen. Gewinne erleichtern technischen Fortschritt und führen damit zu einer Erhöhung der Leistungsfähigkeit. Je höher der Gewinn, desto größer sind die Chancen für eine Leistungssteigerung und das Bestehen im Wettbewerb. Verzichtet einer der Wettbewerber auf die Erzielung möglichst hoher Gewinne, so verringert er damit seine eigenen Zukunftsaussichten und wird nicht überleben. Auf diese Weise wird die Zielsetzung „Gewinnmaximierung" durch den Wettbewerb erzwungen!

Diese Begründung klingt logisch, hat jedoch wie das reale Wirtschaftsleben nur eingeschränkt Gültigkeit. Der in ihr zum Ausdruck kommende Mechanismus unterliegt einigen Voraussetzungen, die in der Realität nicht erfüllt sind. Es wird z.B. unterstellt, dass der Käufer immer das günstigste Angebot auswählt. Dies wäre die Voraussetzung dafür, dass der leistungsfähigste Anbieter zum Zuge kommt. Aus Erfahrung weiß man aber, wie oft dies nicht der Fall ist, weil die Konsumenten die Qualität der Waren nicht beurteilen und vergleichen können oder weil sie im Regelfall bei „ihrem" Kaufmann kaufen, auch wenn er etwas höhere Preise hat. Außerdem wird bei der These unterstellt, dass der Wettbewerb die Anbieter zu „knapper Kalkulation" zwingt. Auch hier zeigt die Erfahrung, dass z.B. statt eines Kampfes um den Markt Absprachen erfolgen.

Schon diese kurze Aufzählung einiger Gründe dürfte ausreichen, um die beschränkte Gültigkeit der These vom „Zwang zur Gewinnmaximierung" aufzuzeigen. Tatsächlich verfolgen die Unternehmungen in der Praxis unterschiedliche Ziele, von denen man beispielhaft anführen kann:

- die Erhaltung oder Vergrößerung des Marktanteils,
- die Schaffung eines „guten" Markenartikels,
- die Sicherung der Liquidität,
- die Erhaltung des selbständigen Familienbetriebes, selbst wenn eine Vergrößerung im Rahmen eines Konzerns lohnender sein sollte
- die Verbesserung gesellschaftlichen Ansehens
- die Schaffung politischen Einflusses u.a.m.

Gerade hier wird deutlich, dass es nicht einmal völlig gleichgültig ist, was produziert wird. Dies aber wird bei der Gewinnmaximierungs-Hypothese unterstellt. Schließlich gibt es in der Realität noch eine große Anzahl von Betrieben, die nach ihrer Satzung andere Ziele haben, wie etwa öffentliche Betriebe, die vom Staat errichtet wurden und gemeinnützige Zwecke und Ziele verfolgen, beispielsweise im Verkehrsbereich sowie im Kommunikations- oder Ver- und Entsorgungssektor.

Aus allem wird deutlich, dass der Gewinnmaximierung – entgegen den theoretischen Annahmen – in der Realität keine überragende Stellung zukommt, was indessen keineswegs den Verzicht auf Gewinne schlechthin bedeutet. Privatwirtschaftliche Unternehmen können auf Dauer nur existieren und andere Ziele anstreben, wenn die Kosten durch die Erlöse (=Umsätze) mindestens gedeckt sind. Gewinnstreben ist damit zweifellos ein herausragendes Ziel der privaten Betriebe, das allerdings selten ein kurzfristiges, sondern vielmehr ein langfristig angestrebtes Unternehmensziel ist. Es steht insofern nicht im Gegensatz zu den oben aufgeführten alternativen Zielsetzungen, wie z. B. der Schaffung eines guten Markennamens.

Zielkonflikte können jedoch auftreten, wenn Unternehmern z.B. die Erhaltung des selbständigen Familienbetriebes am Herzen liegt, der jedoch mangels ausreichender Kapitalgrundlage nicht anpassungsfähig an neue Marktstrukturen ist und damit in wirtschaftliche Schwierigkeiten gerät. Zielkonflikte können sich auch bei ethischen und ökologischen Ansprüchen des Unternehmers ergeben, die die Wirtschaftlichkeitsgebote übersteigen. Soweit ethische oder ökologische Zielsetzungen nicht in Harmonie zur ökonomischen Zielsetzung stehen, kann die Vernachlässigung der wirtschaftlichen Zielsetzung den Untergang des Unternehmens zur Folge haben. Hier stehen verantwortungsvolle Unternehmer vor schwierigen Entscheidungen.

Nicht zu vergessen ist, dass die öffentlichen Betriebe, die von der öffentlichen Hand betrieben und subventioniert werden, oftmals auf das Gewinnstreben verzichten können, um – zumindest satzungsgemäß – „gemeinwirtschaftlich" tätig zu sein. Bei diesen wegen der staatlichen Absicherung außerhalb des Wettbewerbs stehenden Betrieben besteht zum Teil der Verdacht, dass hier nicht nur das Gewinnstreben fehlt, sondern auch das Bemühen um Kostensenkung, d.h. jegliches wirtschaftliches Verhalten. Hinter dem Etikett der Gemeinwirtschaftlichkeit verbergen sich dann die Unfähigkeit zur wirtschaftlichen Betriebsführung und die Verschwendung volkswirtschaftlicher Ressourcen.

Bitte beachten Sie die Artikel zu den folgenden Stichwörtern:
Gewinn (138 - 139)
Gewinnmaximierung (140 - 141)
Kosten (186 - 187)
Liquidität (196 - 197)
Management (204 - 205)
Ökologie (240 - 241)
Subventionen (308 - 309)
Unternehmung (334 - 335)
Wettbewerb (366 - 367)

Unternehmenszusammenschlüsse

Viele Ursachen spielen dabei mit, wenn wir beobachten können, dass die Tendenz zur Konzentration von Unternehmungen und zu Versuchen, den Wettbewerb durch Kooperation und Absprachen zwischen Unternehmen zu beeinflussen, ständig zunimmt. Sicher spielt der verschärfte Wettbewerb im Rahmen der zunehmenden internationalen Arbeitsteilung eine bedeutende Rolle. Es konkurrieren nicht mehr nur die Unternehmen einer Volkswirtschaft oder einer Wirtschaftsgemeinschaft, wie z.B. der Europäischen Union, miteinander, sondern der Kampf um die Märkte vollzieht sich auf der gesamten Erdkugel (Globalisierung). Daneben ist sicher der ständig wachsende Kapitaleinsatz bei modernen technologischen Prozessen ein Anlass, sich nicht mehr nur auf eigene finanzielle Kraft verlassen zu können, sondern in einer Bündelung von Kapitalmacht einen Ausweg zu suchen. Auch die hohen Aufwendungen wissenschaftlicher Forschung und Entwicklung, besonders aber die dann folgenden Probleme einer gelungenen Markteinführung der entwickelten Produkte und Dienste überfordern oft kleine und mittelständische Unternehmen. In Zusammenschlüssen zeigt sich dann häufig der einzige Weg, Innovationen in der wirtschaftlichen Praxis zu realisieren.

Unternehmenszusammenschluss bedeutet entweder die Zusammenarbeit (Kooperation) oder das Zusammenwachsen (Konzentration) von Unternehmungen.

Neben diesen Gründen, die im Sinne der Wirtschaftlichkeit der Produktion durchaus marktgerecht sind, gibt es jedoch auch vielfältige Versuche, sich dem Wettbewerb durch verschiedene Formen von Zusammenschlüssen (Kartell, Fusion, Syndikat, Konzern, Trust) zu entziehen. Die Schwelle von der Absicht zur Produktivitätssteigerung zur Absicht, eine marktbeherrschende Stellung zu erreichen, ist sehr leicht überschritten. Aus diesem Grund steht auch die in diesem Bereich wirtschaftspolitischen Handelns eingefügte behördliche Aufsicht (Kartellämter, Wettbewerbsbehörden) oft vor sehr schwierigen Ermessensentscheidungen bei der Fusionskontrolle.

Welche Arten von Zusammenschlüssen gibt es?

1. Horizontale Zusammenschlüsse

Hier geht es um die Zusammenarbeit oder den Zusammenschluss von Unternehmen auf der gleichen Produktions- oder Handelsstufe. Zum Beispiel können sich mehrere Bauunternehmen für die Bewältigung von großen Bauprojekten in verschiedenen Formen zusammenfinden, Industrieunternehmen bessere Formen der Spezialisierung realisieren oder Einzelhandelsgeschäfte auf diesem Wege Vorteile beim Einkauf erreichen. Es kann jedoch immer auch die Absicht dahinterstehen, den Wettbewerb mit Konkurrenten zu meiden und durch eine Absprache die Abnehmer der Leistungen auszubeuten.

2. Vertikale Zusammenschlüsse

Dieser Zusammenschluss von Unternehmen mit aufeinander folgenden Produktions- oder Handelsstufen, z.B.
· Baustoffhandel und Bauunternehmen
· Großhändler und Einzelhändler
· Touristikunternehmen und Hotel- oder Gaststättenbetriebe
kann dazu dienen, sich die Rohstoff- bzw. Zulieferungsbasis zu sichern, was zur Risiko- und Kostenminderung führt; es kann jedoch auch darum gehen, die Absatz- oder Beschaffungswege zu „kontrollieren" und damit die Preisbildung auf dem Markt zu beeinflussen.

3. Diagonale (konglomerate) Zusammenschlüsse

In diesem Fall versprechen sich Unternehmen Vorteile durch die Zusammenarbeit oder den Zusammenschluss von Unternehmen unterschiedlicher Branchen, z.B. Bierbrauereien und Reedereien, Textilunternehmen und Banken und viele andere mehr.

Hierbei ist oft die Absicht, durch Diversifikation (unterschiedliche Verteilung), d.h. mit unterschiedlichen Produkten auf unterschiedlichen Märkten, das Risiko der Einseitigkeit zu mindern, um sich bei Nachfrageänderungen besser anpassen zu können.

Vor- und Nachteile von Unternehmenszusammenschlüssen

Konzentrationsprozesse können durchaus positive Seiten – auch für den Verbraucher und die Volkswirtschaft – mit sich bringen, indem durch sie wirtschaftlichere Produktionsweisen ermöglicht werden. Sicher ist ein wesentlicher Teil des Wohlstandszuwachses der letzten Jahrzehnte auf diese Art der verstärkten Arbeitsteilung zurückzuführen. Problematisch werden die Konzentrationsprozesse allerdings, wenn damit der Wettbewerb geschädigt wird. Aus der Sicht der Bundesrepublik Deutschland hat der Konzentrationsprozess der Nachkriegszeit bislang weniger volkswirtschaftliche Nachteile gehabt, weil durch die gleichzeitig erfolgte Schaffung des europäischen Binnenmarktes ein ständiger Zustrom von Konkurrenz aus anderen europäischen Volkswirtschaften für ein gewisses Gleichgewicht sorgte. Auch der Konzentrationsbeschleunigung der letzten Periode des 20. Jahrhunderts ist durch den Zuwachs an internationaler, weltweiter Konkurrenz aus anderen Regionen der Erde z.T. entgegengewirkt worden. Die Konzentrationserscheinungen der letzten Jahre allerdings, bei denen große international tätige europäische Konzerne mit amerikanischen oder japanischen verschmolzen werden, bergen die brisante Gefahr einer Machtanhäufung mit sich, die durch keinen Zustrom von Konkurrenten aus anderen Teilen der Erde mehr aufgehoben werden kann. Hier liegt eine der größten Herausforderungen für die weltweite Wettbewerbspolitik, wenn nicht in Zukunft die positive Wirkung des marktwirtschaftlichen Systems völlig in Frage gestellt werden muss.

Bitte beachten Sie die Artikel zu den folgenden Stichwörtern:

Arbeitsteilung (30 - 31)
EU (96 - 97)
Fusion (126 - 127)
Fusionskontrolle (128 - 129)
Globalisierung (142 - 143)
Großhandel (146 - 147)
Innovation (162 - 163)
Kartell (176 - 177)
Markt (210 - 211)
Multis (232 - 233)
Preisbildung (256 - 257)
Produktivität (264 - 265)
Unternehmung (334 - 335)
Wettbewerb (366 - 367)

Unternehmung

Unternehmungen sind rechtlich organisierte Institutionen, die Sachgüter und/oder Dienstleistungen produzieren und bemüht sind, die Güter gegen ein mindestens kostendeckendes Entgelt auf dem Markt anzubieten.

Gibt es eine Abgrenzung zwischen Betrieb und Unternehmung?

Einerseits ist die Unternehmung als rechtlicher Überbau eines oder mehrerer technisch-organisatorischer Produktionseinheiten, die als Betriebe bezeichnet werden, den Betrieben übergeordnet.

Andererseits werden als „Betrieb" alle Arten von Institutionen bezeichnet, in denen Güter produziert werden, also auch private Haushalte, öffentliche Verwaltungen und Betriebe in zentral gelenkten Volkswirtschaften, während Unternehmungen nur solche Betriebe darstellen, die auf Gewinnerzielung aus sind und ihren Wirtschaftsplan selbst bestimmen können. In diesem Fall wäre der Begriff „Betrieb" weiter gefasst als der der „Unternehmung.

Soweit es nicht um rechtliche Fragen geht, kann man i.d.R. Unternehmung und Betrieb synonym verwenden.

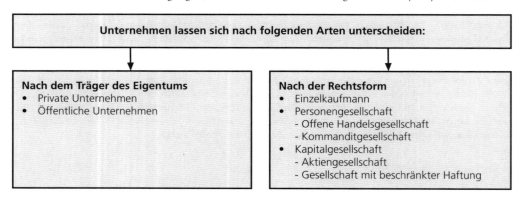

Unternehmen lassen sich nach folgenden Arten unterscheiden:

Nach dem Träger des Eigentums
- Private Unternehmen
- Öffentliche Unternehmen

Nach der Rechtsform
- Einzelkaufmann
- Personengesellschaft
  - Offene Handelsgesellschaft
  - Kommanditgesellschaft
- Kapitalgesellschaft
  - Aktiengesellschaft
  - Gesellschaft mit beschränkter Haftung

Unternehmungen in der modernen Industrie- und Dienstleistungsgesellschaft sind nicht auf ihren wirtschaftlichen Zweck beschränkt, der im Vordergrund steht, sondern sie erfüllen in der Gesellschaft auch politische, soziale, kulturelle und ökologische Funktionen. Die Unternehmung muss damit als ein Untersystem des Systems Gesellschaft angesehen werden.

Solche Unternehmungen erweisen sich damit als zweckbestimmte, offene, sozio-technische Systeme. Die Zweckbestimmung liegt in der Schaffung von Leistungen (Sachgüter und Dienstleistungen) für Außenstehende, in der Sicherung des Einkommens für ihre Mitglieder, in der Erwirtschaftung von Steuern, Gebühren, Beiträgen für die öffentliche Hand und in der Erfüllung von sozialen und kulturellen Leistungen für Mitglieder und Außenstehende. Offen ist die Unternehmung, weil vielfältige Beziehungen zu anderen Untersystemen der Gesellschaft z.B. zu Haushalten, öffentlichen Einrichtungen, anderen Unternehmungen und zur natürlichen Umwelt bestehen. Der sozio-technische Bezug ergibt sich dadurch, dass moderne Unternehmungen entscheidend von zwischenmenschlichen Beziehungen und von moderner Technik geprägt werden.

Bitte beachten Sie die Artikel zu den folgenden Stichwörtern:

Aktiengesellschaft (12 - 13)
Eigentum (86 - 87)
Einkommen (88 - 89)
Gewinn (138 - 139)
Gesellschaft mit beschränkter Haftung (144 - 145)
Kosten (186 - 187)
Marketing (208 - 209)
Markt (210 - 211)
Ökologie (240 - 241)
Preisbildung (256 - 257)
Steuern (304 - 305)
Unternehmensziel (330 - 331)
Werbung (360 - 361)
Wettbewerb (366 - 367)

Unternehmung und Umwelt

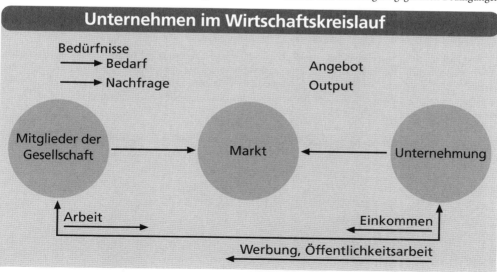

Durch die Unternehmung erfolgt eine Umwandlung verschiedenartiger Inputs (Betriebsmittel, Werkstoffe, Arbeit usw.) zu Outputs (Produkten) in der durch das Unternehmensziel bestimmten Menge und Qualität.

Unternehmungen treffen ihre wirtschaftlichen Entscheidungen selbständig. Diese Entscheidungen werden auf dem Markt koordiniert, wobei die Preisbildung durch die bei Anbietern und Nachfragern gegebenen Bedingungen

Unternehmen im Wirtschaftskreislauf

335

Bedürfnisse
→ Bedarf
→ Nachfrage

Angebot
Output

Mitglieder der Gesellschaft → Markt ← Unternehmung

Arbeit →

← Einkommen

← Werbung, Öffentlichkeitsarbeit

(Bedürfnisse, Kosten, Wettbewerb usw.) zustande kommt und der Markt ständig Informationen über die Bedürfnisse der Gesellschaftsmitglieder liefert.

Die in der Abbildung deutliche Rückkopplung zwischen Unternehmung und Gesellschaft unterstreicht, dass Unternehmungen nicht nur auf die Bedürfnisse reagieren, sondern mit dem Einsatz von Marketing-Instrumenten (Werbung, Public Relations) gezielt in den Willensprozess beim möglichen Käufer eingreifen.

Urheberrecht

Andreas ist Schüler der achten Klasse und beschließt, von seinem ersparten Geld einen Computer zu kaufen. Sein Geld reicht jedoch gerade so für den Computer und den dazugehörigen Bildschirm und Drucker aus. Ein zusätzliches Computerprogramm kann er sich nicht mehr leisten. Ein Computer allein nützt ihm aber nichts, denn egal ob Andreas einen Brief schreiben oder ein Spiel wagen will, für jede Tätigkeit benötigt er ein Computerprogramm. Da sein Freund Klaus sehr viele Computerprogramme besitzt, würde Andreas gerne so viele wie möglich von ihm ausleihen, um diese auf seinen Computer zu kopieren. Andreas' Eltern sind aber dagegen. Sie verbieten ihm, die Computerprogramme zu kopieren, denn es ist vom Staat streng verboten. Aber warum ist es verboten, solch ein Programm zu kopieren?

In Deutschland gibt es verschiedene Rechte, mit denen der Erfinder bzw. Hersteller sein Produkt schützen kann:

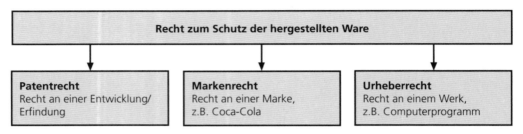

In Deutschland genießt der Urheber von Werken besondere Rechte, das Urheberrecht. In unserem Fall ist der Urheber derjenige, der das Computerprogramm entwickelt hat.

> **Durch das Urheberrecht erhält der Urheber per Gesetz das Recht, über die Nutzungsrechte an seinem Werk (z.B. ein Computerprogramm) zu verfügen. Das heißt, nur er (der Urheber) kann die vertraglichen Bedingungen in Bezug auf Weiterverarbeitung, Bearbeitung, gewerbliche Nutzung, Änderungen bzw. weitere Veröffentlichungen vornehmen.**

Durch welches Gesetz ist der Urheber gesichert?

Der Urheber ist durch das deutsche Urheberrechtsgesetz geschützt. Zweck dieses Gesetzes ist es, den Urheber für seine Leistungen zu entlohnen und den künstlerischen und geistigen Fortschritt zu fördern.

Dem Urheberrecht steht das Bedürfnis der Allgemeinheit entgegen, Freiräume für Weiterentwicklung zu behalten. Daher müssen urheberrechtlich geschützte Werke „persönliche geistige Schöpfungen" sein; denn was jeder mit durchschnittlichen Fähigkeiten zu leisten im Stande ist, ist nicht schutzbedürftig. Bei Computerprogrammen ist entscheidend, dass diese individuelle Besonderheiten aufweisen – also einzigartig sind und nicht bloß Bekanntes mit kleinen Abänderungen.

Der Schutz dauert höchstens bis zu 70 Jahren nach dem Tod des Schöpfers an. Das heißt, dass das Urheberrecht vererbbar ist. Nach Erlöschen des Urheberrechts wird das Werk frei und kann von jedem genutzt werden.

Welche Werke sind vom Urheberrecht geschützt?

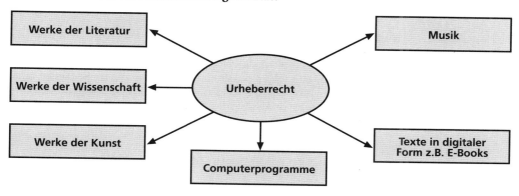

Wiepcke 2004

Wie die Grafik zeigt, gehören zu den urheberrechtsgeschützten Werken die der Literatur, Wissenschaft und Kunst. Computerprogramme gelten zwar als Werke der Literatur – für sie gelten jedoch besondere Regeln: Computerprogramme dürfen nicht einmal für private Zwecke kopiert werden. Musik und digitale Texte zählen zu den „traditionellen" Werken und sind dementsprechend auch nur wie ein normales Werk gesichert.

Urheberrecht im Fall von Werken der Literatur

Typische Beispiele für Werke der Literatur sind Romane, Erzählungen und Dichtungen. Aber auch Aufsätze von Schülerinnen und Schülern oder Seminararbeiten von Studierenden zählen hierzu.

Der Inhalt ist dann vom Schutz erfasst, wenn er kein Gemeingut darstellt. So ist beispielsweise bei einem Roman die Fabel geschützt, soweit sie auf der Fantasie des Autors beruht. Nicht geschützt ist sie aber, soweit es sich beispielsweise um historische Geschehnisse handelt. Die Anforderungen an die individuelle Gestaltung von Texten zur Erlangung von Urheberrechtsschutz sind umso höher, je mehr sich die Texte auf eine Wiedergabe bereits vorhandener Tatsachen beschränken.

Das neue Urheberrecht

Am 13. September 2003 ist ein neues Urheberrecht in Kraft getreten. Das neue Gesetz zur Regelung des Urheberrechts in der Informationsgesellschaft reagiert vor allem auf die technischen Entwicklungen der letzten Jahre. Mit dem Anbruch des digitalen Zeitalters war es notwendig, den Schutz der Urheber auch auf den Bereich des Internets auszuweiten.

Im begrenzten Umfang ist es gestattet, zu privaten Zwecken „analoge" Kopien anzufertigen, also zum Beispiel ein Kapitel aus einem Lehrbuch zu fotokopieren. Nach dem neuen Urheberrecht ist es jedoch verboten, den Kopierschutz von Computerprogrammen zu umgehen und „digitale" Kopien zu erstellen.

Sollte Andreas seinen neuen Computer dazu nutzen, in einer Internet-Tauschbörse Musikstücke oder Filme herunterzuladen, macht er sich schadensersatzpflichtig. Denn Internet-Tauschbörsen gelten als „offensichtlich rechtswidrige Quellen". Wenn Andreas die Raubkopien gewerblich nutzt, z.B. auf dem Schulhof damit sein Taschengeld aufbessert, drohen Geld- und Gefängnisstrafen. Falls er die Raubkopien „nur" zu privaten Zwecken nutzt, könnten Schadensersatzforderungen der Musikindustrie von etlichen hundert Euro pro Kopie die Folge sein.

Bitte beachten Sie die Artikel zu den folgenden Stichwörtern:
Markenartikel (206 - 207)

Verbände

Verbände sind Zusammenschlüsse von Personen mit interessenbezogener Zwecksetzung.

Interessenverbände gehören sozialwissenschaftlich betrachtet zu den Organisationen und zum „dritten Sektor" (d.h. dem Bereich zwischen Staat und Markt, in dem es weder in erster Linie um Gewinn und Wettbewerb noch um hoheitliche Verwaltung geht). Juristisch betrachtet gehören Verbände zu den Vereinen. Das Besondere an Interessenverbänden ist die Vertretung von materiellen oder ideellen Interessen ihrer Mitglieder nach außen. Dies geschieht sowohl gegenüber dem Staat, wie z.B. bei den Bauernverbänden, wenn sie Subventionen fordern, als auch gegenüber anderen Interessengruppen, wie beispielsweise bei beiden Tarifparteien, also Arbeitgeberverbänden und Gewerkschaften, wenn Tarifverhandlungen geführt werden.

Eine umfassende Typologie der Interessenverbände kann nach fünf gesellschaftlichen Handlungsfeldern vorgenommen werden, welche im Folgenden aufgeführt sind. In allen fünf Feldern gibt es eine Fülle von unterschiedlichen Arten von Interessenverbänden.

1. Wirtschaft und Arbeit
- Wirtschafts- und Unternehmerverbände aller Wirtschaftssektoren
- Arbeitgeberverbände
- Kammern
- Innungen
- Arbeitnehmerverbände (Gewerkschaften, Berufsverbände)
- Verbände der Selbständigen (insbesondere Bauern, freie Berufe etc.)
- allgemeine Verbraucherverbände
- spezielle Verbraucherverbände
  (Mieter, Steuerzahler, Postbenutzer, Autofahrer)

2. Soziales Leben und Gesundheit
- Sozialleistungsverbände (z. B. Wohlfahrtsverbände)
- Sozialanspruchsverbände (z. B. Blinden- und Kriegsopferverbände)
- Medizin-, Patienten- und Selbsthilfevereinigungen
- Familienverbände
- Kinder-, Jugendlichen- und Seniorenverbände
- Frauenverbände
- Ausländer- und Flüchtlingsverbände

3. Freizeit und Erholung
- Sportverbände
- Verbände für Heimatpflege, Brauchtum, Geschichte
- Kleingärtnerverbände
- Naturnutzerverbände (Jäger, Angler etc.)
- Geselligkeits- und Hobbyverbände (Kegler, Fan-Clubs etc.)

4. Religion, Weltanschauung und gesellschaftliches Engagement
- Kirchen und sonstige Religionsgemeinschaften
- gesellschaftspolitische Verbände (Grund- und Menschenrechte, Frieden etc.)
- Umwelt- und Naturschutzverbände

5. Kultur, Bildung und Wissenschaft
- Verbände Bildung, Ausbildung und Weiterbildung
- Verbände im Kunstbereich (Literatur, Musik, Theater etc.)
- Verbände von Kultur- und Denkmalschutz
- wissenschaftliche Verbände.

Die Handlungsarten der Verbände sind unterschiedlich. Einerseits können sie öffentlich Druck ausüben durch Beeinflussung der öffentlichen Meinung über die Medien, durch Kundgebungen und Demonstrationen, durch Entzug finanzieller Unterstützung bestimmter Maßnahmen oder etwa durch politischen Streik und Boykottaktionen. Andererseits können sie auch die Methoden der internen Beeinflussung anwenden, z.B. durch Beeinflussung von Abgeordneten, personelle Durchdringung in Parteien oder durch Vergabe exklusiver Informationen oder „Bestrafung" durch Informationsentzug.

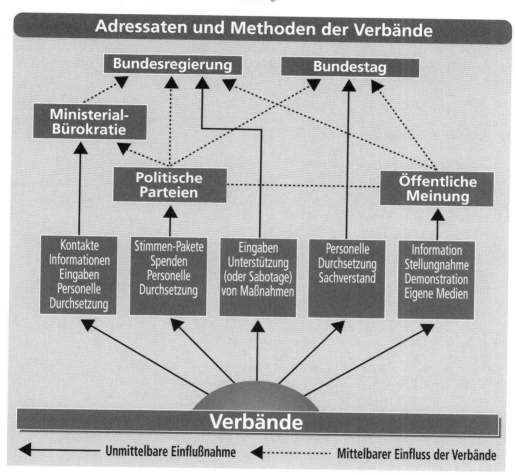

339

Bitte beachten Sie die Artikel zu den folgenden Stichwörtern:

Gewerkschaften (136 - 137)
Gewinn (138 - 139)
Markt (210 - 211)
Streik (306 - 307)
Subventionen (308 - 309)
Tarifverhandlungen (310 - 311)
Wettbewerb (366 - 367)

Verbraucherpolitik

Die Verbraucherpolitik ist ein eigenständiger Bereich der Wirtschafts- und Gesellschaftspolitik. Sie umfasst sämtliche Maßnahmen, die auf eine Stärkung der Stellung des Verbrauchers im Marktgeschehen abzielen.

Nach den Zielvorstellungen der liberalen Wirtschaftstheorie bestimmt der Verbraucher durch seine Entscheidungen und Handlungen den Lauf der Wirtschaft. Ist der Kunde „König", so bezeichnet man dies auch als „Konsumentensouveränität". Die Konsumentenwünsche sind nicht nur ausschlaggebend dafür, was und wie viel produziert wird, sondern auch wer produziert (der kostengünstigste Produzent), wie produziert wird (das kostengünstigste Verfahren) und wo produziert wird (an dem kostengünstigsten Ort). Diese Lenkungsfunktion des Konsumenten wird am ehesten bei der früher üblichen „Produktion auf Bestellung" deutlich, als der Handwerker auf die Kundenwünsche direkt einging.

Die Situation in der modernen Industriegesellschaft ist jedoch dadurch gekennzeichnet, dass die meisten Produzenten für einen „anonymen Markt" produzieren, d.h. ohne direkte Aufträge der Kunden und ohne die Sicherheit des Absatzes der produzierten Güter.

Grundsätzlich ist damit die Konsumentensouveränität noch erhalten, denn die Unternehmer handeln auf Grund ihrer Einschätzung der künftigen Konsumentennachfrage. Wenn die Einschätzungen richtig sind, verkaufen sie ihre Güter mit Erfolg und erhalten zur Belohnung Gewinne. Falsche Einschätzungen werden dagegen mit Verlusten bestraft. Aus der Sicht der Verbraucher spricht man hier von „**Konsumfreiheit**", weil man die Wahlmöglichkeit aus dem Kreis verschiedenartiger Produkte hat.

Durch die am anonymen Markt gegebene Unsicherheit für die Unternehmung kommt es jedoch zu Problemen für die Verbraucher. Die Unternehmen versuchen nämlich, ihr Risiko dadurch zu vermindern, dass sie durch Werbung, Produktgestaltung, Verkaufsmethoden, Kundenbetreuung usw. auf die Kunden Einfluss nehmen und sich aus der einseitigen Abhängigkeit befreien. So ergibt sich eine wechselseitige Abhängigkeit, die im Extremfall (Modediktat) sogar in eine **Produzentensouveränität** umschlagen kann.

Dies gelingt umso besser, je weniger funktionsfähig der Wettbewerb ist. Vordringliches Anliegen im Interesse der Verbraucher muss daher eine wirksame **Wettbewerbspolitik** sein.

Die Lage der Verbraucher in der modernen Industriegesellschaft wird zusätzlich durch die Fülle und Unübersichtlichkeit der Warenangebote erschwert. Einerseits ist das umfangreiche Warenangebot positiv, weil ja die Verbraucher vermehrte Wahlmöglichkeiten haben; andererseits sind die Verbraucher überfordert, tatsächlich rationale Entscheidungen auf der Grundlage ausreichender Informationen zu treffen. Sie stehen vor oft unlösbaren Problemen des Preis- und Qualitätsvergleichs, haben Schwierigkeiten, die Gebrauchstauglichkeit zu beurteilen, kennen mögliche Gefährdungen durch Produkte nicht und sind bei Vertragsabschlüssen und der Abwicklung des Kaufes den darauf spezialisierten Unternehmen unterlegen.

Daraus ergibt sich für die Gegenwart die Notwendigkeit einer Stärkung der Verbraucherposition. Dies soll durch Anwendung einer zielgerichteten Verbraucherpolitik erreicht werden. Die Zielsetzungen sind:

- Stärkung der Stellung des Verbrauchers am Markt durch Wettbewerbsförderung und -erhaltung,
- Information und Beratung des Verbrauchers über volkswirtschaftliche Zusammenhänge, rationelle Haushaltsführung, das aktuelle Marktgeschehen und richtiges Marktverhalten,
- Verbesserung der Rechtsstellung des Verbrauchers, Schutz vor Irreführung, unlauteren Verkaufspraktiken und „unbilligen" Vertragsbedingungen,
- Schutz vor gesundheitlichen Gefahren und umweltschädlichen Produkten,
- Stärkung der verbraucherpolitischen Interessenvertretungen.

Ziele der Verbraucherpolitik

Diagram: Kreisdarstellung "Markt" im Zentrum, umgeben von vier Hauptbereichen und Unterpunkten:

Stärkung der Marktstellung des Verbrauchers
- Mitwirkung bei Gesetzen
- Förderung der Interessenvertretung

Verbraucherinformation und Aufklärung
- Anzeigen rechtlicher Möglichkeiten
- Hilfe bei Preis- und Qualitätsvergleich
- Information über Angebote

Verbrauchererziehung
- Förderung von Einstellungen und Verhalten
- Verbesserung von Kenntnissen

Verbraucherschutz
- Schutz von Gesundheit
- Schutz vor Ausbeutung
- Schutz vor Täuschung

Als besonders bedeutsam muss die Verbrauchererziehung angesehen werden, welche die Grundlage für eine erfolgreiche Information und Beratung der Verbraucher legt. Sie muss nicht erst beim Erwachsenen, sondern bereits in der Schule beginnen, um die Schüler auf ihre zukünftige Rolle als Konsumenten vorzubereiten und ihr derzeitiges Konsumverhalten zu reflektieren.

Als wesentlichen Bestandteil der Verbraucherpolitik muss man auch die Wettbewerbspolitik ansehen, die durch Schaffung eines funktionsfähigen Wettbewerbs die besten Ausgangsbedingungen für eine Verbesserung der Stellung der Verbraucher am Markt schaffen kann.

Bitte beachten Sie die Artikel zu den folgenden Stichwörtern:

Gewinn (138 - 139)
Markt (210 - 211)
Unternehmung (334 - 335)
Werbung (360 - 361)
Wettbewerb (366 - 367)

Verkaufsförderung

Auf den Märkten der wohlhabenden Industrieländer ist das Hauptproblem für die Unternehmen, für ihre Produkte den ausreichenden Absatz zu sichern. Um das sich selbst gesetzte Absatzziel zu erreichen (z.B. 5 % mehr als den Absatz des Vorjahres), genügt es in der Regel nicht mehr, nur auf die klassischen Methoden der Werbung zu vertrauen. Neue Ideen, neue Marketing-Instrumente sollen helfen, die Ziele zu realisieren. Zu ihnen rechnet seit vielen Jahren u.a. die **Verkaufsförderung**, auch **Sales Promotion** genannt.

Der Unterschied zwischen Werbung und Sales Promotion besteht darin, dass die Werbung den ersten Anreiz zum Kauf wecken soll, während die Verkaufsförderung zusätzliche und entscheidende Anstöße zum Kauf gibt. Falls der Käufer bisher noch nicht von der Werbung einer Unternehmung erreicht worden ist, kann jedoch eine gute Verkaufsförderung auch einen ganz spontanen Kauf (Impulskauf) auslösen.

> **Das langfristige Ziel der Verkaufsförderung ist in erster Linie, die Unterstützung des Einzelhandels zu erreichen und das eigene Unternehmen bzw. den vertriebenen Markenartikel beim Konsumenten in den Vordergrund zu rücken.**

Kurzfristige Ziele der Verkaufsförderung sind die unmittelbare Steigerung des Verkaufs in den Ladenlokalen des Einzelhandels (am „Point-of-Sale"); die Vor- und Herausstellung neuer Produkte, die Anregung zu Probierkäufen und die unmittelbare Information der Kunden über Produkteigenschaften und Verwendungszwecke.

Die Verkaufsförderung kann auf unterschiedlichen Wegen stattfinden:

1. Förderung der (eigenen) Verkaufsorganisation des Herstellers der Ware

- durch besondere Ausstattung, z.B. Produktprospekte, Visitenkarten, Kundenkarteien, Videos mit Informationen über die Anwendung der Ware u.a.m. Der Einsatz der verschiedenen Medien ist vom Produkt und von der Marktsituation abhängig;
- durch Schulungen und Zusammenkünfte der Verkäufer in regelmäßigen Abständen, damit sowohl interne als auch externe Mitarbeiter der Marketingabteilung Erfahrungen austauschen können;
- durch Verkäuferwettbewerbe, die motivierend wirken. Sie dürfen aber nicht zu oft stattfinden, da sonst ein Gewöhnungseffekt eintritt.

2. Förderung der Verkaufsorganisation des Handels

- durch Einsatz von speziell geschulten Mitarbeitern (Merchandiser) des Herstellers, die die Handelsunternehmen beraten (Sortimentsberatung, Lagerdisposition/-haltung) und die für die ständige Pflege und Auffüllung der herstellereigenen Regale in den Handelsgeschäften verantwortlich sind;
- durch Entlastung der Einzelhändler bei bestimmten Aufgaben (z.B. Logistik) und durch die Unterstützung der Händler bei der Einrichtung neuer Verkaufsräume.
- durch Schulung des Verkaufspersonals der Händler und Ausstattung mit Anschauungsmaterial.

3. Verkaufsförderung beim Verbraucher

- durch Sonderangebote für Verbraucher;
- durch Warenproben und Muster, was besonders bei einer Einführung eines neuen Produktes angebracht ist;
- durch das Angebot von Produkten mit Zusatznutzen, wenn z.B. Senf in einem Trinkglas verpackt oder ein Spielzeug in den Verpackungen von Nahrungsmitteln für Kinder enthalten ist;
- durch Gewinnspiele, Treueprämien, Verlosungen u.a.m.

Der Einsatz der Verkaufsförderung darf nie isoliert von anderen Marketing-Instrumenten betrachtet werden, sondern es kommt darauf an, die Verkaufsförderung mit diesen anderen Instrumenten zu verbinden. So können z.B. Verkaufsförderungsaktionen wie Preisausschreiben in die klassische Werbung in Zeitungen, Zeitschriften oder das Fernsehen einbezogen werden. Denkbar ist auch die Entwicklung modischer, besonders attraktiver Produktvarianten, die durch Verkaufsförderungsaktionen in den Mittelpunkt gestellt werden können (Produktmanagement).

Die Verkaufsförderung wurde früher häufig als kurzfristiges Instrument angesehen und unterlag daher der Gefahr des „Aktionismus" und der „Verzettelung" in Einzelmaßnahmen. Mit steigenden Verkaufsförderungsetats in den Unternehmen werden jedoch langfristige „Verkaufsförderungs-Strategien" entwickelt, die die Käufer nachhaltig beeinflussen sollen.

Die Bedeutung der Verkaufsförderung hat in den letzten Jahrzehnten erheblich zugenommen. Verantwortlich dafür ist der zunehmende (internationale) Wettbewerb, der eine engere Zusammenarbeit zwischen Industrie und Handel immer notwendiger macht, wozu sich besonders Verkaufsförderungsaktionen eignen. Bemerkenswert ist, dass zunehmend Dienstleistungsunternehmen dazu übergehen, spezielle Verkaufsförderungsprogramme zu entwickeln.

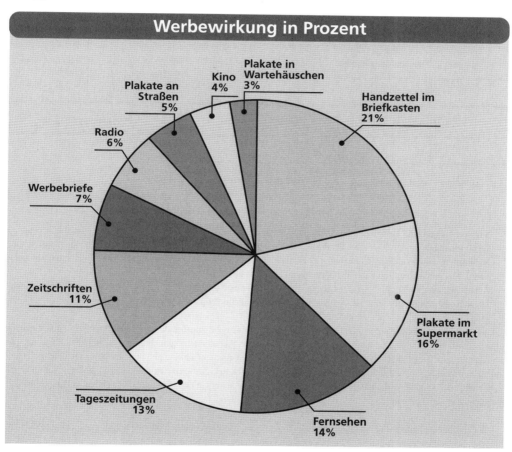

Werbewirkung in Prozent

- Plakate in Wartehäuschen 3%
- Kino 4%
- Plakate an Straßen 5%
- Radio 6%
- Werbebriefe 7%
- Zeitschriften 11%
- Tageszeitungen 13%
- Fernsehen 14%
- Plakate im Supermarkt 16%
- Handzettel im Briefkasten 21%

343

Vermögensarten

Um die einzelnen Vermögensarten zu erläutern, sollte man zunächst einmal wissen, was Vermögen überhaupt ist. Hierüber existieren nämlich sehr unterschiedliche Auffassungen. Manche Menschen sehen es sehr materialistisch und bezeichnen als Vermögen die Menge an Geld oder Gütern, über die jemand verfügt. Andere sehen in den Fähigkeiten und Fertigkeiten, die ein Mensch hat, ein viel größeres Vermögen.

> **(Materielle) Vermögensarten sind verschiedene Formen des Vermögens. Vermögen ist die Gesamtheit aller Werte, über die eine Person verfügt.**

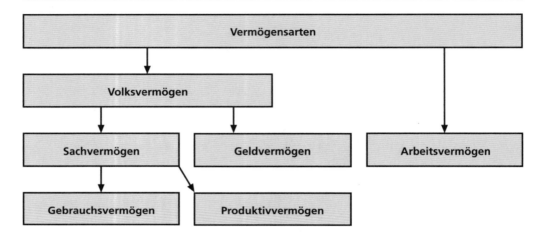

- · **Sachvermögen** sind beispielsweise Fernsehapparate, Kühlschränke, Gebäude, Grundstücke, Maschinen usw.
- · **Geldvermögen** ist der Wert aller Forderungen abzüglich der Schulden. Hierzu gehören nicht nur Münzen und Banknoten, sondern auch Guthaben bei Banken, Firmen und anderen Menschen. Allerdings muss man die Schulden diesen Gruppen auch abziehen, wenn man das gesamte Geldvermögen berechnen will.
- · **Arbeitsvermögen** ist der Wert der Fähigkeiten einer Person; Es erhöht sich durch Ausbildung und Fortbildung. Diese Investitionen in menschliche Fähigkeiten werden als Bildungsinvestitionen bezeichnet.

Die offizielle staatliche Statistik erfasst als Volksvermögen nur die Summe der Sachvermögen von Unternehmen und öffentlicher Hand. Das private Sachvermögen sowie Arbeitsvermögen bleiben unberücksichtigt, da die Bewertung sehr problematisch, kaum messbar und praktisch nicht in einer Zahl (z.B. Euro) ausgedrückt werden kann. Wer weiß schon, was in Tresoren an Edelmetall, Schmuck und Antiquitäten ruht, was in Wohnungen an wertvollen Möbeln oder Teppichen angesammelt ist und wer wäre schon in der Lage, alle diese Dinge, insbesondere das Arbeitsvermögen, zu bewerten?

Da sich alle Guthaben und Schulden des Geldvermögens innerhalb einer Volkswirtschaft gegenseitig aufheben, besteht das volkswirtschaftliche Geldvermögen nur noch aus der Differenz zwischen den Guthaben gegenüber Ausländern und Schulden bei Ausländern. Als Hauptkomponente des Volksvermögens bleibt demnach das Sachvermögen, welches im Folgenden näher dargestellt wird.
Sachvermögens besteht aus Gebrauchsvermögen und Produktivvermögen.

Zum **Gebrauchsvermögen** zählen alle Güter der privaten Haushalte (Konsumgüter), wie Kleidung, Möbel, Schmuck usw., aber auch die in staatlichem Besitz befindlichen militärischen Anlagen und Waffen. Alle diese Werte sind in der amtlichen Statistik nicht erfasst. Sie werden auch nicht zur Produktion von neuen Werten eingesetzt, sondern nur (ab)genutzt.

Das **Produktivvermögen** besteht dagegen aus allen übrigen Gütern, wie Gebäuden, Maschinen, Anlagen, Büroausstattungen, Fahrzeugen, Rohstoffen, Vorräten u.a.m. Auch wenn sie, wie Wohnhäuser oder Verwaltungsgebäude, nur mittelbar oder nur teilweise der Produktion dienen, gehen die Statistiker davon aus, dass alle Haus- und Grundstückbesitzer Unternehmer sind, die den von ihnen geschaffenen oder gekauften Wohnraum gegen ein Entgelt vermieten. Ein großer Teil wird vermietet an andere Menschen, der andere Teil (Wohneigentum) ist „vermietet" an sich selbst.

Das **Produktivvermögen** kann man in „produziertes Produktivvermögen" (Anlagevermögen) und „nicht produziertes Produktivvermögen" (Grund und Boden, Bodenschätze) einteilen.

Die Aufteilung in verschiedene Vermögensarten lässt jedoch viele Fragen der Erfassung aller dieser Werte offen. Wie sind beispielsweise die Ansprüche aller Versicherten an die Rentenversicherung oder an Lebensversicherungen wertmäßig anzusetzen? Wie viel sind Straßen, Brücken, Museen, Denkmäler und Bibliotheken wert? Es wird deutlich, dass das Volksvermögen statistisch nur in ungefähren Größenordnungen angegeben werden kann. Schauen wir in die Statistik, so finden wir vor allem konkrete Zahlen über das „Anlagevermögen" der Unternehmen und des Staates (einschl. der privaten Wohngebäude) in der Bundesrepublik Deutschland. Es besteht aus Sachanlagen und immateriellen Anlagegütern.

Anlagevermögen nach Vermögensarten (Neuwert-Abschreibungen in Mrd. Euro)

Nutztiere und Nutzpflanzen	6,44
Ausrüstungen (Maschinen, Anlagen, Fahrzeuge)	958,21
Wohnbauten	3.170,99
Sonstige Bauten	2.296,79
Immaterielle Anlagegüter (z.B. Software, Patente)	53,68
Anlagevermögen insgesamt	6.486,11

Quelle: Stat. Jahrbuch für die Bundesrepublik Deutschland 2002, S. 637

Es gibt inoffizielle Schätzungen über das gesamte Volksvermögen, das sich in Haushalten, Unternehmen und beim Staat angesammelt hat. Auf diesen Schätzungen beruhen dann auch oft Aussagen darüber, wie sich das gesamte Produktivvermögens auf die einzelnen Haushalte verteilt und dass diese Verteilung sehr ungleich ist.

Die offizielle Statistik verzichtet auf die Erfassung des Privatvermögens, weil diese Werte höchst zweifelhaft wären.

345

Bitte beachten Sie die Artikel zu den folgenden Stichwörtern:
Geld (130 - 131)
Investitionen (166 - 167)
Rentenversicherung (280 - 281)

Vermögensbildung

Vermögensbildung ist die individuelle Bildung von Erwerbsvermögen sowie von Humankapital. Als spezielle Art der Vermögensbildung gilt die Ansammlung von Kapital bei Arbeitnehmern.

„Vermögen" ist ein Wert. Jedem Vermögen wohnt eine Fähigkeit, dass man etwas „vermag", dass die Fähigkeit hat, etwas zu bewirken. So kann man zunächst drei Arten solcher Vermögen mit unterschiedlichen Fähigkeiten unterscheiden:

- Geldvermögen
- Sachvermögen
- Arbeitsvermögen

Wie entwickelte sich die Bildung des Geldvermögens in den letzten Jahren?

Eine besondere Bedeutung hat die Vermögensbildung für Arbeitnehmer. Ein Viertel aller Haushalte Deutschlands verfügt über kein Geldvermögen und hat oft sogar Schulden. Bei diesen Haushalten handelt es sich um Menschen ohne monetäres Eigentum. Sie leben von „der Hand in den Mund" und haben sich nichts erspart.

Auf der anderen Seite herrscht eine hohe Vermögenskonzentration. Diese drückt die große Kluft zwischen „Arm" und „Reich" aus. Seit 1970 verachtfachte sich zwar das Geldvermögen in Deutschland, doch ging in den letzten Jahren diese Neigung zum Sparen zurück. Warum die deutschen Bürger in den letzten Jahren immer weniger sparen und Vermögen aufbauen, liegt z.T. an den ständig steigenden Kosten zur Erhaltung des Lebensstandards. Gründe dafür sind die ständig steigenden Mieten, der technische Fortschritt, aber auch das Mobil-Telefon. Da sich die Sparquote der Arbeitnehmer in den letzten Jahren verringert hat, muss der Staat im Rahmen der Sparförderung versuchen, das Sparen bzw. die Vermögensbildung zu fördern. Diese Förderung der Vermögensbildung sollte so ausgestaltet sein, dass auch die Bundesbürger mit geringem Einkommen dazu angehalten werden, einen Teil ihres monatlichen Verdienstes vermögenswirksam anzulegen und zu einer anschaulichen Summe anwachsen zu lassen.

Welche Maßnahmen zur Vermögensbildung gibt es?

Die Maßnahmen zur Verwirklichung der staatlichen Sparförderung gliedern sich in drei Bereiche:

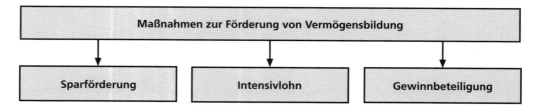

Die Sparförderung

Im Rahmen der Sparförderung versucht der Staat, die Sparbereitschaft der Arbeitnehmer mittlerer und niedriger Einkommen durch die Gewährung finanzieller Vergünstigungen anzuregen (Es gibt dabei eine Obergrenze des Einkommens für die Förderung). Zu diesen Vergünstigungen gehören Steuernachlässe sowie Sparprämien. Diese sind in der Regel an eine bestimmte Mindestdauer (oft 7 Jahre) der Sparanlage gebunden, so dass der Sparer zu einer möglichst langfristigen Vermögensbildung angehalten wird.

Der Investivlohn

Der Investivlohn ist ein zusätzlich zum laufenden Lohn gewährter Lohnanteil. Er ist tariflich geregelt und wird dem Arbeitnehmer nicht bar ausbezahlt, sondern für eine bestimmte Zeit vermögenswirksam angelegt. Der Investivlohn erhöht somit die Sparfähigkeit der Arbeitnehmer. Diese Art der Vermögensförderung gilt auch als „Sparen ohne Konsumverzicht" denn der Arbeitnehmer hat weiterhin sein volles Einkommen zur Verfügung.

Die Gewinnbeteiligung

Gewinnbeteiligung ist die Teilhabe der Arbeitnehmer an den Unternehmenserträgen.

Zusammenfassend lässt sich sagen, dass der Staat eine Reihe von Maßnahmen zur Vermögensbildung fördert. Zu den geförderten Anlageformen gehören insgesamt:

* Bausparverträge
* Aufwendungen zur Entschuldung von Wohneigentum
* Beteiligungen in Form von
  - Anteilscheinen an Aktienfonds
  - Aktien
  - Mitarbeiterbeteiligungen.

Eine weitere vermögensbildende Maßnahme, die vom Staat gefördert wird, ist die Wohnungsbauförderung. Das Wohnungsbau-Prämiengesetz besagt, dass alle Personen ab 16 Jahren eine Wohnungsbauprämie erhalten können, deren zu versteuerndes Einkommen 80.000 Euro (Eheleute 160.000 Euro) nicht übersteigt.

Beachtlich ist das Volumen, das durch die Wohnungsbauförderung in der Bundesrepublik das „Produktivvermögen in Arbeitnehmerhand" in Form von Immobilien erheblich ansteigen ließ. In der Auswirkung ist der Immobilienbesitz ein wesentlicher Vermögenszuwachs für Arbeitnehmer, bei dem Geldvermögen zu Sachvermögen wird.

Pensionsrückstellungen für Betriebsrenten

Ebenfalls darf nicht vergessen werden, dass die deutschen Arbeitnehmer für Zusatzversorgungen im Alter (Betriebsrenten) indirekte Vermögenszuwächse von jährlich über 10 Mrd. Euro erfahren. Die Pensionsrückstellungen zugunsten der Beschäftigten haben in den Bilanzen der meisten großen Aktiengesellschaften ein Volumen, das oft das Eigenkapital übersteigt. Damit wird einerseits ein Vermögenspolster für die Arbeitnehmer geschaffen, das im Alter die Sozialrenten ergänzt, andererseits hat die Unternehmung in den Jahren bis zur Pensionierung der Mitarbeiter flüssige Mittel verfügbar, mit denen die Arbeitsplätze durch Investitionen gesichert werden können. Es handelt sich hier also um ein sehr effizientes Instrument der sozialen Marktwirtschaft in der Bundesrepublik Deutschland, das Arbeitnehmer- und Unternehmerinteressen beachtet.

347

Versicherung

Versicherungen haben in unserem Leben eine sehr große Bedeutung. Sie haben Bedeutung für einzelne Menschen, Unternehmen, aber auch für die Volkswirtschaft.

Eine Versicherung ist die Absicherung einer Person, eines privaten Haushalts oder einer Unternehmung gegen bestimmte Risiken, wie z.B. Feuer oder Überschwemmung.

Oft sind Versicherungen viel billiger als die Ansammlung entsprechender finanzieller Mittel für den Schadensfall. Volkswirtschaftliche Bedeutung besitzt die Versicherung insbesondere dadurch, dass die Folgeschäden begrenzt werden und der technische Fortschritt gefördert wird.

Versicherungen lassen sich in zwei große Bereiche unterscheiden:

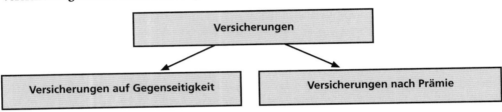

Versicherung auf Gegenseitigkeit

Versicherung auf Gegenseitigkeit bedeutet, dass sich gleichartig Gefährdete zu einer Gefahrengemeinschaft zusammenschließen. Falls in einer Periode (Geschäftsjahr) Schäden eintreten, werden die Kosten für diese Schäden von den Versicherten untereinander durch eine Umlage verrechnet. Diese Umlage wird in der Regel durch Vorschüsse finanziert.

Versicherung nach Prämie

Bei der Versicherung nach Prämie zahlt der Versicherungsnehmer einem Versicherungsunternehmen eine Versicherungsprämie. Das Versicherungsunternehmen übernimmt dann das Risiko des Eintritts eines bestimmten Schadens.

Die Versicherung nach Prämie lässt sich in zwei weitere große Bereiche einteilen:

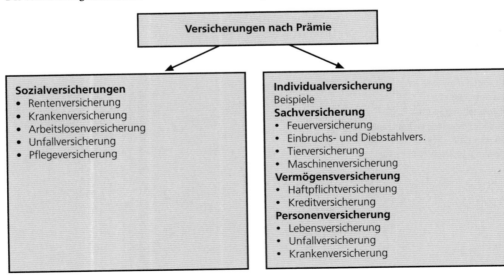

In Deutschland ist die Sozialversicherung der weitaus wichtigste Teil von Versicherungen. Neben der Sozialversicherung gibt es jedoch noch zahllose private Versicherungen, bei denen eine individuelle Vorsorge für Schadensfälle im Alltag möglich ist. Wie aus der oben aufgeführten Tabelle ersichtlich ist, handelt es sich hier um Versicherungen wie die Hausratversicherung, mit welcher der eigene Haushalt abgesichert werden kann, bzw. eine Autohaftpflichtversicherung, mit welcher man sich gegen Schadensersatz bei Unfällen absichern kann.

In vielen Fällen überlässt der Staat die Entscheidung über den Abschluss einer Versicherung nicht dem Einzelnen, sondern verpflichtet ihn dazu, eine Versicherung abzuschließen. Dies betrifft z.B. die Betreiber von Fahrzeugen, um bei Unfällen die Ansprüche des Geschädigten sicherzustellen.

Die Haftpflichtversicherung

Eine der wichtigsten Individualversicherungen ist die Haftpflichtversicherung, denn laut Gesetz muss immer derjenige zahlen, der einen Schaden verschuldet hat. Hier ist die Vorsorge freiwillig. Grundausstattung für Haftpflichtfälle ist die Privathaftpflichtversicherung. Sie schützt z.B. Fußgänger oder Radfahrer, Freizeitsportler, Aufsichtspflichtige über Minderjährige oder Mieter einer Wohnung bei Schadensfällen.

Die Vorsorgeversicherung

Zusätzlich zu den Haftpflichtversicherungen im privaten Bereich bieten die Versicherungen noch Vorsorgeversicherungen an, wie z.B.:
- Kraftfahrzeug-Kaskoversicherung zum Ersatz der eigenen Schäden bei Verkehrsunfällen oder Naturereignissen
- Rechtsschutzversicherung zur Erstattung der Kosten bei Rechtsstreitigkeiten
- Hausratversicherung und Wohngebäudeversicherung bei Schäden durch Sturm, Wasser, Feuer oder Einbruch.

Zu den Vorsorgeversicherungen gehört auch die Lebensversicherung. Bei der Lebensversicherung ist der Versicherungsfall das Erleben eines bestimmten Zeitpunktes (Erlebensfall) oder der Tod des Versicherten (Todesfall).

Bitte beachten Sie die Artikel zu den folgenden Stichwörtern:

Kosten (186 - 187)
Krankenversicherung (190 - 191)
Kredit (192 - 193)
Pflegeversicherung (254 - 255)
Rentenversicherung (280 - 281)
Sozialversicherung (296 - 297)
Unfallversicherung (322 - 323)
Unternehmung (334 - 335)

349

Ein wesentlicher Teil der Marketingstrategie ist die Form des Vertriebs. Im Rahmen der Distributions-politik wird geregelt, wie die erstellte Leistung bzw. die produzierte Ware vom Erzeuger zum Verbraucher gelangen soll.

Dabei müssen Raum und Zeit überbrückt werden. Der Unternehmung stehen verschiedenartige Absatzwege bzw. Vertriebsformen zur Verfügung.

Eine grundlegende Entscheidung ist häufig, ob der Handel in den Vertrieb einbezogen werden soll oder nicht, d.h. ob die Waren direkt vom Erzeuger zum Verbraucher gelangen soll oder auf dem indirekten Weg über Großhandel und/oder Einzelhandel. Bietet das Unternehmen seine Waren unmittelbar, also ohne Einschaltung anderer selbstän-diger Unternehmen, dem Konsumenten oder Weiterverarbeiter an, so spricht man von direktem Vertrieb. Verkauft das Unternehmen jedoch seine Waren an Abnehmer, die diese nicht selbst verwenden, sondern mit der Absicht erwerben, sie mit Gewinn weiterzuverkaufen, bezeichnet man dies als indirekten Vertrieb. Zwischen den Produzenten und den Endverbraucher treten hier selbständige Handelsunternehmen (Großhandel und Einzelhandel).

Der direkte Vertrieb kann mit Hilfe einer zentralen Verkaufsstelle oder durch Verkaufsfilialen erfolgen. Eine zen-trale Verkaufsstelle ist nur in besonderen Einzelfällen zweckmäßig (z.B. in der Schwerindustrie), insbesondere bei Produktion auf Bestellung oder bei Verkauf per Katalog und Versand. Bei Massengütern ist in der Regel ein Netz von Filialen notwendig, über das die Verbraucher erreicht werden. Die Filialen sind sowohl rechtlich als auch wirtschaft-lich von dem Unternehmen abhängig (z.B. bei Kaffee, Drogerien).

Eine Zwischenstufe zum indirekten Vertrieb ist das werksgebundene Vertriebssystem. Hierbei gliedert ein Unternehmen seine Vertriebsabteilung weitgehend aus und verlagert sie an rechtlich selbständige, wirtschaftlich aber gebundene Vertriebsfirmen. Dies findet man sehr häufig bei technischen Massenprodukten (Autos, Elektrogeräte u.a.). Gewährt das Unternehmen den Verkaufsniederlassungen rechtliche und wirtschaftliche Selbständigkeit, so ist die Absatzfunktion völlig vom Unternehmen getrennt und wir haben es mit indirektem Vertrieb zu tun. Die Grenzen zwischen direktem und indirektem Vertrieb sind häufig fließend, denn auch beim direkten Vertrieb setzt das produ-zierende Unternehmen Verkaufsorgane ein, die selbständig sind (selbständige Handelsvertreter, Makler und Kommissionäre). Diese unterscheiden sich von den Handelsunternehmen des indirekten Vertriebs dadurch, dass sie nicht das Absatz- und Preisrisiko tragen.

Der direkte Vertrieb kann in folgenden Formen vorkommen:

1. Verkauf durch betriebseigene Organe:
- Vertrieb durch Mitglieder der Geschäftsleitung
- Vertrieb durch Reisende
- Vertrieb auf Anfragen der Kundschaft
- Vertrieb im Laden

2. Verkauf durch betriebsfremde Organe:
- Vertrieb mit Hilfe von Vertretern
- Vertrieb mit Hilfe von Kommissionären
- Vertrieb mit Hilfe von Maklern.

Die Stufen, die ein Produkt von der Herstellung bis zur endgültigen Verwendung durch den privaten Verbraucher oder das verarbeitende Unternehmen durchläuft, werden unter dem Begriff der „Handelskette" zusammengefasst. Das Produktionsunternehmen hat, wie wir sahen, die Möglichkeit, unmittelbar an die Endglieder der Handelskette zu liefern (direkter Vertrieb). Der Produzent kann dabei, wenn man Reisende und Vertreter mitberücksichtigt, zwi-schen vielen Möglichkeiten des Vertriebsweges entscheiden:

1. Hersteller - Verwender
2. Hersteller - Reisender - Verwender
3. Hersteller - Reisender - Einzelhändler - Verwender
4. Hersteller - Einzelhändler - Verwender
5. Hersteller - Reisender - Großhändler - Verwender
6. Hersteller - Reisender - Großhändler - Einzelhändler - Verwender
7. Hersteller - Großhändler - Verwender
8. Hersteller - Großhändler - Einzelhändler - Verwender
9. Hersteller - Vertreter - Großhändler - Verwender
10. Hersteller - Vertreter - Großhändler - Einzelhändler - Verwender
11. Hersteller - Vertreter - Einzelhändler - Verwender
12. Hersteller - Vertreter - Verwender

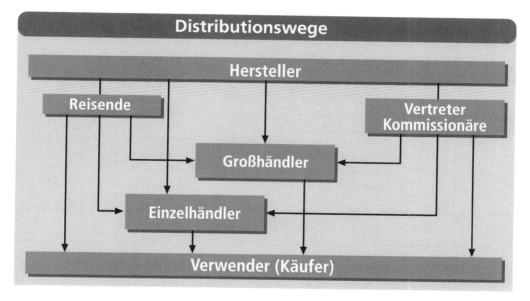

Distributionswege

Diese Handelsketten können insbesondere im Fall des Exports und Imports noch eine weitaus größere Zahl von Gliedern haben. Der Produzent hat jedoch in vielen Fällen auf die Zahl der Glieder in der Handelskette keinen unmittelbaren Einfluss. Oft kann er nur das erste Glied der Kette bestimmen, also z. B. den Groß- oder Einzelhandel. In manchen Fällen werden auch mehrere Handelsketten nebeneinander angewendet, beispielsweise liefern Hersteller von Werkzeugen oder kleineren Maschinen sowohl an den Großhandel, den Einzelhandel als auch an den Verwender.

Bitte beachten Sie die Artikel zu den folgenden Stichwörtern:
Direktmarketing (82 - 83)
Gewinn (138 - 139)
Großhandel (146 - 147)
Marketing (208 - 209)
Unternehmung (334 - 335)

Errechnung der Selbstkosten je Stück

Das innerbetriebliche Rechnungswesen setzt sich aus der Kosten- und Leistungsrechnung, der Betriebsstatistik und weiteren Planungsrechnungen zusammen. Das Rechnungswesen soll drei Aufgaben erfüllen:

- Planungsaufgaben,
- Kontrollaufgaben und
- Publikationsaufgaben.

Ein wichtiger Aspekt der Planungs- und Kontrollaufgaben in der Kostenrechnung ist die Ermittlung des Einsatzes von Ressourcen für die einzelnen erstellten Leistungen / Produkte = Kostenträger. Sie sind letztlich die Objekte, welche die Kosten „tragen" müssen und beim Verkauf durch die erzielten Einnahmen die Voraussetzung dafür schaffen, dass die Unternehmung erneut Ressourcen beschaffen kann.

Bei dieser „Kostenträgerrechnung" kommen verschiedene Verfahren zur Anwendung, die man in Verfahren der „Teilkostenrechnung" und der „Vollkostenrechnung" einteilt. Der entscheidende Unterschied liegt in der Behandlung der „fixen Kosten", d.h. solcher Kosten, die bei einer Erhöhung oder Senkung der Produktionsleistung gleich bleiben (z.B. Zinsen für eine Hypothek, Raummiete, Gehalt eines Hausmeisters), im Gegensatz zu den variablen Kosten, die sich dann verändern (z.B. Materialverbrauch). Fixe Kosten führen dazu, dass bei steigender Produktion die Kosten je Stück sinken und bei sinkender Produktion die Kosten steigen.

Beispiel:

Produktion	Fixe Kosten	Variable Kosten	Gesamtkosten	Kosten je Stck
100 Stck.	1000 Euro	1000 Euro	2000 Euro	20 Euro
200 Stck	1000 Euro	2000 Euro	3000 Euro	15 Euro
50 Stck.	1000 Euro	500 Euro	1500 Euro	30 Euro

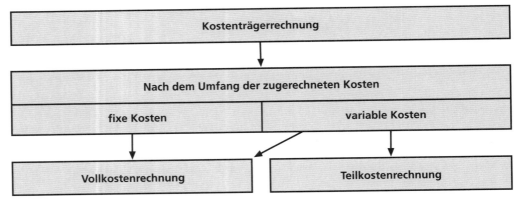

Bei den Verfahren der Teilkostenrechnung wird i.d.R. nur mit bestimmten Teilen der Kosten (i.d.R. nur mit variablen Kosten) gerechnet.

Bei der Vollkostenrechnung erfasse und verarbeite ich dagegen die gesamten Kosten (variable und fixe Kosten).

Hierbei gibt es unterschiedliche Kalkulationsverfahren. Das einfachste ist die sog. „Divisionskalkulation", bei deren Grundform die gesamten Kosten durch die Menge der Produkte geteilt werden, so dass jedes Produkt den gleichen Kostenanteil trägt.

Beispiel: Gesamtkosten 330.000 Euro, Menge 30.000 Stück,
Stückkosten = 330.000 : 30.000 = 11 Euro/Stück

Verfeinerungen können darin bestehen, einzelne Kostenarten nur bestimmten Produkten zuzuordnen und dadurch eine genauere Rechnung zu erhalten.

Beispiel:	Herstellkosten 300.000 Euro,	Vertriebskosten	30.000 Euro
	produzierte Menge 30.000 Stück,	verkaufte Menge 20.000 Stück	
	Stückkosten eines produzierten Stücks	= 300.000 : 30.000 = 10 Euro	
	Stückkosten des Vertriebs:	= 30.000 : 20.000 = 1,50 Euro	
	Stückkosten eines verkauften Stücks:	= 10 Euro + 1,50 Euro = 11,50 Euro	

Die verfeinerte Divisionskalkulation wird mit verschiedenen Variationen vor allem in Handels- und Dienstleistungsbetrieben verwendet.

Die gebräuchlichste Form der Kalkulation im Bereich der produzierenden Unternehmen ist die Zuschlagskalkulation. Diese sehr weit verbreitete Form soll im Folgenden an einem Beispiel dargestellt werden.

Das übliche Kalkulationsschema der Zuschlagskalkulation sieht wie folgt aus:

1. Zunächst werden die Kosten des reinen Materials (Rohstoffe o.a.) eines Produktes erfasst. Diesen Material-Einzelkosten werden mit einem %-Anteil die Kosten zugeschlagen, die bei der Lagerung und Verwaltung des Materials entstehen (z.B. Lagerverwaltung). Wir nennen sie Materialgemeinkosten.
2. Der zweite Kalkulationsschritt umfasst die Fertigungskosten, die aus den Fertigungs-Einzelkosten (Lohnkosten je Stück) und den Fertigungsgemeinkosten (Kosten der Werkstatt, der Werkzeuge, Energie, Hilfsstoffe, Lohnzusatzkosten u.a.) bestehen. Die Summe aus Materialkosten und Fertigungskosten ergibt die Herstellkosten eines Produktes.
3. Auf die Herstellkosten werden nun in % die Kosten aufgeschlagen, die in der allgemeinen Verwaltung (Rezeption, Buchhaltung, Forschung und Entwicklung u.a.) und im Vertrieb (Fertigwarenlager, Verpackung, Transport, Vertreter u.a.) entstehen. Wir nennen diese Kosten „Verwaltungsgemeinkosten" und „Vertriebsgemeinkosten". Ihre %-Sätze werden von den Herstellkosten berechnet und auf diese aufgeschlagen. Das Ergebnis sind die Selbstkosten der Produkte.
4. In diesen Selbstkosten ist der gesamte Ressourcenverbrauch bei der Produktion der einzelnen Produktstücke enthalten. Produziere ich mehr oder weniger, so verändern sich nicht nur die gesamten Kosten, sondern vor allem die Kosten pro Stück. Produziere ich eine geringere Menge, so steigen die Stückkosten, bei größeren Mengen sinken sie. Die Kalkulation ist also für die Festlegung von Preisen nicht optimal.

Von den Selbstkosten zum Angebotspreis

Wir nehmen einmal an, dass eine Firma ihre Selbstkosten für zwei ihrer Produkte errechnet hat und nun überlegt, zu welchem Preis sie diese anbieten soll.

1. Zunächst einmal wird sie daran denken, einen Gewinnaufschlag auf die Selbstkosten zu nehmen, dessen Höhe sicher von der Branche und der wirtschaftlichen Situation, dem Standort u.a.m. abhängt. Es ist auch denkbar, dass für die einzelnen Produkte unterschiedliche Gewinnaufschläge genommen werden.
2. Mit diesem Verkaufspreis hätte die Firma zwar ihre Selbstkosten abgedeckt und auch den angestrebten Gewinn gemacht, doch wird sie ja vom Staat verpflichtet, von jedem Euro beim Verkauf einen Teil als Umsatzsteuer abzuführen. Wenn sie diese Steuern nicht aufschlägt, geht es zu Lasten ihres Gewinnes. Wir rechnen der Einfachheit halber mit einem Steuersatz von 10 %, so dass sich der Verkaufspreis um 10 % erhöht.
3. Damit könnte die Kalkulation beendet sein, wenn nicht in vielen Fällen die Realität so aussieht, dass die Kunden versuchen, ein günstigeres Angebot herauszuhandeln. Es kann – wie besonders in vielen Ländern Südeuropas, aber sicher nicht nur dort – das ganz normale Einkaufsverhalten sein. In Deutschland, wo es noch bis vor kurzer Zeit ein sog. „Rabattgesetz" gab, das vorschrieb, an wen Preisnachlässe gegeben werden dürfen und sogar bei Barzahlung einen Nachlass von maximal 3 % vorschrieb, ist die Sitte des „Feilschens" noch sehr stark auf den Verkehr unter Kaufleuten beschränkt, während der Normalbürger sich meist an die Preise hält, die der Kaufmann an die Ware schreibt.

Bitte beachten Sie die Artikel zu den folgenden Stichwörtern:
Deckungsbeitrag (80 - 81)
Externes und internes Rechnungswesen (112 - 113)
Kosten (186 - 187)
Kostenrechnung (188 - 189)

Wachstum

Unter wirtschaftlichem Wachstum versteht man das Wachstum des Inlandsprodukts, d. h. die vermehrte und/oder verbesserte Produktion von Waren und Dienstleistungen in einer Volkswirtschaft im Laufe eines Jahres.

Wesentliche Bestimmungsgründe für die Höhe des Wachstums in einer Volkswirtschaft sind die verfügbaren Ressourcen, die Investitionen und die innovativen Kräfte von Forschung und Entwicklung. Der durch sie ausgelöste technische und organisatorische Fortschritt optimiert den Einsatz von Ressourcen und ist wohl der entscheidende Faktor für besonders starke Wachstumsprozesse. Das Wirtschaftswachstums ist also ganz wesentlich von der Dynamik der Unternehmungen, die die Produktionsfaktoren kombinieren, und von der Schärfe des Wettbewerbs abhängig, der zur sparsamen Verwendung von Produktionsfaktoren und zur Entdeckung und Verbreitung neuer Produktionsverfahren zwingt.

Wirtschaftliches Wachstum ist nicht gleichzusetzen mit einer Erhöhung des Wohlstandes, da dieser z.B. auch von der Einkommensverteilung und der Qualität der Umwelt abhängig ist. Man könnte z.B. die ganzen Grünflächen eines Landes mit Fabriken überziehen und die Menschen 18 Stunden am Tag arbeiten lassen; das Wachstum der Produktion wäre dann zwar enorm hoch, doch das Leben in dieser Volkswirtschaft nicht lebenswert. Die damit angesprochene Lebensqualität versucht man statistisch durch „soziale Indikatoren" – eine Ergänzung oder Alternative zum Begriff des Inlandsprodukts – zu erfassen. Jedoch weisen viele dieser Kennzahlen, z.B. die Wohnfläche je Mensch, die Lebenserwartung bei der Geburt oder das Ausmaß der Ausbildung an höheren Schulen und Universitäten eine sehr enge positive Beziehung zum Inlandsprodukt pro Kopf der Bevölkerung auf, welches die materiellen Voraussetzungen für diese Bestandteile der Lebensqualität schafft.

Prophezeiungen über das Ende des wirtschaftlichen Wachstums auf Grund der Erschöpfung von Rohstoffen, steigender Umweltverschmutzung und zunehmender Lebensmittelverknappung als Folge wachsender Bevölkerung sind sehr fragwürdig. Denn bei ihnen dürften die Reaktionsfähigkeit der Märkte auf Verknappung sowie der technische Fortschritt und die Entwicklung und Nutzung von Rohstoffen (z.B. durch Recycling) unterschätzt werden. Die oben genannten Gesichtspunkte stellen trotz allem auch Grenzen des wirtschaftlichen Wachstums dar.

In einer stark außenhandelsorientierten Volkswirtschaft – wie derjenigen der Bundesrepublik Deutschland – ergeben sich mögliche Grenzen des Wachstums aus der Außenhandelsverflechtung. Trifft etwa die These der weltweiten Rohstoffknappheit zu, so könnte sich dies in einem langfristig steigenden Devisenbedarf ausdrücken, der zunehmend steigende Exportmengen zum Erwerb der Devisen erfordert. Die tatsächlichen Austauschverhältnisse, die Terms of Trade, könnten sich unter diesem Aspekt langfristig zu Ungunsten der Bundesrepublik verschlechtern. Die mangelnde Verfügbarkeit international knapper Rohstoffe macht sich als Wachstumsgrenze dadurch bemerkbar, dass eine passive Zahlungsbilanz über mehrere Perioden nicht durchzustehen ist. Der Außenhandel steckt im Übrigen auch Grenzen für Wachstumsprozesse im Bereich der Exporttätigkeit ab.

Zweifellos ist die Umwelt ein weiterer Faktor, der das wirtschaftliche Wachstum begrenzt. Das Umweltproblem verdeutlicht, dass die Bedeutung der These von den Grenzen des Wachstums entscheidend davon abhängt, ob Wachstum quantitativ oder qualitativ gedeutet wird. Quantitatives Wachstum wird durch die Umweltbelastung begrenzt, aber Umweltverbesserungen stellen sogar selbst qualitatives Wachstum dar.

Entscheidend für einen wachsenden Wohlstand im heutigen Deutschland ist ein Abbau der Arbeitslosigkeit. Erreicht werden kann dies nur durch eine Umverteilung der Arbeit und/oder durch Wachstum. Die Beziehung zwischen Wachstum und der Veränderung der Menge an Arbeitsplätzen zeigt die folgende Grafik.

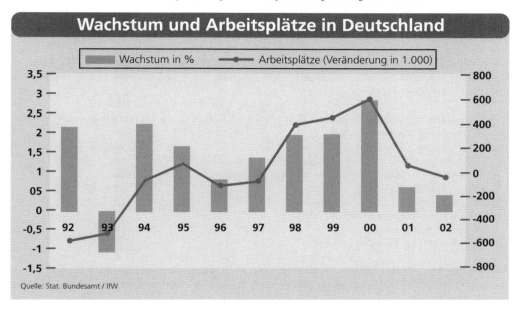

Wenn die Konjunktur lahmt oder gar in eine Krise abgleitet, gehen in aller Regel Arbeitsplätze verloren. Wenn die Wirtschaft dann wieder wächst, erhöht sich auch die Nachfrage nach Arbeitskräften – erfahrungsgemäß allerdings mit einer zeitlichen Verzögerung.

Bitte beachten Sie die Artikel zu den folgenden Stichwörtern:
Arbeitslosigkeit (26 - 27)
Inlandsprodukt (160 - 161)
Innovation (162 - 163)
Investition (166 - 167)
Konjunktur (180 - 181)
Markt (210 - 211)
Produktionsfaktoren (262 - 263)
Unternehmung (334 - 335)
Wettbewerb (366 - 367)

Wechsel

Ein Wechsel ist eine schriftliche Aufforderung des Ausstellers (meist des Verkäufers) an den Bezogenen (meist der Käufer), einen bestimmten Geldbetrag zu einem bestimmten Termin an einem bestimmten Ort an den Aussteller oder einen Dritten zu zahlen.

Ein Wechsel gewährt als Zahlungsversprechen eine höhere Sicherheit als ein einfaches Versprechen oder auch ein normaler Schuldschein. Bei der Nichteinlösung des Wechsels geht der Wechsel i.d.R. in einem formellen gerichtlichen Verfahren „zu Protest". Die öffentliche Bekanntgabe beeinträchtigt die Kreditwürdigkeit des Schuldners so stark, dass er kaum noch von irgendeiner Stelle finanzielle Unterstützungen für seine Unternehmung bekommen würde (Aufnahme in die „schwarze Liste").

Für Wechsel gibt es bestimmte Normblätter (DIN 5004), doch ist auch ein formloses Dokument gültig, wenn es folgende gesetzlichen Bestandteile enthält:
1. Die Bezeichnung „Wechsel" im Text
2. Die unbedingte Anweisung, eine bestimmte Geldsumme zu zahlen
3. Der Name des Zahlenden, der Bezogener oder Aussteller sein kann (Trassant; vgl. Tratte)
4. Der Zahlungszeitpunkt
5. Der Zahlungsort
6. Die Angabe des Zahlungsempfängers (Remittent)
7. Der Ausstellungstag und -ort
8. Die Unterschrift des Ausstellers (Trassant)

Beispiel: Die Firma Eduard Hölscher in Koblenz kann einen Auftrag zur Lieferung des Bauholzes für ein Bauvorhaben „Großklinikum" erhalten. Sie steht vor dem Problem, den Zeitraum zwischen der Bezahlung der Lieferantenrechnung des Sägewerkes und dem Eingang des Geldes von dem Bauträger, dem staatlichen Hochbauamt, überbrücken zu müssen.

Die Firma Hölscher vereinbart mit dem Sägewerk Brettschneider die Lieferung des Bauholzes im Wert von 50.000 Euro. Zur Überbrückung der Frist bis zur Bezahlung des Holzes durch das staatliche Hochbauamt wird eine Zahlung per Wechsel vertraglich vereinbart. Der WECHSEL wird am 30.06. durch das Sägewerk Brettschneider ausgestellt (Aussteller = Brettschneider).

Für die Firma Hölscher besteht die Pflicht, diesen Wechsel am 30.09. einzulösen, d.h. bei Vorlage des Wechsels 50.000 Euro zu zahlen. Hölscher nimmt durch seine Unterschrift („Querschreiben") diese Verpflichtung an (Hölscher = Bezogener = Akzeptant).

Brettschneider ist aber selbst in Zahlungsschwierigkeiten, um bei der Forstverwaltung seine Rechnungen zu bezahlen. Er geht also sofort zur Filiale seiner Sparkasse, um den Wechsel diskontieren zu lassen, d.h., die Sparkasse „kauft" den Wechsel an, Brettschneider erhält seine 50.000 Euro (schon am Tag der Ausstellung. Diese 50.000 Euro sind ein Kredit, für den die Sparkasse als Sicherheit den Wechsel hat. Würde am 30.09. Hölscher nicht zahlen, so könnte die Sparkasse auf Brettschneider zurückgreifen und von ihm die 50.000 Euro (d.h. die Rückzahlung des Kredits) verlangen.

Natürlich wird die Sparkasse den Kauf des Wechsels nicht nur vornehmen, weil Brettschneider ein alter Kunde ist, sondern für die 50.000 Euro (vom 30.06. bis 30.09.) Zinsen verlangen. Diese nennt man beim Wechselkredit „Diskont". Die Sparkasse kann, wenn sie selbst über genügend Liquidität verfügt, den Wechsel vom 30.06. bis 30.09. in ihrem Tresor liegen lassen und somit die ganzen Zinsen selbst verdienen. Sie kann aber auch den Wechsel ihrerseits an die Zentralbank weiterverkaufen („rediskontieren") und muss dann ebenfalls Zinsen zahlen. Der Zinssatz, den die Zentralbank hierbei berechnet, ist der „Diskontsatz".

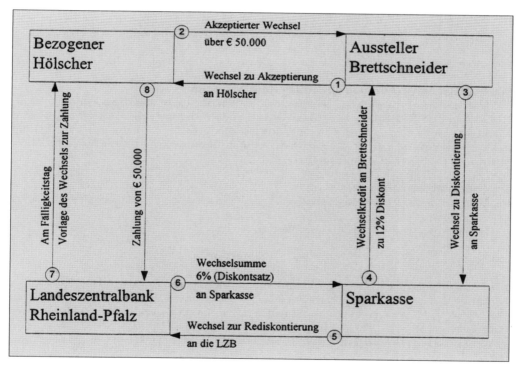

Bitte beachten Sie die Artikel zu den folgenden Stichwörtern:
Kredit (192 - 193)
Liquidität (196 - 197)
Unternehmung (334 - 335)

. Der internationale Handel wird schon lange nicht mehr als Naturaltausch abgewickelt (Ware gegen Ware). Genauso wie im nationalen Raum (innerhalb Deutschlands) ist die Verwendung von Zahlungsmitteln erforderlich. Zwar wird im internationalen Zahlungsverkehr häufig der Dollar benutzt, aber ein einziges allgemein akzeptiertes Zahlungsmittel gibt es nicht. Jedes Land verfügt über seine eigene nationale Währungseinheit, die in dem betreffenden Land gesetzliches Zahlungsmittel ist. In der Bundesrepublik Deutschland ist z.B. nur der Euro gesetzliches Zahlungsmittel.

> **Der Wechselkurs ist der Preis für eine Einheit ausländischer Währung (= Preisnotierung) ausgedrückt in inländischer Währung.**

Aus internationalen Wirtschaftsbeziehungen entsteht die Notwendigkeit, dass die Währungen der Länder gegeneinander eingetauscht werden können – die Währungen müssen konvertibel sein. **Konvertibilität** bedeutet die Umtauschmöglichkeit von Währungen. Dabei spricht man von
- **Ausländerkonvertibilität**, wenn einem Ausländer die Möglichkeit gegeben ist, seine Währung in einheimische Währung des Gastlandes einzutauschen, und von
- **Inländerkonvertibilität**, wenn einem Einheimischen in seinem eigenen Land die Möglichkeit offen steht, seine Währung gegen fremde Währungen einzutauschen. Aus Devisenknappheit ist in vielen Ländern die Inländerkonvertibilität beschränkt.

Der Austausch der Währungen erfolgt zu einem bestimmten Wechselkurs. Wechselkurs ist der in inländischer Währung ausgedrückte Preis, der für eine fremde Währung bezahlt werden muss. Beispielsweise bedeutet ein Wechselkurs des Euro gegenüber dem US-Dollar von 1,20, dass man für einen Dollar 1,20 Euro bezahlen muss.

Was bedeutet Aufwertung und Abwertung einer Währung?

Eine Veränderung der Wechselkurse bezeichnet man als Aufwertung oder Abwertung. Aufwertung ist die Herabsetzung (!) des Wechselkurses. Beträgt beispielsweise der neue Wechselkurs nach einer Aufwertung des Euro 1,10, so muss man für einen Dollar nur noch 1,10 Euro bezahlen. Umgekehrt formuliert: Für einen Euro erhält man nach der Aufwertung mehr Dollar als zuvor. Abwertung ist die Heraufsetzung des Wechselkurses. Nach einer Abwertung ist die abgewertete Währung weniger wert.

Freie und feste Wechselkurse

Hinsichtlich der Art und Weise der Wechselkursbildung gibt es zwei grundsätzlich verschiedene Möglichkeiten. Ein Land kann sich für
- freie Wechselkurse (= flexible Wechselkurse = **floating**) oder für
- feste Wechselkurse
entscheiden.

Freie Wechselkursbildung liegt vor, wenn sich das Austauschverhältnis der Währungen nach den Prinzipien der Preisbildung am Markt ohne staatliche Eingriffe allein aus Devisenangebot und Devisennachfrage herleitet (Börse). Eine steigende Nachfrage nach einer Währung führt dann zu ihrer Verteuerung, eine sinkende Nachfrage zu einer Verbilligung.

Greift der Staat in dieses Marktgeschehen ein, was sehr häufig passiert, dann spricht man vom „unsauberen floating".

Feste Wechselkurse ergeben sich aus bilateralen oder multilateralen Regierungsbeschlüssen. In einem System fester Wechselkurse verpflichten sich die beteiligten Regierungen, den Wechselkurs durch entsprechende Maßnahmen auf der vereinbarten Höhe zu fixieren.

Die Stabilität des Systems fester Wechselkurse wird durch die Zentralbanken (in den Euro-Ländern = Europäische Zentralbank) gewährleistet, die jedem Anbieter zum vereinbarten festen Wechselkurs Devisen abnehmen und jedem Nachfrager zum vereinbarten festen Wechselkurs Devisen verkaufen. Dadurch wird verhindert, dass sich abweichende Kurse auf schwarzen Märkten bilden,

- weil der Anbieter von Devisen keinen höheren Preis als den festen Wechselkurs fordern kann, denn der Nachfrager zahlt bei der Zentralbank höchstens diesen Preis;
- weil der Nachfrager von Devisen nicht weniger als den festen Wechselkurs bieten kann, denn der Anbieter erhält bei der Zentralbank mindestens diesen Preis.

Das Festkurssystem funktioniert so lange reibungslos, wie der garantierte Wechselkurs in etwa den Marktverhältnissen entspricht. Tendiert die Marktlage allerdings dauerhaft zu einem anderen Kurs, weil ein beteiligtes Land z.B. eine schlechte Wirtschaftspolitik betreibt, Inflation aufkommen lässt, die Staatsschulden überhandnehmen oder die Wirtschaft geringe Produktivitätszuwächse hat, dann würde das Währungssystem nur unter der Voraussetzung funktionieren, dass die beteiligten Länder bereit sind, jede beliebige Menge Devisen zum Festkurs zu kaufen bzw. zu verkaufen. Diese Bedingung ist i.d.R. nicht erfüllbar, weil entweder die Devisen fehlen oder die einheimische Wirtschaft durch die ausländischen Fehler zu stark in Mitleidenschaft gezogen wird. Deshalb kommt es bei einer dauerhaften Abweichung der Wirtschaftsentwicklung zwischen den Ländern zwangsläufig zu Aufwertungen und Abwertungen. Die Aufwertung und Abwertung erfolgt hier also durch Festlegung eines neuen Kurses. Je häufiger dies geschieht, desto „flexibler" sind dann die Wechselkurse faktisch. Ein System fester Wechselkurse kann auf längere Sicht nur dann stabil bleiben, wenn die beteiligten Länder eine harmonisierte Wirtschaftspolitik betreiben und die Wirtschaftsentwicklung gleichartig verläuft. Da dies selten der Fall ist, kommt es i.d.R. zwischen diesen Ländern häufiger zu Neuanpassungen der Wechselkurse (= Realignment).

Aus praktischen Gründen tolerieren die Regierungen oft von vornherein kleinere Abweichungen vom Festkurs durch die Einrichtung von Bandbreiten. Schwankungen der Wechselkurse innerhalb dieser Bandbreiten sind dann zulässig Die Grenzen der Bandbreiten heißen Interventionspunkte. Bei ihren beginnen dann die Zentralbanken mit ihren Kauf- bzw. Verkaufangeboten.

Bitte beachten Sie die Artikel zu den folgenden Stichwörtern:
Börse (64 - 65)
Euro (100 - 101)
Europäische Zentralbank (104 - 105)
Inflation (158 - 159)
Markt (210 - 211)
Preisbildung (256 - 257)
Produktivität (264 - 265)

Werbung

Die Entstehung der Wirtschaftswerbung ist unmittelbar verknüpft mit dem Beginn der Herstellung von Waren und Dienstleistungen, die nicht mehr ausschließlich zur Deckung des eigenen Bedarfs benötigt wurden. Das sich dabei entwickelnde System der Arbeitsteilung setzt für seine Funktionsfähigkeit voraus, dass eine Information der potenziellen Käufer erfolgt.

Der Ursprung des Wortes „werben" liegt in dem althochdeutschen Wort „werban" bzw. „wervan", das „sich drehen", „hin und her gehen", „sich bemühen" und „etwas betreiben" bedeutet. In diesem Sinn ist „Werbung" nicht nur im wirtschaftlich-politischen Bereich von Bedeutung, sondern auch im privaten Leben, wo man für sich oder um jemanden anderes werben kann.

Für Wirtschaftszwecke wurde die Werbung schon in der Antike eingesetzt: Ausrufer für den Verkauf im antiken Ägypten, Tafeln mit Warenlisten in Babylon, Güte- und Herkunftszeichen auf Münzen usw. zeugen davon. Heute ist die Werbung aus dem System der Marktwirtschaft nicht mehr wegzudenken.

Im Sinne der Wirtschaftswerbung ist Werbung die planmäßige Beeinflussung von Einzelpersonen oder Gruppen. Ihr Ziel ist die Bildung oder Beeinflussung einer Meinung sowie die Steuerung des Nachfrageverhaltens der Konsumenten.

Werbung ist Teil einer Kette aus Ursache und Wirkung: Demokratie – Marktwirtschaft – Wettbewerb – Werbung. Das eine ist ohne das andere nicht möglich. Zum Wettbewerb gehört auch Marketing, zu dem alle geschäftlichen Maßnahmen und Tätigkeiten zählen, die den Fluss der Waren und Dienstleistungen vom Hersteller zum Konsumenten regeln. Ein Teil des Marketing ist die Kommunikationspolitik eines Unternehmens, bei der neben der Verkaufsförderung, der Verbraucherinformation und der Öffentlichkeitsarbeit die Werbung eine entscheidende Rolle spielt. **Werbung ist also ein Teil des Marketing.**

„Werbung" kann definiert werden als die beabsichtigte Beeinflussung von marktrelevanten Einstellungen und Verhaltensweisen ohne formellen Zwang unter Einsatz von Werbemitteln und Medien, um den Willen von Menschen in eine bestimmte Richtung zu lenken.

Als Marketinginstrument von Firmen hat Werbung verschiedene Aufgaben und Ziele:
1. Bekanntmachung des Produktes
2. Schaffung einer positiven Einschätzung des Produktes
3. Verkauf des Produktes

Zur Erreichung dieser Ziele werden in der Werbepraxis, in den Werbeagenturen und Werbeabteilungen der Unternehmen verschiedene Werbemittel eingesetzt. Werbemittel lassen sich hauptsächlich in visuelle (Plakate, Anzeigen, Prospekte, Flugblätter, Tragetaschen, Werbebriefe), in akustische (Hörfunkspot) und in audiovisuelle (Fernsehspot, Werbefilm) Werbebotschaften unterteilen. Mit Hilfe dieser Werbemittel transportieren die Werbeträger die Werbebotschaften der Werbungstreibenden zu den Umworbenen. Sie üben eine Übermittlungs- bzw. Transportfunktion aus. Zu den Werbeträgern gehören Tageszeitungen, Anzeigenblätter, Fernsehen, Rundfunk, Plakatwand, Schaufenster, Messestand, Verpackungen usw.

Die Werbewirtschaft lässt sich somit in drei Gruppen gliedern:
1. die werbenden Firmen (Warenhersteller wie Investitionsgüterhersteller; Dienstleistungsunternehmen wie Banken, Versicherungen; Handel, Beratung)
2. die Werbeagenturen (sie gestalten und erstellen die Werbemittel)
3. die Werbeträger (sie tragen die Werbebotschaft an die Zielpersonen heran)

Die folgende Übersicht zeigt diverse Erscheinungsformen der Werbung:

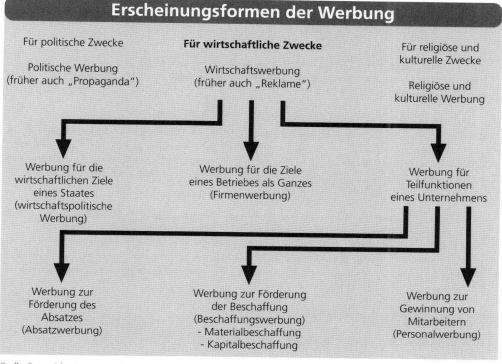

Erscheinungsformen der Werbung

Für politische Zwecke	**Für wirtschaftliche Zwecke**	Für religiöse und kulturelle Zwecke
Politische Werbung (früher auch „Propaganda")	Wirtschaftswerbung (früher auch „Reklame")	Religiöse und kulturelle Werbung
Werbung für die wirtschaftlichen Ziele eines Staates (wirtschaftspolitische Werbung)	Werbung für die Ziele eines Betriebes als Ganzes (Firmenwerbung)	Werbung für Teilfunktionen eines Unternehmens
Werbung zur Förderung des Absatzes (Absatzwerbung)	Werbung zur Förderung der Beschaffung (Beschaffungswerbung) - Materialbeschaffung - Kapitalbeschaffung	Werbung zur Gewinnung von Mitarbeitern (Personalwerbung)

Quelle: Günter Schweiger, Gertraud Schrattenecker: Werbung. 2. bearb. u. erg. Aufl., Stuttgart, New York 1988, S. 11.

Wie wird Werbung durchgeführt?

Jede Werbekampagne wird nach einem festgelegten Plan durchgeführt. Dieser Werbeplan muss in den übergeordneten Marketingplan integriert werden: Die Werbeziele werden aus den Marketingzielen abgeleitet. Die Werbeplanung findet in mehreren Phasen statt: Werbeanalyse → Ableitung der Werbeziele → Bestimmung des Werbebudgets → Definition der Zielpersonen → Formulierung und Gestaltung der Werbebotschaft / Bestimmung der Werbemittel → Mediaselektion / zeitlicher Einsatz der Werbung → Kontrolle der Werbewirkung. Sowohl bei der Werbeanalyse als auch bei der Kontrolle der Werbewirkung spielt die Marktforschung eine wichtige Rolle.

In der Werbewirkungsforschung wird untersucht, welche Prozesse beim Umworbenen zwischen Werbebotschaft und Kaufentscheidung ablaufen. Eines der bekanntesten Modelle ist hierbei die Stadienfolge **AIDA**:

A	= **Attention**	= **Aufmerksamkeit**
I	= **Interest**	= **Interesse**
D	= **Desire**	= **Wunsch**
A	= **Action**	= **Handlung, Aktion**

Die Grenzen der Werbung werden in der Bundesrepublik Deutschland sowohl durch Selbstbeschränkungsabkommen der Wirtschaft (z.B. Deutscher Werberat) als auch durch das Werberecht abgesteckt, das jedoch kein einheitliches, in sich geschlossenes Rechtsgebiet ist. Viele Einzelgesetze und Verordnungen schützen sowohl die Werber, z.B. gegen unlauteren Wettbewerb, als auch die Verbraucher.

Bitte beachten Sie die Artikel zu den folgenden Stichwörtern:
Marketing (208 - 209)
Marktforschung (215 - 215)
Public Relations (270 - 271)
Verkaufsförderung (342 - 343)
Wettbewerb (366 - 367)

Wertpapiere

Wertpapiere sind Urkunden, durch die ein Vermögensrecht so verbrieft ist, dass es nur durch diese Urkunde geltend gemacht oder auf Dritte übertragen werden kann.

Rechtlich unterscheidet man bei Wertpapieren im weiten Sinne:

- sachenrechtliche Wertpapiere = Hypotheken-, Grundschuld- und Rentenbriefe
- schuldrechtliche Wertpapiere = Wechsel, Schecks, Schuldverschreibungen
- Mitgliedschaftspapiere = Aktien.

Was sind Effekten?

Im engen Sinne versteht man unter Wertpapieren nur die Effekten, d.h. Wertpapiere, die der Kapitalanlage dienen und laufende Erträge erbringen, die nur der Besitzer der Urkunde geltend machen kann. Effekten sind „vertretbar", d.h., jede Urkunde, die der Gläubiger ausgibt, hat eine völlig gleiche Beschaffenheit; die Zahl und die Ausstattung der Urkunden ist exakt festgelegt, so dass diese Urkunden einfach gehandelt werden können. Dies ist auch die Voraussetzung für ihre Börsenfähigkeit. Sie kommen vor als

- Inhaberpapiere, auf denen nur der Schuldner verzeichnet ist, während als Gläubiger der jeweilige Besitzer gilt. Sie sind an der Börse dominierend.
- Orderpapiere, die Namen von Schuldnern und Gläubigern tragen, und nur durch lückenlose schriftliche Erklärungen auf dem Wertpapier (Indossament) an den jeweils neuen Eigentümer weitergegeben werden können.
- Rektapapiere, bei denen der Schuldner nur zur Zahlung an den auf dem Papier genannten Gläubiger (oder seinen Rechtsnachfolger) verpflichtet ist.

Wertpapiere lassen sich auch in die Kategorien

- Gläubigerpapiere, z.B. Anleihen, Obligationen
- Mitgliedspapiere (Miteigentumspapiere), z.B. Aktien
- Investmentanteile

unterteilen. Ein wesentliches Unterscheidungskriterium, das häufig als Entscheidungskriterium bei der Anlageform gilt, ist die Frage des Ertrages. Es gibt Wertpapiere, die einen über die Laufzeit gleichbleibenden Ertrag gewähren (z.B. 7 % Jahreszins), während der Ertrag bei anderen Wertpapieren unregelmäßige Schwankungen aufweist oder ganz ausbleiben kann, sog. Dividendenpapiere (z.B. bei Aktien).

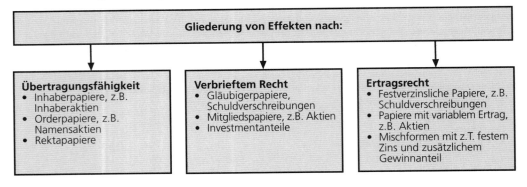

Gliederung von Effekten nach:

Übertragungsfähigkeit	Verbrieftem Recht	Ertragsrecht
• Inhaberpapiere, z.B. Inhaberaktien • Orderpapiere, z.B. Namensaktien • Rektapapiere	• Gläubigerpapiere, Schuldverschreibungen • Mitgliedspapiere, z.B. Aktien • Investmentanteile	• Festverzinsliche Papiere, z.B. Schuldverschreibungen • Papiere mit variablem Ertrag, z.B. Aktien • Mischformen mit z.T. festem Zins und zusätzlichem Gewinnanteil

„Verbrieftes Recht" bezieht sich darauf, dass mit den Effekten unterschiedliche Ansprüche der Inhaber verbunden sind:

Gläubigerpapiere (Anleihen, Schuldverschreibungen) gewähren kein Miteigentum, jedoch
- das Recht, einen im Voraus festgelegten Zins zu erhalten
- das Recht, bei Fälligkeit den Nennbetrag des Wertpapiers zurückzuerhalten
- in Sonderfällen ist ein Anspruch auf Gewinnbeteiligung gegeben (bei Gewinnobligationen).

Unterscheidet man Gläubigerpapiere nach dem Aussteller (Emittenten), so kann man unterscheiden:

- Öffentliche Hand (Bund, Länder, Gemeinden und Gemeindeverbände, Sondervermögen = z.B. Bundesanleihen, -schatzbriefe, -anweisungen, Länderanleihen, Schatzwechsel, Kommunalobligationen u.a.)
- Kreditinstitute (Realkreditinstitute, Sparkassen, Banken = Pfandbriefe, Sparbriefe, Obligationen u.a.)
- Private Unternehmen (Industrie-Schuldverschreibungen u.a.)
- Ausländische Emittenten (Auslandsanleihen, Währungsanleihen u.a.)

Mitgliedspapiere (Aktien):

Aktien sind Anteilsrechte an Aktiengesellschaften und verbriefen einen Anteil am Grundkapital. Sie gewähren
- das Recht auf die in der Hauptversammlung beschlossene Dividende
- das Bezugsrecht bei der Ausgabe neuer Aktien
- Stimm- und Auskunftsrechte in der Hauptversammlung.
- Anspruch auf einen Anteil am Liquidationserlös bei Auflösung der Gesellschaft bzw. bei Insolvenz.

In der Regel werden Aktien als Inhaberaktien ausgegeben, d.h., sie sind formlos übertragbar. Namensaktien werden unter dem Namen des Inhabers bei der Aktiengesellschaft vermerkt und sind nur durch Indossament übertragbar, bei vinkulierten Namensaktien sogar nur mit Zustimmung der Aktiengesellschaft.

Man unterscheidet auch nach Stammaktien und Vorzugsaktien, wobei sich der Vorzug auf das Stimmrecht, die Dividende oder den Anteil am Liquidationserlös beziehen kann.

Bitte beachten Sie die Artikel zu den folgenden Stichwörtern:
Aktiengesellschaft (12 - 13)
Börse (64 - 65)
Eigentum / Besitz (86 - 87)
Gewinn (138 - 139)
Grundpfandrecht (148 - 149)
Insolvenz (164 - 165)
Investmentfonds (168 - 169)

Wertpapierpensionsgeschäfte

Die wichtigste Aufgabe der Europäischen Zentralbank (EZB) ist die Stabilisierung des Preisniveaus, d.h. die Bekämpfung von Inflation und Deflation. Seit den 80er Jahren setzte schon die Deutsche Bundesbank hierfür in zunehmendem Maße das Instrument der so genannten „Wertpapierpensionsgeschäfte" ein. Dies wurde erstmals im Jahr 1979 praktiziert und hat heute die bis dahin dominierende Diskont- und Lombardpolitik weitgehend abgelöst.

Wie der Name schon sagt, macht die EZB mit Wertpapieren ein Geschäft, indem sie diese vorübergehend „in Pension nimmt". Sie kauft die Wertpapiere von den Banken – die dafür Geld von der Zentralbank erhalten – und schließt gleichzeitig eine Vereinbarung, dass innerhalb einer kurzen Frist von zumeist ein bis zwei Wochen die Wertpapiere von den Banken zurückgekauft werden müssen (wobei das Geld wieder an die Zentralbank zurückfließt).

Der Wechsel von der Diskont- und Lombardpolitik zu den Wertpapierpensionsgeschäften hat sich durch die zunehmende Internationalität der Geldmärkte ergeben. Die deutschen Geldmarktsätze orientierten sich vorwiegend an den Diskont- und Lombardsätzen, die langfristig galten, während die internationalen Geldmarktsätze häufig sehr stark kurzfristig schwanken. So kam es oft zu Diskrepanzen und falschen Signalen am deutschen Geldmarkt. Wertpapierpensionsgeschäfte haben den Vorteil, dass man die Geldversorgung dem Wirtschaftsablauf ganz kurzfristig anpassen kann. Die Initiative hierzu liegt bei der EZB, die ca. vier Mal im Monat den Banken zusätzliches Geld anbietet. Dabei können die Dauer der Pension, der Zinssatz und die Gesamtsumme der gehandelten Wertpapiere von der EZB festgelegt werden.

Im Allgemeinen wendet die EZB bei Wertpapierpensionsgeschäften das Tenderverfahren (Ausschreibungs- bzw. Versteigerungsverfahren) an. Die EZB gibt eine Mitteilung heraus, dass sie eine bestimmte Menge Wertpapiere kaufen will, und die Banken können darauf reagieren.

Beim Mengentender werden von der EZB feste Konditionen (fester „Pensionssatz" und feste Laufzeit) vorgegeben. Die Banken bestimmen die Beträge an Zentralbankgeld, die sie haben möchten, bzw. die Menge von Wertpapieren, die sie verkaufen. Entsprechend den geldpolitischen Vorstellungen der EZB werden diese Gebote der Banken prozentual gleichmäßig gekürzt, wenn die Banken zu viel Zentralbankgeld wünschen.

Beim Zinstender teilt die EZB nur die Laufzeit mit, und die Banken müssen neben der Menge auch den Zinssatz nennen, zu dem sie Pensionsgeschäfte abzuschließen bereit sind. Die Zuteilung kann dann nach zwei Verfahren erfolgen:

Nach dem „holländischen Verfahren" legt die EZB einen aufgrund der Bankengebote ermittelten einheitlichen Zinssatz fest , bei dem von der verfügbaren Geldsumme alle Gebote bedient werden, die höher oder gleich diesem Zinssatz waren.

Nach dem amerikanischen Verfahren erhalten die Banken zu den von ihnen genannten individuellen Zinssätzen das verfügbare, kontingentierte Geld, wobei die Bieter mit den höchsten Zinssätzen vorrangig bedient werden, während die mit niedrigen Zinssätzen leer ausgehen.

Das Instrument der Wertpapierpensionsgeschäfte eignet sich wegen der kurzen Laufzeiten hervorragend zur kurzfristigen Feinsteuerung. Die EZB kann z.B. am 1. Mai 100 Mio. Euro zur Verfügung stellen, die nach einer Woche wieder zurückgezahlt werden müssen. Soll die Geldmenge schrumpfen, so schreibt die EZB für den 8.5. nur 80 Mio Euro aus; soll die Geldmenge wachsen, so kann sie mehr als 100 Mio Euro ausschreiben.

Daneben ergibt sich im Rahmen dieser Geschäfte die Möglichkeit der sehr kurzfristigen Zinsanpassung. Der Zins, der sich hier einpendelt, wird als „Leitzins" bezeichnet, d.h., er hat für alle Beteiligten am Geld- und Kapitalverkehr in den Euro-Ländern (Banken, Unternehmen, Immobilienhändler usw.) eine wichtige Orientierungsfunktion.

Das folgende Beispiel verdeutlicht die verschiedenen Tenderverfahren:
Die EZB beabsichtigt, für 50 Mio. Euro Wertpapiere für 2 Wochen zu kaufen:

Mengentender	Zinstender	
Feste Zinsvorgabe: 5%	Holländisch	Amerikanisch
Gebote	Gebote	Gebote
Bank A: 25 Mio.	Bank A: 25 Mio. zu 5,8%	Bank A: 25 Mio. zu 5,8%
Bank B: 15 Mio.	Bank B: 15 Mio. zu 5,5%	Bank B: 15 Mio. zu 5,5%
Bank C: 40 Mio.	Bank C: 40 Mio. zu 5,3%	Bank C: 40 Mio. zu 5,3%
Bank D: 20 Mio.	Bank D: 20 Mio. zu 5,1%	Bank D: 20 Mio. zu 5,1%
Zuteilung: Quotierung: 50%, weil 100 Mio. Nachfrage vorliegt.	Zuteilung: erfolgt bei 5,3%	Zuteilung:
Bank A: 12,5 Mio.	Bank A: 25 Mio. zu 5,3%	Bank A: 25 Mio. zu 5,8%
Bank B: 7,5 Mio.	Bank B: 15 Mio. zu 5,3%	Bank B: 15 Mio. zu 5,5%
Bank C: 20 Mio.	Bank C: 10 Mio. zu 5,3%	Bank C: 10 Mio. zu 5,3%
Bank D: 10 Mio.		
= 50,0 Mio.	= 50,0 Mio. Gebote zum Satz von 5,3% wurden zu 25% repartiert	= 50,0 Mio. Gebote zum Satz von 5,3% wurden zu 25% repartiert

Bitte beachten Sie die Artikel zu den folgenden Stichwörtern:

Bankensystem (48 - 49)
Europäische Zentralbank (104 - 105)
Geld (130 - 131)
Geldpolitik (132 - 133)
Inflation (158 - 159)
Preisniveau (258 - 259)
Wertpapiere (362 - 363)

Wettbewerb

Die wichtigste Grundlage einer Marktwirtschaft ist das Wettbewerbsprinzip. Es ist allerdings keine auf den ökonomischen Bereich beschränkte Erscheinung, sondern findet sich in zahlreichen Lebensbereichen nahezu aller Gesellschaften (z.B. Sportwettbewerb, Musikerwettbewerb, Wettbewerb von Studenten um einen Studienplatz, Wettbewerb von Männern um eine Frau und umgekehrt).

Das Wettbewerbsergebnis soll darin bestehen, dass dem Fähigsten der größte Erfolg zukommt, während sich die übrigen Mitbewerber mit geringeren Erfolgen begnügen müssen. Im Idealfall ergibt sich dadurch eine Rangskala nach der Leistungsfähigkeit. Der Wettbewerb ist also ein allgemeines gesellschaftliches Verfahren der Auslese und der Motivation zur Steigerung der Leistung.

Wettbewerb ist ein Verfahren zur Ermittlung bestmöglicher Problemlösungen.

Jeder Wettbewerb ist ein dynamischer Prozess, wobei im Allgemeinen das Ergebnis von vornherein unbekannt ist („Wer wird Turniersieger?"). Insofern ist der Wettbewerb auch ein Such- und Entdeckungsverfahren, das die optimale Verwertung all des Wissens einer Gesellschaft ermöglicht, das niemandem in seiner Gesamtheit gegeben und bekannt ist. Er gibt bislang unentdeckten Talenten, Verfahren, Verhaltensweisen usw. Chancen zur Durchsetzung und ist damit für eine sich entwickelnde Gesellschaft unerlässliche Voraussetzung für die Verbesserung der Lebensverhältnisse.

Für seine Wirksamkeit benötigt der ökonomische Wettbewerb die Freiheit der wirtschaftlichen Betätigung. Freiheit bedeutet, dass man Alternativen hat, sie kennt und tatsächlich ausnutzen darf und kann, sofern man dies will. Ohne Handlungsfreiheit in diesem Sinne wird es keinen Wettbewerb geben. Freiheit der wirtschaftlichen Entfaltung ist Voraussetzung des Wettbewerbs und zugleich eine Funktion des Wettbewerbs. Über die Sicherung der wirtschaftlichen Freiheitsrechte hinaus soll der Wettbewerb außerdem für gute ökonomische Marktergebnisse sorgen. Dies ist gegeben, wenn der Wettbewerb fünf Funktionen optimal erfüllt, die im Dienste wirtschaftspolitischer und übergeordneter gesellschaftspolitischer Zielsetzungen stehen. Man kann dann von „funktionsfähigem Wettbewerb" sprechen.

Ökonomische Funktionen des Wettbewerbs:

1. Verteilungsfunktion:
Der Wettbewerb soll die Einkommensverteilung nach dem Leistungsprinzip regeln. Derjenige, der die besten Leistungen am Markt erbringt, erhält den größten Gewinn bzw. das höchste Einkommen (z.B. Lohn).

2. Allokationsfunktion:
Der Wettbewerb soll sicherstellen, dass sich Produktion und Angebot von Gütern an den Bedürfnissen der Nachfrager ausrichten („Der Kunde ist König").

3. Lenkungsfunktion:
Der Wettbewerb soll die Produktionsfaktoren in ihre produktivste Verwendung lenken (höhere Löhne locken Arbeitskräfte in zukunftsträchtige Branchen; hohe Gewinne locken Kapital in Wachstumsindustrien).

4. Anpassungsfunktion:
Der Wettbewerb soll die gute Anpassung der Produktionsstruktur einer Unternehmung, einer Branche und der Volkswirtschaft an Veränderungen der wirtschaftlichen Bedingungen herbeiführen (z.B. Abbau von überflüssig gewordenen Unternehmen oder Branchen, Umstellung auf ökologisch günstigere Produktionsverfahren)

5. Anreizfunktion:
Der Wettbewerb soll Leistung belohnen und Anreize zur Durchsetzung wirtschaftlichster Produktionsmethoden geben, um Ressourcen zur Befriedigung menschlicher Bedürfnisse bestmöglichst auszunutzen.

Die drei ersten Funktionen werden auch als „statische Funktionen" bezeichnet, weil sie im Idealfall zu jedem Zeitpunkt erfüllt sein sollten. Die beiden letzten, dynamischen Funktionen betonen dagegen die Anpassung der Produktion (Output) und der Produktionsstrukturen (Input) an Veränderungen.

Die folgende Definition von Wettbewerb weist auf die wesentlichen Wettbewerbsmerkmale hin:

> **Wettbewerb ist das selbständige Streben sich gegenseitig beeinflussender Wirtschaftssubjekte nach bestmöglichen wirtschaftlichen Ergebnissen.**

Wettbewerbsmerkmale:

1. Selbständigkeit der Wettbewerbshandlungen

Selbständigkeit schließt z.B. Monopole (Alleinanbieter sowie Alleinnachfrager) und Kartelle aus, bei denen der Wettbewerb durch die vertragliche Regelung von Preisforderungen oder Mengenabsprachen ausgeschaltet wird.

2. Sich gegenseitig beeinflussende Wirtschaftssubjekte

Deutlich wird einerseits das Streben der Konkurrenten um das gleiche Ziel: Markterfolge. Die Existenz eines Marktes ist Voraussetzung für Wettbewerb.

3. Streben nach bestmöglichen wirtschaftlichen Ergebnissen

Diese Formulierung lässt das konkrete Motiv, die unternehmerische Zielsetzung von Wettbewerbshandlungen, offen. Damit vereinbar sind also alle denkbaren unternehmerischen Zielsetzungen wie z. B. kurzfristige Gewinnmaximierung, Existenzsicherung oder Umsatzmaximierung.

Wirksamer Wettbewerb, der durch Leistungssteigerung zum Nutzen der Anbieter und zugleich auch der Nachfrager (Verbraucher) beitragen soll, bedarf demzufolge gewisser Spielregeln. Diese Regeln sollen verhindern, dass sowohl Mitkonkurrenten als auch Verbraucher übervorteilt, diese also in ihrer wirtschaftlichen und gesellschaftlichen Freiheit beschnitten werden. Ein Zuviel an Wettbewerb ist bei Nichteinhaltung von Fairness-Regeln (z.B. Vertragstreue, Beachtung gesetzlicher Vorschriften) gegeben; es ist ruinöser Wettbewerb. Er ist ebenso abzulehnen wie der Mangel an Wettbewerb, der durch Umgehung der Wettbewerbsregeln zustande kommt (Absprachen, Kartelle).

Bitte beachten Sie die Artikel zu den folgenden Stichwörtern:
Einkommen (88 - 89)
Gewinn (138 - 139)
Gewinnmaximierung (140 - 141)
Kartell (176 - 177)
Monopol (228 - 229)
Motivation (230 - 231)
Ökologie (240 - 241)
Produktionsfaktoren (262 - 263)

Ein gerechter Leistungswettbewerb entsteht in der heutigen Gesellschaft nicht von selbst. Für einen funktionsfähigen Wettbewerb muss der Staat Rahmenbedingungen schaffen und muss die Einhaltung der gesetzten Spielregeln kontrollieren. Dies ist das Anliegen der Wettbewerbspolitik.

Eine Wettbewerbsbeschränkung ist jede freiwillige oder erzwungene Aufhebung, Verhinderung oder Beeinträchtigung der freien Konkurrenz am Markt durch staatliche Maßnahmen oder durch unternehmerische Initiativen

Die Wettbewerbspolitik hat die Aufgabe, Entartungen des Wettbewerbs zu verhindern. Diese Entartungen lassen sich in zwei Hauptgruppen unterteilen: in den unlauteren Wettbewerb und in die Wettbewerbsbeschränkungen, die im Folgenden näher erläutert werden.

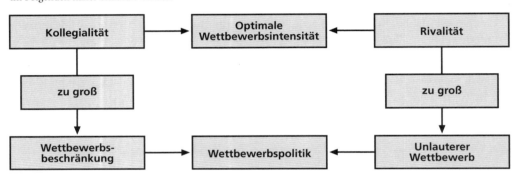

Der Begriff Wettbewerbsbeschränkung hat zwei Bedeutungen: In der ersten Bedeutung liegen Wettbewerbsbeschränkungen vor, wenn zu große Kollegialität zu Lasten der Rivalität vorliegt. Hierbei ist die Wettbewerbsintensität zwischen den Unternehmen so gering, dass es nicht mehr zu spürbarem Wettbewerb kommt. Von gleicher Relevanz ist jedoch die zweite Bedeutung. Hier handelt es sich um die Einschränkung der Wettbewerbsfreiheit anderer Unternehmungen. Unter Einschränkung der Wettbewerbsfreiheit ist eine unangemessene Einengung des Handlungsspielraums bzw. der Wahlmöglichkeiten von Marktteilnehmern zu verstehen, was ebenfalls Missbrauch von Marktmacht ist.

Wettbewerbsbeschränkungen können in natürliche und nicht korrigierbare Wettbewerbsbeschränkungen sowie in künstliche (willkürliche und nicht willkürliche) Wettbewerbsbeschränkungen unterteilt werden.

Natürliche Wettbewerbsbeschränkungen sind unvermeidliche, also nicht korrigierbare Einschränkungen des Handlungsspielraumes von Marktteilnehmern. Zu ihnen gehören der Vorteil einer erreichten besonderen Unternehmensgröße, aber auch eine besondere Ressourcenausstattung wie Klima, Rohstoffvorkommen, Begabung und Know-how.

Künstliche Wettbewerbsbeschränkungen können nicht willkürlich oder willkürlich sein.
Unter **nicht-willkürlichen Beschränkungen** sind solche zu verstehen, die nicht von Marktteilnehmern bzw. Institutionen (etwa dem Staat) herbeigeführt werden, sondern sich aus der Entwicklung des Marktes ergeben. Zu ihnen gehört beispielsweise der Mangel an Markttransparenz oder an Mobilität. Beispielsweise vermeiden es die Verbraucher, längere Wege in Kauf zu nehmen, um bei Unternehmen mit günstigeren Preisen zu kaufen.

Willkürliche Beschränkungen hingegen entstehen durch bewusste Marktmanipulation an Stelle von marktwirtschaftlicher Leistung (z.B. durch Absprachen zwischen Anbietern bzw. Nachfragern oder „Nötigung" von Kunden bzw. Lieferanten. Dadurch entsteht eine Beschränkung des Handlungsspielraumes anderer Marktteilnehmer eine Beschränkung ihrer Wettbewerbsfreiheit.

Wettbewerbsbeschränkungen

Wettbewerbsbeschränkungen können einseitiger oder mehrseitiger Natur sein:

Mehrseitige Wettbewerbsbeschränkungen beruhen auf einer Abstimmung zwischen den Wettbewerbern. Sie können durch vertragliche Vereinbarungen (Kartelle) über Preise, Mengen, Einkauf, Gebietsabsprachen oder auch durch „abgestimmtes Verhalten" (z.B. „Frühstückskartell") zustande kommen.

Einseitige Wettbewerbsbeschränkungen beruhen auf der Aktivität eines einzelnen Marktteilnehmers, wenn dieser Marktmacht besitzt und diese missbräuchlich ausnutzt.

Missbrauch von Marktmacht

Marktmacht kann durch überlegene Leistung (z.B. kostengünstigere Produktionsverfahren) sowie durch wettbewerbsbeschränkendes Verhalten (z.B. Behinderung, Verdrängung, Ausbeutung) entstehen. Missbräuchlich sind Verhaltensweisen, die bei wirksamem Wettbewerb nicht praktiziert werden könnten. Sie beschränken den Wettbewerb dadurch, dass Marktteilnehmer zu einem nicht selbst gewollten Verhalten gezwungen bzw. potenzielle Wettbewerber vom Marktzutritt abgehalten werden.

Der Missbrauch von Marktmacht lässt sich in verschiedene Gruppen aufteilen:

Diskriminierung, insbesondere Preisdiskriminierung: Diskriminierung ist die unterschiedliche Behandlung der Marktpartner ohne sachlich gerechtfertigten Grund. Preisdiskriminierung ist dabei die häufigste Praktik und kommt in vielen Formen vor. Eine besonders grobe ist der Ausbeutungsmissbrauch, bei dem ein Unternehmer seine Marktmacht dazu missbraucht, von seinen Abnehmern unangemessen hohe Preise zu fordern oder seine Macht als Nachfrager dazu einsetzen, von seinen Lieferanten unangemessene Preiszugeständnisse (etwa in Form überhöhter Rabatte) zu verlangen.

Ausschließlichkeitsbedingung: Durch diese verpflichtet ein Unternehmen seine Lieferanten, nur ihn zu beliefern, bzw. seine Abnehmer, nur seine Produkte zu vertreiben.

Kopplungsgeschäfte: Sie liegen vor, wenn der Kauf eines bestimmten Produktes mit der Verpflichtung verbunden wird, zugleich auch ein anderes Produkt abzunehmen oder andere Verpflichtungen zu übernehmen.

Liefer- und Bezugssperren: Eine rigorose Form der Behinderung besteht darin, potenziellen Kunden die Belieferung oder Lieferanten die Abnahme von Produkten zu verweigern. Dies gilt allerdings nur dann als Wettbewerbsbeschränkung, wenn die verweigernde Unternehmung Marktmacht besitzt, z.B. über ein Monopol auf ihrem Gebiet verfügt.

Vertriebsbindungen: Diese bestehen darin, dass Unternehmen ihren Abnehmern vorschreiben, welchen Kundenkreis sie zu beliefern haben bzw. in welchen Gebieten sie die Produkte zu vertreiben haben.

369

Bitte beachten Sie die Artikel zu den folgenden Stichwörtern:

Windenergie

Windenergie wird durch Windkraftwerke gewonnen, d.h. durch Anlagen, in denen eingebaute Rotoren durch Wind zum Drehen gebracht werden und dabei (wie ein Dynamo am Fahrrad) elektrische Energie erzeugen. Der Rohstoff Wind ist, wie das Sonnenlicht, die Wasserkraft oder die Biomasse, eine erneuerbare Energiequelle und steht daher zukunftssicher und nachhaltig zur Verfügung. Windenergie soll den Verbrauch von Kohle-, Gas- und Öl-Kraftwerken senken oder auch ganz ersetzen, um die Vorräte zu schonen und zur Entlastung der Umwelt beizutragen.

Die Vorteile von Windenergie

- Windkraft verringert die Importabhängigkeit von anderen Energie-Rohstoffen und stärkt die Regionalwirtschaft.
- Wind ist wie Wasser oder Holz, ein Rohstoff, der vor allem im ländlichen Raum nutzbar gemacht werden kann.
- Die Nutzung von Windkraft erfolgt ohne Freisetzung von Schadstoffen.
- Windkraft steht vor allem im Winterhalbjahr zur Verfügung und bietet daher eine ideale Ergänzungsmöglichkeit zur Wasserkraft und Sonnenenergie.
- Windkraftwerke sind technisch ausgereift, im Betrieb unproblematisch und gefahrlos.
- Windkraft erzeugt nicht nur umweltschonende Energie, sondern schafft auch zusätzliche Arbeitsplätze in der industriellen Produktion sowie in der Zulieferindustrie.
- Im Vergleich zum Erdöl- oder Erdgastransport entstehen keine Gefahren für Menschen und Umwelt.

Die Entwicklung der Energiegewinnung durch Wind

Windräder und Windmühlen sind seit Jahrtausenden in verschiedenen Erdteilen bekannt. In Deutschland wurde das Windrad seit den 70er Jahren des 20. Jh. als alternativer Energieproduzent zu traditionellen Formen in Betracht gezogen. 1973 sahen viele Industrieländer die Chance, durch die Nutzung der Windenergie von den ölexportierenden Ländern unabhängiger zu werden. 1983 wurde in Deutschland der berühmte „Growian", die größte Windkraftanlage der Welt, in Betrieb genommen. Diese Anlage hatte einen Rotordurchmesser von 100 Metern. Growian erzeugte maximal 3 Megawatt Strom, das war der Energiebedarf von ca. 4000 Haushalten. Wegen technischer Probleme stand die Anlage jedoch sehr oft still. Dieses erste Forschungsprojekt wurde im Sommer 1987 beendet und Growian abgebaut.

Seit dem Scheitern von Growian bevorzugen Energieerzeuger kleinere Anlagen, die durch eine ausgereifte Technik weniger störanfällig sind und in ganzen „Windparks" aufgestellt werden. Seit dem 1. Januar 1997 sind durch das Baugesetzbuch (BauGB) Windkraftanlagen als privilegierte Bauvorhaben eingestuft. Der Bund fördert den Bau von Windenergieanlagen.

Standorte

Es ist schwer, den richtigen Standort für Windräder zu finden. Dies stellt besonders in Deutschland ein Problem dar, denn in keinem anderen Land wird mit Windenergie so viel Strom erzeugt. Die für Windräder geeigneten Standorte sind jedoch begrenzt. Es dürfen keine Bäume bzw. Häuser in der unmittelbaren Nähe sein. Aus diesem Grund planen immer mehr Unternehmen, Windenergieanlagen im offenen Meer zu installieren. Das Meer bietet viele Vorteile. Hier weht der Wind nicht nur stärker und konstanter, auch die Baufläche ist in großer Menge vorhanden. Großen Windparks im Meer könnte die Zukunft gehören.

Kritik

Obwohl der Ausbau der Windenergie in Deutschland ungebremst weitergeht, stößt diese Form der Energieerzeugung immer mehr auf Kritik. Über 400 Bürgerinitiativen wehren sich in Deutschland gegen die Windkraftwerke. Sie befürchten eine Zerstörung des Orts- und Landschaftsbildes, durch die so genannte „Verspargelung" ganzer Regionen mit großen Mengen sehr hoher Windräder, die ein Bild wie in Utopia abgeben. Ferner können die Anwohner unter dem Lärm und der Abgabe von Infraschall leiden. Infraschall ist ein Schall unterhalb des Hörbereiches des Menschen. Er kann innere Organe zu Schwingungen anregen, die Unwohlsein, Übelkeit, Schlaflosigkeit und Kopfschmerzen zur Folge haben. Zusätzlich leiden die Anwohner unter den Sichtbehinderungen, dem so genannten „Disco-Effekt" (Licht- und Schattenwurf).

Auch der neue Standort „Meer" findet keinen positiven Zuspruch. Es ist möglich, dass die Windräder Auswirkungen auf die Unterwasserwelt haben. Fischer befürchten, dass die Wanderwege der Fische gestört werden.

In der neuesten Diskussion wird deutlich, dass die zunehmenden Windenergieerzeuger sich nur schwer in die schon vorhandene Kraftwerksstruktur integrieren lassen. Die ursprüngliche Energie aus dem Kraftwerk ist gut einteilbar und fließt in einem täglichen Rhythmus. Die Kraftwerksleistung muss dem Rhythmus genau folgen. Falls das nicht der Fall ist, schwankt die Frequenz und ein geordneter Netzbetrieb wird unmöglich. Mit dem Naturprodukt „Wind" lässt sich die Energieerzeugung jedoch nicht bedarfsgerecht steuern. Die anfallende Energie ist Zufällen unterworfen. Hier müsste ein Ausgleich durch die Speicherung zeitweiliger Überschussenergie erfolgen. Bei einer so starken Steigerung der Energiegewinnung, wie sie in den letzten Jahren stattgefunden hat, wird eine Speicherung unumgänglich.

Nachteil der Verteuerung des Strompreises

Ein Nachteil des Ausbaus der Windenergie ist die Verteuerung des Strompreises. Jedes Energieversorgungsunternehmen ist in Deutschland verpflichtet, dem Betreiber eines Windrades den Windstrom für einen Preis abzunehmen, der über den Erzeugungskosten anderer Formen von Stromerzeugung (Kohlekraftwerke, Erdgas bzw. Kernkraftwerke) liegt. Bei der gegenwärtig enormen Zunahme von Windenergieanlagen mit staatlicher Förderung wird der Strompreis daher steigen, wenn der Anteil der Windenergie steigt. Die Festlegung des hohen Abnahmepreises von Windenergie ist eine Dauersubventionierung von Windenergieanlagen. Ohne diese Subventionierung wäre die Windenergie in Deutschland nicht wettbewerbsfähig.

Windenergie ist eine sehr wichtige Errungenschaft für die Zukunft. Sie bringt jedoch noch zu viele Nachteile (sowohl ökonomische als auch technische) mit sich, die in der nächsten Zukunft beseitigt werden müssen.

371

Bitte beachten Sie die Artikel zu den folgenden Stichwörtern:
OPEC (244 - 245)
Standort (302- 303)
Subvention (308 - 309)

Wirtschaftskreislauf

Die Arbeitsteilung hat vielfältige ökonomische Transaktionen zwischen den Wirtschaftssubjekten, d.h. den Haushalten, den Unternehmungen, den staatlichen Verwaltungen und dem Ausland geschaffen: Kauf und Verkauf von Gütern, Kreditgewährung und -rückzahlung, Abgabe von Arbeitsleistungen an die Unternehmen und den Staat, Bereitstellung von Grund und Boden, Zahlung von Einkommen und Steuern usw. All diese Beziehungen lassen sich in einer graphischen Übersicht darstellen, in der die ökonomischen Transaktionen als „Ströme" und die Wirtschaftssubjekte als „Sektoren" erscheinen. Zwischen den einzelnen Sektoren fließen also verschiedene Ströme. Die Idee des „Kreislaufs der Wirtschaft" geht – in Anlehnung an den Blutkreislauf – zurück auf den französischen Arzt François Quesnay, der im Jahr 1758 sein „Tableau Economique" veröffentlichte.

Der Wirtschaftskreislauf veranschaulicht die Art und Stärke der ökonomischen Verflechtungen in einer Volkswirtschaft; er ist daneben Grundlage für die quantitative Erfassung aller wirtschaftlichen Transaktionen und die Beobachtung von Veränderungen im zeitlichen Ablauf.

Die Kreislaufdarstellung kann in Form von realen Strömen (Abgabe von Arbeitsleistungen, von Gütern usw.) oder von monetären Strömen (Zahlung von Lohn, von Konsumausgaben usw.) erfolgen. Das folgende Schaubild macht den Unterschied der Stromarten deutlich.

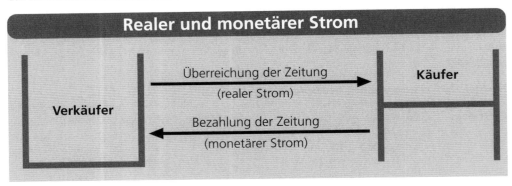

Kreislaufschemata mit quantitativen Daten werden in der Regel nur in Form von monetären Strömen dargestellt, weil sich verschiedenartige Leistungen und Güter real nicht addieren lassen. Wie sollte man Äpfel und Birnen, aber auch Haarschnitte und Rechtsberatung wohl mengenmäßig zusammenfassen? Man muss also für die Leistungen der Produktionsfaktoren die sog. Faktorleistungen (Input), und für die produzierten Güter (Output) einen Generalnenner finden. Dieser Generalnenner ist das Geld, das für die Faktorleistungen und für die Güter bezahlt wird. Bei den Faktorleistungen handelt es sich um Arbeit (Entgelt= Lohn, Gehalt, Unternehmergewinn), Kapital (Entgelt = Zinsen, Dividende, Gewinn), Boden (Entgelt = Miete, Pacht). Alle Faktorleistungen und Güter werden mit Geld bewertet und sind damit addierbar, vergleichbar. Im Rahmen der OECD-Länder hat man sich darauf geeinigt, die Faktorleistungen und die Güter zu ihren Marktpreisen zu bewerten.

Die monetären Ströme sind im Umfang (Wert) völlig identisch mit den gegenläufigen realen Strömen, da sie ja nichts anderes als die bewertete Faktorleistung bzw. Gütermenge ausdrücken.

Die heute gebräuchlichste Darstellung von Kreislaufschemata stellt auf die Sektoren

- private Haushalte
- Unternehmungen
- Staat
- Ausland
- Vermögensbildung

ab, wobei u.U. diese Sektoren noch in Untersektoren aufgeteilt sind (Staat = Gebietskörperschaften, Sozialversicherung u.a.m.) und sehr genau definierte Funktionen ausüben:

Die Funktionen der privaten Haushalte, die im Wirtschaftskreislauf berücksichtigt werden, sind an den Strömen ablesbar, die den Sektor „Haushalte" (im Schaubild) tangieren. Es sind die Lieferung von Faktorleistungen (in Form von Arbeit, Boden und Kapital), Kauf von Konsumgütern und Verzicht auf Konsum = Sparen. Nicht erfasst werden Tätigkeiten innerhalb eines Haushalts wie Kochen, Nähen, Erziehen usw. Unternehmen in dem hier geltenden Sinne sind alle Stätten, in denen zum Zwecke der Produktion von Gütern Faktorleistungen eingesetzt werden. Auch der Staat greift in verschiedensten Formen in den Wirtschaftsablauf ein und wird als Wirtschaftssubjekt tätig. Im Kreislaufschema lässt sich die Fülle der Aktivitäten als Ströme zu den anderen Sektoren darstellen.

Das folgende Schaubild zeigt abschließend einen Wirtschaftskreislauf unter Einbeziehung des Auslandes und des Staates.

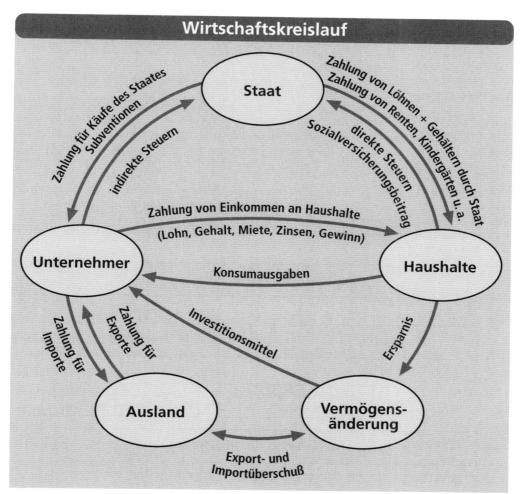

Wirtschaftskreislauf

Bitte beachten Sie die Artikel zu den folgenden Stichwörtern:

WTO ist die Abkürzung für World Trade Organisation (Welthandelsorganisation). Sie ist in der internationalen Handels- und Wirtschaftspolitik die dritte Säule neben der Weltbank und dem Internationalen Währungsfonds (IWF).

Die WTO wurde am 1. Januar 1995 als Nachfolgeinstitution für das Allgemeine Zoll- und Handelsabkommen GATT (General Agreement on Tariffs and Trade) gegründet.

Von der GATT zur WTO

Über die Schaffung einer WTO wurde bereits zum Abschluss des Zweiten Weltkriegs verhandelt, jedoch kam man seinerzeit nur zu einem Teilergebnis in Form des GATT, das am 01. Januar 1948 in Kraft gesetzt wurde. Es war nur ein internationales Handelsabkommen, das sich aber im Laufe der Jahre zu einer internationalen Organisation entwickelte und in seinen Aufgaben das GATT erweiterte: Die Zölle wurden weltweit gesenkt, es fand eine ständige Aufnahme neuer Mitglieder statt und es wurden Verhandlungen zur Bekämpfung von Handelshemmnissen geführt.

Dennoch strebte man ständig nach einer umfassenden Regelung der weltwirtschaftlichen Probleme zwischen den Ländern. In der sog. „Uruguay-Runde" ging dann nach elf Jahren Verhandlungen am 15. Dezember 1993 ein neues, sehr umfangreiches Vertragswerk hervor. Die neue WTO-Rechtsordnung trat am 15. Januar 1995 in Kraft. Viele WTO-Mitglieder sind der Meinung, dass ohne einen Abschluss der Uruguay-Runde der komplette Handel zusammengebrochen wäre.

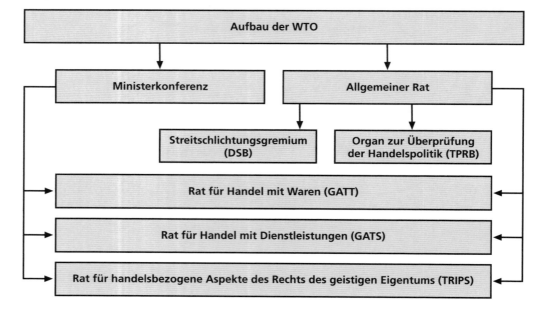

1995 wurde das GATT von der WTO abgelöst. Ihr Sitz befindet sich in Genf. Bisher verfügt die Organisation über 146 Mitgliedstaaten.

Das oberste Organ der WTO ist die **Ministerkonferenz**. Diese trifft sich alle zwei Jahre mit den Vertretern aller Mitgliedsstaaten. Die Ministerkonferenz ist das politische Leitorgan der WTO, welches die Rechtshoheit besitzt. Außerdem setzt die Ministerkonferenz einzelne Räte ein, welche sich mit Handel und Entwicklung, Zahlungsbilanz-Problemen sowie Haushalts- , Finanz- und Verwaltungsfragen befassen.

Der **Allgemeine Rat** der WTO übernimmt die Aufgaben der Ministerkonferenz zwischen den Tagungen. Es ist das zentrale ausführende Organ der WTO und besteht, wie die Ministerkonferenz, aus den Vertretern der Mitgliedsstaaten. Die Zusammenkunft findet ein Mal im Monat statt. Der Allgemeine Rat verfügt zusätzlich über ein Streitschlichtungsgremium (DSB) und über ein Organ zur Überprüfung der Handelspolitik (TPRB). Er ist somit das wichtigste Organ der WTO.

Der Ministerkonferenz und dem Allgemeinem Rat untergeordnet, befindet sich ein Rat für Handel mit Waren (GATT), ein Rat für Handel mit Dienstleistungen (GATS) und ein Rat für die Rechte des geistigen Eigentums (TRIPS). Alle Räte haben Komitees, Arbeitsgruppen und andere Organe, die sich mit spezifischen Gesichtspunkten der WTO-Rechtsordnung befassen.

Welche Ziele verfolgt die WTO?

Ziel des GATT und der WTO war und ist die Erweiterung des Freihandels. In die Erweiterung des Freihandels ist jedoch nun neben dem Warenhandel auch der Dienstleistungsbereich und die Sicherung des geistigen Eigentums einbezogen. Weitere Ziele der WTO sind:

*   Weitere Senkungen der Zölle
*   Entlastungen der Länder sowie Abbau von Handelshemmnissen
*   Erhöhung des Einkommens sowie Sicherung des Lebensstandards
*   Schaffung von Vollbeschäftigung
*   Förderung der Ausweitung der Produktion
*   Beste Nutzung der weltweiten Ressourcen
*   Einbezug der Entwicklungsländer in das Handeln der Industrieländer

Die Streitschlichtung der WTO

Ein sehr wichtiges Ziel der WTO ist die Streitschlichtung. Zur Erreichung dieses Zieles wurde das Streitschlichtungsgremium (DSB) gegründet. Es verfolgt auch heute noch das Ziel, Streitigkeiten zwischen den WTO-Mitgliedern zu verhindern. Diese Streitschlichtungen können nur von Mitgliedsstaaten der WTO in Anspruch genommen werden. Als rechtliche Grundlage der WTO-Streitschlichtung gilt ein Regelwerk. Es wird DSU genannt und enthält Vereinbarungen über Regeln und Verfahren zur Beilegung von Streitigkeiten zwischen Handelspartnern.

Bitte beachten Sie die Artikel zu den folgenden Stichwörtern:
Eigentum /Besitz (86 - 87)
Einkommen (88 - 89)
Entwicklungsländer (94 - 95)
IWF (170 - 171)
Zahlungsbilanz (376 - 379)

In der Zahlungsbilanz werden alle ökonomischen Vorgänge zwischen Inland und Ausland aufgezeichnet. Sie gibt einen Überblick über die Verflechtungen einer Volkswirtschaft und die Entwicklung der Devisenbestände eines Landes

Das System der Zahlungsbilanz wird am Beispiel der Bundesrepublik Deutschland im Jahr 2002 erläutert (Werte in Mrd. Euro). Die Zahlungsbilanz besteht aus mehreren Teilbilanzen, in denen jeweils bestimmte Arten von wirtschaftlichen Transaktionen registriert werden:

1. Die Handelsbilanz

In der Handelsbilanz sind die Ausfuhren (Exporte) und die Einfuhren (Importe) von Waren angeführt.

Handelsbilanz		
Importe	Exporte	Devisenbestand
527,9	648,3	+ 120,4

Im Jahr 2002 sind für 120,4 Mrd. Euro mehr Waren exportiert als importiert worden. Dieser Überschuss wird zu einer entsprechenden Erhöhung des Devisenbestandes beitragen.

2. Die Dienstleistungsbilanz

Auch im Dienstleistungsbereich findet ein intensiver internationaler Austausch statt. Fluggäste fliegen mit Luftverkehrsgesellschaften anderer Länder, Touristen besuchen das Ausland, Unternehmen nutzen Patente und Lizenzen ausländischer Firmen u. a. m.

Dienstleistungsbilanz		
Importe	Exporte	Devisenbestand
152,1	113,8	- 38,3

Deutschland hat im Jahr 2002 für 38,3 Mrd. Euro mehr Dienstleistungen aus dem Ausland in Anspruch genommen, als das Ausland von Deutschland in Anspruch nahm. Bei diesem Defizit spielte der Tourismus die wichtigste Rolle.

Den Saldo der zusammengefassten Handels- und Dienstleistungsbilanz bezeichnet man als Außenbeitrag. Die Bundesrepublik hatte also 2002 einen positiven Außenbeitrag in Höhe von 82,1 Mrd. (Handelsbilanz +120,4 Dienstleistungsbilanz −38,3).

3. Bilanz der Erwerbs- und Vermögenseinkommen

Die zunehmende internationale Verflechtung führt dazu, dass immer häufiger Beschäftigte ihr Einkommen im Ausland erwerben und Anleger von Kapital ihre Kapitalerträge (Gewinne, Zinsen, Dividenden) aus dem Ausland erhalten. Daraus ergibt sich für die Bundesrepublik Deutschland folgende Wirkung:

Bilanz der Erwerbs- und Vermögenseinkommen		
Ausgaben	Einnahmen	Devisenbestand
116,1	109,4	- 6,7

Von den 116,1 Mrd. Euro Ausgaben entfallen nur 4,9 Mrd. auf die Zahlungen für unselbständig Beschäftigte, obwohl in der Bundesrepublik Deutschland eine sehr hohe Zahl von ausländischen Arbeitnehmern tätig ist. Diese werden jedoch in der Zahlungsbilanz wie Deutsche behandelt, wenn sie ihren Wohnsitz in der Bundesrepublik haben. Die 4,9 Mrd. entfallen also auf Menschen, die im Ausland wohnen, aber in der Bundesrepublik arbeiten, d. h. vorwiegend „Grenzgänger".

4: Bilanz der Übertragungen

Häufig werden von Staaten Zahlungen geleistet, ohne dass eine direkte Gegenleistung erfolgt. Hierzu rechnen Zahlungen zur Finanzierung von internationalen Organisationen (z. B. UNO, Europäische Union), Geldüberweisungen an Familienangehörige im Ausland u. a. m. Die Bilanz sieht aus der Sicht Deutschlands wie folgt aus:

Bilanz der Übertragungen		
Ausgaben	Einnahmen	Devisenbestand
43,6	17,0	- 26,6

Deutschland hat im Jahr 2002 solche Zahlungen in Höhe von 43,6 Mrd. Euro geleistet und 17 Mrd. Euro erhalten. Insbesondere die Zahlungen an die Europäische Union wogen hier mit netto 11,2 Mrd. Euro sehr hoch, während die Überweisungen der ausländischen Arbeitnehmer an ihre Familien jährlich nur bei 3 - 4 Mrd. Euro liegen.

Zusammenfassung von 1 - 4:   die Leistungsbilanz

Fasst man die bisherigen vier Bilanzen zusammen, so erhält man die Leistungsbilanz, die ein Gesamtbild aller Aktivitäten vermittelt.

Leistungsbilanz			Devisenbestand
Waren	-527,9	+648,3	+120,4
Dienste	-152,1	+113,8	-38,3
Einkommen	-116,1	+109,4	-6,7
Übertragung	-43,6	+17,0	-26,6
Summe	**-839,7**	**+888,5**	**+48,8**

Es zeigt sich daran, dass die Bundesrepublik für das Ausland Leistungen im Umfang von 888,5 Mrd. erbracht und im Umfang von 839,7 Mrd. in Anspruch genommen hat. Daraus ergibt sich, dass Deutschland in Höhe von 48,8 Mrd. Euro mehr Ansprüche auf Devisen aus diesen Aktivitäten an das Ausland hat als das Ausland an Deutschland. Die Leistungsbilanz ist ein Maßstab dafür, inwieweit in einem Land „außenwirtschaftliches Gleichgewicht" herrscht. Dies wäre dann der Fall, wenn beide Seiten der Leistungsbilanz gleich groß wären. Die Bundesrepublik Deutschland hatte also 2002 kein außenwirtschaftliches Gleichgewicht, sondern eine positive Leistungsbilanz. Man spricht auch von „positiver Zahlungsbilanz", obwohl die Zahlungsbilanz mehr umfasst als nur die obigen vier Bilanzen, aus denen die Leistungsbilanz besteht.

Um die Zahlungsbilanz zu vervollständigen, kommen neben den Positionen der Leistungsbilanz noch die „Bilanz des Kapitalverkehrs" sowie die „Bilanz der Veränderung der Auslandsaktiva der Zentralbank", die auch „Gold- und Devisenbilanz" genannt wird, hinzu.

Aus diesen Bilanzen wird deutlich, in welchem Umfang die sich aus der Leistungsbilanz ergebenden Guthaben und Schulden bereits beglichen sind bzw. weiterhin bestehen und in welchem Umfang Kapitalanlagen (z. B. Käufe von Wertpapieren) im Ausland stattfinden.

5. Die Bilanz des Kapitalverkehrs

In ihr werden Veränderungen der Guthaben und Schulden zwischen In- und Ausland registriert. Diese können sich aus den Aktivitäten ergeben, die in der Leistungsbilanz angeführt sind, sie können aber auch durch Aufnahme und Tilgung von Krediten, durch Direktinvestitionen und Käufe oder Verkäufe von Wertpapieren im Ausland zustande kommen. Im Jahr 2002 sah dies für die Bundesrepublik wie folgt aus:

Bilanz des Kapitalverkehrs		
Zunahme von Guthaben bzw. Abnahme von Schulden	Abnahme von Guthaben bzw. Zunahme von Schulden	Saldo
172,3	251	-78,7

Der negative Saldo von 78,7 Mrd. Euro kann so verstanden werden, dass Deutsche sich im Ausland im höheren Maße verschuldet haben als Ausländer in Deutschland bzw. dass Ausländer mehr in Deutschland investiert haben als Deutsche im Ausland: Es hat ein Kapitalimport stattgefunden, d. h. die Forderungen des Auslandes gegenüber der Bundesrepublik haben um 78,7 Mrd. Euro zugenommen.

6. Veränderung der Netto-Auslandsaktiva der Bundesbank (Gold und Devisen)

Die Deutsche Bundesbank registrierte im Jahr 2002 Zuflüsse von Währungsreserven in Höhe von 2,1 Mrd. Euro. In der Zahlungsbilanz erscheint dieser Wert wie folgt:
Veränderung der Netto-Auslandsposition der Bundesbank (Gold und Devisenbilanz)

Währungsreserven	
Zufluss	Abfluss
2,1	

7. Bilanz der Restposten (Statistisch nicht aufgliederbare Transaktionen)

Die in der Leistungsbilanz registrierten Aktivitäten haben im Jahr 2002 zu Zahlungsansprüchen Deutschlands in Höhe von 48,8 Mrd. geführt. Da aus der Kapitalverkehrsbilanz ein ausländischer Forderungszuwachs von sogar 78,7 Mrd. sichtbar wird, bedeutet dies, dass Deutschland die Zahlungsansprüche von 48,8 Mrd. nicht nur erfüllt hat, sondern darüber hinaus Zuflüsse von Devisen nach Deutschland erfolgt sind. Diese machten allerdings nicht – wie man aufgrund der Differenz von 78,7 Mrd. zu 48,8 Mrd. denken mag – 29,9 Mrd. aus, sondern nur, wie wir gesehen haben, 2,1 Mrd. Die sich dabei zeigende Differenz von 27,8 Mrd. wird in der Zahlungsbilanz unter der Position „Statistisch nicht aufgliederbare Transaktionen" erfasst. Hierunter versteht man sog. „Restposten", deren exakte Zuordnung im internationalen Güter- und Kapitalverkehr auf statistische Schwierigkeiten stößt. Die Zahlungsbilanz wird also durch eine Registrierung dieser „Restposten" ergänzt, die zusätzliche 27,8 Mrd. Zahlungsversprechen des Auslands gegenüber Deutschland darstellen.

Statistisch nicht aufgliederbare Transaktionen (Restposten)	
Verminderung deutscher Forderungen	Verminderung deutscher Schulden
	27,8

Zusammenfassung: die Zahlungsbilanz

Stellt man alle sieben angeführten Positionen zusammen, so ergibt sich folgendes Bild:
Außenwirtschaftliche Transaktionen der Bundesrepublik Deutschland 2002 (Mrd. Euro)

Waren	-527,9	+648,3
Dienste	-152,1	+113,8
Einkommen	-116,1	+109,4
Übertragung	-43,6	+17,0
Kapitalverkehr	-251,0	+172,3
Restposten		+27,8
Devisen		+2,1
Summe	**-1.090,7**	**+1.090,7**

Man sieht daran, dass die Zahlungsbilanz immer ausgeglichen ist, weil sich reale Leistungen und daraus resultierende Zahlungsansprüche bzw. -verpflichtungen ausgleichen. Wenn also von Überschüssen oder Defiziten der Zahlungsbilanz die Rede ist, so meint man eigentlich den Saldo, der sich bei der Leistungsbilanz ergibt. Er ist auch der Maßstab für das im Stabilitätsgesetz genannte „außenwirtschaftliche Gleichgewicht".

Verfolgt man die Entwicklung der Leistungsbilanz in den letzten 30 Jahren, so hatte Deutschland in der Zeit von 1975 - 1978 und 1982 - 1990 Leistungsbilanzüberschüsse, die 1989 sogar über 50 Mrd. Euro erreichten. Von 1979 - 1981 war die Leistungsbilanz aufgrund der 2. Ölkrise negativ. Die sehr gemischte Entwicklung seit 1991 ist sicher auf die Probleme der Integration von Bundesrepublik und DDR zurückzuführen.

Leistungsbilanz 2003
Handelsbilanz

Export von Waren	663,6	Import von Waren	530,3
		Exportüberschuß	133,3

Dienstleistungsbilanz

Importüberschuß	45,2		

Erwerbs- und Vermögenseinkommensbilanz

Überschuß der Zahlungen an das Ausland	12,5		

Bilanz der Übertragungen

Überschuß der Zahlungen an das Ausland	28,8		

Leistungsbilanz

Exportüberschuß Waren	133,3	Importüberschuß Dienste	45,2
		Einkommen an das Ausland	12,5
		Übertragungen an das Ausland	28,8
		Leistungsbilanzüberschuß	46,8
Summe	133,3	Summe	133,3

Bitte beachten Sie die Artikel zu den folgenden Stichwörtern:

Bilanz (60 - 61)
Einkommen (88 - 89)
EU (96 - 97)
Gewinn (138- 139)
Kredit (192 - 193)
Wertpapiere (362 - 363)

Zeitarbeit

In Zeiten einer hohen Arbeitslosigkeit gewinnt das Schlagwort „Zeitarbeit" ebenso an Bedeutung wie die Diskussion um die „Arbeitszeitverkürzung". Man erhofft sich mit „Zeitarbeit" eine umfangreichere Eingliederung von Arbeitnehmern in den Arbeitsprozess und damit eine Reduzierung der Arbeitslosigkeit.

Zeitarbeit ist eine Organisationsform des Arbeitsmarktes, bei der Zeitarbeitsunternehmen Arbeitskräfte einstellen, um diese für begrenzte Zeiträume an andere Unternehmen auszuleihen.

Zeitarbeitsunternehmen engagieren Mitarbeiter, die dann flexibel – jeweils für einen bestimmten Zeitraum – an Unternehmen ausgeliehen werden, die kurz- bis mittelfristigen Bedarf haben, z.B. als Urlaubsvertretung, bei kurzfristigen Kapazitätssteigerungen u.a. Hierbei wird deutlich, dass an diesem Prozess stets drei Parteien beteiligt sind:

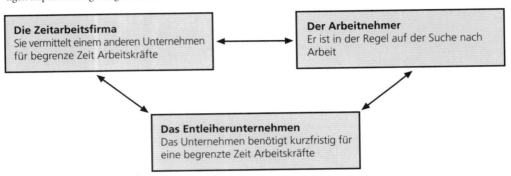

Die Zeitarbeitsfirma
Sie vermittelt einem anderen Unternehmen für begrenze Zeit Arbeitskräfte

Der Arbeitnehmer
Er ist in der Regel auf der Suche nach Arbeit

Das Entleiherunternehmen
Das Unternehmen benötigt kurzfristig für eine begrenzte Zeit Arbeitskräfte

Welche Vor- und Nachteile hat der Arbeitnehmer?

Die Zeitarbeit stellt hohe Anforderungen an den Arbeitnehmer. Da er oft das Unternehmen wechselt, sollte er flexibel, belastbar, freundlich, kooperativ, lernwillig und offen sein. Er sollte sich weiterhin problemlos in Firmenstrukturen durch eine gute Menschenkenntnis eingliedern können. Als Zeitarbeitnehmer ist der Arbeiter eine Art „kurzfristige Feuerwehr". Er hat, anders als die fest angestellten Mitarbeiter, ständige Umstellungen und Anpassungen an neue Unternehmen und Situationen zu bewältigen; ihm wird eine hohe Arbeitsintensität bei besonderer Leistungskontrolle abverlangt, und dies bei einem doch meist fehlenden Zugehörigkeitsgefühl zu den Unternehmungen, in denen er seine Leistung zu erbringen hat.

Es ist jedoch wichtig, auch die Vorteile hervorzuheben. Die Zeitarbeit kann einem Arbeitnehmer viele Türen öffnen. So kann er durch die verschiedenen Tätigkeiten in unterschiedlichen Unternehmen eine Fülle von Berufserfahrungen sammeln. Zeitarbeit bietet auch eine Chance für Berufseinsteiger, sich im Berufsleben orientieren zu können und Kontakte zu Arbeitgebern zu knüpfen.

Was muss die Zeitarbeitsfirma dem Arbeitnehmer bieten?

Die Zeitarbeit ist gesetzlich geregelt. Jede Zeitarbeitsfirma benötigt eine Lizenz der Bundesagentur für Arbeit. Des weiteren bietet die Zeitarbeit soziale Sicherheit. Mit dem Arbeitnehmer wird ein schriftlicher Arbeitsvertrag für ein Vollzeit-Arbeitsverhältnis abgeschlossen. Der Arbeitsvertrag ist in der Regel unbefristet. Zeitarbeitunternehmen sind normale Arbeitgeber, wie andere Unternehmen auch. Das heißt, für den Zeitarbeitnehmer gelten alle üblichen Bestimmungen für Rentenversicherung, Krankenversicherung, Arbeitslosenversicherung, Unfallversicherung, Arbeitsschutz, Kündigungsschutz und vieles andere mehr. Zeitarbeitnehmer haben zudem einen Anspruch auf bezahlten Urlaub, Lohnfortzahlung im Krankheitsfall sowie eine Lohnfortzahlung, wenn das Zeitarbeitsunternehmen keinen Einsatz für den Zeitarbeitnehmer hat.

Vorteile für das Entleiherunternehmen

Unternehmen haben häufig das Problem von Personalengpässen z.B. wenn Mitarbeiter wegen Krankheit bzw. Urlaub ausfallen. Mit Hilfe von Zeitarbeitnehmern haben sie die Möglichkeit, Arbeitsausfälle zu verhindern. Auch bei Auftragsspitzen können sie auf zusätzliche Arbeiter zurückgreifen. Das Angebot von Zeitarbeitsunternehmen bietet den Entleiherunternehmen also die Möglichkeit zur Steuerung und Optimierung des eigenen Personalbedarfs.

Weitere Vorteile sind beispielsweise das unverbindliche Kennenlernen von potenziellen zukünftigen festen Mitarbeitern. Das Risiko einer Fehlbesetzung fällt weg, das heißt, das Entleiherunternehmen muss sich an keinerlei Kündigungsfrist binden bzw. Ausfallgelder zahlen.

Im Vergleich zu den Vorteilen sind die Risiken nur gering. Ein Risiko besteht darin, dass der Zeitarbeitnehmer nicht auf die spezialisierte Stelle passt und seine Leistungen unzureichend sind. Das Entleiherunternehmen haftet zudem für alle Schäden, die vom Zeitarbeitnehmer verursacht wurden.

Zeitarbeit in Deutschland im Vergleich zu anderen Ländern

In den letzten Jahren hat sich eindeutig herausgestellt, dass Zeitarbeit die Beschäftigung erhöht. Der überwiegende Teil der in der Zeitarbeit beschäftigten Frauen und Männer waren vorher ohne Beschäftigung. Auch auf Arbeitgeberseite neigt man zunehmend der Zeitarbeit zu. Trotzdem hat die Zeitarbeit in Deutschland noch immer einen schlechten Ruf. Zeitarbeitsunternehmen gelten als „moderne Sklaventreiber". In anderen Ländern, vor allem in den Niederlanden und Großbritannien, hat die Zeitarbeit eine wesentlich größere Bedeutung und gilt sogar als sehr beliebt. Der Grund dafür ist, dass die Zeitarbeitsunternehmen mit den Arbeitsämtern in diesen Ländern eng zusammenarbeiten. Es werden sogar öffentliche Verwaltungsangestellte, wie z.B. Polizisten, vermittelt. Ein weiterer Grund für die enorme Befürwortung der Zeitarbeit in diesen Ländern ist, dass sich Schulabgänger einen Einstieg in den Arbeitsmarkt erhoffen. Sie erhalten die interessante Möglichkeit von Einblicken in verschiedene Unternehmen und Berufe. Sie können Erfahrungen sammeln und ihren Horizont erweitern. Sehr viele Arbeitseinsätze in den Niederlanden enden in einem festen Arbeitsverhältnis.

In Deutschland muss offensichtlich erst das Klima für diese ungewöhnliche Vermittlungsform geschaffen werden, denn die existierenden Zeitarbeitsunternehmen stehen noch vor großen Problemen.

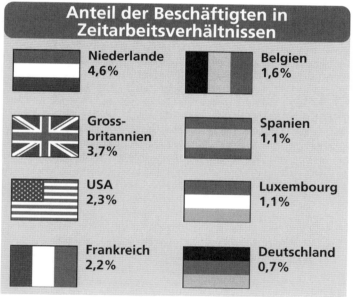

Anteil der Beschäftigten in Zeitarbeitsverhältnissen

Niederlande 4,6%	**Belgien** 1,6%
Gross-britannien 3,7%	**Spanien** 1,1%
USA 2,3%	**Luxembourg** 1,1%
Frankreich 2,2%	**Deutschland** 0,7%

Quelle: www.bad-gmbh.de